D0901340

Le pacte des elfes-sphinx

Tome II

L'héritière des silences

Paru

- *Le pacte des elfes-sphinx
  tome I : Mélénor de Gohtes*

À paraître

- *Le pacte des elfes-sphinx
  tome III : La déesse de cristal*

Louise Gauthier

Le pacte des elfes-sphinx

Tome II

L'héritière des silences

 Éditions de Mortagne

Données de catalogage avant publication (Canada)

Gauthier, Louise, 1957-

Le pacte des elfes-sphinx

Sommaire: t. 1. Mélénor de Gothes -- t. 2. L'héritière des silences.

ISBN 2-89074-708-5 (v. 1)
ISBN 2-89074-719-0 (v. 2)

I. Titre. II. Titre: Mélénor de Gothes. III. Titre: L'héritière des silences.

PS8613.A965P32 2005   C843'.6   C2005-940373-X
PS9613.A965P32 2005

Édition
Les Éditions de Mortagne
Case postale 116
Boucherville (Québec)
J4B 5E6

Distribution
Tél. : (450) 641-2387
Téléc. : (450) 655-6092
Courriel : edm@editionsdemortagne.qc.ca

Tous droits réservés
Les Éditions de Mortagne
© Copyright Ottawa 2006

Dépôt légal
Bibliothèque nationale du Canada
Bibliothèque nationale du Québec
Bibliothèque Nationale de France
1er trimestre 2006

ISBN : 2-89074-719-0

1 2 3 4 5 – 06 – 10 09 08 07 06

Imprimé au Canada

Nous reconnaissons l'aide financière du gouvernement du Canada par l'entremise du Programme d'aide au développement de l'industrie de l'édition (PADIÉ) et celle du gouvernement du Québec par l'entremise de la Société de développement des entreprises culturelles (SODEC) pour nos activités d'édition. Gouvernement du Québec – Programme de crédit d'impôt pour l'édition de livres – Gestion SODEC.

À Lise, ma mère

Parfois, il gronde le piano
Sol, fa, si, do, si haut, si beau
Il vibre là, contre mon cœur
Mais non, mais non, je n'ai pas peur

Les noires, les blanches, tes doigts gouvernent
Ma voix timide cherche la tienne
Tes mains précieuses sont magiciennes
Elles dansent, elles volent, souveraines

Surgie d'un rêve comme d'un ruisseau
La musique coule sur ma peau
Saisit mon âme, oh ! que c'est chaud
Quand je serai grande, j'aurai des mots.

REMERCIEMENTS

Je désire remercier tous ceux qui, ayant lu le premier volet des aventures de Mélénor, m'ont fait part de leurs commentaires, de leurs appréciations et de leur enthousiasme. C'est pour vous tous que j'écris, portée par le souhait de rendre agréable votre voyage au cœur de mon univers.

Des remerciements particuliers à Carolyn Bergeron pour sa collaboration inestimable et sa grande générosité.

Merci à Chantal et à Lise pour nos soirées folles à recréer ce monde et ceux où nous nous retrouvons, telles des âmes sœurs.

Je ne peux passer sous silence la patience de celui qui partage ma vie et, par le fait même, mes inévitables tourments d'auteur. Merci Robert.

Enfin, je voudrais dire de nouveau ma gratitude aux Éditions de Mortagne. Je remercie toute l'équipe qui sait se montrer aussi chaleureuse que professionnelle. C'est un plaisir de travailler avec chacun de vous.

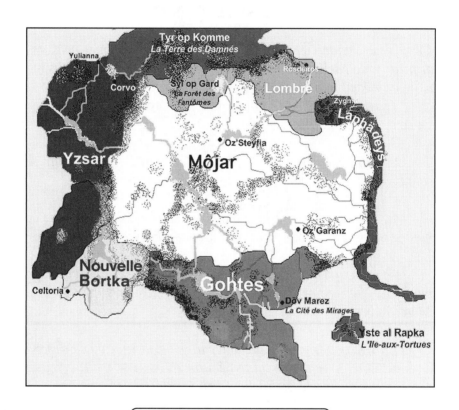

Carte du continent d'Anastavar

Le cours des saisons d'Anastavar

Printemps	Lunes des pluies
	Lunes des torrents
	Lunes des fleurs
Été	Lunes douces
	Lunes torrides
	Lunes étoilées
Automne	Lunes des moissons
	Lunes des couleurs
	Lunes des vents
Hiver	Lunes de givre
	Lunes de neige
	Lunes de blizzard

Prologue

Le jour de son mariage, Mélénor a vingt-quatre ans, une énergie débordante, du courage, une fierté chatouilleuse et un charme fou. Parce qu'il n'est qu'à moitié humain, le souverain du pays de Gohtes possède aussi certaines caractéristiques de la race des elfes-sphinx. En dépit de son jeune âge, déjà rompu à l'exercice du pouvoir, il est convaincu de la justesse de son jugement. Pour fiancée, il choisit donc Isadora, une demoiselle orpheline qui l'enchante par sa beauté et son talent. Toutefois, peu de temps après leur union, la reine se révèle d'un tempérament profondément instable, et la lune de miel des monarques prend vite un arrière-goût de fiel.

Alors que sa capricieuse épouse attend leur premier enfant, Mélénor part pour un long périple, qui lui permet de laisser libre cours à sa nature indépendante et volage. Pendant son voyage, cependant, il doit faire face à des réalités troublantes qui le conduisent à une inévitable conclusion : la guerre. La victoire dont il avait tant rêvé est souillée par l'amertume quand son allié, Verlon Kom Yzsar, fait un geste aussi incompréhensible que déshonorant, en exécutant sournoisement le roi défait, Trevör Oks Bortka. Dès lors, la révolte gronde dans les territoires vaincus. Cette révolte résonne aussi dans l'âme de Mélénor, qui réprouve les moyens extrêmes qu'il est forcé d'utiliser. En effet, la situation devient si périlleuse dans les territoires de Bortka, qu'il doit recourir à la répression pour éviter que le pays ne sombre dans une sauvage guerre civile.

Désireux de retrouver l'affection du peuple de Gohtes, le roi décide de retourner chez lui pour un bref séjour. Par la même occasion, il espère renouer avec Isadora et se familiariser avec son nouveau rôle de père. L'enfant, une petite elfe-sphinx, se nomme Thelma. Mélénor se dit très fier de sa princesse mais, en son for intérieur, il ne peut se mentir : il aurait préféré un héritier mâle.

Lorsque le jeune roi découvre qu'il a été l'objet d'un complot habilement ourdi par les traîtres de Yzsar, ses préoccupations personnelles sont reléguées au second plan. Mélénor ne rêve plus que de repartir pour le pays de Bortka, où il entend rétablir la vérité et redresser les torts.

Au même instant, dans une maisonnette de la Cité des Mirages, un drame se joue sous les yeux de Mauhna, l'aïeule de Mélénor. La magicienne ne peut rien pour secourir la duchesse Leila Ez Breaimes : celle-ci se meurt, son corps refusant de guérir après une tentative d'avortement. L'enfant non désiré survit pourtant. Il s'agit d'une petite elfe-sphinx présentant l'apparence d'un bébé panthère. Cette fillette n'aurait jamais été conçue par le roi de Gohtes et son amie Leila si une robe enchantée ne les avait jetés dans les bras l'un de l'autre : cadeau empoisonné de Delia, l'inquiétante épouse du roi de Yzsar.

Avant de quitter Döv Marez, le jeune roi reçoit une visite inattendue : Muscade, sa douce maîtresse d'Oz'Garanz. Sous le coup de ses nombreuses déceptions, Mélénor cède à sa passion et entraîne sa bien-aimée dans ses appartements. Quand Isadora surprend les amants, Muscade abandonne

14

Mélénor, et le roi malheureux se demande si l'amour aura jamais une place dans son exigeante existence. Combien lui coûtera cette dernière insouciance ?

Informés de certains faits, les aïeux magiciens du roi de Gohtes, Hµrtö et Mauhna, soupçonnent qu'un puissant rival s'est libéré d'un ensorcellement qui le gardait prisonnier. Les maîtres de magie hésitent à mettre Mélénor en garde. Pourquoi alerter le roi sur la base de simples présomptions, alors qu'il est déjà débordé par ses propres soucis ? Les sorciers se disent qu'il sera toujours temps d'informer leur petit-fils que Verlon et Delia ne sont peut-être pas les seuls à menacer les habitants du continent d'Anastavar.

Au lendemain de ces événements, le roi de Gohtes doit relever deux énormes défis : regagner la confiance de son épouse et celle du peuple vaincu de Bortka. Cette fois, cependant, sa nature charmante ne suffira pas à réparer les offenses et il devra démontrer autant de détermination que de repentir.

À Isadora, il promet une fidélité indéfectible. La reine refuse de croire à une pareille métamorphose ; dès que son mari se trouve loin d'elle, elle l'imagine dans les bras de ses maîtresses. Conséquemment, elle le repousse avec froideur. Il faut avouer que la situation ne se prête guère au raccommodement. Mélénor doit s'absenter souvent pour s'acquitter de ses devoirs dans les terres annexées de ce qu'on nomme désormais la Nouvelle-Bortka. Là-bas, au fil des ans, le souverain vainqueur gagne la faveur du peuple, mais pas celle de la noblesse, qui lui oppose une résistance farouche.

En dépit de l'éloignement et du scepticisme de sa femme, le roi tient pourtant parole et se comporte en époux fidèle. En fait, depuis sa douloureuse rupture avec Muscade, Mélénor a renoncé aux jeux ravageurs de la séduction.

Évidemment, le roi sait encore apprécier la grâce des belles dames : il les traite toujours avec galanterie mais, s'il voit naître dans leurs yeux une convoitise indue, il s'éclipse en prétextant des affaires urgentes. « On ne sait jamais ce qui se cache sous les traits innocents d'une demoiselle. » Il en a pour preuve son propre mariage.

À ce rythme de retrouvailles et de séparations, souvent déchirantes, il faudra trois longues années avant que le roi revienne dans les bonnes grâces de son épouse. En vérité, Isadora doute toujours de la loyauté de son mari, mais sa solitude devient trop pesante. Elle a de plus en plus de mal à résister à son bel amant : elle l'adore, en dépit de tous les défauts qu'elle lui prête, à tort ou à raison.

Ignorant le scepticisme de la reine, le roi apprend à tolérer ses extravagances. Cette attitude conciliante n'est toutefois pas uniquement motivée par le repentir : Mélénor rêve d'un héritier mâle. Cela ne l'empêche pas d'adorer Thelma, sa petite princesse. L'innocence et l'affection candide de la fillette apportent au souverain un réconfort inestimable dans son univers chaotique.

Le sort de la fillette n'est cependant pas aussi doux que son père se plaît à le croire. Isadora a choyé Thelma comme un précieux trésor tout le temps qu'a duré sa brouille avec son mari, mais l'amnistie entre les deux époux a signé la fin de cette époque bénie pour la princesse. Ayant regagné la première place dans les passions restreintes de sa femme, le roi a livré, sans le vouloir, sa fille aux caprices de sa mère. De plus, le comportement imprévisible de la reine se teinte souvent de rancœur.

Par moments, le regard de biche apeurée de la fillette amène Isadora à considérer avec une froide lucidité les détestables conséquences de ses humeurs. Elle prend alors la résolution de se montrer plus patiente, de dominer sa nature impétueuse. Elle se promet de faire taire les commères qui prétendent qu'elle se conduit comme une marâtre. Malheureusement, au bout d'un moment, la souveraine oublie ses bonnes intentions.

Depuis le mariage de Mélénor, dix années ont passé. La vie suit son cours mais, pour le roi de Gohtes, les frustrations demeurent presque inchangées : ses obligations le retiennent trop longtemps loin de chez lui, il n'a pas vraiment réussi à s'imposer devant la noblesse de la Nouvelle-Bortka et aucun nouvel héritier ne vient arrondir le ventre de la reine.

Ayant néanmoins calmé les principaux foyers d'agitation, le roi se questionne sur l'étonnante trêve qui règne entre son royaume et celui de son exécré voisin. Pourquoi Verlon n'a-t-il pas encore attaqué ? Mélénor aurait-il eu tort de prêter aux souverains de Yzsar des rêves de domination sur le continent entier ?

Un autre phénomène inquiète le monarque. D'où proviennent ces curieux nuages qui couvrent le ciel des pays de l'ouest ? Lorsqu'il interroge Hµrtö et Mauhna, ces derniers se contentent d'affirmer qu'ils maîtrisent la situation. Par la magie de leurs miroirs, Mélénor parle souvent à ses aïeux, mais il sent que les maîtres lui cachent quelque chose.

En fait, les magiciens surveillent attentivement les terres du nord ; ils savent que les nuages maléfiques sont produits par celui qu'ils appellent L'Autre ou Le Troisième. Cependant, Hµrtö et Mauhna sont, pour l'heure, les maîtres du jeu. Même si L'Autre s'est affranchi, il n'a pas encore récupéré la totalité de ses pouvoirs, et sa nature dépravée le confine dans les espaces reculés de la Terre des Damnés. Le temps approche pourtant où les maîtres de magie devront révéler à Mélénor le péril qui les guette tous. Toutefois, connaissant l'impétuosité de leur petit-fils, ils attendent le moment opportun pour lui raconter une histoire terrible vieille de plusieurs siècles. Ils devinent que Mélénor voudra agir sans délai et qu'il faudra réfréner ses ardeurs car, compte tenu des êtres concernés, les événements à venir ne peuvent être envisagés dans la précipitation.

Trois mages doivent s'affronter, chacun d'eux étant lié, par le pacte des elfes-sphinx, à un élément unique de la nature. À une époque ancienne, les gens de leur race désignaient le sphinx sous l'appellation de La Marque. Les vieux ennemis portent chacun La Marque d'une espèce qui mesure sa vie en millénaires : les astres. Leur conflit pourrait anéantir l'univers...

I

Règle numéro trois : « Il est interdit de courir dans les couloirs du palais. » Thelma s'appliquait donc à marcher posément en regardant droit devant elle.

– Je ne pleurerai pas ! Je ne pleurerai pas !

Elle retint son souffle en pressant contre son cœur les deux feuilles de papier que Cassandra lui avait données. La princesse sentait le sang battre dans son poing ; sa main était si crispée qu'elle risquait de broyer les bouts de fusain qui tachaient déjà ses doigts. « Ne cours pas... Surtout, Thelma, ne cours pas. Misère ! Pourquoi la porte des jardins est-elle si loin ? »

Dès qu'elle eut franchi la terrasse et descendu les nombreuses marches de marbre, elle se précipita vers la roseraie. Dans sa course, elle trébucha et atterrit, tête la première, dans les buissons. Quand elle voulut se relever, elle découvrit, penché sur elle, le visage tout rond de la marquise Vor Listel. La marquise était venue cueillir des fleurs pour la chambre de la reine. Elle accrocha son panier à son bras dodu et tendit une main secourable à la petite fille.

– Vous pleurez, princesse... euh, mademoiselle Thelma ?

La dame de compagnie de la reine avait du mal à se plier aux principes rigides qu'Isadora imposait à tous ceux qui côtoyaient sa fille. Parmi ces bizarreries, il y avait l'interdiction de s'adresser à la jeune Thelma par son titre : « Il n'est pas question que cette enfant se vautre dans les privilèges et la facilité. Moi, j'ai été élevée sévèrement, et cela m'aide aujourd'hui à faire face à mes responsabilités. Si Thelma doit régner un jour, aussi bien qu'elle apprenne tout de suite la valeur de la discipline et de l'humilité ! » Il y avait belle lurette que plus personne n'osait contredire la reine.

– Non, marquise ! répondit la fillette.

– Mais si... vous pleurez !

– Je me suis un peu écorchée ; ce n'est rien.

Janne Vor Listel vit les plaies se cicatriser sur les genoux de l'enfant. « Ce premier don la fait ressembler à son père. » La marquise frissonna en se souvenant de l'éclat sinistre de la lame que la reine faisait glisser sur la peau de Thelma quand elle n'était encore qu'un bébé : « Regardez, marquise, regardez... C'est comme faire de la magie. » Isadora faisait souvent cette démonstration devant ses invités. Quand Mélénor avait découvert cette cruelle fantaisie, sa fureur avait été telle qu'il avait fracassé un vase pour éviter de frapper sa femme. « Tu es folle ou quoi ? Ce n'est pas parce que nous guérissons rapidement que nous ne souffrons pas ! »

Ce pouvoir de guérison avait été une véritable bénédiction pour l'enfant téméraire qu'avait été Mélénor mais, dans le cas de Thelma, le don était surtout utile pour réparer les dommages causés par son incroyable maladresse. La jeune princesse tombait souvent et, pour son plus grand malheur, le palais comptait des dizaines d'escaliers tous plus vertigineux les uns que les autres.

Thelma repartit comme un coup de vent, laissant derrière elle la marquise et son indésirable pitié.

La princesse de Gohtes courut se réfugier derrière le mur de pierre qui encerclait la roseraie. Elle se laissa glisser dans l'herbe puis releva ses genoux pour les emprisonner dans ses bras. Elle pleura un moment, consciente qu'ainsi, elle donnait raison à sa mère : « Je ne suis qu'une méprisable pleurnicheuse. » Isadora ne supportait pas les larmes. Quant au roi Mélénor, il se sentait maladroit devant les chagrins d'enfant. Il répondait par une parole gentille ou par une bouffonnerie, distrayant la petite sans toutefois lui apporter de véritable consolation. De toute manière, il s'absentait souvent, et pour d'assez longues périodes, ce qui attristait Thelma. Loin de chez lui, le roi s'efforçait de reconstruire la Nouvelle-Bortka.

Pourtant, Mélénor était présent lorsqu'Isadora avait décidé de chasser le précepteur de sa fille : « Elle ira à l'école, comme tout le monde. » La reine fondait ses arguments sur son propre vécu : « Thelma doit se rapprocher du peuple si elle veut le comprendre. » Mélénor avait âprement discuté mais, voyant que rien ne ferait fléchir son épouse, il avait procédé à un repli stratégique : « Sous peu, sa fantaisie satisfaite, elle plaidera elle-même pour le retour des précepteurs ! »

Dans tout autre domaine, le roi aurait gagné son pari. Il connaissait bien la reine et, avec le temps, il avait appris à naviguer sur la mer houleuse de ses humeurs. Concernant leur petite princesse cependant, sa vision était faussée par ses sentiments : il aimait sa fille et présumait qu'Isadora partageait cette affection inconditionnelle. Rien toutefois n'était jamais aussi simple dans le cœur trop étroit de la reine orpheline : dans le trouble de son âme, elle nourrissait d'obscures rancunes envers l'innocente enfant.

– La grossesse m'a complètement déformée, se plaignait-elle souvent à sa tante Volda. Je n'ai que trente-quatre ans et pourtant... Jette un œil à ce ventre ! Et mes hanches... Quelle horreur ! Pas étonnant que mon mari s'intéresse aux autres femmes.

– Les hommes sont ainsi, pontifiait la vieille demoiselle.

Ne possédant aucune expérience de la gent masculine, elle fondait son opinion, bien arrêtée, sur les doléances incessantes des épouses de son entourage.

– Volages, inconstants et ingrats, voilà comment ils sont tous !

Forte de l'accord de son époux, la souveraine avait demandé à sa tante de couper les cheveux de la fillette.

– Tu dois passer inaperçue, avait expliqué Isadora à l'enfant, sinon on te traitera avec des égards qui te priveront de la véritable expérience des prolétaires.

– Pourquoi mes cheveux ? avait gémi Thelma. Papa les aime tant.

– Parce qu'ils te caractérisent. Les gens ne te reconnaissent que par tes longues boucles. Aussi bien te faire à cette idée, ma pauvre petite, tu as un visage plutôt banal.

Les yeux de Thelma s'étaient alors embués, fuyant le regard impitoyable de sa mère.

– Tu ne vas pas pleurer ?

– Non, je ne pleurerai pas !

Volda était alors intervenue.

– Isadora ? Pourquoi es-tu si sévère avec ta fille ?

– Cela ne te concerne pas, l'avait rabrouée sa nièce.

Puis, s'accroupissant auprès de la princesse, la reine avait poursuivi d'une voix désolée.

– Ne va pas croire que j'aime te dire ces choses, mais je préfère te mettre moi-même devant la vérité : les gens sont tellement méchants !

Le miroir renvoyait à l'enfant l'image désolante de son crâne hérissé de mèches rebelles et inégales. Volda avait posé sa vieille main tachée sur l'épaule de la fillette, espérant que son geste lui apporterait un peu de réconfort. Il existait une tendre complicité entre Thelma et celle qu'elle appelait affectueusement « tantie ».

Considérant sa fille, Isadora avait conclu :

– Parfait ! Maintenant, tu ressembles à n'importe qui. Pour les occasions officielles, tu n'auras qu'à porter une perruque.

Le lendemain, Thelma était entrée à l'école vêtue du costume réglementaire : toile brute et col rigide qui irritaient la peau. Un domestique l'avait abandonnée devant la classe de la vieille dame qui enseignait aux tout-petits. Quand mademoiselle Helga lui avait demandé de se présenter, Thelma avait répété la phrase apprise par cœur : « Je m'appelle Doris et j'habite au palais avec ma maman, qui est cuisinière, et mon papa, qui s'occupe des écuries. »

Sur un signe de l'institutrice, les enfants l'avaient saluée : « Booooonjoooour Doorriiis ! », et plus personne ne s'était occupé d'elle. Un jour, espérant que cela lui attirerait des amis, elle avait désobéi à sa mère et avait déclaré : « Je suis la fille du roi Mélénor. » Les enfants s'étaient moqués de la fillette, ils l'avaient bousculée et pincée en l'appelant « Votre Altesse ». Certains avaient dit « bâtarde ». Même si Thelma ignorait ce que ce mot signifiait, le dédain avec lequel il avait été employé avait suffi à lui faire comprendre que l'insulte était terrible.

Devenue la risée de ses camarades, Thelma avait pris l'habitude de se réfugier dans le coin de la classe où se tenait une petite rouquine particulièrement timide.

– Je comprends ce que tu ressens parce que moi, je suis la fille d'un prince étranger. Papa dit que cela doit demeurer un secret car, s'ils me découvrent, ses ennemis me tueront.

Thelma et Jorane s'étaient juré une amitié éternelle. Dès lors, la jeune princesse était devenue plus sereine et, rapidement, elle avait pu dévoiler son intelligence vive, enrichie d'une imagination fertile. Sans raison apparente, les élèves avaient cessé de la harceler ; peut-être avaient-ils trouvé un autre souffre-douleur ou un nouveau jeu plus amusant.

✧

Assise au pied du mur, Thelma releva la tête pour renifler un bon coup. Elle essuya résolument ses yeux, se barbouillant sans s'en rendre compte le visage de coulées de fusain. Elle se leva et marcha dans le pré qui s'étendait au-delà de la roseraie. Jamais elle n'avait osé défier sa mère en franchissant le portail des jardins. En cette fin d'après-midi de printemps, tout semblait parfait ; la petite fille offrit son visage à la tiédeur de la brise. Elle ne pouvait pas savoir que le voile qui recouvrait le ciel n'avait rien de naturel et qu'il y avait eu une époque, avant sa naissance, où l'on voyait distinctement le soleil.

Thelma repéra un bel arbre en fleurs qui s'élevait, solitaire, au centre du pré. Elle s'installa dessous, puis étala les feuilles de papier et les bouts de fusain. Elle tenta vainement de défroisser les pages et pensa tristement au refus de sa mère.

Un peu plus tôt, quand elle était rentrée de l'école, elle s'était rendue directement dans la salle du conseil, où la reine travaillait avec Milirin, le chancelier, et Cassandra, la ministre des Finances. Elle avait veillé à marcher lentement, à se tenir très droite et à faire sa révérence avec application.

– Maman ?

– Combien de fois faudra-t-il que je te le dise, Thelma ?

– Pardon ! Ma reine ?

– Oui, Thelma ? répondit la reine, quelque peu radoucie.

– Puis-je inviter mon amie Jorane à venir au château ?

Isadora daigna enfin regarder sa fille. La souveraine avait beaucoup changé depuis l'époque où elle et Mélénor s'étaient mariés. Elle portait les cheveux courts et les coiffait rarement. Son corps s'était épaissi et son visage, toujours aussi gracieux, était marqué de petites veines roses qui altéraient la beauté nacrée de sa peau. Thelma la trouvait très belle.

– Tu sais très bien que c'est contre le règlement !

– Mais pourquoi, ma reine ? Jorane est mon amie, elle ne dira rien à personne, elle me l'a promis !

– Tu me fais de la peine, Thelma ; je te croyais plus raisonnable. Laisse-moi maintenant, j'ai beaucoup de travail.

– Mais... Ma reine ? voulut insister la princesse.

– Thelma, j'ai dit non !

D'un geste brusque de la main, Isadora avait congédié sa fille, qui avait pris le chemin du jardin, une fois de plus.

– Je ne pleurerai pas ! Je ne pleurerai pas !

✧

La jeune princesse saisit un bout de fusain et entreprit d'écrire, en s'appliquant pour bien former les lettres. La dernière leçon de mademoiselle Helga avait captivé Thelma et Jorane : « L'écriture libère l'âme et structure les pensées vagabondes. » Les autres instituteurs taquinaient la vieille enseignante parce qu'elle avait un faible pour les phrases ronflantes, mais tout le monde l'aimait bien ; elle était tellement bonne avec ses petits. Jorane avait tout de suite décidé qu'elle et Thelma devaient écrire.

> *Je m'appelle Thelma et je suis la fille de Mélénor, le roi de Gohtes. J'aime beaucoup mon papa, même si je ne le vois pas souvent. Ma mère, la reine, est très belle, mais elle est aussi très sévère.*

Thelma éloigna sa page pour mieux l'examiner ; le fusain avait taché les marges et le texte descendait un peu sur la droite. Thelma décida de ne pas se laisser décourager. Après avoir réfléchi un moment, elle reprit sa rédaction.

> *À cause de cela, j'aime mieux mon père que ma mère parce que lui il ne me dispute jamais et qu'il est très très beau. J'aimerais que ma mère soit plus gentille et qu'elle soit contente de moi, mais on dirait que je lui fais tout le temps de la peine.*

26

La jeune princesse découvrit rapidement ce que son professeur avait oublié de préciser : les écrits restent. Thelma pensa, avec un frisson d'horreur, que sa mère pourrait mettre la main sur ce papier. Le dilemme paraissait déchirant : « Si je le détruis, je ne pourrai pas le montrer à Jorane. » Elle ferma les yeux pour apaiser les mouvements saccadés de son cœur. Il lui sembla alors qu'on avait effleuré sa joue. D'un seul bond, elle fut debout, cachant le texte contre sa poitrine, convaincue que sa mère venait de la surprendre. Quand elle fut certaine qu'elle était seule, elle se rassit lourdement. La solution à son problème lui apparut bientôt : « Je n'ai qu'à écrire le contraire. » Elle prit l'autre feuille et recommença.

Je m'appelle...

La fillette hésita un moment.

Je m'appelle Amleht...

Thelma sourit de sa trouvaille.

Je m'appelle Amleht et je suis le fils de l'écuyer du roi de Gohtes. J'aime beaucoup ma maman, même si je ne la vois pas souvent. Mon père est très fort, mais il est aussi très sévère.

À cause de cela, j'aime mieux ma mère que mon père parce qu'elle ne me dispute jamais et qu'elle est très très belle. J'aimerais que mon père soit plus gentil et qu'il soit content de moi, mais on dirait que ce que je fais n'est jamais assez bien.

Thelma plia la feuille pour la mettre dans sa poche, tout en se demandant comment se débarrasser de la copie compromettante.

Les feuilles de l'arbre ondulèrent doucement dans le vent, et Thelma se mit à l'observer de plus près. Dans le tronc, il y avait un trou qui semblait assez profond. La petite fille fit une boulette bien dense avec la feuille de papier et l'y déposa. L'écorce se referma d'un coup, emprisonnant le bras de la princesse, qui cria d'effroi. Elle tira et tira sans arriver à dégager son poignet. « C'est impossible, le trou était bien assez grand. » Elle tira encore en appuyant fermement ses pieds à la base de l'arbre. Quand le trou se rouvrit, Thelma bascula sur le dos. Ahurie, elle releva la tête et vit l'arbre recracher la boulette, qui atterrit sur sa tunique d'écolière. Le trou se déforma.

– Bonjour, Thelma... Ou dois-je t'appeler Amleht ?

Incrédule, la petite fille découvrit, sculpté dans l'écorce rugueuse, un visage fissuré et hilare. Au-dessus du trou qui semblait lui sourire, elle vit une excroissance semblable à un nez et, juste sous les premières branches, deux grands yeux sombres étrangement mobiles.

– Eh ! Tu as perdu ta langue ? fit l'arbre en secouant ses feuilles. Est-ce pour cela que le maître de magie te surnomme l'héritière des silences ?

– Qu'est-ce que c'est, une héritière ? demanda la fillette, hésitante.

– Tu ne le sais pas ?

La princesse fit signe que non, et le sang lui monta au visage. Prenant soudainement conscience du manque de dignité de sa posture, Thelma se releva pour s'approcher de l'arbre.

– Vous connaissez le maître de magie ? demanda-t-elle.

– Le grand magicien Hµrtö est mon ami.

Thelma retrouva un peu de contenance.

– C'est mon grand-père, vous savez !

– Bien sûr que je le sais ! Ça et bien d'autres choses, poursuivit l'arbre. Par exemple, je sais à quoi tu penses en ce moment.

– Ah oui ? Vous êtes magicien ?

– Non, mais je lis assez facilement dans ton cœur et je devine que tu as très hâte de parler de moi à ta meilleure amie. Comment s'appelle-t-elle ?

– Jorane. Comment savez-vous que j'ai une amie ?

– Toutes les petites filles en ont une, non ?

La fillette acquiesça en bénissant les esprits pour sa récente amitié avec la timide rouquine, son unique et première amie. L'arbre semblait prétendre que, privée de camarade, Thelma n'aurait pas été une petite fille comme les autres.

– Je vais amener Jorane vous rencontrer, déclara-t-elle, toute joyeuse. Elle sera très impressionnée.

– Je ne pense pas que ce soit une bonne idée.

– Pourquoi ?

– D'abord parce que je ne dois apparaître qu'à toi, expliqua l'arbre, et ensuite, parce que, sans preuve, personne ne te croira.

– Mon amie me croira.

– Peut-être, mais sa visite contrarierait ta maman. Est-ce que je me trompe ?

Comme Thelma se taisait, il enchaîna :

– Je t'ai attendue bien longtemps, belle enfant. Comme il me tardait de te connaître. Pourquoi n'es-tu pas venue plus tôt ?

– La reine m'interdit de dépasser la muraille de la roseraie à cause de la forêt qui se trouve tout près et des loups qui y vivent.

– Des loups ? Dans ce minuscule boisé ? Allons donc !

– Vous croyez que la reine se trompe ? s'étonna l'enfant.

L'arbre choisit d'éviter ce sujet délicat.

– Il me plairait de devenir ton ami. Pour cela, il faudrait que tu me rendes souvent visite.

La fillette le dévisagea, les yeux brillants.

– Maman n'a pas besoin de savoir, allégua-t-elle sur un ton de défi.

– Fort bien ! Tu sais, j'ai beaucoup aimé toucher ta joue, poursuivit l'arbre.

– Oh ! C'était vous !

– Puis-je la toucher encore ? Ton visage est si lisse et si doux. Pas du tout comme le mien.

Thelma hocha la tête. Elle entendit le bruit des feuilles, puis une branche descendit doucement vers elle ; au bout du rameau, cinq branches plus petites formaient une main décharnée recouverte de fleurs. Thelma sentit leur parfum au moment où les feuilles fraîches lui chatouillaient la peau.

– À quelle espèce d'arbre appartenez-vous ?

– Tu peux me tutoyer ; nous sommes des amis maintenant. Je suis un cerisier.

– Comme mon sphinx ! Regarde.

La fillette dégagea sa nuque pour lui montrer le tronc de son arbre. Le cerisier la toucha délicatement.

– Ton grand-père Hµrtö savait ce qu'il faisait quand il m'a demandé de te protéger et de te consoler.

En se relevant, Thelma avait fait rouler la boulette jusqu'au pied du cerisier. Elle la ramassa, un peu honteuse.

– Excuse-moi pour ça, dit-elle en rougissant. Je ne pouvais pas savoir.

L'arbre s'inclina élégamment pour récupérer le papier chiffonné. La main fantomatique poussa la boulette entre les lèvres crevassées. L'arbre avala péniblement.

– Voilà, tu n'as plus rien à craindre. Maintenant, il vaudrait mieux que tu rentres, sinon la reine va te gronder.

La princesse lui tourna le dos, prête à s'élancer, puis se ravisa. Elle revint vers l'arbre et le serra très fort dans ses bras. Bientôt, elle ne fut plus qu'une silhouette sautillante qui s'éloignait dans les allées de la roseraie. Elle ne vit pas la grosse goutte de sève couler de l'œil du cerisier. Elle n'entendit pas non plus son nouvel ami murmurer :

– La prochaine fois que tu viendras, j'aimerais que tu me donnes un nom.

❖

La reine marchait de long en large, furieuse et impressionnante dans le mouvement ample de ses jupes. Elle était indignée par l'apparence de Thelma.

– Qu'as-tu fait à ton visage et à ton costume ? Tu ne sais donc pas te servir d'un fusain ?

Encore sous le coup de l'émotion, Thelma mesura mal le niveau d'exaspération de sa mère. Candidement, comme si cela expliquait tout, elle lui parla de son arbre fantastique. La voix d'Isadora grimpa dangereusement.

– Tu n'es qu'une menteuse !

– Non, ma reine, je vous jure que c'est vrai. Venez avec moi, je vais vous le montrer.

– Je t'interdis de jurer ! Et puis, ça suffit comme ça, s'emporta la reine. Tu as trop d'imagination. Toujours à t'inventer des histoires de rois héroïques et de princesses aventureuses. Des arbres qui parlent, à présent... Là, ma fille, tu vas trop loin !

– Mais...

Thelma ravala ses protestations devant l'expression menaçante de sa mère : elle venait enfin de comprendre qu'elle marchait au bord d'un gouffre. Elle se souvint trop tard de la mise en garde de son ami : « Je n'apparaîtrai qu'à toi... Personne ne te croira. »

– Tu vas tout de suite reconnaître que tu as menti, sinon je te prive de lecture pour les trois prochains cycles des lunes. On va bien voir si je vais laisser toutes ces histoires te troubler l'esprit.

Thelma prit sa décision aussitôt : ses livres étaient toute sa richesse. Ils la protégeaient d'une solitude insupportable.

– Vous avez raison, ma reine, j'ai tout inventé.

– Enfin ! Et pourquoi, veux-tu bien me le dire ?

Malgré la nature docile de Thelma, son esprit se rebellait. « Pourquoi faut-il que je me justifie puisque je n'ai pas menti ? » Comme toujours, elle refoula sa colère. Devant le mutisme de sa fille, Isadora insista.

– Pourquoi, Thelma ? Pourquoi as-tu menti ?

– Je l'ignore, ma reine.

– En plus, tu deviens impertinente !

Cette fois, la petite fille enfonça la tête dans les épaules. Sa gorge semblait complètement nouée ; même si elle avait su quoi répondre, elle aurait été incapable d'émettre le moindre son.

– Je vais te le dire, moi, déclara la reine en appuyant ses poings sur ses hanches. Tu mens pour te rendre intéressante, voilà tout.

Thelma déglutit péniblement.

– Oui, ma reine, réussit-elle à souffler.

Ce qui eut l'heur de satisfaire Isadora, car elle cessa aussitôt d'arpenter la pièce et se dirigea vers sa table, où la paperasse s'empilait.

– Tu passes aux bains, puis tu vas directement au lit. Pas de dîner ce soir ; ce sera ta punition.

– Oui, ma reine.

– Et puis, tiens-toi droite ! conclut-elle en congédiant sa fille.

Thelma redressa la tête et bloqua ses épaules. Elle rentra son ventre et ses fesses, espérant ne pas trébucher en sortant de la pièce inondée de lumière. C'est ainsi qu'elle heurta de plein fouet Cassandra, qui venait en sens inverse.

– Tout va bien, mademoiselle Thelma ? s'inquiéta la vieille dame en découvrant la pauvre mine de la princesse.

– Très bien, réussit à articuler l'enfant. Merci de vous en informer, madame la ministre.

Cassandra comprit qu'elle devrait, une fois encore, user de toute sa diplomatie pour raisonner la reine. En l'absence de Mélénor, et à sa demande, elle se chargeait de protéger l'héritière des extravagances de sa mère. Au risque d'irriter sa souveraine, elle répétait inlassablement son plaidoyer : « Ce n'est qu'une enfant... Elle a besoin de votre compassion... Souvenez-vous comment vous étiez à cet âge... Il ne faut pas confondre fermeté et rigidité. » Dans sa posture guindée, la fillette s'enfuit précipitamment. Elle longea les couloirs obscurs en psalmodiant, les dents serrées :

– Je ne pleurerai pas ! Je ne pleurerai pas !

Lorsque Cassandra pénétra dans la chambre de Thelma, elle trouva l'enfant étendue sur son lit, les yeux rivés au plafond.

– Vous n'avez pas mis vos couvertures, mademoiselle Thelma. Vous devez avoir froid.

La voix de la petite tremblait légèrement quand elle répondit.

– Un peu, mais j'ai décidé de me punir parce que j'ai causé du souci à la reine.

– Pourquoi ? Vous avez déjà eu votre punition ; il me semble inutile d'en rajouter.

– Je veux que maman soit fière de moi. Je dois me montrer très forte.

– Mais...

– Je n'ai pas pleuré, se défendit la fillette sans qu'aucun reproche n'ait été formulé.

– Chère enfant ! Il nous arrive à tous de décevoir ceux que nous chérissons. S'ils nous aiment vraiment, ils nous pardonnent.

– Comment le sait-on ?

– Sait-on quoi ?

– Si quelqu'un nous aime.

– On le sent dans son cœur.

À ce moment, la marquise Vor Listel frappa et entra.

– Comment se porte notre jeune demoiselle ? s'enquit-elle, l'air joyeux.

– Très bien, lui mentit courtoisement la petite. Merci de vous en informer, marquise.

Cassandra embrassa le front de la princesse.

– Que vos rêves soient doux...

L'enfant la retint par la main.

– Mon cœur me dit que vous m'aimez bien, osa-t-elle murmurer.

– Il ne se trompe pas, l'assura la ministre sur le même ton.

Cassandra quitta la pièce, heureuse d'avoir vu naître un sourire sur le visage trop grave de la fillette. Dès que la porte fut refermée, Janne Vor Listel s'assit sur le bord du lit, qui s'enfonça sous son large fessier, puis elle fouilla dans son panier, ce même panier qui, un peu plus tôt, avait contenu les fleurs du jardin. Elle en retira un bout de pain croustillant, généreusement tartiné de beurre frais et de fromage.

– Allez, Thelma, mangez.

La princesse se releva d'un mouvement et mordit avec appétit dans la mie odorante. Janne l'observa avec tendresse, tout en sachant qu'elle allait gâcher ce moment. Elle attendit encore quelques minutes avant de dire, le plus doucement possible :

– Votre maman désire vous voir. Elle se trouve dans sa chambre.

La fillette cessa aussitôt de mâcher. Elle déposa le reste de la tartine sur le drap et descendit du lit comme en état de transe. Avant de sortir de la pièce, elle se retourna vers la marquise, qui comprit que l'enfant avait l'estomac noué ; elle serrait très fort son poing contre son cœur.

– Ce goûter... il ne fallait pas, dit la petite sur un ton de reproche. La reine mérite votre parfaite loyauté, alors ne faites plus jamais cela.

En silence, Janne la regarda sortir, le corps raide et la tête droite, et se diriger vers les appartements de sa mère.

✧

Isadora était déjà au lit quand Thelma frappa à sa porte.

– Entre, Thelma.

La princesse attendit que sa mère lui fasse signe d'approcher.

– As-tu bien réfléchi ? demanda doucement la reine.

– Oui, Votre Altesse.

– Voyons, Thelma ! Tu sais bien que tu n'as pas à m'appeler ainsi en privé.

– Oui, maman, dit l'enfant, toujours troublée.

– Ma petite fille adorée va-t-elle venir me faire un gros câlin ?

Isadora souleva les épaisses couvertures pour inviter Thelma à la rejoindre. Rompue à ces brusques changements d'humeur, la fillette sentit son cœur s'alléger. Elle bondit dans le lit, enlaça sa mère avec fougue et enfouit son nez dans les dentelles parfumées de la chemise de nuit. Elles malmenèrent les oreillers duveteux et se chatouillèrent allègrement. Au bout d'un moment, Isadora demanda grâce, et Thelma nicha sa tête au creux de l'épaule de sa mère.

La reine soupira. Un peu plus tôt, sa ministre Cassandra lui avait encore rappelé l'importance d'avoir de la compassion pour la petite. « Vous ne souhaitez certainement pas que votre fille ait peur de vous », avait-elle plaidé.

– Regarde-moi, ma chérie, murmura gravement la reine.

La fillette se retourna pour découvrir le visage de sa mère à moitié enfoui dans les coussins blancs et soyeux.

– Sais-tu que je t'aime ?

– Oui, maman.

– Même quand je te punis ? insista Isadora.

– Oui, maman.

– Tu comprends que c'est pour ton bien ?

– Oui, je sais. Tu dois être très sévère avec moi parce que la vie des souverains est difficile, récita la petite fille.

– N'oublie jamais, ma chérie... Même si tu penses que la vie est injuste, même si ton sort te semble misérable, n'oublie jamais que tu possèdes ce qu'il y a de plus précieux au monde : tu as une maman !

– Et un papa !

Isadora retint de justesse le sarcasme qui lui chatouillait les lèvres : « Où ça, un père ? Un homme qui abandonne sa famille pour rebâtir un pays qui ne veut même pas de lui ! » Elle soupira encore une fois. Mélénor lui manquait atrocement.

– Et un papa ! admit-elle, non sans ressentir un soupçon de jalousie devant l'évidente admiration qu'éprouvait Thelma pour son père. Je n'ai pas eu cette chance, moi.

Isadora se sentait souvent déchirée ; bien sûr, elle s'ennuyait de Mélénor. En même temps, elle ne pouvait s'empêcher de l'imaginer, loin d'elle, s'abandonnant dans les bras de jolies rivales. Quand ces pensées perfides lui envahissaient l'esprit, elle haïssait cet homme qui avait le pouvoir de la faire autant souffrir. Cette alternance entre amour et doute l'épuisait et accroissait son amertume.

Sensible au chagrin de sa maman, Thelma lui caressa les cheveux, puis elle posa sa petite main fraîche sur sa joue.

– Je t'aime tellement, maman, déclara-t-elle avec ferveur. Je ferai tout ce que tu voudras, je serai sage, et tu seras très fière de moi.

Soudainement honteuse, la princesse ferma les yeux ; elle venait de se rappeler ce qu'elle avait écrit sous son cerisier magique : *j'aime mieux mon père que ma mère parce que...* Même camouflée sous l'apparence de son contraire, c'était bien une preuve de trahison qui traînait dans la poche de sa tunique d'écolière. Prise de remords, elle se jura de ne plus jamais causer de chagrin à sa mère. Avant de s'endormir, elle se répéta : « Je donnerais ma vie pour que ma maman soit heureuse. »

II

Mélénor retourna encore une fois à la fenêtre ; il attendait depuis le matin, et son impatience l'empêchait de se concentrer. Ce va-et-vient était parfaitement inutile puisque les murs de la ville fortifiée de Celtoria lui cachaient la mer et les différentes routes accédant à la capitale.

– Vous ne m'écoutez pas ! fit une voix derrière lui.

– Eumh ?

– Je dis que vous ne m'écoutez pas.

– Mais si, mais si ! Vous disiez que je ne devrais pas douter de la loyauté du baron Oks Farguis...

– Écoutez, Mélénor, je vois bien que vous êtes préoccupé. Que se passe-t-il ? Vous n'arrêtez pas de regarder par cette fenêtre comme si votre vie en dépendait.

À contrecœur, le souverain quitta son poste d'observation pour faire face à la princesse Sabbee. À son retour à Celtoria, Mélénor avait immédiatement libéré la fille de l'ancien roi Trëvor. La jeune femme ne s'était pas privée d'accabler le roi de Gohtes de reproches acerbes, qu'il avait subis comme autant de pointes brûlantes d'humiliation. Huit années les séparaient de ces lointains souvenirs.

Mélénor alla s'asseoir dans son fauteuil, tandis que Sabbee le remplaçait à la fenêtre. Elle contempla le paysage familier comme s'il pouvait lui révéler la raison de l'étrange comportement de son compagnon. Pendant ce temps, le monarque l'observait ; sa fine silhouette se découpait dans la lumière du jour. Sabbee n'était pas sans charme ; son corps mince et ses longs cheveux blonds étaient ses principaux atouts. « En dépit de ses vingt-cinq ans, son visage manque encore de caractère, de panache. Dans quelques années, elle sera vraiment superbe ! »

Le souverain avait connu suffisamment de femmes pour se croire expert en la matière. Maintes fois, il s'était brûlé aux feux de la passion mais, depuis sa douloureuse rupture avec Muscade, il évitait les jeux équivoques de la séduction. « À trente-quatre ans, il est plus que temps que je me range », se répétait-il quand la tentation le tenaillait. Le roi détourna son regard des formes harmonieuses de la princesse, jugeant qu'il la contemplait avec un peu trop d'insistance pour son serment de fidélité.

Il avait fallu à Mélénor une patience infinie pour convaincre l'héritière de Bortka qu'ils avaient été les victimes d'un complot habilement monté par Verlon Kom Yzsar. Sabbee avait fini par admettre les faits mais, sèchement, elle avait rétorqué : « Cela ne me rendra pas mon père. »

Depuis, avec l'aide de Mélénor, elle tentait de rétablir l'ordre dans le pays. En dépit de son manque évident d'expérience, Sabbee refusait de reconnaître qu'elle avait besoin de Mélénor. Le roi de Gohtes savait pertinemment que, sans sa poigne d'acier, l'anarchie régnerait dans tout le pays. Sabbee était encore une souveraine novice ; son ingénuité l'empêchait de déceler les intentions malhonnêtes dissimulées derrière le comportement obséquieux des nobles de Bortka.

– Le baron Oks Farguis est beau garçon, convint Mélénor en revenant au sujet soulevé par Sabbee, il vous courtise, vous fait les yeux doux. Pourtant, seul le pouvoir l'intéresse.

– Vous êtes injuste ! se plaignit la jeune femme.

– Ne vous laissez pas abuser par les déclarations de ce beau parleur.

– À vous entendre, riposta Sabbee, visiblement contrariée, personne ne peut m'aimer pour moi-même !

– Je n'ai pas dit cela.

– Le baron est...

– Sachez que je l'ai fait suivre, madame, la coupa-t-il. Voulez-vous que je vous donne le nom de toutes ses maîtresses ?

– Vous êtes un monstre ! lança-t-elle en lui tournant le dos pour mieux dissimuler son sourire de satisfaction.

« Voilà une preuve de jalousie, il me semble. » À l'instar de bien d'autres femmes, la princesse se montrait sensible au charme du roi. La réserve chevaleresque qu'il gardait avec elle exacerbait ses désirs romantiques. Dans la solitude de sa chambre, elle se remémorait les gestes ou les paroles du fier souverain, tentant d'y déceler les indices d'un sentiment partagé. Mélénor feignait de ne pas remarquer son trouble et priait pour qu'un prétendant sérieux se présente bientôt : il désirait le bonheur de Sabbee, mais il devait aussi la mettre en garde contre les opportunistes.

– J'essaie seulement de vous protéger, se défendit-il.

– Je déteste votre attitude condescendante. Je vous rappelle que vous n'êtes pas mon père.

Sabbee se tut un moment puis, changeant de tactique, s'approcha du fauteuil de Mélénor. Elle posa une main légère comme un oiseau sur son épaule. « Elle sent la lavande. »

– Vous savez aussi bien que moi ce qui réglerait nos problèmes, susurra la jeune femme. Je vais finir par penser que je vous répugne.

Mélénor saisit la main parfumée et la porta respectueusement à ses lèvres. Ce faisant, il cherchait une réponse délicate mais intègre.

– Voyons, madame, reprit-il sur un ton conciliant, vous n'ignorez rien de ma situation : je suis déjà marié.

– Puisque je vous dis qu'il existe une clause dérogatoire : elle autorise la polygamie chez les souverains pour faciliter certaines alliances entre monarchies. Vous ne perdriez aucun de vos droits, ni ici ni là-bas ! Vous n'auriez pas à divorcer...

– Selon les lois de l'ancienne Bortka, peut-être ! Mais au pays de Gohtes, j'en suis moins certain.

– Vous ne me paraissez pas bien pressé de faire vérifier ce point par vos conseillers législatifs.

– La précipitation n'est pas recommandée pour une affaire d'une telle importance, rétorqua Mélénor en songeant à Isadora et à Thelma.

Il se sentait pris au piège comme une mouche dans la toile d'une araignée. Rien ne lui paraissait moins invitant que de devoir pactiser avec deux épouses ; gouverner deux royaumes lui semblait un fardeau déjà bien assez lourd.

– Qui parle de précipitation ? s'exclama-t-elle en retirant brusquement sa main. Il y aura bientôt huit ans !

Mélénor lança son ultime argument.

– Vous méritez d'épouser un homme qui vous aime.

– Parce que vous n'éprouvez aucun sentiment pour moi ? Est-ce là ce que vous osez prétendre ?

– Madame, je vous en prie. Cessez de vous faire du mal.

– Vous vous mentez à vous-même, Mélénor. Et...

Elle se tut quand Alban poussa la porte entrebâillée. Au même moment, plusieurs chevaux pénétrèrent dans l'enceinte de la cour du palais. Le bruit des sabots attira le roi à la fenêtre ; les cinq cavaliers n'étaient pas descendus de leur monture, qui piétinaient sur place. Leurs vêtements noirs étaient couverts de poussière, et de larges capuchons masquaient partiellement leur visage. « Enfin, les voilà ! » Alban rejoignit son ami et regarda par-dessus son épaule. Les deux compères firent volte-face et abandonnèrent la princesse Sabbee en lui présentant des excuses invraisemblables. La jeune souveraine caressa le dos de sa main gauche avant de poser ses lèvres à l'endroit précis où Mélénor l'avait embrassée.

Dans le couloir, Mélénor aperçut Polan, son garde du corps et soigneur.

– Va chercher Valtan et Gil, l'apostropha-t-il. Rejoignez-nous tous les trois aux écuries. Nous partons pour la nuit.

Pendant qu'Alban préparait leurs paquetages, Mélénor changea de tenue. Cela lui rappela l'époque où il voyageait avec la troupe, en quête d'un allié contre la prétendue menace du pays de Bortka. À cette époque, il ignorait que les attaques qui ensanglantaient les frontières de Gohtes étaient habilement orchestrées par Verlon, le roi félon de Yzsar. « Quelle ironie ! Si j'avais su que cette démarche allait me conduire dans une telle impasse... Deux pays à gouverner, l'un d'eux s'avérant aussi rétif qu'un cheval sauvage. » Le roi se sentait très las.

– On y va ? s'enquit le chambellan.

Ils retrouvèrent le cuistot et les deux colosses : Polan et Valtan. Les frères jumeaux faisaient partie de la garde personnelle de Mélénor depuis plusieurs années déjà. Parce qu'il était également soigneur, Polan portait toujours à l'épaule une besace remplie d'onguents et de potions. Ce qui permettait à Mélénor de les différencier.

Kabbah, le magnifique destrier de Mélénor, piaffait d'impatience depuis que le palefrenier l'avait sellé. Aussitôt sortis de l'écurie, les cavaliers contournèrent le palais au galop et se dirigèrent vers le pont-levis ; les cinq personnages masqués les suivirent sans attendre.

Le petit groupe descendit vers la mer, puis galopa un bon moment sur la plage. L'érosion avait sculpté une baie dans les falaises, offrant un endroit idéal pour les rendez-vous discrets. Une grotte permettait même de s'abriter quand le temps devenait maussade. Mélénor adorait se retrouver en ce lieu, car il s'y sentait en sécurité. Les cavaliers mirent tous pied à terre.

Mélénor ouvrit tout grands les bras et accueillit ses amis avec effusion. La saleté les rendait presque méconnaissables. Drago, dont le teint était naturellement blême, avait l'air basané à cause de cette poussière bistre qui lui collait au visage. Marius faisait deux fois son âge avec sa barbe en broussaille. Les vêtements de Lucas tombaient en lambeaux sous sa cape. Isidor louchait plus que d'habitude : la fatigue, sans doute. Mais Swalag remportait la palme. Pour leur mission d'espionnage, Swalag avait dû renoncer à ses voiles irisés. Il avait bandé sa poitrine, cessé de s'épiler et jeté ses fards. Après avoir défait la tresse de sa barbe, l'hermaphrodite avait l'air d'un homme à peu près crédible, si on oubliait la délicatesse de ses traits, le grain serré de sa peau, sa taille fine et ses mains de poupée. Swalag et Drago étaient devenus des amis inséparables.

Les voyageurs plongèrent avec volupté dans les vagues glacées, tandis que Swalag s'éloignait pudiquement, restant sourd aux moqueries de Drago. Pendant ce temps, Mélénor et Alban attendaient patiemment. Ils souriaient en buvant la bière fraîche que Gil avait apportée.

– Tu étais inquiet pour eux, avoue-le ! lança le chambellan.

– J'avoue. Ils ont toute ma confiance, mais...

– Mais quand on pénètre dans l'antre d'un monstre !

– Mmmm... c'était une mission très dangereuse.

– Tu crois que Verlon le sait ?

– Que nous l'espionnons ? demanda Mélénor. Assurément ! Crois-tu qu'il s'en prive ?

– Tu soupçonnes quelqu'un en particulier ?

– Personne en particulier, Alban, tout le monde ! Chacun de mes opposants pourrait bien être à sa solde. Qui sait ce qu'il peut leur promettre en échange de ma tête ?

– Tu crois vraiment que la situation est aussi grave ?

– Alban, sois réaliste. Huit années se sont écoulées et nous n'avons pas encore réussi à ramener la paix dans le pays. Quelqu'un, quelque part, attise les rancœurs.

– Les rancœurs ou bien les convoitises.

– Plus certainement les deux, conclut le roi.

Alban laissa passer un moment.

– Alors, nous ne sommes pas près de rentrer chez nous !

– Pas vraiment, non. Eh, attends, toi ! s'exclama Mélénor, soudainement curieux. Qu'est-ce que tu me caches là ?

Alban se leva et chassa le sable de ses fesses. Mélénor le rattrapa aussitôt.

– Je te connais, mon ami. Qu'y a-t-il ?

Le chambellan rougit.

– Non ! Tu es amoureux ! s'écria Mélénor.

– Pas si fort, bon sang !

– Là-bas ? À Döv Marez ? Depuis quand ?

– Trois ans !

– Pourquoi ne m'as-tu rien dit ?

– Qu'est-ce que ça aurait changé ? fit Alban en haussant les épaules. Elle habite la Cité des Mirages, mais moi, ma place est auprès de toi.

– Nom d'une déesse, Alban ! s'indigna le roi. Me crois-tu assez égoïste pour t'empêcher de mener ta propre vie ?

– Tu ne comprends pas, Mélénor.

Le roi saisit son ami par l'épaule. Il rit en le bousculant.

– Au contraire ! Je crois que je commence à y voir clair, se moqua-t-il gentiment. Tu es fou d'amour, pourtant tu te sers de moi pour te défiler. Non ?

Alban haussa les épaules, penaud.

– C'est stupide, hein ?

– Est-ce que tu l'aimes ?

– Je l'adore. Je pense à elle nuit et jour.

– Alors, que crains-tu ?

– Je vis depuis si longtemps comme un vieux garçon. J'ai peur de la décevoir.

– Tu es l'homme le plus admirable que je connaisse : tu ne la décevras pas, sois sans crainte. Comment s'appelle-t-elle ?

– Ana... Elle s'appelle Ana.

Alban prononçait le nom de sa bien-aimée avec un plaisir évident ; il semblait le goûter comme un fruit délicat. Mélénor étreignit son ami.

– Je te souhaite tout le bonheur que tu mérites, mon frère.

Ils se réunirent enfin autour d'un feu, où Gil avait mis des volailles à griller. Le cuistot avait enfoui des légumes sous la braise pour accompagner la viande rôtie. Marius le premier parla.

– Mon roi, les nouvelles sont plutôt mauvaises.

– Je t'écoute.

– Au début, tout semblait à peu près normal. Les terres qui sont proches des nouvelles frontières sont encore fertiles, mais cela change en allant plus au nord.

Isidor prit la parole à son tour.

– J'estime qu'environ la moitié des anciennes terres de Bortka sont atteintes de la maladie. C'est comme dans le Yzsar ; le sol est sec et crevassé, la terre prend cette étrange couleur rougeâtre. Il n'existe qu'une explication à ce désastre : Verlon et Delia contaminent leur propre territoire.

– Quel intérêt peuvent-ils avoir à agir de manière aussi insensée ?

– Voilà tout le mystère !

Drago, qui jouait distraitement avec sa dague, l'enfonça d'un geste brusque dans le sable blond.

– Mais il y a du nouveau et ça me semble encore plus inquiétant. L'odeur, dit-il en plissant le nez.

Marius hocha la tête, l'air désolé.

– Il flotte partout une odeur de soufre qui supplante, par moments, les vapeurs nauséabondes communes aux villes de Yzsar. Vous voyez le ciel ? demanda le chef de la troupe en pointant les nuages.

Mélénor renversa la tête et observa le voile qui filtrait les rayons du soleil. Gravement, les autres l'imitèrent.

– Eh bien, reprit Marius, là-bas, le voile est plus dense et plus gris. Même si le sol était fertile, j'ignore si les plantes auraient assez de lumière pour pousser.

La voix de Swalag tremblait quand il se décida à parler.

– Les souverains de Yzsar ont réduit leurs nouveaux sujets en esclavage, mais les paysans semblent complètement insensibles à leur sort. Ils ont le regard vide et ils ne réagissent pas quand les soldats violentent leurs femmes ou leurs enfants. Nous avons vu des convois de gens menés comme des bêtes par les soldats de Verlon. Ils les conduisent vers les montagnes.

Isidor toucha la main de l'hermaphrodite pour le réconforter.

– Nous croyons que Verlon exploite des mines dans ces montagnes, expliqua le bigleux. Il sélectionne les hommes les plus forts pour les enrôler dans son armée ; nous avons croisé des bataillons entiers qui allaient à l'entraînement. Les autres, les plus vieux et les plus faibles, il les fait travailler dans les mines jusqu'à ce qu'ils crèvent.

Mélénor hocha la tête pour signifier à Swalag qu'il partageait sa tristesse. L'instant d'après, le roi se retrouva couché sur le sol, le visage aplati dans le sable fin, Polan le couvrant de tout son corps. Mélénor remuait désespérément pour dégager sa tête. Il réussit à voir Lucas dégainer son arme et partir en courant. Mélénor entendit les pas d'un cheval qu'on menait au galop. Ses amis se préparaient à affronter l'intrus.

– Quel charmant accueil ! La prochaine fois, je viendrai avec une armée de berohls ! dit une voix familière.

– Vous ? s'étonna Mélénor. Mais... que faites-vous là ?

– Pour l'instant ? Je dirais que je fais face à une poignée d'excités qui veulent me tanner le cuir.

Polan libéra Mélénor, qui se releva en se massant les reins. Dans un équilibre précaire, l'elfe-ubu trônait sur le dos d'un pur-sang beaucoup trop grand pour lui. Les étriers vides battaient contre les flancs de l'animal. Mélénor s'approcha du visiteur.

– Basile ! Soyez le bienvenu parmi nous !

– Il n'y a rien de plus réconfortant que l'hospitalité de ses amis, ironisa le visiteur.

Basile Ez Isbra, propriétaire de mines et négociant en pierres précieuses, se tenait là, vêtu comme un prince et couvert de bijoux. Mélénor ne l'avait pas vu depuis un moment.

– Mon ami, répondit le roi en riant, pardonnez cet accueil indigne de vous, mais vous avez oublié de présenter votre carton d'invitation.

L'elfe-ubu tendit à Mélénor une bouteille d'eau-de-vie très prisée au Môjar, son pays d'origine.

– Et ça... qu'est-ce que c'est ?

Les deux hommes se serrèrent la main avec chaleur.

– Dites-moi plutôt comment vous avez fait pour grimper sur cette bête, s'enquit le roi.

– Regardez-moi descendre et vous allez comprendre !

Il fit signe à Valtan de s'approcher. Le garde du corps le souleva et le déposa par terre devant le roi.

– J'ai bien peur d'arriver à un mauvais moment, reprit l'elfe-ubu sur un ton plus sérieux. Je crains d'avoir interrompu votre discussion.

– Mais non, le rassura le roi. C'est même tout naturel que vous soyez là.

Lorsque Mélénor avait projeté la mission d'espionnage, Basile s'était porté volontaire. Il avait vite convenu avec les autres que sa présence ne pouvait qu'attirer l'attention sur le groupe ; la réputation d'exubérance de l'elfe-ubu n'était plus à faire.

– Je suis arrivé au château au début de la soirée ; j'avais des diamants à livrer à la princesse Sabbee. Quand j'ai demandé à vous voir, elle m'a raconté que vous et messire Alban aviez disparu en compagnie d'une bande de mystérieux visiteurs. J'ai tout de suite pensé que si nos amis étaient revenus de leur mission, je vous retrouverais ici.

– Eh bien, Basile, vous avez vu juste.

– Et puis ? Quelles sont les nouvelles ?

– Venez vous asseoir, nous allons vous mettre au courant.

Les espions de Mélénor répétèrent leur récit.

– Pardonnez ma mémoire défaillante, mais combien de temps avez-vous passé derrière les frontières ?

– Presque toute une année, répondit Marius.

– Cette mission a été bien plus longue et périlleuse que je ne l'aurais cru, conclut Basile en secouant la tête.

Mélénor acquiesça.

– Il fallait pourtant que nous sachions.

– Ce que vous avez découvert dépasse l'entendement. Sans vouloir vous offenser, mon ami, que savons-nous de plus ? Verlon reste fidèle à lui-même : partout, il sème la désolation.

– La question est de savoir pourquoi. Ce n'est un secret pour personne qu'il convoitait les terres appartenant à Trevör Oks Bortka. Il nous a manipulés pour arriver à ses fins, cela aussi est connu de tous, déclara amèrement Mélénor. Dans l'état où se trouvaient ses propres campagnes, il paraît naturel qu'il ait désiré s'approprier des espaces sains. Mais la logique s'arrête là. Plutôt que d'exploiter les cultures, il les détruit.

– Ce Longs-Doigts est fourbe mais pas totalement fou. Quel pourrait être son intérêt ?

– Je ne vois qu'une explication : il cherche à prendre le contrôle du continent. Il commence avec nous. Il doit détenir le moyen de maîtriser le fléau qui empoisonne les sols. Il nous asservira en sachant que nous préférerons abdiquer plutôt que de voir nos peuples réduits à la misère.

— Mais il ravage aussi ses propres terres.

— Pour nous menacer, pour nous démontrer l'ampleur du désastre qui nous attend si nous lui résistons.

— Je retire ce que j'ai dit alors, cracha l'elfe-ubu, cet homme est complètement fou.

Ses compagnons acquiescèrent. Le commerçant demeura silencieux pendant un moment : quelque chose le dérangeait encore plus que la démence de Verlon.

— Quelle position les autres nations adoptent-elles dans tout cela ? poursuivit-il.

— Pour l'heure, elles se désintéressent de la situation. Depuis huit ans, le Yzsar n'a attaqué aucun de ses voisins, alors pourquoi s'inquiéteraient-elles ? Les souverains étrangers semblent s'aligner sur la politique de neutralité du roi du Môjar. Ils partagent l'opinion de Sol'Maglian, qui continue de croire à une rivalité opposant les pays de l'ouest, une vieille querelle datant des guerres coloniales. Voilà ce qu'il affirme du haut de son habituelle arrogance. Il refuse de croire que Verlon s'attaquera un jour à lui, qu'il trahira les ententes qui existent entre leurs deux pays.

— Il ferait mieux de se méfier. La fourberie de Verlon n'a pas de limites.

— Nous sommes mieux placés que quiconque pour le savoir.

Toujours soucieux de comprendre, l'elfe-ubu plissa le front.

– Et le très fier Sol'Maglian, comment explique-t-il sa tolérance face aux abus perpétrés contre le peuple asservi de Verlon ?

– Le Yzsar est maintenant aussi hermétique qu'une huître, expliqua Marius. L'armée contrôle tout : les militaires surveillent les frontières, les étrangers ne sont plus admis et ceux qui sont surpris sans autorisation sont pendus sans autre forme de procès.

– Et les rumeurs ? s'enquit Basile. Il doit bien en circuler : les ouï-dire se moquent des frontières et de la répression.

Mélénor ouvrit les mains en un geste d'impuissance.

– Quel souverain agirait en ne se fiant qu'à des commérages ? Nous sommes les seuls à avoir osé espionner notre sinistre voisin. Dans l'état où se trouvent mes relations avec Sol'Maglian et compte tenu qu'il m'estime partial, il ne me croira jamais, pas même si je jure sur l'honneur.

Marius regarda ses compagnons. Il tendit les mains vers le feu pour chercher un peu de réconfort.

– J'ai gardé le plus étrange pour la fin.

– Nous t'écoutons, l'assura Mélénor, tandis qu'un désagréable frisson lui parcourait le corps.

– Il existe des villes différentes qu'ils nomment « cités des élus » ou « nirvanas ». Nous n'avons pas pu nous y introduire, car elles sont protégées par des soldats d'une efficacité redoutable, l'élite des armées. J'ignore si ce qu'on dit est vrai, mais ces cités seraient comme des paradis ; tout le contraire des trous à rats que sont généralement les villes de Yzsar.

– Et toi, Marius, qu'en penses-tu ? demanda Mélénor.

– Je crois que c'est une nouvelle ruse de Verlon pour manipuler son peuple. Partout, dans le Yzsar, on ne parle que de ça ; chacun s'accroche à l'ultime espoir que le sort fera de lui l'« élu » du jour.

– Tu veux dire que ces privilèges sont accordés au hasard ? s'étonna Alban.

– Oui, confirma Marius, une sorte de jeu qui a lieu au début de chaque nouveau cycle des lunes.

– Que ces endroits existent, c'est une chose, convint Mélénor, mais qu'ils ne soient pas destinés à une élite, je ne le comprends pas. Rien de tout cela ne ressemble à Verlon.

– C'est bien pour ça que je pense qu'il s'agit d'une supercherie, affirma Marius. Le seul moyen d'en apprendre davantage consisterait à retourner là-bas et à pénétrer dans l'une de ces villes.

Mélénor secoua vivement la tête.

– Pas pour l'instant ; ce serait trop dangereux et ça ne changerait rien au sort des esclaves condamnés à mourir dans les mines de Verlon.

Alban était bouleversé.

– Il faut pourtant aider ces pauvres gens, plaida-t-il.

Furieux, Mélénor se leva d'un bond en jurant.

– Nom d'une déesse, comment veux-tu que nous les aidions ? Aller nous faire tuer ne les sauvera pas !

Impuissant, le roi se dirigea vers les vagues qui battaient la grève ; il en voulait à Alban de l'avoir bousculé ainsi. Il donna un coup de pied stérile qui l'éclaboussa d'écume. Basile le rejoignit. Malgré ses petites jambes arquées et sa démarche chaloupée, l'elfe-ubu arpenta la plage avec Mélénor, se contentant d'écouter le roi d'un air compatissant.

– Toute cette histoire... rageait le roi, je n'y comprends rien. Et pendant ce temps, qu'est-ce que je fais ? J'essaie d'empêcher la vieille aristocratie de Bortka de conduire tout droit le pays à une guerre civile. Si j'étais plus habile, je parviendrais à calmer les dissidences et nous pourrions nous concentrer sur la véritable menace.

Son sentiment d'impuissance blessait cruellement Mélénor.

– Ils attendent tous que je trouve une solution mais, par tous les esprits, je ne suis pas magicien !

Basile sursauta quand le roi s'écria :

– Mais oui ! C'est cela ! Pourquoi n'y ai-je pas pensé plus tôt ?

Ils revinrent ensemble vers le feu. Mélénor s'assit auprès d'Alban et lui donna un léger coup de poing dans les côtes.

– On part demain, annonça-t-il à son ami. Tu vas pouvoir aller embrasser ta belle.

Alban savait qu'il avait froissé Mélénor. Il n'était qu'à moitié soulagé par ce soudain changement d'humeur. Mélénor demanda à Gil de servir du vin et il leva son gobelet.

– À vous, mes fidèles compagnons ! Maintenant, j'aimerais que, pour ce soir, vous chassiez votre humeur sombre et qu'on s'amuse un peu. Cela ferait trop plaisir à notre adversaire de découvrir qu'il a réussi à nous ébranler. Allez, Gil, ces volailles me semblent cuites et dorées à point, non ? Qui a faim ?

Ils rugirent d'une même voix, que la proximité de la falaise fit résonner. Leurs rires retentirent jusque tard dans la nuit, tels des défis lancés au visage de leur ennemi.

– III –

Thelma venait de vivre son premier voyage-éclair. Mauhna, sa grand-mère, la tenait encore par la main. Voilà à peine quelques instants, elles étaient avec Isadora dans la salle du conseil de la Cité des Mirages. La reine avait embrassé sa fille puis, plutôt fraîchement, elle avait rappelé à la magicienne de bien prendre soin de la petite.

– Je n'aime pas l'idée de la savoir si loin de moi... Dans un endroit qui m'apparaît plutôt sauvage et étrange.

La Longs-Doigts avait fait mine d'ignorer l'indélicatesse.

– Soyez sans crainte, s'était-elle contentée de répliquer. Vous nous rejoindrez bientôt et vous découvrirez que nous vivons dans un univers tout aussi civilisé que le vôtre.

Tentant inconsciemment de retarder le moment du départ, la souveraine avait renoué les rubans de la robe de la princesse.

– Elle fait souvent des cauchemars, avait-elle affirmé.

– J'ai eu des enfants, madame. Je sais comment calmer leurs frayeurs.

Elle n'avait pu résister à l'envie d'ajouter :

– Les peurs nocturnes sont souvent la conséquence de hantises inavouées !

– Que cherchez-vous à insinuer ?

– Rien du tout, je cite un extrait d'un manuel consacré à la science des rêves.

Les aïeux de la princesse savaient, par l'entremise de Mélénor et de Cassandra et pour en avoir été témoins à plusieurs reprises, que la reine traitait sévèrement la fillette. Ils devaient toutefois agir avec circonspection et diplomatie car, s'ils se querellaient avec Isadora, elle leur interdirait certainement de revoir Thelma. En dernier lieu, ce serait la petite qui payerait le prix d'une brouille entre la reine et les maîtres de magie.

Émerveillée par ce qu'elle découvrait, la princesse leva la tête pour admirer la maison de ses grands-parents. Elle savait bien que Mauhna et Hµrtö n'étaient pas vraiment ses grands-parents, mais cela devenait tellement compliqué de mettre le nombre exact d'« arrière » ; même Mélénor disait que c'était sans importance. Thelma adorait les sorciers, et ils le lui rendaient bien.

La princesse avait attendu fébrilement le fameux moment de son initiation à Yste al Rapka. À cette occasion, les petits elfes-sphinx étaient officiellement reçus dans leur communauté, ils devenaient membres d'un des huit clans qui les accueillait comme une seconde famille. Elle avait d'abord été déçue car, normalement, c'est avec son père qu'elle aurait dû visiter l'Île-aux-Tortues. Cette fois encore, Mélénor n'avait pas pu se libérer. Thelma avait vu le visage contrarié de son père dans le miroir de Cassandra. Il avait dit : « Je suis en route. Que les magiciens commencent leur enseignement. Je les rejoindrai plus tard pour la révélation du deuxième sphinx de Thelma. » L'expérience du voyage-éclair avait amoindri la déception de la fille de Mélénor.

La porte de la maison de pierre s'ouvrit subitement sur le visage chaleureux d'Hμrtö. Le magicien serra la petite dans ses bras puis l'embrassa sur le front.

– Tu as beaucoup grandi, ma belle.

– Grand-père, elle est très bizarre, ta maison. Est-ce que je peux voir dedans ?

– Bien sûr, Thelma, entre.

La fillette découvrit avec ravissement une enfilade de pièces mystérieusement illuminées. Il y avait des miroirs qui ne réfléchissaient aucune image et des tas de livres couverts de poussière. Les tables étaient encombrées de pots et de fioles. Des herbes fraîches, destinées à la préparation des potions, jonchaient le sol tout près de l'âtre. Sur un monticule de cendres, des chaudrons bouillonnaient en débordant allègrement dans les flammes multicolores. Mauhna sourit à Thelma.

– Ton grand-père a oublié de faire le ménage ; il n'a pas beaucoup d'intérêt pour les travaux domestiques.

– C'est faux, se défendit le magicien, c'est juste que je lisais. Je n'ai pas vu passer le temps, voilà tout !

La magicienne fit un geste gracieux de la main. Les livres claquèrent en s'envolant vers les étagères. Des balais sortirent de nulle part, si bien que Thelma dut grimper sur une chaise pour échapper à leur exubérante efficacité. Des moufles vides saisirent les marmites pour verser les potions dans les jarres. Enfin libérés de leur contenu, les chaudrons plongèrent dans l'eau savonneuse. Les brosses s'activaient sous le jet d'eau de la pompe, qui chantait de sa voix grinçante.

Quand la maison fut impeccable, Hµrtö se tourna vers Thelma.

— Comment trouves-tu notre maison ?

— Superbe mais, dehors, elle semblait bien plus petite.

— Ah ! Tu crois cela !

Hµrtö leva sa main droite et fit tourner son index en désignant les murs. Ceux-ci reculèrent d'un seul coup. Un mur de lambris apparut. Le sorcier appuya sa main sur la surface boisée, qui s'ouvrit, révélant une porte qui n'y était pas l'instant d'avant. Le rire amusé du magicien résonna étrangement dans le vide de la nouvelle pièce.

— Ta chambre, tu la veux de quelle couleur ?

— Rose, je l'aimerais rose, s'il te plaît.

— Va pour le rose ! conclut le magicien. Et le lit ?

— Avec des voiles blancs, tout plein de voiles blancs.

— Et un baldaquin ?

— Oh oui !

Quand Thelma eut examiné le résultat final et qu'elle eut déclaré que c'était la plus belle chambre du monde, Mauhna la fit asseoir auprès d'elle.

– Je suis heureuse qu'elle te plaise, mais tu n'y dormiras pas beaucoup.

– Ah non ? s'étonna la fillette. Pourquoi ?

– Avant ton initiation, il te faut découvrir l'histoire et la vie des gens de notre race, lui expliqua son aïeule. Nous allons donc partir demain matin pour visiter l'île et ses habitants.

Thelma joignit ses mains devant son menton. Ses yeux témoignaient d'une vive excitation qu'elle cherchait à contenir, car sa mère lui avait appris qu'une jeune fille distinguée ne doit ni s'exciter, ni crier, ni sauter de joie.

– Je vais rencontrer les elfes-sphinx ? demanda-t-elle. Les purs, comme vous deux, ceux aux ongles sombres qui ne peuvent pas vivre dans les cités ?

– Oui, ma fille. En plus, ton grand-père va t'apprendre l'histoire de nos origines. C'est une histoire fascinante qu'il raconte mieux que personne. Maintenant, si le cœur t'en dit, on pourrait faire un tour au village des magiciens.

– Ouiiii !

La petite fille allait ouvrir la porte quand Mauhna la rappela. La magicienne entreprit de dégrafer la robe de l'enfant.

– Avec tous ces jupons et ces rubans, tu ne seras pas très à l'aise. Il vaut mieux te changer, car... Mais qu'est-ce que c'est que ça ?

En passant la robe par-dessus la tête de Thelma, Mauhna avait arraché accidentellement la perruque. Consciente qu'elle était pitoyable ainsi, en sous-vêtements, les cheveux humides et aplatis sur le crâne, Thelma enfouit son visage dans ses mains. Mauhna se contenta de jeter un regard entendu à Hµrtö. Elle attira l'enfant contre son cœur et la serra. Bientôt, la petite fille sentit sur son corps le contact d'une étoffe très légère. Elle écarta les bras pour contempler la jolie tunique de soie. Sur sa poitrine se trouvait une broderie argentée représentant un cerisier. Thelma tourbillonna sur elle-même.

– Oh ! Rose... comme ma chambre !

Après avoir donné un coup de brosse aux cheveux mal coupés de sa petite-fille, Mauhna fit apparaître un bandeau assorti à la robe. Elle déplaça un grand miroir auquel elle s'adressa :

– Allez, Pierre de lune, montre à Thelma comment cette couleur lui va bien.

Thelma vit la surface du miroir onduler comme l'eau d'un lac. Un visage apparut ; il n'avait pas l'air content du tout.

– Je suis un miroir magique. J'ai mieux à faire que de retourner bêtement des images.

Mauhna avait la voix qui tremblait de colère quand elle leva l'index vers le miroir.

– Pierre de lune ! siffla-t-elle, menaçante.

– Ça va, ça va ! Je peux bien vous rendre ce petit service.

– Il vaut beaucoup mieux, espèce de prétentieux.

La magicienne noua le bandeau de si belle manière sur la tête de Thelma que la fillette se sentit presque jolie. Le miroir sembla s'émouvoir quand il vit s'épanouir un sourire timide sur le visage de la petite. Un long moment plus tard,

Thelma se détourna de son reflet pour suivre les deux sorciers. L'image de l'enfant demeura sur la surface de Pierre de lune. Le miroir la conserva et la réfléchit plusieurs fois, juste pour le plaisir de voir renaître le sourire de la petite fille en rose.

Dehors, le temps était superbe.

– Qu'est-ce que c'est, grand-père ? demanda une Thelma ébahie en regardant le ciel.

Il fallut un moment avant que le sorcier comprenne la question de la fillette.

– C'est le soleil, expliqua-t-il. Il est toujours là durant le jour mais, sur le continent, vous ne le voyez plus depuis que les nuages du nord se sont installés.

– Je trouve ça vraiment beau. Est-ce qu'un jour on va revoir le soleil dans mon pays ?

– Je l'espère, Thelma, je l'espère de tout mon cœur.

– Papa dit que toi et grand-mère êtes de très grands magiciens, affirma l'enfant en levant le nez vers le vieil homme. Pourquoi ne chassez-vous pas ces affreux nuages ?

– J'aimerais que ce soit aussi simple, ma chérie. Vraiment !

Hµrtö préféra changer de sujet. Il prit la main de la princesse et commença à lui parler de l'île.

– L'île est divisée en plusieurs territoires et chacun abrite un clan distinct. Ici, sur le versant nord-ouest de l'île, au pied du massif des montagnes, c'est le territoire du Clan des magiciens. On l'appelle aussi le Clan des érudits.

Le magicien allongea le bras.

– Il s'étend du pied de la montagne jusqu'au bord de la mer. À gauche, tu vois, il n'y a pas d'issue ; les falaises descendent jusque dans la mer. À droite..., regarde bien, qu'est-ce que tu vois ?

– La grève et... C'est un peu loin, hésita la fillette, mais on dirait un port ou un village de pêcheurs.

– C'est le Clan des rives, famille des Ysonia. C'est là que nous irons demain.

Thelma n'avait pas assez de ses deux yeux pour découvrir ce monde fabuleux. Ils marchèrent sur des sentiers qui faisaient des détours capricieux pour relier les maisons entre elles. Malgré leur étrange configuration, les chemins finissaient par conduire au centre du village. Également construits en pierre, les bâtiments et les échoppes s'assemblaient dans un heureux désordre. Il était parfaitement impossible d'avancer en ligne droite. Ce qui forçait les gens à se croiser, à prendre leur temps et à faire un brin de causette à chaque intersection. Tout le monde se saluait.

Au-delà des toits, Thelma aperçut une étrange bâtisse qui surplombait toutes les autres. En plus d'être très haute, elle était pourvue de nombreuses tours : il y en avait des rondes, des carrées et des triangulaires. Certaines étaient coiffées de terrasses ou de coupoles. Thelma tira la manche de Mauhna.

– Qu'est-ce que c'est, grand-mère ?

– C'est le collège de magie, ma chérie. C'est notre école, celle où nous enseignons, Hµrtö et moi.

– Ça alors ! Je veux y aller. Je veux devenir magicienne !

Thelma fut interrompue par l'arrivée intempestive d'un garçon qui semblait à peine plus âgé qu'elle. Il portait une robe et un ceinturon semblables à ceux des magiciens, mais son costume était élimé et couvert de taches d'encre.

– Maître, maître, regardez, j'ai réussi !

Hμrtö s'arrêta devant l'enfant, qui se figea, la bouche grande ouverte, quand il aperçut Thelma.

– Bonjour, Leani ! fit le magicien.

Le garçon leva un regard interrogateur vers Hμrtö en désignant Thelma du menton.

– C'est qui, elle ?

– Leani, je te présente Thelma. Elle est la fille de mon arrière-arrière-petit-fils Mélénor, le roi de Gohtes.

– Vous voulez dire que c'est une princesse ? s'étonna Leani en plissant le nez. Je trouve pas qu'elle a l'air d'une princesse, moi.

– Dis-moi plutôt ce que tu voulais me montrer, demanda le sorcier.

Dans le regard espiègle du garçon s'allumèrent des étincelles.

– J'ai réussi, maître. Regardez !

Il leva sa main droite et, de son index, il visa une roche en bordure du chemin. La roche se transforma en tortue.

– Vous avez vu ? s'excita Leani. J'ai réussi !

– C'est très bien, mon garçon, le félicita gentiment le maître de magie.

L'enfant bomba le torse et sourit à son professeur.

– C'est très bien, reprit Hµrtö. Maintenant, peux-tu défaire ton sortilège ?

Le sourire de l'enfant fondit d'un seul coup.

– Comment ça, défaire mon sortilège ? s'insurgea-t-il. J'ai réussi, c'est ce qui importe, non ?

Mauhna s'accroupit pour plonger son regard dans celui de l'enfant.

– Qu'est-ce que je vous répète tous les jours en classe ?

Le petit garçon rougit en se tortillant.

– Il ne faut pas perturber la nature, récita l'enfant.

– Leani, les pierres se fatiguent très vite de marcher. C'est un vrai supplice pour elles. Tu ne veux pas leur faire de mal, non ?

– Non, mais... j'ignore comment on défait un sortilège.

La magicienne lui murmura quelques mots à l'oreille. Leani releva la main et, de l'index, visa la tortue qui, faute d'en être vraiment une, ne savait pas où donner de la tête et fonçait dans tout ce qui l'entourait. Elle s'arrêta enfin de bouger.

– Oui ! Je l'ai eu.

– À présent, Leani, retrouve toutes les tortues que tu as semées sur ton passage et libère-les de ton sortilège, exigea la magicienne.

Le garçon partit aussitôt en criant :

– Je suis le plus grand... Je suis le plus grand des sorciers !

Thelma n'avait pas perdu son idée.

– Grand-mère, je veux devenir magicienne.

Mauhna se releva et caressa la tête de la fillette.

– Pour cela, il faut savoir si tu as des aptitudes. Ton séjour ici va nous permettre de le découvrir, mais il y a une autre condition : tes parents doivent être d'accord.

Thelma ne se laissa pas démonter.

– Ils le seront ! Ils le seront ! scanda la fillette, ignorant la petite voix qui soulevait un doute quant à l'accord de sa mère.

Ils circulèrent un bon moment avant d'arriver devant le site du collège. Thelma remarqua alors l'étrangeté des costumes et questionna son grand-père à ce sujet.

– Dans notre clan, il existe plusieurs ordres de magie. Chacun a son costume et ses fonctions. Nous sommes de l'ordre des maîtres et notre principale fonction est l'enseignement. Tu vois, là-bas, la jeune femme avec le chapeau plat et la cape courte ? Elle appartient à l'ordre des potions. L'homme qui l'accompagne n'a pas de cape ni de chapeau, mais une large ceinture sur une veste sans manches : c'est le costume de l'ordre des transformations.

Hµrtö s'interrompit pour saluer un jeune homme qui sortait du collège. Thelma comprit qu'il appartenait à l'ordre des maîtres grâce à son costume ; elle estima que cette façon d'utiliser les vêtements pour identifier les gens. Le jeune homme la regarda à peine, pourtant Thelma se sentit toute chavirée ; il était si beau. Ses cheveux presque blonds lui tombaient sur les épaules et ses yeux, d'un brun très profond, étaient bordés de longs cils noirs. En dépit de ses vingt-cinq ans, sa barbe paraissait fine et rare. La princesse aurait aimé caresser sa joue car, contrairement au visage de Mélénor, celui de l'instituteur semblait doux comme de la soie.

– Thelma, je te présente Ochfili Rysqey. Il est à la fois mon meilleur élève et un professeur au talent remarquable.

– Vous êtes trop bon, maître, ou vous devenez gâteux...

– Répète ça encore une fois et tu vas découvrir que je ne suis pas aussi bon que tu le crois.

Hµrtö rit en le saisissant par l'épaule.

– Nous partons avec Thelma pour notre tournée des clans. Je vais devoir te laisser la charge du collège.

– Aucun problème puisque les classes se terminent aujourd'hui, affirma le jeune instituteur.

– Je sais, répondit Hµrtö. Ce n'est pas pour les élèves que je m'inquiète. Tu vois ce que je veux dire ?

Rysqey hocha gravement la tête. Depuis que Mauhna et Hµrtö avaient compris que le mal se réveillait, les magiciens du clan maintenaient en permanence l'activité des boucliers d'énergie, qui protégeaient l'île contre les ondes maléfiques transportées par les nuages mystérieux. Hµrtö poursuivit :

– Tu viendras tout de même nous rejoindre pour la fête de l'assemblée ?

– Bien sûr !

– Et Leani ? Tu vas l'emmener avec toi ?

– Seulement s'il ne fait pas de bêtises d'ici là !

Ce soir-là, dans la tiédeur de sa jolie chambre rose, Thelma se remémora chaque événement de la journée. Au moment où elle se disait qu'elle aimerait bien vivre dans l'île pour toujours, elle pensa à sa mère qu'elle avait oubliée pendant toutes ces heures. Thelma sentit la piqûre du dard de la honte. Malgré tout, c'est en chérissant le souvenir du beau visage de Rysqey qu'elle s'endormit enfin.

✧

Le lendemain, elle se leva très tôt et marcha sur la pointe des pieds pour ne réveiller personne. Elle ouvrit la porte en prenant bien garde à ne pas faire de bruit et sortit dans l'herbe couverte de rosée. C'est ainsi qu'elle assista, pour la première fois de sa vie, au lever du soleil.

– C'est beau, n'est-ce pas ? dit une voix derrière elle.

La princesse se retourna et découvrit Hμrtö, assis au pied d'un arbre.

– Grand-père ! Je te croyais endormi.

– Tu sais, à mon âge, on ne dort plus beaucoup. Ça t'a plu de voir le soleil se lever ?

– Oh oui ! Je ne savais pas que le soleil dormait dans la mer.

Hµrtö se leva et prit la main de Thelma.

– Viens, ma chérie, nous devons nous préparer à prendre la route.

– La route ? Nous ne ferons pas de voyage-éclair ? s'étonna la fillette.

– Si tu arrives à convaincre ta grand-mère, promets-moi de me dire comment tu as fait.

Mauhna énonça, pour le bénéfice de Thelma, les multiples vertus de la marche en plein air. Pour amuser la petite, Hµrtö fit mine de rouspéter, mais elle savait qu'il était aussi excité qu'elle à l'idée de partir. Sur le chemin qui les conduisit au bord de la mer, le sorcier fit plusieurs haltes pour montrer à sa petite-fille les plantes et les animaux qui peuplaient l'île.

– Chaque été, les elfes-sphinx se regroupent pour leur assemblée annuelle, expliqua le magicien. Il y a alors une grande fête au cours de laquelle les enfants en âge d'être initiés sont reçus dans le clan qui convient le mieux à leur nature individuelle. Depuis que nous habitons dans l'île, ta grand-mère et moi profitons de ce rendez-vous pour faire la tournée des clans et visiter tous nos amis.

Ils arrivèrent au village du Clan des rives au moment où le soleil était très haut dans le ciel. À cette heure de la journée, le port grouillait de monde.

– Ils ne portent que du bleu ?

– Il s'agit de la couleur de leur clan.

– Je ne savais pas qu'il existait autant de nuances pour une même couleur, s'émerveilla l'enfant. C'est magnifique, on dirait une mer vivante.

Elle vit s'approcher un homme qui avait fière allure ; un magnifique dauphin ornait sa courte tunique presque turquoise.

– Bonjour, Mauhna ! salua le nouvel arrivé. Je suis si heureux de vous voir !

La vieille dame embrassa l'homme sur les joues, puis Hµrtö le reçut dans ses bras.

– Cid ! Quel plaisir ! Comment va ton père ?

– Il se porte mieux depuis que sa jambe est guérie et qu'il a repris la mer. Vous le connaissez, il a failli nous rendre fous ! Il n'est supportable que s'il passe la moitié de son temps sur son bateau.

Hµrtö présenta Cid à Thelma en lui expliquant qu'il était le fils du chef du Clan des rives. Cid fit une révérence charmante.

– Princesse, j'espère avoir l'honneur de vous accueillir chez moi, lui annonça-t-il cérémonieusement.

Il avait un sourire radieux auquel personne ne résistait. Thelma décida qu'elle l'aimait bien. Elle lui rendit son sourire.

– Personne ne doit m'appeler princesse.

– Oh !

Le sourire de Cid devint moqueur.

– Excusez-moi, princesse.

Il ne l'appela plus jamais autrement.

✧

Au-delà du port, animé par l'incessant va-et-vient des navires, se trouvait le chantier maritime. Malgré le bruit assourdissant, Thelma fut fascinée par la construction des bateaux.

– Ils ont l'air si lourds. Comment font-ils pour flotter ?

– Les dauphins les portent sur leur dos ! répondit Cid.

Thelma savait bien qu'il se moquait, mais elle rit de bon cœur avec lui.

– Princesse, je dois vous avouer que je ne me suis jamais posé la question, finit-il par déclarer.

Ils traversèrent le chantier et finirent par aboutir sur la place du marché. Les gens déambulaient sans se presser entre les étals débordants de poissons et de crustacés. L'air était chargé d'une entêtante odeur d'iode qui, bien que surprenante, n'était pas désagréable. Ils franchirent les limites du marché et se retrouvèrent en plein cœur du village.

Thelma ouvrit de grands yeux devant un spectacle étonnant : des habitations gisaient à perte de vue, comme si, au gré des marées, les vagues les avaient abandonnées pêle-mêle sur la plage de sable blanc. Certaines ressemblaient à des navires, mais les plus incroyables prenaient la forme de bêtes marines géantes. Thelma passa devant une gigantesque étoile de mer. Un peu plus loin, elle découvrit une série d'échoppes nichées dans l'effigie d'un serpent de mer. La tête s'élevait très haut dans le ciel et servait de tour d'observation et de phare ; la nuit, les yeux de la bête projetaient des faisceaux jaunâtres qui perçaient la brume. Au détour d'une langouste colossale, Cid désigna à Thelma la demeure du chef du Clan des rives. Tandis qu'ils approchaient de la maison-baleine, la gueule s'ouvrit comme pour les avaler. Cette porte inusitée libéra une dizaine de personnes qui, de toute évidence, avaient attendu leur arrivée.

– Bienvenue à vous, mes amis.

L'homme qui avait parlé possédait un tour de taille impressionnant. Sa barbe tombait sur sa poitrine sans toutefois parvenir à dissimuler le rorqual brodé sur sa tunique. Quand le chef de clan prit Mauhna dans ses bras, Thelma craignit qu'elle n'en ressorte pas indemne. Elle fut soulagée, quant à elle, que le grand chef se contente de lui serrer la main.

– Princesse, je suis Ysonia Atthal, le chef du Clan des rives. J'espère que vous vous sentirez ici comme chez vous.

Thelma ne put s'empêcher d'exprimer son angoisse.

– Cette nuit, quand nous dormirons, laisserez-vous la gueule... je veux dire, laisserez-vous la porte ouverte ? Euh, juste un petit peu ?

– Que craignez-vous, mon enfant ?

– Il me semble que j'aurais du mal à respirer dans votre maison. Il doit aussi y faire bien sombre.

Le rire qui secoua Atthal fit bouger dangereusement les chairs qui débordaient de sa ceinture.

– Je vous propose un marché, princesse. Nous visitons l'intérieur de la baleine, je vous montre les vantaux et les lanternes. Si vous vous sentez toujours mal à l'aise, nous vous installerons sur mon bateau. Cela vous convient-il ?

Rassurée, Thelma franchit le seuil garni de dents. L'intérieur de la demeure s'avéra spacieux et fort bien aménagé. La jeune étrangère oublia rapidement ses craintes et se laissa gagner par l'atmosphère chaleureuse de l'endroit. La maison d'Atthal accueillait toute une ribambelle d'enfants qui formaient une impressionnante tablée, où le rire était à l'honneur. Thelma dégusta des poissons et des crustacés à la chair savoureuse. Elle hésita un moment avant de goûter aux algues, à cause de leur couleur brunâtre. Elle finit par avaler le tout avec appétit, non sans avoir été mise au défi par Cid.

✧

Le lendemain, Hμrtö amena sa petite-fille se promener sur la plage. Ils marchèrent longtemps, les pieds dans les vagues, le visage caressé par la brise marine qui plaquait leurs vêtements sur leurs jambes. Ils découvrirent une roche plate, sur laquelle Hμrtö grimpa. Il tendit les bras pour aider Thelma à le rejoindre. Ils s'assirent pour prendre un peu de repos.

– Je crois que ce serait le bon moment pour te raconter l'histoire de l'origine des races de notre monde.

Thelma applaudit avec enthousiasme.

– Oh oui ! J'adore les histoires, grand-père.

– Il y a très longtemps, commença le magicien, il n'y avait ni hommes ni elfes dans notre monde. Les Ejbälas dominaient les terres du nord. Le peuple des Ejbälas comptait cinq grandes familles d'êtres vivants : les plantes, les animaux, les minéraux...

– Mais, le coupa Thelma, les minéraux ne sont pas vivants !

– C'est ce que les gens croient parce que le monde des pierres leur est inconnu, répondit Hμrtö. Il faut se méfier des idées préconçues ; la réalité va bien au-delà de ce que nos sens sont capables de percevoir.

– Et les deux autres familles ?

– Il y avait les Ghör, les géants, et les Nagù, les pensants.

– Les géants et les pensants, répéta la petite fille.

– Les géants portaient ce nom parce qu'ils se promenaient sur deux jambes et non à quatre pattes comme les animaux et les pensants.

Hμrtö fit apparaître un fusain et entreprit de dessiner sur la pierre.

– En plus de leur étrange démarche, qui faisait que leur tête dépassait celle de toutes les autres créatures, les Ghör avaient des mains agiles plutôt que des pattes munies de griffes, de palmes ou de sabots.

– Ce que tu me décris là, grand-père, ça ressemble à un elfe ou à un humain, souligna Thelma.

– Tu as raison, mais c'est ici que s'arrête la ressemblance. Les géants avaient des corps et des têtes d'animaux. Regarde, comme ceci.

Hμrtö tenta, sans grand succès, de dessiner une créature hybride : un géant-loup. Déçu du résultat, le magicien essuya ses mains sur sa robe et appliqua le bout de ses doigts sur les tempes de Thelma. Tout doucement, il s'empara de son esprit pour y projeter des images. Elle vit des dizaines de géants, tous sur deux jambes, avec des mains plus ou moins formées. Un des premiers avait une tête et un corps de faucon ; son bassin formait un angle bizarre avec ses cuisses et ses jambes velues, tandis que deux bras sortaient de dessous ses ailes. Un autre, digne des pires cauchemars, était une fourmi ; parmi les paires de pattes graciles se trouvaient deux bras et deux jambes. Ils défilèrent tous dans sa tête : géant-mouton, géant-pintade, géant-sanglier et géant-tigre. Hμrtö libéra l'esprit de l'enfant.

– C'était fantastique ! Et les pensants ? demanda-t-elle.

– Pour les Nagù, c'était tout le contraire. Ils avaient des corps et des membres de bêtes. Ils se mouvaient comme elles, mais ils avaient une figure plate, sans poils ni écailles. Leurs yeux n'étaient pas sur le côté de la tête et les oreilles...

– Je vois, je vois... comme une tête humaine !

– Tu as tout compris !

– Fais-moi voir !

Thelma vit un cheval avec un buste humain ; ses yeux, étincelants d'intelligence, illuminaient son visage qui était d'une beauté saisissante, presque autant que celle de la femme-poisson. Thelma sentit son sang se figer devant l'expression glaciale de la Nagù-araignée. Hμrtö lui envoya encore plusieurs images de pensants, dont un pensant-chèvre et, pour finir, un pensant-lion.

– Celui que tu as vu en dernier...

– Le Nagù-lion ? voulut vérifier Thelma.

– Oui, celui-là, c'était un sphinx.

– Un sphinx ! Veux-tu dire que seuls les pensants-lions étaient des sphinx ?

– Oui. Ils méritaient ce titre parce qu'ils étaient les chefs des pensants. Ils étaient connus pour leur sagesse et leur mystérieuse discrétion ; on les voyait très peu dans le monde. Au début, ils vivaient dans les profondeurs des forêts ou dans des cavernes. Ensuite, ils ont construit une cité fabuleuse où ils ont érigé des centaines de temples destinés à rendre hommage à la nature et à la vie. Les autres Ejbälas venaient les consulter quand ils avaient besoin d'un conseil ou d'un avis impartial pour régler un conflit. D'abord et avant tout, les sphinx étaient magiciens.

– Où vivent-ils maintenant ? questionna la fillette.

– Nulle part, Thelma. Les Ghör et les Nagù ont disparu.

– Comment est-ce arrivé ?

Hμrtö arrivait à la partie la plus délicate de son histoire.

– Bien, en général, les géants se mariaient avec les géants et les pensants se mariaient entre eux. Mais il y avait des exceptions.

– Je crois deviner : certains géants ont fait des bébés avec des pensants.

– Hum ! C'est cela. Ces croisements ont donné trois nouvelles races.

Hμrtö fit une pause. Thelma attendait patiemment la suite.

– Quand le bébé héritait des membres des géants et de la tête des pensants, cela donnait un homme ou un elfe. On n'a jamais su ce qui faisait que le bébé naissait elfe plutôt qu'humain. Une chose, cependant, s'est vérifiée avec le temps : lorsque l'enfant avait un papa ou une maman sphinx, invariablement il naissait elfe, jamais humain. Ces elfes avaient une caractéristique bien à eux.

Hµrtö montra son index à Thelma, qui ouvrit la bouche devant cette révélation.

– Nous avons hérité nos longs doigts des pensants-lions ?

Le vieil homme hocha la tête et poursuivit :

– Comme ces elfes-sphinx recevaient également les pouvoirs magiques du parent Nagù, on les appelait aussi les elfes magiciens. Leurs affinités les ont conduits à vivre retirés du monde, avec les sphinx qu'ils révéraient, étudiant la magie auprès d'eux, sans compter leur temps puisqu'ils avaient la même longévité que les Nagù.

– Donc, les géants et les pensants sont les ancêtres des elfes et des hommes.

– Oui.

– Et l'autre... la troisième race ?

– Il vaudrait peut-être mieux parler d'espèce. La nature, parfois, ne donnait au bébé que des essences de bêtes. On se retrouvait alors avec un animal fabuleux. Ces créatures combinaient, de façon parfois exubérante, les différentes essences parentales. Tu en connais certaines : l'hippogriffe, le cheval ailé, le dragon.

– J'aimerais devenir aussi savante que toi, grand-père !

– Tu as bien le temps !

L'expression ravie de la fillette fut bientôt remplacée par une mine dubitative.

– Mais cela n'explique pas pourquoi les pensants et les géants ont disparu.

– C'est la faute des hommes.

Thelma réagit aussitôt. Sa moitié humaine avait tressailli sous l'accusation.

– Comment ça, la faute des hommes ? s'indigna-t-elle.

– Les hommes ont parfois du mal à comprendre et à respecter les mouvements de la nature. Les humains avaient hérité de l'habileté et de la mobilité des géants en plus de la vivacité d'esprit des pensants. Bien vite, ils ont cru que cela les autorisait à dominer les autres espèces. Ils ont cessé de se croiser avec les races mères, ne s'accouplant plus qu'entre eux.

Le sorcier jeta un œil inquiet à la princesse ; le mot « accoupler » lui avait échappé.

– Et ensuite ? s'impatienta la fillette, sans s'émouvoir de l'évocation charnelle.

– Oui, eh bien... les humains avaient un chef qui s'appelait Tau. Tau a commencé à répandre une incroyable légende. Il disait que des dieux, physiquement semblables aux humains, avaient vécu dans notre monde avant la domination des Ghör et des Nagù. S'étant retrouvés seuls avec les animaux, ces dieux avaient fini par engendrer les sous-races divines des pensants et des géants.

– C'est un mensonge, n'est-ce pas ? Papa dit que les dieux, ça n'existe pas. Toi, grand-père, crois-tu aux divinités ?

– Voilà une question difficile, Thelma. En l'absence de preuves, j'aurais tendance à penser comme ton père, mais je ne détiens pas la vérité... Pas plus que quiconque, d'ailleurs. De tout temps, les hommes se sont inventés des divinités capricieuses ou cruelles, probablement inspirées par leurs propres défaillances. S'il existe vraiment des dieux, je préférerais qu'ils se montrent capables d'amour et de compassion pour les êtres imparfaits que nous sommes. Sinon, tant pour eux que pour nous, il vaudrait mieux qu'ils n'existent pas.

– Alors, ce Tau, cet homme qui croyait aux dieux, il racontait toutes sortes de mensonges sur les pensants et les géants ?

– Il n'a pas réussi à convaincre les elfes. Par contre, les hommes ont fini par déclarer que les pensants et les géants étaient des monstres qui offensaient les dieux et déshonoraient les races nobles des elfes et des humains, leurs héritiers légitimes. Dès lors, Tau a décidé de faire disparaître ces créatures ignominieuses. Les Ghör ont été massacrés en premier ; habitués à dominer le monde, ils avaient sous-estimé la menace que les hommes faisaient peser sur eux. Il a fallu bien plus de temps pour exterminer les Nagù.

– Ils se cachaient bien mieux parce qu'ils étaient plus futés, hein ?

– Presque autant que toi !

Thelma sourit sans répliquer. Hµrtö poursuivit :

– Cachés dans leur cité magique, les sphinx ont survécu de longs siècles mais, un jour, les trois derniers membres de l'espèce ont été débusqués par une bande de chasseurs.

84

– Ils auraient pu s'enfuir... je ne sais pas... jeter un sort à ces hommes méchants ou les abattre !

– Et se montrer aussi cruels et insensés que leurs bourreaux ? Non. Il y avait longtemps que Danze, l'ancêtre, avait tout prévu. « Notre époque est révolue, mais nous ne pouvons pas abandonner ce monde sans le prémunir contre la nature conquérante des hommes. » Au cours des dernières années, Danze avait demandé audience auprès des astres et des représentants des espèces animales, végétales et minérales pour leur proposer un pacte : « Par le pouvoir des sphinx, les elfes magiciens porteront, dans leur corps, l'essence d'une espèce qui se trouvera ainsi protégée de la folie des hommes ; elle deviendra une espèce sacrée. En échange, cette dernière paiera un tribut à l'elfe porteur ; elle lui transférera des qualités qui l'aideront à vivre en harmonie avec la nature. » Même si les astres n'avaient apparemment aucune raison de craindre les hommes, ils ont conclu le pacte pour se montrer solidaires de la sagesse des sphinx. Les espèces les plus fragiles et les plus perspicaces ont également accepté le pacte, car de nombreux arbres et animaux pouvaient témoigner de la perversité des hommes, qui abattaient et tuaient souvent sans réelle nécessité.

– Veux-tu dire que certaines espèces ont refusé la protection de l'esprit des sphinx ? s'étonna Thelma.

– Tout juste. Plusieurs minéraux se sont désistés, convaincus que rien ne pouvait les attaquer. Les puissants andramors...

– Andramors ? l'interrompit la fillette.

– Des félins gigantesques armés de griffes et de crocs venimeux. Même les dragons en avaient peur.

– Alors ?

– Eux non plus n'ont pas suivi, ni les serpents de mer. Plusieurs autres espèces supérieures qui n'avaient pas de prédateurs naturels ont également décliné l'offre ; ils se croyaient invincibles.

– Qu'est-il arrivé à Danze ? voulut savoir la petite fille.

– Les hommes ont trouvé les trois sphinx et leurs disciples en pleine méditation dans un des nombreux temples de la cité. Au moment où les chasseurs ont tranché la gorge des derniers Nagù, l'esprit des sphinx s'est envolé pour pénétrer dans l'âme des elfes servants, qui ont alors abandonné la ville sacrée pour aller peupler les anciennes terres des Ejbälas. La nuit, les elfes magiciens se retrouvaient pour honorer l'esprit des sphinx. Au cours de ces cérémonies, ils invitaient les espèces à venir conclure le pacte et greffer leurs effigies dans la chair des elfes. Bientôt, tous les elfes magiciens ont porté ce qu'ils appelaient « La Marque » ou le « sphinx ». Cette petite communauté est devenue le cercle des Anciens. Ce sont eux qui président les cérémonies des révélations et qui acceptent « le tribut des sphinx ». Voilà ! Les Anciens se sont mariés et ils ont eu des enfants qui, eux aussi, protégeaient les espèces sacrées. Ces enfants, cependant, n'héritaient pas tous des dons de magie. Les générations des descendants des Anciens se sont succédé jusqu'à nous, et maintenant il y a les elfes-sphinx purs, comme moi...

Hµrtö leva ses mains pour montrer ses ongles bleu foncé.

– Et les métissés, comme toi.

Il caressa le bout des doigts clairs de Thelma.

– Grand-père, comment faisons-nous pour protéger les espèces sacrées ?

– Oh ! Cela se fait sans notre intervention. Quand un homme tue un animal, pêche un poisson ou coupe un arbre, il lui enlève sa vie et son essence. Le porteur d'un sphinx peut tuer l'espèce sacrée qu'il protège, car il ne détruit pas cette âme. Il l'accueille en lui jusqu'à ce qu'elle se réincarne dans la nature.

– Je comprends ! Atthal peut tuer des baleines sans nuire à cette espèce, mais il ne coupera pas un chêne alors que papa pourrait le faire.

– Tu as tout compris. Le repas que nous avons pris hier n'a sacrifié aucune vie. Dans notre monde, Thelma, la communauté est très importante, car nous dépendons les uns des autres pour combler chacun de nos besoins. Ensemble, nous arrivons à le faire sans menacer l'équilibre de la nature.

– Ils étaient vraiment très malins, les sphinx ! déclara Thelma en hochant la tête. Dommage qu'ils n'existent plus.

Le magicien lui sourit gentiment. Cette suprême candeur le ravissait.

– Dis, grand-père, les animaux fantastiques, les dragons, les hippogriffes et les autres, les hommes les ont-ils tués, eux aussi ? questionna l'enfant après un moment.

– Oui et non ! Les humains ne se sentaient pas offensés par leur apparence puisqu'ils n'étaient que des animaux. Ils les ont chassés pourtant, mais seulement pour le plaisir ; une sorte de... distraction.

Le magicien fit une moue qui indiquait tout le dégoût que cela lui inspirait. Il conclut :

– Mais ces créatures n'étaient pas si bêtes ; elles savaient bien se cacher.

✧

Thelma avait le cœur gros en quittant ses amis du Clan des rives.

– Ne sois pas triste, princesse ; nous nous reverrons à la fête de l'assemblée.

Même si son bras lui faisait mal, elle continuait à saluer avec entrain Cid et Atthal, qui rapetissaient tandis que la charrette s'éloignait sur l'unique route menant aux confins de l'Île-aux-Tortues.

La veille, Thelma avait vu arriver un homme et sa charrette. Les deux avaient été assaillis par les habitants des rives avant même la place du marché : « Il y en aura pour tout le monde, allons, inutile de vous bousculer comme ça. » L'homme, vêtu d'une tunique d'un beau vert clair, portait une broderie représentant un épi de blé. Il riait en distribuant ses miches dorées et appétissantes. Ses mains et son pantalon étaient couverts de farine. Mauhna avait expliqué à Thelma ce qu'était le troc : « Les habitants des rives sont d'excellents pêcheurs, mais de bien piètres pâtissiers. Tous les habitants de l'île s'échangent des vivres et des produits de cette façon. »

Hµrtö avait convenu avec le boulanger qu'ils partiraient ensemble le lendemain, au lever du jour. Ils allaient rejoindre Aglaë, la fille des magiciens, qui habitait à la limite des territoires des vallées et des cavernes. « Notre fille préfère vivre un peu à l'écart des activités des villages, mais elle est toujours heureuse de nous recevoir ; nous passerons quelques jours chez elle. Ensuite, nous partirons tous ensemble pour le village des vallées. »

– IV –

Dans le palais de Döv Marez, Isadora hésitait : oserait-elle, cette fois, se hasarder dans les appartements du roi ? Depuis qu'elle avait surpris Mélénor avec une de ses maîtresses, elle vivait dans la hantise de revivre pareille humiliation. Le roi avait beau lui répéter que c'était de l'histoire ancienne, qu'il avait changé, son épouse n'en croyait rien.

– Je pensais que tu m'avais pardonné, s'impatientait Mélénor chaque fois que la reine revenait sur ce sujet brûlant. Il y a huit ans de cela !

Mine de rien, quand son mari se trouvait près d'elle, Isadora le humait, cherchant sur sa peau l'odeur de parfums étrangers.

La reine avait donc pris l'habitude d'attendre que son époux sollicite sa présence. Généralement, elle n'avait pas à se languir bien longtemps ; Mélénor ne lui cachait pas qu'il espérait qu'elle lui donne un héritier mâle. Ils profitaient tous les deux de ses retours au pays pour s'accorder des moments d'intimité qui ravivaient la passion d'Isadora pour son bel amant. Mais Mélénor était rentré de Celtoria trois jours auparavant et il ne l'avait pas encore approchée. Puisqu'il ne semblait pas pressé de la rejoindre dans son lit, elle imaginait le pire.

« Pourtant, raisonnait-elle en scrutant son visage dans sa psyché, si je veux arriver à mes fins, je dois prendre ce risque. »

Pendant la dernière absence de Mélénor, Isadora avait bien réfléchi. Le roi aurait été outragé d'apprendre que son épouse sabotait sciemment leurs tentatives de concevoir un enfant. À la demande de sa nièce, Volda avait concocté une potion qui la préservait des grossesses.

– Pourquoi ? l'avait questionnée sa tante.

Ayant souffert toute sa vie de n'avoir connu ni l'amour ni la maternité, Volda ne comprenait rien à l'entêtement d'Isadora.

– C'est pourtant simple. Dès que je lui aurai donné le descendant qu'il désire, il n'aura plus besoin de moi. Il me délaissera comme une vieille guenille.

Compte tenu de ce qu'elle pensait des hommes, Volda avait cessé de protester et avait fourni la potion réclamée.

Toutefois, depuis les derniers cycles des lunes, Isadora commençait à s'inquiéter.

– Si une de ses putains lui donnait un fils, quels privilèges pourrait bien revendiquer ce bâtard ?

Discrètement, elle avait interrogé un conseiller autre que Cassandra. « La ministre est fort perspicace, et je sais qu'elle est d'abord dévouée au roi. Elle lui rapportera certainement mes craintes. Si mes appréhensions ne sont pas fondées, Mélénor m'en voudra terriblement. Non, ce sujet m'apparaît vraiment trop délicat. Je veux d'abord savoir. Ensuite, j'aviserai. »

À son grand désarroi, Isadora avait découvert un article de loi qui l'avait horrifiée : si une mère prêtait serment devant l'assemblée des nobles et que son enfant mâle ressemblait suffisamment au roi, elle pouvait réclamer le trône au détriment d'une reine veuve ou des héritières légitimes. Ces dernières se trouvaient alors évincées ; avec une dot confortable, il va sans dire, mais tout de même écartées du palais et du pouvoir. Cette éventualité avait fait frémir la souveraine et elle avait décidé que le temps était venu de satisfaire le désir de son époux.

– Je suis féconde en ce moment, lança-t-elle au reflet dans son miroir. Je dois y aller sans attendre. Qu'importe si ma fierté doit en souffrir !

Elle rajusta sa chemise de nuit et jugea qu'elle n'était pas trop mal. D'un pas décidé, elle emprunta le couloir qui reliait sa chambre à celle du roi. Quand elle poussa la porte, elle trouva la pièce plongée dans la pénombre et dut attendre quelques instants avant de pouvoir distinguer la forme étendue sur le lit. Elle soupira, soulagée ; Mélénor était seul. Le roi aurait été peiné d'autant de suspicion, puisqu'il se comportait maintenant avec droiture et loyauté.

– Oh ! confiait-il à Alban, j'ai toujours des yeux pour voir, mais je sais le prix qu'il en coûte de céder à ses pulsions. Merci pour moi !

Si le roi avait déserté le lit de son épouse depuis ces trois derniers jours, c'était pour des motifs bien éloignés des conquêtes galantes. Le souverain s'était empressé d'annoncer sa venue à Döv Marez. Il avait visité la ville et accepté nombre d'invitations : nobles, commerçants, paysans, tous appréciaient le tempérament direct mais avenant de leur souverain. Au cours de ces réunions improvisées, le roi avait réglé plus de litiges qu'il ne l'aurait fait dans le cadre plus formel de sa salle d'audiences. Parce qu'il n'était pas homme à refuser de s'amuser, surtout parmi les siens, ces soirées débordaient largement sur ses nuits, et il s'endormait tard, ayant parfois bu plus que de raison.

Isadora retira sa chemise de nuit et se glissa sous les couvertures. Elle ne fut pas surprise de découvrir une érection naissante chez son mari. Sentant le trouble l'envahir, elle saisit délicatement le membre chaud et l'approcha de ses lèvres pour souffler tout doucement. Cela fit gémir Mélénor, qui s'éveilla, l'esprit brouillé par les abus de la veille. Sous les draps, il voyait la tête qui montait et descendait dans un rythme délicieux. Il ferma les yeux à demi et se laissa porter par le plaisir.

Isadora sentait son sexe humide de désir mais, pour l'instant, sa propre satisfaction ne comptait pas. Quand elle sentit la jouissance de Mélénor approcher, elle repoussa les couvertures. Elle n'eut aucun mal à enfouir en elle le membre mouillé qui lâchait déjà son puissant jet de semence. Elle savoura le moment où son mari lui agrippa sauvagement les fesses pour mieux diriger les mouvements de son bassin.

Une fois le dernier râle évanoui, les deux époux se regardèrent.

– Comme tu es belle, murmura Mélénor en touchant le visage penché sur lui.

Il l'attira dans ses bras.

– Désolé, ma douce. J'ai peur de ne pas être très frais.

Convaincue qu'elle offrait une image navrante, Isadora s'empressa de recouvrir son corps nu. Elle jugeait son apparence bien sévèrement, déplorant sans relâche son ventre distendu, ses cuisses à la peau flétrie et ses seins affaissés. Mélénor ne voyait rien de cela.

– Tu exagères, lui répétait-il.

Il allongea le bras. Le cœur battant, Isadora posa sa tête sur l'épaule musclée du roi. Elle l'embrassa avec ferveur dans le cou, indifférente à la forte odeur de bière qui émanait de son corps.

– Je t'aime, chuchota-t-elle.

Elle comprit qu'il s'était endormi quand elle entendit son souffle régulier. Elle se blottit contre lui et resta immobile, soucieuse de ne pas le réveiller, heureuse de se trouver là, près de lui, même si elle supposait que l'esprit de son homme vagabondait dans des rêves où elle n'avait pas de place.

– V –

Le carrosse doré s'arrêta. Verlon sentait déjà l'excitation le gagner. Il sortit de la voiture avant même que le cocher l'ait immobilisée. Malgré son bras unique et sa jambe de bois, Naq sauta de sa monture avec une agilité incroyable ; Verlon le trouvait tout simplement prodigieux.

Les deux hommes se dirigèrent vers le bâtiment gardé par une vingtaine de soldats. Ces derniers saluèrent avant de s'écarter respectueusement. Verlon adorait ces marques de déférence un peu obséquieuses. Un officier les accueillit en silence. Il se contenta de les guider jusqu'à une vaste salle, au centre de laquelle trônait une cage. Deux lions enragés tournaient en rond, tandis qu'un larbin, armé d'un bâton, battait les barreaux pour exciter la fureur des bêtes.

La cage, c'était l'idée de Naq, et il avait tout de suite su où la trouver. Le cirque tombait en décrépitude depuis que les tournées étaient devenues trop exigeantes pour les articulations du vieux forain. Les douleurs lancinantes qui torturaient ses jambes ne l'avaient pourtant pas empêché de tomber à genoux devant son fils, quand celui-ci avait fait irruption dans la caravane. Naq avait saisi le vieil homme au collet pour l'entraîner sous le grand chapiteau : « Disons, mon très cher père, que je viens réclamer mon héritage. »

Celui qui l'avait engendré en violant sa mère avait sangloté comme un enfant et l'avait supplié de ne pas le tuer. Naq avait attendu que l'homme mouille son fond de culotte avant de lui trancher l'oreille, puis le bras, puis la jambe. Comme le père de Naq n'avait jamais eu d'amis, il avait fallu cinq jours avant que quelqu'un découvre son cadavre. Un pieu, enfoncé dans la poitrine, maintenait debout contre le mur le corps supplicié qui n'avait plus de côté droit. Seul, dans le visage grimaçant, l'œil gauche observait le pullulement des mouches et des asticots s'acharnant sur les entrailles et la mare de sang séché.

Un grand fauteuil faisait face à la cage. On avait attaché des bougies aux barreaux pour bien éclairer les fauves. Verlon s'installa dans le fauteuil, tandis que Naq s'assurait qu'aucun intrus ne traînait dans un coin. Quand ils furent seuls, le monstre souleva un vieux tapis poussiéreux qui dissimulait le battant d'acier d'une trappe. Dans un caveau à peine plus grand qu'un réduit, on avait enfermé une dizaine d'enfants. Naq les libéra pour que Verlon puisse les observer. Aveuglés par la lumière, les petits se frottaient les yeux et demandaient :

– Où il est le poney ? On va vraiment pouvoir monter sur son dos ?

Le conseiller du roi s'adressa à un petit garçon.

– Quel âge as-tu ?

– Sept ans... je crois ! dit l'enfant, hésitant.

– Je vais vous expliquer le jeu ! C'est simple.

Naq ouvrit la porte de la cage et la referma aussitôt ; le claquement funeste fit sursauter les petits.

– Si vous êtes méchants, je vous jette dans la cage, gronda le monstre borgne. Tout le monde a compris ?

Paniqués, les enfants hurlèrent et voulurent se réfugier dans leur trou. Vif comme l'éclair, Naq rabattit la porte d'acier, mais une fillette, plus rapide que les autres, avait déjà atteint la trappe et la porte faillit lui écraser le bras. La petite éclata en sanglots hystériques qui agressèrent le tympan de l'unique oreille du conseiller du roi.

– Ne me les abîme pas, protesta Verlon. Le jeu ne fait que commencer.

Le souverain de Yzsar avait, depuis peu, développé un goût morbide pour la terreur qu'il pouvait provoquer. Il ne sentait jamais aussi bien sa toute-puissance que lorsqu'il voyait naître l'épouvante dans les yeux des gens qu'il dominait. Excité par la mise en scène de son conseiller, il se leva pour battre lui-même les barreaux de la cage : le plus grand des deux fauves se dressa sur ses pattes arrière et rugit.

Verlon retourna dans son fauteuil et demanda à une petite fille de s'approcher. Naq dut la conduire de force auprès du roi.

– Toi, ma jolie, as-tu été méchante aujourd'hui ?

Verlon savoura son plaisir quand il vit que l'enfant tremblait de frayeur.

– Non, monsieur. Je suis toujours bien sage.

– À la bonne heure ! Cela m'aurait fait de la peine d'être obligé de te punir. Tu vas donc être une bonne petite fille et faire tout ce que je te demande.

– Oui, monsieur.

Le roi de Yzsar ordonna à la fillette de chanter pour lui. Comme elle hésitait, Verlon la congédia.

– Vilaine ! Tu vas finir dans la cage, promit-il à la petite, qui se mit à crier.

Naq la repoussa avec les autres.

– Mes lions ont très faim, commenta le roi en s'adressant à un petit garçon. Danse pour moi. À moins que tu ne préfères être croqué vif.

Le garçon esquissa quelques pas maladroits, tout en gardant les yeux rivés sur la cage. Il était si rachitique que Verlon le fit remplacer aussitôt par une fillette plus âgée. Dans une vaine tentative d'évasion, la belle enfant ferma très fort les yeux et les poings. Son esprit se mit à errer quelque part au-dessus d'elle. La peur la faisait tant vaciller que ses gestes disgracieux rappelaient ceux d'une personne ivre. Le roi de Yzsar la dévisagea un long moment.

– Pas elle, affirma-t-il en la chassant.

Naq amena, à tour de rôle, chaque petit devant son souverain. N'importe quel être sensé aurait fait remarquer au roi qu'on ne tirait aucune gloire à terroriser des enfants, mais Verlon ne fréquentait pas les sages.

– Lui, s'exclama le Longs-Doigts en désignant un garçon qui tentait de se dissimuler derrière le dos d'une plus grande.

Le conseiller alla le chercher en le tirant brutalement par le bras.

– Lâche-moi, s'insurgea le gamin.

Sa chair se mit à trembler et, après quelques instants, Delia apparut. Son corps nu s'animait d'une chaude couleur cuivrée sous la lueur des torches.

– Tu as gagné, Verlon. À quoi m'as-tu reconnue ?

Le talent dramatique de la reine n'avait pas suffi à confondre son mari.

– À ta façon de te mordiller la lèvre inférieure.

– J'oublie toujours ce détail, se fâcha la reine. Quoi d'autre ?

– Ta démarche aussi.

– Je sais... le caméléon sous mon pied gauche. Je croyais pourtant avoir réussi à camoufler ma claudication.

– Bel effort mais insuffisant ! Puisque tu as perdu, tu dois tenir ton pari, jubila le petit homme.

– Inutile de pavoiser. Je tiens toujours mes promesses.

Se retournant vers Naq, Delia désigna les enfants.

– Débarrasse-nous d'eux.

Le monstre borgne bouscula les petits : certains pleuraient, les autres se taisaient, espérant se faire oublier. Ils furent renvoyés dans le trou et, discrètement, Naq referma les vantaux. Soulevant un nuage de poussière, il remit le tapis en place sur la porte d'acier et quitta aussitôt la pièce. Dehors, il respira profondément : il détestait l'odeur des enfants.

La reine de Yzsar passa un bras entre les barreaux de la cage pour attraper un fouet et un vêtement, qu'elle enfila. La tunique était un élément important du fantasme de son mari ; elle recouvrait à peine ses seins et laissait son dos nu jusqu'à la taille. Quand Delia leva le bras pour faire claquer son fouet, la jupe trop courte découvrit ses fesses rebondies. Verlon était au bord de l'extase.

Delia fit reculer les lions jusqu'à une cage plus petite et les y enferma. Elle se pencha ensuite devant Verlon pour lui offrir sa croupe. Excité par la fureur des fauves et par la puissance de son épouse, qui les dominait, il s'enfonça dans le sexe moite de la reine. Dans cette position, le roi pouvait deviner le mouvement des seins qui ballottaient sous ses assauts. Le roi de Yzsar jouit enfin, joignant son râle à celui des bêtes sauvages.

✧

Les souverains de Yzsar montèrent, majestueux, dans le carrosse doré qui les attendait devant la caserne. Le roi semblait d'excellente humeur. Naq grimpa sur sa monture. Avant de refermer la porte du carrosse, Modregal entendit le roi déclarer à son épouse :

– Je suis affamé. Pourquoi n'irions-nous pas faire un tour dans les ruelles de la ville ?

La reine rétorqua qu'il leur faudrait d'abord prendre leur potion, mais la suite se perdit dans le claquement des sabots de l'attelage royal. Avant de lancer son étalon à la suite du carrosse, Naq s'approcha du lieutenant.

– N'oubliez pas de nettoyer sous le tapis, le prévint-il, énigmatique.

L'inquiétant personnage signifia ensuite à l'officier qu'il pouvait disposer.

Depuis le couronnement de Verlon, Modregal faisait partie de la milice spéciale chargée des « divertissements » du roi. Au fil du temps, il avait gravi les échelons jusqu'à obtenir des galons de lieutenant. Son pouvoir s'était accru ; pourtant, depuis peu, son unique rêve était d'arriver au bout de son engagement : vingt ans de service. Alors il aurait le droit de demander son transfert dans un des cinq nirvanas. « Pas vraiment la fin de ma vie active, mais un poste sans complication, loin de Corvo... Quelle ville pourrie ! »

Modregal cracha avant d'entrer dans la caserne ; il lui revenait à lui et à son équipe de camoufler les extravagances de ses maîtres. Comme toujours, il pénétra le premier dans la pièce ; il détestait que ses hommes le dévisagent à la recherche d'un signe de désapprobation. Non, il valait toujours mieux qu'il ait le temps de se composer un masque d'indifférence.

Le lieutenant s'approcha de la cage et en fit attentivement le tour.

– Rien ici.

Il avisa alors le tapis et la porte qu'il dissimulait. Quand il ouvrit le panneau, il découvrit les enfants, asphyxiés. Leurs petites mains ensanglantées indiquaient qu'ils avaient vainement tenté de s'échapper. L'officier s'éloigna pour vomir dans un coin. « Ils sont fous, complètement fous. Si ça continue, ils vont aussi me faire perdre la raison. » Il prit le temps de respirer avant d'ouvrir la porte à ses hommes.

– Nettoyez-moi ça au plus vite, ordonna-t-il.

Le plus jeune devint si blême que Modregal crut qu'il allait défaillir. Modregal avait déjà préparé une phrase qu'il espérait sans réplique.

– Des petits voleurs qui auraient fini, de toute manière, par se faire assassiner dans un bordel.

– Ce ne sont que des enfants ! protesta un des hommes.

– Dès qu'ils se prostituent, ils ne sont plus des enfants à mes yeux ! Allez, au travail. Si quelque chose vous dérange, il vaut mieux que vous exerciez un autre métier.

Pas question de compromettre son avenir en s'attirant des ennuis avec Naq. Il avait vécu assez longtemps pour connaître la valeur du silence, mais il n'en pensait pas moins ; la veille, il avait tout raconté à sa femme, Noemi.

– Au début, Naq leur ramenait des putains, des filles, seulement des filles. Puis il a commencé à leur fournir des garçons. En ce temps-là, ils ne les tuaient pas. Quand je reconduisais ces prostitués dans leurs ruelles, hommes et femmes se taisaient. Ils étaient souvent très mal en point mais, au moins, ils avaient reçu une bourse pour leur peine.

– Et c'est devenu pire ? voulut savoir Noemi.

– Pire ? Il n'y a pas de mot pour décrire leurs abjections... Naq les choisissait de plus en plus jeunes, mais ce n'était pas assez ; Verlon voulait des vierges et des puceaux.

– Es-tu en train de me dire que tous ces enfants qui disparaissent... c'est le roi qui les enlève ? s'épouvanta sa femme.

– Son monstre ou lui, pour moi, c'est du pareil au même.

– Mais il faut les arrêter.

– Ah oui ? Alors, dis-moi comment faire ! s'emporta Modregal, impuissant.

– Je ne sais pas, mais tu dois...

– Noemi, essaie de comprendre.

– Il n'y a rien à comprendre. Il faut que tu cesses de participer à ces horreurs.

– Si je fais cela, je suis un homme mort, avait avoué le lieutenant en baissant honteusement la tête. Si Naq doute de ma loyauté...

Modregal s'était redressé, puis il avait passé son index sur sa gorge pour que sa femme comprenne bien le sort qui l'attendait.

– Ma seule porte de sortie, c'est la fin de mon engagement dans cinq ans. Noemi, je n'ai pas envie de mourir. Encore cinq ans et nous pourrons aller vivre dans une des Cités des élus.

– Je ne comprends pas. Pourquoi ne m'as-tu pas parlé avant ? avait-elle demandé en l'enlaçant tendrement.

– C'est ce que j'essaie de t'expliquer : ils n'étaient pas comme cela avant. J'ignore ce qui s'est passé, mais ils ont changé ; au début, c'était du vice, maintenant, c'est de la folie meurtrière. Ils sont devenus insatiables.

Noemi lui avait apporté un grand verre d'eau-de-vie, elle qui le critiquait sans cesse parce qu'il buvait trop.

✧

Le carrosse circulait très lentement dans les rues crasseuses de Corvo. Verlon s'adossa à son siège en humant avec délectation l'odeur caractéristique de la misère. Delia lui tendit la fiole.

– Ce sera bien mieux après avoir avalé la potion.

Ils burent tous les deux.

– Un jour, nous serons comme notre seigneur, déclara Verlon. Finie la nourriture, finie la mort. Nous serons des dieux.

Depuis qu'ils servaient « le maître », ils apprenaient à puiser leurs forces directement dans l'énergie perverse de la misère humaine. Leur corps se transformait lentement sous l'effet de la potion déshumanisante. Verlon brandit la fiole par la fenêtre du carrosse.

– Naq, tu bois un coup ?

Le monstre saisit la bouteille et la rendit complètement vide. Verlon la montra à Delia.

– Il espère devenir une divinité avant nous.

– Laisse-le faire, répondit Delia en haussant les épaules. C'est lui qui va se tordre de douleur pour avoir forcé la dose. Les organes doivent se dessécher au fil des ans, au moins vingt, sinon la corrosion peut s'attaquer à la peau. Je n'ai pas l'intention de gaspiller ma beauté et de traîner un corps abîmé pour l'éternité.

Verlon éclata d'un rire sans joie.

– Tu crois ralentir Naq avec un argument pareil... gaspiller sa beauté ?

Au-dehors, le monstre regardait les nuages dissimulant les lunes. La potion, il l'avait jetée dans l'égout ; Naq ne faisait confiance à personne, pas même à celui qu'il servait. « Il y a quelque chose qu'il ne nous dit pas. » Il s'approcha du carrosse et se pencha à la fenêtre.

– Altesse ?

– Oui ?

– Vous seriez prêt à recommencer tout de suite, n'est-ce pas ?

– De quoi parles-tu ?

– Du jeu.

– Et de ma récompense ? gouailla Verlon en clignant de l'œil vers la reine.

Le roi reporta son attention sur l'affreux visage tatoué du monstre.

– Ma foi, oui ! Pourquoi veux-tu savoir cela ? Tu es envieux de ma virilité maintenant ? C'est vrai que je suis en pleine forme. Je me sens aussi fringuant qu'à seize ans. Mais toi, Naq, pourquoi désires-tu savoir cela ?

– Oh ! Je me demandais si la potion... Bah ! Oubliez ça ! Ce n'était qu'une question comme ça. Puis-je disposer ?

– Fais comme bon te semble ! répondit le roi, indifférent.

Naq lança son cheval au galop, laissant aux gardes du corps le soin d'accompagner les souverains ; il avait besoin de se retrouver seul pour réfléchir.

✧

Une quinzaine d'années plus tôt, le maître s'était entouré des monarques de Yzsar et de leur inquiétant conseiller pour réaliser un projet démentiel : faire régner la terreur, anéantir la joie, bannir la beauté, s'emparer de toutes les richesses et, ainsi, dominer le monde. En dépit de la relative faiblesse de ses pouvoirs, celui qu'ils appelaient « le sorcier noir » ou « Le Cobra » les avait enlevés dans un tourbillon sombre pour les amener jusque dans son antre. Mieux informée que ses compères sur le monde de la magie, Delia avait immédiatement reconnu en cet être terrifiant les connaissances d'un grand maître. Ce dernier s'était montré très persuasif, leur promettant une gloire et une puissance inégalées. Ce dessein plaisait à Naq mais, selon lui, il comportait une sérieuse lacune : pour que la nouvelle race divine puisse se nourrir du malheur des hommes, il fallait bien qu'il en survive quelques-uns.

Il se souvenait de cette fameuse rencontre, où il avait exposé au Cobra son projet de création des nirvanas : c'était dix ans auparavant. Ce jour-là, avant même d'avoir compris le fonctionnement des « cités-garde-manger », le sorcier noir avait failli tuer le monstre borgne. L'ombre glaciale avait plané un moment au-dessus de la tête de Naq, puis elle avait pris sa forme physique la plus courante : corps de loup et tête de reptile. Les yeux rouges avaient étincelé de colère et la voix puissante avait sifflé de façon inquiétante. Quand Le Cobra parlait, des milliers de voix sortaient de sa bouche pour se fracasser contre les murs de son temple ; il collectionnait les voix de ses victimes comme autant de trophées.

— Je ne vis que par le mal, et toi, tu veux créer des paradis.

— Le mal n'existe que dans la souffrance, et les hommes sont les spécialistes de la souffrance. Notre survie dépend de notre habileté à les tourmenter, mais les gens de cette race s'adaptent à tout, même à la misère.

– Tu as remarqué ?

– Depuis quelque temps, l'énergie noire émise par la détresse des hommes a diminué dans Corvo et dans les villes avoisinantes.

– Puisque tu te trouves si malin, dis-moi ce que tu proposes.

– On construit des villes fortifiées où la vie est simple, douce et facile pour les hommes, avait expliqué Naq. Nourriture en abondance, maisons confortables, liberté des individus...

– C'est ma mort que tu veux ?

Le tympan de l'unique oreille de Naq s'était défoncé, et du sang avait coulé sur son épaule. Le maître s'était approché pour sucer le sang dans le cou du monstre. Il avait ouvert sa gueule et appuyé ses crocs contre la gorge de Naq, qui n'avait pas bronché, ce qui lui avait probablement sauvé la vie.

– Tu as du courage. Continue ton invraisemblable proposition.

– Dans de telles conditions, les hommes vont se reproduire sans difficulté. Les nirvanas produiront une source inépuisable d'énergie pour alimenter les dieux que nous serons devenus. L'idée n'est pas de les maintenir longtemps dans cette plénitude, bien au contraire. Je crois que la misère sera bien plus... « nutritive » si elle est vécue sur un fond de regrets, de souvenirs heureux et d'espoirs brisés.

Le sorcier noir s'était éloigné en hochant la tête ; Naq en avait déduit qu'il pouvait poursuivre.

– Régulièrement, nous ferons des rafles dans les nirvanas pour repeupler les villes et les campagnes, avait expliqué le monstre. Là, c'est certain, ces êtres choyés vont tomber dans une dépression productrice de beaucoup d'énergie noire. Évidemment, il y en aura toujours qui préféreront se battre pour tenter de retrouver une vie plus supportable. Nous serons là pour les en empêcher.

– À quoi penses-tu exactement ?

– On sait déjà comment détruire les récoltes. On peut incendier un commerce qui devient trop prospère, provoquer un accident qui estropie le père, faire violer la cadette par un brigand. Ce ne sont pas les moyens qui manquent.

– Et quand la misère sera venue à bout de tous leurs espoirs et qu'ils ne produiront plus assez d'énergie ? avait demandé le maître.

– Nous les enverrons dans les mines.

– Ton plan n'est peut-être pas si bête, mais il m'apparaît très risqué. Ces nirvanas, il faudrait qu'ils soient placés aux confins du pays car, tels que tu les décris, ils vont dégager des ondes d'harmonie qui pourraient m'affaiblir. Je déteste cette idée.

Naq avait alors révélé au sorcier noir le projet de Verlon de conquérir une partie des terres de son voisin du sud. C'était l'année du mariage du roi de Gohtes : les alliances royales suscitaient toujours autant d'intérêt et les rumeurs traversaient allègrement les frontières de tous les pays du continent. Le souverain de Yzsar avait vu en ce jeune monarque inexpérimenté l'instrument parfait pour sa machination.

– Nous avons tendu un piège à Mélénor de Gohtes, avait expliqué Naq. Si tout se passe comme prévu, ce jeune blanc-bec va bientôt supplier Verlon de l'aider à envahir le pays de Bortka. Pour sa peine, le roi de Yzsar demandera la moitié des terres de Trevör. Ainsi, nous pourrons construire les nirvanas sans qu'ils portent atteinte à votre puissance.

– Je vois que tu penses à tout, avait dû reconnaître le seigneur noir.

– J'ai même projeté d'instaurer une sorte de jeu de hasard : quelques privilégiés pourraient gagner le droit d'aller vivre dans les nirvanas. Connaissant la nature humaine, je crois que cela devrait susciter assez d'envie, d'assassinats et de vols pour raviver l'énergie noire de la ville.

– J'imagine assez bien ce que les citoyens seront prêts à faire pour se soustraire à leur misère actuelle.

– Cela nous permettra de tenir le coup jusqu'à ce que les rafles dans les cités-garde-manger nous fournissent nos premières moissons de désespérés.

– As-tu pensé qu'il faudra des armées complètes pour contenir cette vermine heureuse ? Ils pourraient bien être assez fous et idéalistes pour essayer de sauver le reste du peuple.

– N'ayez crainte, l'avait rassuré Naq, aucun élu ne quittera un nirvana de son plein gré. Ils sont stupides mais pas à ce point. Cependant, pour les armées, vous avez raison ; nous en aurons besoin, non pour empêcher les élus de s'évader. Non, les armées des nirvanas devront empêcher les exclus d'y pénétrer. Elles contrôleront également les activités prohibées, comme la lecture, l'enseignement et les réunions à caractère politique ou philosophique.

– Tu sembles bien connaître les hommes.

– J'ignore pourquoi, mais on oublie souvent que j'en suis un, avait ironisé le monstre.

– À moitié elfe-sphinx !

– Je me sens plus qu'à moitié humain.

– Tu n'as pas l'air de t'en plaindre, puisque tu lèves le nez sur la potion déshumanisante, avait déclaré Le Cobra d'un ton dangereusement neutre.

Les sens en alerte, Naq avait guetté avec appréhension la réaction du seigneur du mal. Le monstre croyait pourtant avoir réussi à lui cacher cette insubordination.

– Sauf votre respect, maître, cette potion... elle sent les latrines et elle a un goût détestable.

Un nouveau sifflement avait transpercé l'air. Le sorcier noir s'était transformé, et l'ombre s'était mise à tourbillonner à l'endroit où il s'était tenu. La tourmente avait failli jeter Naq contre le mur, puis tout était redevenu calme. Ce calme était plus angoissant encore que la colère du maître. Après un moment, n'ayant reçu aucun nouveau signe, Naq s'était dirigé vers une porte magique pour prendre congé. Au moment de la franchir, un nouveau hurlement avait produit une rafale encore plus forte que la précédente.

– Tu m'en construiras cinq... cinq nirvanas... pas un de plus, avaient ordonné les voix du Cobra.

Le souffle avait propulsé Naq de l'autre côté de la porte, et celle-ci s'était brutalement refermée derrière lui.

✧

Une heure après avoir laissé Verlon et Delia se repaître de la misère des bas-fonds de Corvo, Naq arrêta sa monture dans une ruelle déserte. Il décrocha de la selle le sac de son arbalète. L'arme avait été fabriquée spécialement pour lui, beaucoup plus grande mais plus facile à manier. Il hissa le sac sur son épaule et prononça les paroles qui commandaient l'ouverture d'un passage vers son seigneur. Il attendit un long moment ; avec le sorcier noir, il fallait savoir se montrer patient, car il n'était pas toujours disposé à recevoir. En général, il préférait convier ses disciples et non l'inverse.

Lorsque Naq vit apparaître le rectangle de ténèbres, il s'y engouffra. Au-delà de ce portail magique, l'invité flottait dans un large tunnel sombre qui le conduisait invariablement à son hôte. Le monstre borgne ne savait jamais où il allait retrouver Le Cobra. Cette fois, en débouchant du couloir enchanté, il l'aperçut, assis sur le trône de son temple, apparemment plongé dans une profonde méditation. Tout le fond de la pièce était encombré de tables où bouillonnaient des potions. Naq déposa son sac et attendit encore une fois. Dans sa face de serpent, les yeux rouges du maître s'ouvrirent enfin.

– J'ai perçu tes pensées avant ton appel, dit-il en fixant froidement son visiteur. Tu te remémorais notre fameuse rencontre... il y a longtemps déjà !

Le seigneur fendit l'air jusqu'à lui avant de reprendre la parole.

– Finalement, je crois que j'ai bien fait de ne pas te tuer. Depuis toutes ces années, tu ne m'as pas encore déçu.

– J'essaie de vous servir de mon mieux.

– Tut, tut, tut... Pas à moi, Naq. Tu ne sers que tes propres intérêts, et c'est très bien ainsi. Tu m'utilises comme tu utilises Verlon et sa putain, mais sache que je me méfie de toi plus que de tout autre.

– Vous ne faites donc confiance à personne ?

– Confiance ! Quel étrange mot dans ta bouche, ricana dédaigneusement le loup-serpent. Tu as encore beaucoup à apprendre sur le monde du mal absolu.

La forme du seigneur devint floue, puis fut remplacée par le corps d'un homme. Jamais Naq n'avait vu un homme à la beauté si parfaite. Son corps musclé combinait virilité et grâce féline. Son visage aux traits harmonieux semblait illuminé par l'intensité de son regard.

– Voilà comment j'étais avant. C'est ainsi qu'on m'a connu dans le monde dans lequel tu vis encore.

Naq détourna son regard du corps nu de son maître.

– Tu boudes toujours la potion ? s'informa celui-ci.

– Justement... à ce propos, je...

Le maître ne le laissa pas terminer.

– Je sais. Tu m'as déjà dit que tu en détestais le goût !

– Vrai, mais ce n'est pas cela qui me dérange.

– Parle !

– La déshumanisation apporte la vie éternelle ; or, je ne suis pas certain de vouloir vivre toujours... Surtout dans un constant état de désir !

– Ah, ça ! répondit Le Cobra en comprenant que Naq avait découvert un des aspects pervers de la potion. On s'y fait à la longue.

– Permettez-moi d'en douter. Verlon n'a pas encore établi la relation entre la transformation de son corps et l'accroissement de ses frustrations.

– Je sais, il pense m'impressionner avec ses mises en scène : un véritable adepte du mal ne reculant devant aucune ignominie, pas même le viol et le meurtre des enfants. En vérité, comme toujours, il ne cherche que son plaisir. Il lui faut toujours plus de stimulations pour atteindre l'extase et, même quand il y parvient, il n'est jamais assouvi. Voilà à quoi tu fais allusion, n'est-ce pas ?

– C'est l'effet de la potion ?

– Oui, reconnut le maître. Elle accroît le désir et l'intensité des sensations...

– ... mais elle éloigne le plaisir et finit par rendre impossible la jouissance, compléta Naq.

– En quoi cela te préoccupe-t-il ? Tu espères fonder une famille ?

L'idée était tellement saugrenue que Naq éclata d'un grand rire sinistre.

– Non. Pourtant quand j'observe Verlon, je n'envie pas son sort. Passer l'éternité soumis à l'obsédante tension qu'il subit actuellement... Pour moi, cela ressemble à de la torture.

– Crois-tu qu'il y ait de la place pour le plaisir et la jouissance dans le monde du mal absolu ? Non, Naq, le désir insatiable est notre loi, nous prenons tout, nous ne donnons rien. N'est-ce pas ce que tu voulais ?

Naq acquiesça en silence.

– Que Verlon ne comprenne pas ce qui lui arrive ne me surprend pas outre mesure. Il n'a ni tes aptitudes ni tes ambitions ; c'est un minable sans envergure qui, pour l'instant, sert bien ma cause. Tu sais quel est son plus gros problème ?

– Il se pense plus intelligent qu'il ne l'est ?

– Entre autres, mais ce n'est pas ce qui me gêne le plus ; son vrai problème, c'est qu'il est amoureux de sa femme. Il pourra prendre toutes les potions du monde, il restera toujours trop humain.

– Delia est différente, cependant.

– Tu crois qu'elle sait pour l'effet de la potion ?

– Pourquoi me demander ce que vous savez déjà ? Vous lisez ses pensées tout autant que les miennes.

– Je désire tester ta perspicacité, admit le sorcier noir.

– C'est une femme. Elle accepte la situation sans rechigner, railla Naq. Vivre avec des pulsions mal assouvies, elle connaît ça depuis toujours.

Ce fut au tour du maître d'émettre un rire sardonique. Naq en profita pour aborder le véritable objet de sa visite.

– Maître, je suis venu vous demander une faveur.

– Une faveur ?

– Vous y trouveriez votre compte, bien entendu, s'empressa d'ajouter le monstre.

– Ah bon ? Tu m'intrigues, mais on verra ça plus tard ; je veux d'abord te montrer quelque chose.

Un riche manteau apparut sur le corps du maître de Naq. Ensemble, ils franchirent une autre porte des ténèbres. À la sortie du tunnel, une odeur suffocante saisit le monstre à la gorge. Ils se trouvaient au sommet d'une montagne. À perte de vue, tout était gris et dévasté. Naq devina aussitôt quel était cet endroit : la Terre des Damnés. Le maître lui désigna l'abîme sulfureux qu'ils dominaient. Sans la moindre hésitation, il s'avança dans le vide en faisant signe à Naq de le suivre. Impossible pour lui de reculer... Naq s'attendait à se sentir flotter dans les airs, mais la sensation était bien plus étrange. On aurait dit qu'il marchait sur du verre. Ils furent bientôt en plein centre de la bouche du volcan. En bas, la lave en fusion formait de gros bouillons incandescents. Pour se donner contenance, il interrogea son seigneur.

– Puis-je savoir pourquoi vous me montrez cela aujourd'hui ?

Le maître le dévisagea comme si cette question le surprenait énormément.

– Aujourd'hui ?

Le mot dans sa bouche résonnait comme s'il appartenait à une langue étrangère.

– Tu ignores à quel point la notion de temps peut s'avérer différente pour un immortel. Disons, pour satisfaire ta curiosité, « qu'aujourd'hui », j'en ai envie ! De plus, pour le rôle que j'entends te faire jouer dans les événements futurs, je crois utile que tu acquières certaines connaissances. Me suis-je suffisamment expliqué, mortel ?

Naq comprit qu'il avait irrité le sorcier noir. Il courba la tête et attendit qu'il reprenne la parole.

– Quand les sphinx dominaient le monde, ils ont voulu éliminer le mal que les races pensantes avaient engendré au fil des siècles : le vol, le meurtre, la trahison devenaient fréquents, et l'abondance des crimes transformait progressivement l'odieux d'« hier » en banalité de « demain ». J'espère que tu apprécies mes efforts pour me placer à ton niveau de compréhension des éléments temporels.

Naq ravala sa morgue habituelle.

– Merci, mon maître.

– Les pouvoirs des prêtres sphinx étaient si grands qu'ils ont réussi à enfermer l'essence du mal dans une pierre géante, qui avait accepté de se sacrifier pour permettre la création d'un paradis ; il s'agissait d'une pierre pensante que les Nagù nommaient Korza. Les mages anciens ont emprisonné cette pierre dans le ventre du volcan. Pour empêcher le mal de quitter sa prison, les sphinx ont scellé le gouffre à l'aide d'incantations et de clés magiques.

Naq se désigna en se frappant la poitrine.

– Je suis la preuve vivante que les Nagù n'ont pas recueilli toutes les plaies du mal ! Il n'y a pas que moi. Inutile d'aller bien loin pour découvrir des félons, des assassins et des truands.

– Attends, Naq. Cela me fait horreur de l'avouer, mais les sphinx avaient réussi à supprimer tous les vices connus ;

116

le monde vivait une ère de paix et de bonheur, mais l'esprit des ténèbres dominait désormais l'âme de Korza. Entièrement livrée à sa déchéance, elle ne gardait plus aucun souvenir de son consentement, et la révolte la faisait gronder.

Le monstre borgne suivait son maître, qui semblait prendre plaisir à cette promenade au-dessus du vide. Il espérait que le sorcier s'arrêterait bientôt, car la chaleur et la puanteur devenaient insupportables.

– La pierre maléfique profitait des vapeurs du volcan pour laisser échapper un peu de son fiel. Chaque siècle, à la demande des sphinx, le monde minéral sacrifiait une nouvelle pierre. Ces pierres étaient plus petites que Korza, mais elles suffisaient à retenir les fragments de mal évaporés. Après avoir ainsi purifié le monde, les sphinx utilisaient les clés magiques pour ouvrir le gouffre, qu'ils refermaient aussitôt après y avoir remis les vapeurs fugitives.

Le Cobra fit apparaître une pochette de cuir. Il y préleva une pincée de poudre noire qu'il laissa tomber dans le gouffre. Le volcan formait une cheminée qui soufflait son haleine fétide vers le ciel, si bien que Naq se dit que la fine poudre avait bien peu de chances d'atteindre la marmite de lave. Pourtant, quelques instants plus tard, une fumée sombre et dense s'éleva des profondeurs. Toutes les voix du maître s'enflèrent pour pousser les nuages vers le sud.

– Allez ! Allez envahir le monde. Faites régner l'intolérance, masquez la beauté, étouffez les forêts et détruisez l'espoir.

Le seigneur des ténèbres revint à ses explications.

– J'aide Korza à projeter ses vapeurs en attendant de récupérer les clés qui me permettront de la libérer, elle et tout le mal qu'elle renferme. Il y a des siècles, ces vapeurs ont suffi à nourrir la fureur des hommes contre les Ghör et les Nagù. La puissance de ces effluves a empoisonné le monde et permis l'extermination des sphinx.

– Malgré toute leur sagesse, il semble bien que les sphinx ont manqué de prévoyance, fit remarquer Naq.

– Ils ont surtout sous-estimé le penchant naturel des hommes pour le mal. Quand les sphinx l'ont compris, il était déjà trop tard. Les hommes les traquaient, prêts à les tuer dès qu'ils sortaient pour recueillir les lambeaux du mal.

– Alors, le mal s'est de nouveau répandu dans les vapeurs de Korza.

– Oh ! Pas autant que je l'aurais souhaité... bien que tu sembles en avoir largement profité. Avant de mourir, les derniers sphinx ont conçu un sortilège très complexe, que seul un sorcier doté d'un talent hors du commun peut contrer. Ce sortilège endort les pierres dans le volcan, ce qui met fin à l'émission des vapeurs. Après l'exécution des prêtres sphinx, la perversion des âmes est demeurée relativement faible pendant de nombreux siècles.

Le sorcier descendit dans le vide comme si un escalier invisible se trouvait sous ses pieds. Naq le suivit, mais son malaise devenait visible ; il lui semblait qu'à tout instant un faux pas allait le précipiter dans la gueule du volcan. Une nouvelle bourse apparut dans la main du maître. La poudre blanche disparut bien vite dans le souffle chaud.

– Allez ! Allez de par le monde. Provoquez mes ennemis, dites-leur que le jour de ma vengeance approche.

Naq vit de minuscules yeux scintillants apparaître dans les nuages noirs. Il attendit que le seigneur reprenne ses explications.

– Lorsque j'ai découvert ma voie, j'ai quitté mon maître et ses disciples. J'ai parcouru le monde jusqu'à ce que je découvre la cité légendaire des sphinx. L'étude et la méditation m'ont révélé l'existence de Korza. La seule personne que je croyais capable de réveiller la pierre, c'était mon ancien maître, Hodmar, car il avait hérité des secrets des prêtres Nagù. J'ai bien tenté de le convaincre de devenir un dieu et de dominer le monde avec moi, mais il n'a rien voulu entendre. Je l'ai tué et j'ai volé ses grimoires. Après des siècles de recherche et d'études, j'ai fini par trouver comment contrer le sortilège du sommeil de la pierre et je l'ai réveillée.

– Et les clés pour la libérer, les avez-vous découvertes ?

– J'en ai une en ma possession, celle d'Hodmar, mais il en manque deux. Sans les trois clés et les incantations qui les activent, il est impossible d'affranchir les pierres du mal.

– Donc, vous avez réveillé les pierres que les sphinx avaient endormies.

– Le volcan n'a pas tardé à émettre de la vapeur viciée par les ondes maléfiques des pierres captives ; les guerres ont recommencé, les hommes ont rétabli les castes, ils ont asservi les faibles et élevé des temples à des idoles sanguinaires. J'ai alors entrepris de détruire l'harmonie des territoires des Ejbälas pour en faire la Terre des Damnés.

– Cela s'est donc produit voilà plusieurs siècles.

– Sache que, sans égard au fait que je sois devenu immortel, mes adversaires et moi, jouissons d'une longévité hors du commun. Il s'agit d'un privilège unique accordé aux elfes-sphinx qui protègent des astres.

– Je vois, se contenta de répliquer Naq, qui sentait le sorcier noir impatient de poursuivre son récit.

– J'étais assez satisfait, car mon pouvoir s'accroissait rapidement. Un jour, mes ennemis m'ont retrouvé dans l'ancienne Cité des sphinx.

– Faites-vous référence au lieu où je vous retrouve parfois ?

– En fait, cet endroit ne représente qu'une infime section de l'immense temple du savoir, un des plus fascinants édifices de la légendaire cité où les trois derniers sphinx ont été égorgés.

– Parlez-moi de vos ennemis.

– Ce sont deux mages blancs très ordinaires, déclara le maître en plissant le nez de dégoût. Ils m'ont piégé parce que je ne pouvais pas les tuer, pas en ce temps-là, car j'avais encore besoin qu'ils me révèlent les incantations associées à leur clé respective. Ils ont tiré profit de cet avantage pour me neutraliser à l'aide de sortilèges. Ensuite, ils ont rendormi les pierres.

Le maître préleva une autre pincée de poudre noire qu'il lança dans le volcan.

– Les nuages couvrent maintenant tout l'ouest du continent, expliqua-t-il. Mes adversaires ne peuvent ignorer que je me suis libéré du sortilège qui me tenait prisonnier depuis des siècles. Voilà huit ans, j'ai réveillé Korza, et ils le savent. Tôt ou tard, ils vont revenir ; ce sera plus fort qu'eux, ils voudront sauver le monde. Cette fois-ci, je serai prêt. Je les écraserai comme de la vermine. Avant, ils me livreront les deux clés du volcan et les paroles secrètes qui les activent.

– Pourquoi ne pas aller au-devant de ces minables et leur subtiliser les clés ?

– Toujours pressé, hein ?

– Toujours mortel ! précisa Naq.

– Pour l'heure, je suis condamné à vivre sur la Terre des Damnés ; l'atmosphère à l'extérieur de ces territoires me tuerait. Quand j'aurai libéré Korza, le monde entier m'appartiendra. Pour cela, j'ai besoin des clés, j'ai besoin que mes ennemis viennent vers moi et me les livrent.

– J'ai hâte de voir ce jour !

Les yeux du maître flamboyèrent.

– Je sais que ma précipitation vous déplaît, s'excusa Naq. C'est plus fort que moi !

Le Cobra haussa les épaules en signe de résignation. Son humeur s'assombrit soudainement.

– Hμrtö... le sage ! Je hais tellement ce piètre sorcier. J'étais meilleur que lui en tout ; je possédais plus de talent, j'étais plus beau, j'avais de l'envergure, mais Hodmar n'en avait que pour Hμrtö, son cher Hμrtö. C'était si injuste, si... déraisonnablement émotif que cela m'a ouvert l'esprit à la plus profonde des révélations... Je devais m'élever au-dessus de ces misérables considérations humaines : j'ai choisi la force absolue du monde de l'obscur.

– Vous disiez qu'ils étaient deux ?

– L'autre... Mauhna, il n'y a rien à en dire... une idiote, comme toutes les autres !

121

Il matérialisa une fiole dont il versa le contenu dans le volcan.

— J'ai créé cette substance pour exacerber un mal très spécifique : le mal suprême, celui qui entraînera la perte des races inférieures.

— Le mal suprême existe ? s'étonna le monstre tatoué.

— Certes ! Observe attentivement, Naq. Tu trouveras déjà chez les hommes des comportements annonciateurs de leur proche déchéance.

Voyant que le sorcier noir arrêtait là ses explications, Naq n'insista pas. Il ouvrirait l'œil et décrouvrirait la nature de ce vice ultime. La fumée devint si dense que le monstre eut du mal à distinguer la porte de ténèbres que le maître avait commandée pour eux. Le disciple respira une dernière fois les vapeurs perverses et se retrouva dans l'antre de son seigneur.

— Si je te raconte tout cela, c'est que je vais avoir besoin de toi, Naq. Cette fois-ci, je ne commettrai aucune erreur, pas même celle de sous-estimer mes ennemis. Quand le temps sera venu, je devrai les affronter, et cela me demandera toute ma puissance. Je veux que tu t'occupes des hommes, que tu détournes leur attention de ce qui se jouera ici, sur la Terre des Damnés.

— Qu'avez-vous en tête ?

— Je veux que tu mettes le continent à feu et à sang. Utilise Verlon tant qu'il te sera utile, mais ne perds jamais de vue ta mission. S'il le faut, tue-le.

— Bien, maître !

Le seigneur des ténèbres reprit sa forme habituelle de loup-reptile. Ses voix projetèrent Naq contre une immense porte de bois d'ébène. Des flèches sortirent de la bouche du maître ; sous la violence du souffle, elles fendirent l'air en sifflant et vinrent se planter tout autour du corps du monstre.

– N'oublie jamais que je suis ton maître et que, pour moi, tu n'es pas plus terrifiant qu'un enfant qui tète sa mère.

Le vent cessa d'un seul coup, et Naq put se dégager.

– Maintenant que tout est dit, revenons à cette faveur que tu sollicites ; compte tenu de la charge que je t'impose, je crois que tu mérites que je la prenne en considération.

Naq chercha des yeux l'étui de son arbalète. Il ouvrit le sac et en montra le contenu à son maître.

– Pourriez-vous m'arranger ça ?

Le loup-reptile s'empara du bras et le soupesa.

– Il semble de la bonne taille. D'où vient-il ?

– Mon père n'en avait plus besoin !

– La jambe aussi ?

– Oui !

– Comment as-tu fait pour les conserver dans cet état ? s'enquit le maître, visiblement curieux.

– Delia m'a donné un coup de main ; des herbes et un sortilège antiputrides, je crois. Jamais mon géniteur n'a été aussi frais !

– Et le reste : l'œil, l'oreille, où sont-ils ?

– Jetés aux rats ! Deux jambes et deux bras feront de moi un meilleur guerrier. Pour le reste, je crois que mon apparence actuelle me sert très bien ; je préfère encore mes tatouages.

– VI –

Thelma s'était assoupie, bercée par le pas cadencé des deux chevaux. La charrette s'arrêta brusquement, mettant fin à l'horrible cauchemar de l'enfant, qui se redressa en sursaut ; elle vit qu'ils se trouvaient à une croisée de chemins. Mauhna l'aida à descendre.

– Tu as fait un mauvais rêve, Thelma ?

– Oui...

– Cela t'arrive souvent, n'est-ce pas ?

Thelma hocha la tête. Encore troublée par le souvenir de son rêve, la petite se sentait comme perdue dans une brume visqueuse. Elle vit Hμrtö remercier le boulanger.

– Eh mademoiselle Thelma, quand vous viendrez au village des vallées, passez me voir, je vous ferai goûter mes fameuses brioches aux petits fruits.

À son tour, Thelma remercia le boulanger, puis Mauhna la prit par la main.

– Tu veux me raconter ton rêve ?

– Il y avait une foule ; des tentes étaient dressées. Des gens libres et joyeux circulaient tout en grignotant des arachides grillées et des fruits confits. Je les agrippais par leurs vêtements pour leur dire de s'enfuir : « Le mal, le mal, il arrive, vite, sauvez-vous ! » Personne ne m'écoutait ; en fait, ces gens semblaient ne pas me voir, ils passaient leur chemin pour aller lancer des balles dans des paniers ou des flèches sur des cibles mobiles. Le bruit était infernal.

Mauhna l'encouragea silencieusement à poursuivre.

– J'ai vu des hommes entrer dans une tente ; devant l'entrée, il y avait une affiche montrant des danseuses exotiques couvertes de voiles. Un peu plus loin, une autre tente offrait aux badauds le spectacle de créatures horriblement difformes ; il y avait même un enfant nu qui n'avait pas de côté droit. Je luttais pour fuir cet endroit, mais mon corps, trop lourd, avançait à peine. Tu sais, comme quand on essaie de courir dans l'eau...

– Je sais, l'encouragea la magicienne.

– Le sol tremblait sous mes pieds, poursuivit Thelma, et je savais que c'était le mal qui approchait ; je le sentais dans mon dos. J'ai voulu me mettre à l'abri dans une de ces tentes. Au milieu de l'arène, dans une cage dorée, une femme blonde maniait un fouet ; elle était totalement nue, et les lions dans la cage dévoraient des enfants. Les spectateurs applaudissaient la dompteuse, qui réclamait d'autres enfants pour ses fauves. Toutes les têtes se sont tournées vers moi. La foule délirait et hurlait mon nom ; ces gens voulaient m'envoyer dans la cage. Je suis ressortie en courant, et c'est là que je l'ai vu : c'était haut comme une colline, mat comme une pierre et...

– Oui, Thelma ?

– Je ne me rappelle plus, se désola la petite fille. Pourtant, je sais que je l'ai vu ; c'était horrible, mais je n'arrive pas à me souvenir d'autre chose que de l'étrange lueur vacillante que le mal projetait, tandis que les ténèbres envahissaient tout autour de lui... Et le bruit, cet étrange battement sourd qui faisait trembler la terre...

– As-tu entendu des mots, des phrases ?

– Non !

Après un moment, Mauhna serra la main de Thelma dans la sienne.

– C'était un cauchemar particulièrement horrible...

– Les mots, oui, l'interrompit soudainement l'enfant, les mots. Il y avait le loup-serpent qui guidait le mal en le tirant avec une chaîne. En avançant vers moi, le loup-serpent disait : « Il est aveugle, le pauvre... Le mal est aveugle. »

L'aïeule jeta un coup d'œil à son époux. Au regard qu'il lui rendit, elle comprit qu'il tirait les mêmes conclusions qu'elle : leur petite-fille était très sensible aux vibrations de l'univers. Pour l'instant, cette aptitude naissante n'était pas maîtrisée et les éléments du message nocturne paraissaient confondre les événements passés, présents et futurs. D'un accord tacite, ils choisirent de soulager la petite de l'angoisse provoquée par le cauchemar. Les informations contenues dans son rêve ne lui étaient, pour l'instant, d'aucune utilité. « Quand le temps sera venu », pensaient ces sages gens qui mesuraient les siècles comme d'autres comptent les années. Ils entourèrent la fillette d'une énergie bienfaitrice teintée de rose. Presque aussitôt, les épaules de Thelma se dénouèrent et son pas devint plus léger.

– Regardez les jolies fleurs, fit-elle en montrant du doigt la bordure du chemin.

– Allons les observer de plus près, lui suggéra le vieil homme.

Ils marchèrent ainsi, sans se presser, toujours à l'affût d'une plante ou d'un animal exotique. Après un moment, ils bifurquèrent sur une route plus étroite qui menait à la limite du territoire du Clan des vallées, là où commençait celui du Clan des cavernes.

Ils franchirent une petite forêt en empruntant un sentier bien entretenu qui aboutissait à une falaise ; la porte de la grotte était difficile à distinguer pour celui qui regardait trop vite, mais on devinait que quelqu'un habitait dans les parages, puisqu'un beau jardin bordé d'une clôture basse encerclait l'habitation.

La porte s'ouvrit pour livrer passage à une femme à l'impressionnante chevelure fauve. Thelma nota tout de suite le lion qui ornait sa tunique rouge, mais ce qui la frappa, ce fut son visage. Les traits de la femme lui semblaient étrangement familiers. Elle comprit bientôt pourquoi. Thelma se souvint de la fresque ornant un des murs de la chambre de son père. La fresque représentait une scène du mariage des parents de Mélénor. À l'exception de la couleur des cheveux, la reine Carmine ressemblait, trait pour trait, à Aglaë.

Après avoir embrassé ses parents avec effusion, Aglaë tendit la main à la petite fille.

– Bonjour, Thelma.

– Bonjour, Jynabör Aglaë.

Thelma avait appris que l'appartenance au clan était le fondement de la culture des gens de sa race. Chaque clan avait un patronyme et on le plaçait devant le prénom, soulignant ainsi la suprématie du groupe sur l'individu.

– Tu peux m'appeler Aglaë.

– Oui, madame. Est-ce vrai que vous êtes une savante ?

– Ce serait certainement vaniteux de ma part de le prétendre. Disons plutôt que j'essaie très fort de le devenir. Tu t'intéresses à la médecine ?

– Je ne sais pas. C'est quoi, la médecine ?

Aglaë sourit. Thelma fut distraite par un mouvement derrière la fille des magiciens.

– Elle ne sait même pas ce qu'est la médecine ! Et tu dis que c'est une princesse ? Pfff !

La voix était rauque, et la raillerie la rendait encore plus cassante. Aglaë fit un mouvement pour se déplacer, mais l'autre continuait de se cacher dans son dos. La savante l'attrapa adroitement et sans ménagement.

– Douce, ça suffit. Cesse de faire l'idiote et salue nos invités.

Thelma eut un choc quand l'enfant bondit devant elle. Elle portait une jupe lilas agrémentée, aux poches, d'une broderie représentant une panthère. La broderie semblait bien inutile, car la tête de l'enfant était précisément celle d'une panthère au magnifique pelage noir. Des poils lustrés recouvraient également les bras et les jambes ; seuls les mains et les pieds étaient humains. La créature se tenait debout et, sur sa poitrine velue, une petite fille au corps nu et aux pattes poilues les dévisageait, l'air impertinent.

– Salut, je m'appelle Douce.

Thelma vit la bête et la petite fille articuler les sons en même temps ; leurs voix se superposaient quand Douce parlait. Thelma avança la main pour caresser le pelage luisant.

– Douce, c'est un bien joli nom... Aïë ! Pourquoi as-tu fait ça ?

Douce venait de griffer la main tendue de Thelma. Aglaë gronda l'enfant, qui n'écoutait pas.

– Ça alors, Aga, regarde ! La plaie... s'est déjà refermée.

Puis s'adressant à Thelma :

– Eh ! Dis-moi comment tu fais ça !

– Je n'en sais rien, avoua la princesse en rougissant.

– Y a-t-il quelque chose que tu saches ?

Thelma baissa la tête. Tout à coup, elle se sentait complètement insignifiante. Elle compris que ce sentiment l'avait quittée depuis qu'elle vivait loin de sa mère.

– Cela se fait tout seul, répondit-elle, embarrassée.

Aglaë intervint.

– C'est un don, Noa.

Thelma ouvrit de grands yeux.

– Je croyais que tu t'appelais Douce.

Aglaë les fit entrer dans la grotte, qui se révéla accueillante et confortable, malgré l'absence de fenêtres. Thelma se dit qu'elle s'y ferait. « Ce n'est pas pire que de dormir dans le ventre d'une baleine. » Tout comme ses parents, Aglaë était magicienne. Elle fit apparaître des glaces aux abricots et, pendant que les petites filles se régalaient, elle répondit enfin aux questions de Thelma.

– Quand Noa était toute petite, elle mordait et griffait beaucoup, expliqua Aglaë. Il ne fallait pas la surprendre, sinon...

Elle fit un geste pour imiter l'attaque d'une patte griffue.

– Pour l'apaiser avant de la nourrir ou de la langer, je lui parlais très bas et, tant que je la soignais, je répétais : « Sois douce... douce... tout doux, ma chérie... »

Noa brandit sa cuillère et partit d'un rire caverneux.

– J'ai parlé assez tard à cause de ma voix qui ne se développait pas très vite, mais j'arrivais à dire « Douce ». J'aime bien qu'on m'appelle ainsi.

Thelma regarda sa main cicatrisée puis la petite fille panthère. Elle se dit que « Danger » lui conviendrait mieux.

✧

Les adultes envoyèrent les enfants jouer dans le jardin. Dès que la porte fut refermée, Noa se mit à quatre pattes pour s'élancer dans le sentier. Quand Thelma la rattrapa enfin dans une clairière, elle trébucha sur une racine et atterrit sur les genoux. Noa l'observait du haut d'un rocher.

131

– Tu es très maladroite, observa-t-elle.

– Je sais, ma mère me le dit tout le temps.

– Moi, je n'ai pas de mère.

– Et Aglaë ?

– Elle prend soin de moi, mais elle n'est pas ma mère.

Thelma répliqua ce qu'Isadora lui répétait sans cesse.

– Une maman, c'est ce qu'il y a de plus précieux au monde. Je suis triste pour toi.

– Moi aussi.

– Pourquoi tu es comme cela ? se risqua à demander la princesse.

Pour la première fois, Noa parut troublée.

– Ma mère ne voulait pas de moi, déclara-t-elle, l'air faussement indifférent. Elle a bu la potion des femmes embarrassées, mais je suis née quand même... comme ça !

Noa détourna la tête. Thelma connaissait bien ce geste ; elle le faisait chaque fois qu'elle voulait cacher ses larmes. La princesse ne comprenait pas comment le simple fait de boire une potion pouvait donner des enfants comme Noa. Elle devina qu'il valait mieux ne pas insister. La voix encore plus rauque que d'habitude, Noa enchaîna.

– Je crois que j'ai tué ma mère en naissant. Elle s'appelait Leila, et dame Mauhna m'a dit qu'elle était belle et courageuse.

La curiosité l'emporta sur la réserve de Thelma.

– Et ton père ?

– Un elfe-sphinx assurément, puisque ma mère était humaine. C'est tout ce qu'on en sait.

Noa sauta de son rocher en un bond souple et puissant. Thelma ne la toucha pas mais, compatissante, elle lui dit :

– Si je t'appelle Douce, est-ce que cela te consolera un peu ?

Noa s'enfuit en rugissant.

– Je n'ai pas besoin d'être consolée.

Thelma craignit un moment de s'être perdue dans la forêt. Elle marcha et tomba une fois de plus. Noa apparut sans crier gare. Elle se redressa sur ses pattes arrière avant de l'aider à se relever.

– Il va falloir que je te montre comment on court.

– Ce serait déjà bien si j'arrivais à tenir sur mes jambes ! Pourquoi ne marches-tu pas toujours à quatre pattes ?

– Aga pense que cela fait plus civilisé. Devant les gens, elle exige que je me tienne droite.

– Ma mère aussi me répète tout le temps ça !

Les deux petites filles revinrent vers la grotte en se tenant par la main.

✧

Quelques jours plus tard, elles marchaient devant les magiciens en se racontant leurs secrets d'enfants. Une fois de plus, Noa ramassa Thelma dans la poussière.

– Si tu étais moins raide aussi, cela t'aiderait. On dirait que tu as un piquet coincé dans le dos.

– J'aimerais bien t'y voir, se défendit la princesse.

Thelma montra sa nuque à Noa.

– Regarde... c'est un cerisier. Si tu avais le tronc d'un arbre incrusté dans la nuque et des racines plantées dans les épaules, peut-être que, toi aussi, tu serais toute raide.

– Mmph ! On pourrait quand même essayer. Il doit bien exister un moyen de te rendre plus agile.

Derrière les fillettes, Mauhna réfléchissait. Elle se retourna vers sa fille.

– Tu penses que la présence de Thelma peut aider Noa à assumer sa transformation ? Il va bien falloir qu'elle accepte un jour de devenir une vraie petite fille.

Aglaë haussa les épaules.

– On ne perd rien à essayer.

Ils avaient quitté la caverne et se dirigeaient vers le territoire du Clan des vallées.

– Elle n'a pas du tout évolué depuis notre dernière visite, fit remarquer Hμrtö.

La fille du magicien regarda sa petite protégée avec tendresse.

– Noa est très particulière... Tu le sais bien, père. Elle va à son propre rythme et ne semble vraiment pas pressée de changer.

Mauhna avait l'air inquiet.

– Les enfants se moquent-ils d'elle ?

Aglaë éclata de rire. Il y avait longtemps que Mauhna n'avait pas vu sa fille si joyeuse.

– Les enfants sont souvent cruels, je ne t'apprends rien. Il y a eu un garçon assez stupide pour l'appeler « avorton ». Il m'a fallu toute une journée pour le recoudre. Non, mère, ne t'inquiète pas, personne n'est assez fou pour se moquer de Douce.

– Elle préfère la compagnie des jeunes garçons, n'est-ce pas ?

– Oui. Elle dit qu'ils forment « son armée ».

– Ce contact avec une autre fillette va peut-être l'aider à évoluer, espéra Mauhna.

– C'est ce que je disais ; on ne perd rien à essayer.

✧

Thelma se tenait toujours à une distance respectable de Noa. Cette dernière se montrait totalement imprévisible, et la princesse craignait de goûter aux ongles ou aux crocs de l'enfant-panthère. Cependant, ayant développé une extrême vigilance au contact d'Isadora, la fille de Mélénor parvenait à prévenir les coups, enfin, la plupart du temps.

– Douce ?

– Mmm...

– Est-ce que tu as des amis ?

– J'en ai des tas, seulement des garçons, et je suis leur chef. C'est moi qui décide qui peut faire partie de mon clan.

Pour n'être pas en reste, Thelma décrivit son cerisier magique.

– C'est fascinant ! s'exclama l'enfant-panthère. Parle-moi de lui.

– Il s'appelle Chéri et il est le seul qui ne se moque pas de moi parce que je tombe tout le temps. Il ne comprend pas comment nous faisons pour tenir debout sans racines. Il dit que j'aurais bien moins de problèmes s'il m'en poussait.

Noa trouva cette déclaration très amusante.

– Il n'aimerait pas pouvoir se déplacer, ton cerisier ? C'est tellement excitant de courir, d'avoir la liberté d'aller où l'on veut.

– Il dit qu'il est très bien là où il est.

Sans transition, Noa quitta Thelma pour rejoindre les adultes.

– Maître Hµrtö, s'il vous plaît, supplia-t-elle, donnez-moi un protecteur comme celui de Thelma.

– Mais, Noa, tu n'as pas besoin d'un protecteur ; tu es une véritable terreur.

Hμrtö fut surpris de voir apparaître des larmes dans les yeux félins. Il souleva le menton de l'enfant et la regarda longuement.

– Explique-moi, Noa.

– Tout le monde me croit forte et méchante mais, parfois, moi aussi j'aimerais qu'on m'aide et...

– Oui, Noa ?

– ... et qu'on m'aime.

Aglaë sentit son cœur se serrer.

– Mais je t'aime, Douce !

– Je sais, Aga. Excuse-moi, je ne voulais pas te faire de la peine.

Hμrtö se frappa la tête avec le poing.

– Tu as raison, Noa. Parfois, je me montre plus sot qu'un âne.

Ce disant, la tête du sorcier se coiffa de longues oreilles. De grandes dents carrées pointèrent sous sa lèvre supérieure ; ce sourire épouvantable lui donnait un air si stupide que Noa ne put s'empêcher de rire. Le sorcier mit sa main sur son cœur, retrouvant d'un seul coup son allure habituelle.

– Je te promets que tu auras ton propre gardien.

Noa lui sauta dans les bras, puis repartit en courant vers Thelma, qui l'attendait, anxieuse.

– Moi aussi, je vais avoir mon Chéri !

Oubliant toute méfiance, Thelma saisit les mains de Noa pour l'entraîner dans une ronde, qui les laissa toutes les deux complètement étourdies. Mauhna attira l'attention de son mari sur les jambes de Douce ; la toison noire avait un peu remonté sur ses mollets.

✧

Comme Noa connaissait bien le territoire des vallées, elle proposa à Thelma de lui servir de guide. La princesse ne put cacher sa déception en découvrant la région.

– Avec leurs grandes maisons basses entourées de bâtiments et leurs terres cultivées, vos vallées ressemblent à nos campagnes sur le continent. Pour ce qui est du village, c'est comme chez moi, en plus petit.

Noa se renfrogna, si bien que la princesse se sentit obligée de reprendre :

– Mais les gens ont l'air bien plus heureux !

L'enfant-panthère lui lança un regard mauvais et poursuivit son chemin.

Si les demeures des gens des vallées paraissaient assez banales, Thelma dut admettre que celles du Clan des rivières étaient vraiment surprenantes. Des ponts enjambaient les cours d'eau et dissimulaient des habitations, tout en longueur et pourvues de grandes terrasses surplombant les cascades.

Sur le bord des lacs, Thelma découvrit des maisons sur pilotis qui, grimpées sur leurs échasses, semblaient imiter la pose précieuse des hérons.

– Comme c'est beau ! soupira Thelma, finalement conquise. Crois-tu que je pourrais demeurer ici ?

– Tu aimerais vivre avec nous ?

– Oh oui ! Avec papa et maman, évidemment !

La petite princesse se mit à rêver. Elle imaginait son père déchargeant des troncs de chênes devant la scierie, heureux de bavarder avec les autres gaillards. Comme ils seraient heureux tous ensemble dans une petite maison du village des bois. « Maman enseignerait la musique et moi j'irais à l'école de magie. »

– Noa, tu ne peux pas savoir comme, par rapport à ton île, tout semble terne et triste au pays de Gohtes.

– Je ne comprends pas, Thelma. Tu es une princesse, tu vis dans un château entourée de centaines de domestiques ; ton père est un homme puissant et un courageux guerrier...

– Il n'est jamais là !

– Pfff ! Est-ce que j'ai un père, moi ?

– Mais tu as des tas d'amis et plein de gens qui t'aiment !

– Parce que personne ne t'aime, toi ?

Thelma se contenta de hausser les épaules.

– J'ai entendu dire qu'il y avait souvent des fêtes dans ton château, poursuivit Noa, qu'on y boit des vins capiteux en écoutant des musiciens qui font danser les gens. Tout le monde porte des bijoux et des vêtements élégants ; pas comme ces maudites tuniques qui finissent par me donner la nausée.

– ...

– Mais Thelma, ça doit être magnifique !

En silence, la princesse admira le paysage harmonieux et le soleil dans le ciel. Elle soupira en laissant s'effilocher son rêve de famille heureuse à l'existence toute simple. Sans le savoir, Noa venait de mettre Thelma devant une vérité si triste que celle-ci préféra l'enfouir dans le silence de son âme. Quelques années plus tard, elle saurait mettre des mots sur cette horrible formule : « Döv Marez, la Cité des Mirages, l'univers des illusions... Voilà l'origine de mon existence, de mon combat et de ma destinée. »

✧

Les jours passèrent et Thelma oublia son chagrin. La vie dans la vallée la réjouissait ; elle se sentait libre et légère. Elle arrivait même à suivre Noa sans trop tomber. Au bord d'une petite rivière s'étendait un pré couvert de fleurs sauvages. Au cœur de ce paysage bucolique se dressait une étrange construction de pierre. Comme elle n'avait que trois murs, elle ressemblait à un amphithéâtre ; c'était la petite école de magie. Tous les enfants y passaient quelques jours au cours de l'été de leur initiation. Hµrtö animait ces petites classes grouillantes de vie avec un bonheur sans pareil ; les vrais talents étaient rares, mais la joie contagieuse des enfants le ravissait.

Les exercices, très simples, suffisaient à détecter le don. Comme il fallait aussi s'amuser, Hµrtö aidait les enfants moins doués à déplacer une brindille de paille grâce à la force de l'esprit, à ensorceler une fourmi ou à changer la couleur d'un caillou. Le magicien ne s'intéressait pas tant aux résultats qu'à la capacité de concentration des enfants ; c'était cela le don, cela et beaucoup de travail. Il lui fallait donc repérer les plus studieux, les plus déterminés. Il éprouva une immense fierté quand le talent de Thelma se confirma.

– VII –

Mélénor débarqua sur l'île, accompagné d'une Isadora resplendissante. Atthal et Cid étaient là pour les accueillir. Le navire avait accosté à un des ports du Clan des rives, mais les hommes escortant les souverains avaient reçu l'ordre de rester sur le bateau ; dans l'île, leur présence était inutile puisque, nulle part ailleurs au monde, le roi de Gohtes ne pouvait être plus en sécurité. Mélénor informa Atthal qu'il devait se rendre rapidement dans le village des vallées.

– La cérémonie de la révélation du deuxième sphinx de Thelma doit avoir lieu après-demain.

Cid s'occupa de fournir un cheval au roi. Pour Isadora, il dénicha un carrosse, modeste mais confortable.

– Je vais vous conduire moi-même ; ainsi, j'aurai le plaisir de revoir votre charmante petite princesse.

– Charmante... Thelma ? s'étonna la reine avec une indifférence teintée de mépris.

Cid fut choqué. L'homme-dauphin ne pouvait deviner la triste histoire de sa jeune amie. Thelma avait à peine trois ans quand l'affection exclusive de la reine s'était reportée sur Mélénor, pour qui elle s'était de nouveau prise de passion, condamnant la petite à une tendresse maternelle fort inconstante. Sous le regard médusé de Cid, la reine grimpa, altière, dans le carrosse.

– Vous savez qu'il est interdit de l'appeler princesse.

– Au pays de Gohtes peut-être, mais pas ici, madame.

Le fils d'Atthal fit partir les chevaux si brusquement que la reine fut renversée sur le siège et se heurta la tête. Le martèlement des sabots couvrit ses protestations outragées. Cid laissa la reine à sa futile indignation, qui se calma bien vite ; Isadora préférait se laisser bercer par le doux souvenir de la traversée.

Durant les quelques jours qu'avait duré leur voyage, Mélénor avait partagé la couche de son épouse et lui avait fait l'amour avec ardeur. Au début, la reine avait eu une affreuse pensée, qu'elle s'était empressée de chasser pour ne pas troubler son bonheur : « Il n'a pas le choix, je suis la seule femme à bord. »

En gagnant le large, ils avaient laissé derrière eux la masse compacte des nuages, et au-dessus de l'océan, en direction de l'Île-aux-Tortues, le bleu du ciel apparaissait peu à peu. Comme les vents étaient cléments, les souverains avaient pris l'habitude de s'installer sur le pont. Ils regardaient les nuages, se plaisant à y déceler des formes qui disparaissaient aussitôt.

– Là, là... un lièvre !

– Regarde plus bas, on dirait le nez de Milirin...

Ils s'étaient bien amusés. Isadora n'avait commis qu'une maladresse ; désignant un petit nuage tout rond, elle s'était exclamée :

– Un bébé, oui... un bébé.

Elle avait immédiatement regretté sa bévue. Trop tard...
Mélénor s'était agenouillé devant elle, le visage épanoui.

– Est-ce une forme de déclaration, ma douce ?

La reine n'avait encore aucune raison de présumer qu'elle
portait un enfant ; pourtant, une pareille annonce pouvait se
révéler fort opportune.

– Cela te rendrait-il heureux ?

– Tu le sais : je serais comblé !

Isadora avait vite compté les jours qui la séparaient de
sa première visite dans la chambre du roi. « Si le délai est
trop court, il en déduira qu'il n'est pas le père... Je ne dois
pas commettre d'erreur. »

Une horrible pensée, inspirée de ses propres chimères,
avait fait apparaître de fines perles de sueur sur ses tempes.
« Pire, peut-être cherche-t-il à me prendre en faute, à me faire
avouer une infidélité ? » Pour se donner du temps, elle joua
les taquines.

– Te le dirai-je ou non... As-tu été suffisamment...

– Cesse de me faire languir, l'avait suppliée le roi.

La souveraine avait promptement terminé ses calculs.

– Eh oui ! avait-elle menti. Tu seras bientôt papa.

Elle avait été récompensée par un ardent baiser. Chassant
les objections de sa conscience, elle s'était rassurée. « Après
tout, il n'est pas impossible que je sois effectivement enceinte. »

– J'aurais une faveur à te demander, avait-elle minaudé, prête à profiter de son avantage.

Mélénor lui avait saisi la main.

– Tout ce que tu désires, ma chérie !

– J'aimerais que tu changes un détail de la loi des successions... Permettre à n'importe quelle maquerelle de réclamer le trône au nom d'un bâtard, je trouve cela dégradant ! Ce n'est pas pour moi-même, évidemment ; je ne songe qu'à l'avenir de nos enfants.

Cette requête avait immédiatement refroidi Mélénor. Il n'était pas dupe : Isadora détenait les pouvoirs pour accomplir elle-même cette modification. Politiquement, toutefois, cela lui aurait fait perdre la face : aussi bien proclamer au royaume entier qu'elle craignait les conséquences des frasques libertines de son mari. Mais si le roi révoquait lui-même les droits des enfants mâles illégitimes, accordant ainsi plus de poids à sa descendance féminine, cela devenait un choix progressiste. Si Isadora avait été une adversaire, Mélénor aurait salué son adresse. Venant de son épouse, cependant, cet opportunisme lui avait semblé outrageusement mercantile. Ses sentiments d'homme, de mari, d'amant en avaient été profondément blessés.

– Tu ne me fais aucunement confiance ! avait-il déclaré, amer.

Un doute sournois et dérangeant avait alors ressurgi dans l'esprit du roi. « Ma tolérance témoigne-t-elle d'un cœur amoureux ou d'une âme résignée à son sort ? Quelle affection ai-je véritablement pour cette femme, cette intrigante ? » Sensible à ce brusque changement d'humeur, Isadora avait choisi d'effectuer un repli.

– Oublie ce que je viens de dire. Nous n'allons pas nous quereller en un si beau jour. Pense à ton fils, qui se trouve juste là.

Mélénor avait caressé le ventre de son épouse. Il avait tenté de lui sourire, mais son euphorie s'était dissipée comme les formes dans les nuages. Il avait fallu les caresses de la nuit pour faire taire le malaise qui s'était niché dans ses entrailles.

✧

– Papa ! Papa !

Thelma courut vers son père avec une assurance qu'il ne lui connaissait pas. Mélénor se réjouit de cette heureuse amélioration ; depuis toujours, il se sentait gêné par la maladresse de sa fille : « Cette petite n'a aucune agilité. J'ignore si un jour elle saura monter à cheval. » Pour un roi rompu aux exigences de l'art équestre, il s'agissait d'une carence déplorable. Il n'en aimait pas moins sa jolie princesse. Il se pencha pour accueillir l'enfant, mais le regard sévère d'Isadora immobilisa la fillette, qui pensa juste à temps à faire sa révérence.

– Mon roi ! Ma reine !

Ne voulant pas contrarier sa femme, il attendit que Thelma se relève. Ensuite, sans plus de manières, il la souleva dans les airs et l'embrassa. L'enfant s'accrocha fièrement à son cou.

– Tu m'as beaucoup manqué, papa !

Mélénor reposa la petite et lui caressa la tête. Quand Thelma le regardait de ses grands yeux perçants, il se sentait fouillé jusqu'au fond de l'âme. Dans les prunelles candides, Mélénor croyait parfois discerner un insupportable besoin de tendresse.

– Salut, princesse ! Qu'est-il donc arrivé à tes cheveux ?
Tu as une tête épouvantable, lança-t-il spontanément, inconscient de l'importance qu'elle apportait à ce détail et de la
peine qu'il lui causait.

À cet instant, le souverain fut distrait par Hµrtö et
Mauhna venant à leur rencontre. Ne les ayant pas revus
depuis plusieurs années, il se précipita sans remarquer le
chagrin de sa fille. Le cœur de Thelma se serra de nouveau ;
elle devait partager son papa avec tant de gens qui l'acca-
paraient sans cesse. Elle se gronda aussitôt de se montrer si
égoïste envers ses grands-parents si bienveillants. Un peu en
retrait, Cid avait assisté à la scène. Il tenta d'attirer l'attention de Thelma, mais Isadora s'interposa en saisissant sa
fille par l'épaule. Elle la pressa contre sa hanche et l'entraîna
avec elle, si bien que l'enfant n'aperçut pas le visage réconfortant de son ami du Clan des rives.

– Tu as été sage, Thelma ?

– Oui mam... ma reine !

Puisque sa mère ne l'avait pas embrassée, la fillette en
avait déduit que l'événement exigeait d'elle un comportement officiel. Sans même s'en rendre compte, elle redressa
les épaules et rentra le ventre.

– Allons rejoindre les autres, suggéra Isadora, qui n'avait
d'yeux que pour son mari devant elles. Sais-tu où nous
logerons ?

Profondément blessée par la maladresse de son père et
par la froideur de sa mère, Thelma luttait de toutes ses
forces pour contenir sa peine. Sa voix tremblait légèrement
quand elle répondit :

– Ce soir, nous serons reçus par le chef du Clan des vallées. À compter de demain, nous aurons notre maison sur la rivière.

Quand ils furent tous assis dans le paisible jardin de Teyho, attendant que le fils aîné de leur hôte aille quérir son père, Thelma s'approcha de Mélénor et de Hµrtö.

– Qu'y a-t-il, Thelma ? s'informa gentiment le magicien.

– Je voulais dire au roi que j'avais réussi les exercices de l'école de magie.

Mélénor lui sourit, chassant d'un seul coup la tristesse de la petite.

– Tu veux dire que tu as réussi tous les exercices ? fit-il, en appuyant sur le « tous ».

La princesse se redressa avec fierté.

– Oui, père. Même le test du caillou sur l'eau... il n'a flotté que quelques secondes, mais...

– Que quelques secondes ? Tu aurais pu te forcer un peu plus ! se moqua le roi.

Il fut complètement dérouté de voir les yeux de la fillette se charger de larmes.

– Allons, Thelma, ce n'était qu'une blague. Je n'ai jamais réussi à faire flotter ne serait-ce qu'un grain de sable. Tu ne vas pas pleurer, non ?

– Je ne pleurerai pas, grimaça la petite.

Pris de pitié, Hµrtö intervint.

– Ton père te taquine. Il est très fier de toi, n'est-ce pas, Mélénor ?

– Euh... bien... Bien sûr ! bredouilla le roi.

Son visage s'assombrit, défiant muettement son aïeul. Confuse, l'enfant s'éloigna sous le regard affligé du magicien.

– Qu'est-ce qui te prend, bon sang ? siffla Hµrtö sur un ton de reproche. Tu pourrais l'encourager un peu.

– Je ne supporte pas ce pleurnichage. Elle devient beaucoup trop sérieuse et sensible. Ce n'est pas en la couvant comme tu le fais qu'elle va s'endurcir.

– Je ne crois pas la couver en lui montrant simplement un peu d'attention. Cette enfant est absolument charmante. De plus, elle a beaucoup de talent. Elle pourrait même entrer immédiatement au collège de magie.

– Je me doutais bien que tu en viendrais là. Enlève-toi cette idée de la tête... et tout de suite !

Mélénor regretta immédiatement sa brusquerie démesurée ; depuis peu, il s'emportait à la moindre contrariété. Il attribuait cette véhémence à l'accumulation des soucis. Il respira et reprit plus doucement :

– Comprends-moi, grand-père. Thelma doit apprendre à devenir une souveraine, et ce ne sera pas facile pour une enfant aussi émotive. Ensuite, concernant la magie, il vaudrait mieux que tu ne lui donnes pas de faux espoirs : sa place est à Döv Marez.

Le chef du Clan des vallées et sa famille arrivèrent inopinément ; ils venaient présenter leurs hommages. Cela coupa court à ce qui promettait de devenir une épineuse discussion entre Mélénor et le magicien. Le roi accueillit chaleureusement le vieil homme et sa suite.

– Ochfili Teyho, heureux de vous revoir !

– Votre Altesse, soyez le bienvenu. Laissez-moi vous présenter mes filles.

Elles étaient quatre, toutes fort jolies. L'aînée leva vers Mélénor de grands yeux admiratifs aussi verts que sa tunique. Lorsqu'elle se courba devant lui, la soie de son corsage s'ouvrit imperceptiblement, révélant la naissance de sa poitrine rebondie. Troublé, le roi détourna le regard. Il tendit la main à Isadora qui l'avait rejoint pour les présentations.

– Voici mon épouse, Isadora. Et ma petite princesse, Thelma.

Disant cela, il plaça l'enfant devant lui comme un bouclier contre la tentation. Cela le rassura de toucher ainsi les deux femmes de sa vie. « Je suis un homme marié et fidèle, père de famille et pas du tout corruptible », se répétait-il en priant pour qu'un jour ses sens s'accordent plus aisément à ses principes moraux.

– Quels heureux hommes nous sommes, plaisanta-t-il avec Teyho. Entourés d'autant de grâce.

Devant la porte de la maisonnette du jardinier, une femme voilée observait la scène. Ses yeux brillaient, mais personne n'aurait su dire si c'était l'effet de l'eau ou du feu.

✧

Ils étaient là, tous les cinq, réunis dans le pré de la petite école de magie. Thelma se plaça au centre du cercle que formaient Mélénor, Isadora, Hµrtö et Mauhna. Le paysage tourbillonna et ils se retrouvèrent dans une forêt étrangement silencieuse. La reine avait raconté à sa fille tout ce qu'elle avait vu lors de la première révélation ; Thelma s'attendait donc à voir apparaître des petits bonshommes. Les chants joyeux se firent entendre mais, au lieu des lutins, la mère et la fille virent apparaître un cortège d'enfants turbulents. Surprise, Thelma interrogea Hµrtö du regard.

– Les lutins ? C'est pour les bébés, expliqua le magicien. Les Anciens s'adaptent aux circonstances.

Le visage plissé des elfes magiciens détonait avec leur petite taille et leur attitude délinquante. Thelma identifia Kurbi, leur chef, grâce à sa barbe blanche. Elle alla vers lui.

– Monsieur Kurbi ? demanda-t-elle poliment.

– Oui, Thelma ?

– Vous avez connu Danze, le sphinx ?

– Oui, j'ai eu ce privilège.

– Comment était-il ?

Kurbi se mit à rire en se tapant dans les mains.

– Tu veux dire : « Comment était-elle ? » Danze était une dame, voyons !

Thelma ouvrit de grands yeux.

– Et quelle dame ! poursuivit Kurbi. Belle, racée... Je n'ai jamais connu de femme plus séduisante, mais quel horrible caractère ! Celle-là, il ne fallait pas lui marcher sur les pieds... Ne le dis à personne, mais je crois qu'elle avait un petit penchant pour moi...

– Les trois derniers sphinx alors... ?

– Étaient des dames. C'est bien pour cela qu'elles se savaient condamnées. Il y avait des siècles que le dernier mâle avait été tué. Leur race était éteinte, et elles le savaient.

– Je trouve cela bien triste.

– Tu es une étrange petite bonne femme, toi !

Kurbi lui saisit la main. Son visage exprimait une véritable tendresse.

– Promets-moi d'être courageuse, mon enfant. Les chagrins ne durent pas toujours.

La fillette sentit une grosse boule se former dans sa poitrine.

– Pourquoi dites-vous cela ? s'alarma-t-elle.

Kurbi se contenta de lui caresser le visage.

La cérémonie commença enfin. Les maîtres de magie prononcèrent les paroles anciennes, puis la lumière jaillit de leurs mains tendues vers Thelma.

– Nous avons localisé le sphinx de notre sœur, et je vais le révéler si les Anciens acceptent ses conditions, déclara solennellement Hµrtö.

Kurbi répondit :

– Quel est le tribut du sphinx de notre sœur ? Que lui donnera-t-il en échange de la protection de notre race et de l'assurance de la pérennité de la sienne ?

Des yeux, le magicien fit le tour de l'assemblée.

– Voilà justement ce que vous devez accepter. Ce sphinx n'a aucun tribut à payer parce qu'il ne sollicite pas votre protection.

Les créatures enfantines n'entonnèrent pas l'ode aux harmonies saisissantes qu'Isadora avait entendue jadis. Une rumeur étonnée s'éleva du groupe des Anciens, forçant Kurbi à réclamer le silence.

– En dépit de l'absence de tribut, au nom des Anciens, j'accepte que notre sœur Thelma accueille cette Marque. Les maîtres peuvent la greffer.

La lumière dorée qui irradiait des paumes d'Hμrtö s'intensifia sur le ventre nu de Thelma. Isadora vit avec effroi une masse sanguinolente et un réseau de veines bleues s'incruster dans le corps de sa fille. Aveuglée par la lumière, Thelma ne pouvait pas voir son ventre, mais, au-delà du halo, elle distinguait le visage horrifié de son père et l'expression de dégoût dans ses yeux. La reine finit par détourner la tête.

– Qu'est-ce que c'est que ça ? cria Mélénor, affolé.

Saisissant la manche de la tunique d'Hμrtö, il la tira pour faire dévier la main du magicien.

– Grand-père, arrête ça tout de suite ! ordonna-t-il, s'obligeant à ne pas céder à la panique.

– Impossible, Mélénor. Calme-toi... je t'expliquerai plus tard.

Mauhna s'approcha du roi pour tenter de l'apaiser.

– C'est un fœtus, Mélénor, un fœtus de sphinx. Il va falloir encore quelques années avant qu'il ait sa forme définitive ; les Nagù se développent très lentement, tu sais.

– Pourquoi ma fille doit-elle porter La Marque d'une espèce disparue ?

– Je t'expliquerai plus tard, répéta Hµrtö, impassible.

– Mais... c'est monstrueux ! s'insurgea le roi, inconscient du fait que sa réaction finissait de dévaster sa fille.

Au centre du tumulte, Thelma pleurait sans rien comprendre ; elle savait seulement que quelque chose d'horrible venait de lui arriver.

– C'est un signe, reprit Mauhna avec douceur, un signe que nous envoie l'esprit des sphinx.

La magicienne couvrit les épaules de Thelma d'une riche étoffe fournie par Kurbi. La cérémonie s'acheva dans le silence. Les larmes de la princesse coulaient, lourdes et rondes sur son visage figé, mais pas un son ne franchissait ses lèvres. Parce qu'il n'y avait plus rien à dire, Isadora et Mélénor se taisaient, laissant aux magiciens le soin de réconforter l'enfant. Bientôt, les Anciens vinrent s'incliner devant Thelma. À tour de rôle, ils s'adressaient à elle dans leur langage mystérieux, leur voix subitement empreinte d'une déférence que Mélénor ne comprenait pas.

Quand ils se retrouvèrent dans le paysage familier de la petite école de magie, Thelma tendit les bras vers ses parents. En vain. La reine lui tourna le dos et s'enfuit. Mauhna lui emboîta le pas, espérant la raisonner, tandis que Mélénor apostrophait Hµrtö d'un ton rogue :

– Tu vas m'expliquer la raison de tout cela, et vite.

Calmement, Hμrtö saisit la main de Thelma pour l'entraîner vers la rivière.

– Viens, Thelma, j'ai des choses à te dire.

Puis, s'adressant à Mélénor, il ajouta :

– Si cela t'intéresse, tu peux venir aussi, mais je te préviens que ma patience a des limites. J'exige que tu te calmes. Sincèrement, me crois-tu capable de faire le moindre mal à cette enfant ?

Thelma pressait l'étoffe des Anciens contre son corps. Elle ne voulait surtout pas voir ce qui avait été greffé sur son ventre. Habituée à se maîtriser, elle avait cessé de pleurer. Hμrtö pénétra avec elle dans l'eau fraîche du cours d'eau. Il fit apparaître un joli mouchoir, qu'il mouilla pour lui nettoyer le visage.

– Tu as été très courageuse et je veux que tu saches que je suis très fier de toi. L'esprit des sphinx t'a élue pour porter sa Marque.

– Je croyais que La Marque... Le sphinx... il sert à protéger les espèces sacrées, non ? balbutia-elle, visiblement troublée. Puisque les pensants-lions ont disparu, je ne suis d'aucune utilité pour eux.

– Tu as raison sur ce point : ton sphinx ne sert pas à préserver l'espèce sacrée. Il sert à nous protéger, nous, les descendants des elfes magiciens. Quand l'esprit des sphinx se révèle de cette manière, cela signifie qu'une ère de bouleversements se prépare pour ceux de notre race.

– Et cela se produit souvent ?

– Non, un seul autre enfant a reçu cette charge. Cela remonte à l'époque avant l'exil.

– L'exil ? s'inquiéta Thelma. Cela ne recommencera pas, grand-père, n'est-ce pas ?

– Je l'ignore. J'en mettrais ma tête à couper, les elfes-sphinx sont en danger. Non seulement le mal va-t-il tenter d'envahir le monde, mais il va également tout faire pour détruire notre race. Korza cherche à se venger des sphinx qui l'ont emprisonnée dans le volcan.

Comme Thelma ne comprenait pas, Hµrtö l'invita à venir sous les arbres. Ils s'assirent sur le sol frais, et le magicien lui raconta l'histoire de la pierre sacrifiée. Par moments, le sorcier jetait des regards déçus à Mélénor, qui avait manifestement négligé l'instruction de sa fille.

– Pourquoi la pierre du mal désire-t-elle se venger ? s'enquit l'enfant. Elle s'est sacrifiée de son plein gré, non ? Tu viens tout juste de le dire.

– Korza a perdu la mémoire de cette époque ; aujourd'hui, totalement habitée par le mal, elle ignore même le sens du mot « sacrifice ». Voilà pourquoi nos ancêtres Nagù ont été forcés de l'emprisonner à l'intérieur de la terre.

La princesse désigna tristement son ventre.

– Ce sphinx... Celui-là... Il semble si laid que maman a pris peur en le voyant. Ils étaient magnifiques ceux que tu m'avais montrés dans ma tête.

– Pour l'instant, expliqua le magicien, ton sphinx n'est pas encore formé. Quand tu auras quinze ans, il sera aussi beau que ceux que je t'ai fait voir.

– Est-ce que je pourrai l'appeler Danze ?

– L'esprit de Danze en sera honoré. Désormais, tu incarnes l'esprit des sphinx et tu protèges toute notre race.

– Mais, grand-père, c'est impossible... je suis bien trop petite !

Hµrtö ne sut que répondre à l'enfant. Thelma se leva lentement ; elle se sentait légèrement étourdie.

– J'aimerais bien rentrer maintenant... pour remettre ma tunique rose.

– Bien sûr, ma fille, va ! dit Hµrtö en embrassant l'enfant sur le front. De toute manière, il faut que je parle à ton père.

Thelma se sentait si honteuse et si dégoûtante qu'elle n'osa pas regarder Mélénor. Tandis qu'elle s'éloignait, le maître de magie nota qu'elle tenait fermement les pans de l'étoffe qui se gonflait sous le souffle chaud du vent.

Mélénor s'était calmé, mais il restait inquiet.

– C'est un sphinx parasite, n'est-ce pas ? demanda-t-il, découragé.

Hµrtö secoua la tête énergiquement. Il arrivait parfois que des espèces ayant refusé le pacte des sphinx essaient de se protéger, à retardement, de la folie des hommes. Ces races fières, qui s'étaient autrefois crues invincibles, se voyaient tout à coup menacées par les humains conquérants. Se transformant alors en parasites, elles se greffaient dans le corps d'un elfe. Le parasite choisissait un porteur en rupture avec son harmonie, affaibli physiquement ou moralement : il s'infiltrait, à son insu, et pouvait demeurer latent pendant de nombreuses années, avant de se révéler brutalement au détriment de la santé et de l'énergie vitale de sa proie. Il y avait eu plusieurs cas semblables quand les elfes-sphinx avaient quitté la Terre des Damnés pour partir en exil, à la recherche d'une nouvelle terre d'accueil. Sans les soins attentifs de personnes douées comme Mauhna et Aglaë, les porteurs de sphinx parasites pouvaient mourir, car les intrus se nourrissaient des forces de leurs hôtes jusqu'à les en priver totalement.

– As-tu des raisons de craindre pour l'harmonie de Thelma ? s'enquit le magicien.

Mélénor s'intéressa à un brin d'herbe.

– Non, aucune.

Hμrtö savait qu'il était inutile de bousculer Mélénor.

– Dans ce cas, pourquoi penses-tu à un sphinx parasite ? Nous l'avons révélé et les Anciens l'ont accepté.

– Oui, mais il n'a accordé aucun tribut !

– Voilà ton erreur : l'esprit des sphinx n'a pas promis de tribut. Cela ne signifie pas pour autant qu'il ne donnera rien à Thelma.

– As-tu une idée du sort qui attend ma pauvre petite ?

– Ta fille fait déjà des rêves qui contiennent des présages... peut-être même des messages importants des esprits. Cependant, il lui faudra du temps pour les différencier des rêves communs. En vieillissant, elle se montrera très douée pour l'expression, mais elle choisira de se taire, car bien peu de gens la comprendront. Sa vision du monde sera pénétrante et elle saura démasquer les imposteurs.

157

En disant cela, Hμrtö observait son petit-fils.

— Pourquoi es-tu si nerveux ?

— Je trouve toute cette histoire assez troublante.

Voyant que Mélénor ne se révélerait pas davantage, le magicien continua :

— Comme je te le disais, ces aptitudes vont mettre plusieurs années à émerger et, d'ici là...

— D'ici là, quoi ?

— Eh bien, sa vie ne sera pas facile.

— C'est tout ?

— Tu sais très bien que ce n'est pas tout, mais tu refuses d'en entendre parler : il y a ses dons pour la magie.

Hμrtö leva une main autoritaire sous le nez de Mélénor avant que celui-ci proteste.

— Je sais ce que tu en penses, tu as été très clair à ce sujet. Je te le dis, Mélénor, Thelma connaîtra un destin difficile et la magie pourrait l'aider. Je crois sincèrement que la vie dans l'île favoriserait son épanouissement.

Mélénor respira profondément avant de lâcher du bout des lèvres :

— Laisse-moi le temps d'y réfléchir.

Ils se levèrent et se dirigèrent, pensifs, vers la maison qu'ils habitaient au bord de la rivière. Mauhna les rejoignit sur la terrasse qui surplombait la cascade ; la fraîcheur et le bruit de l'eau en faisaient un endroit propice à la détente. La magicienne leur raconta qu'elle avait réussi à apaiser Isadora.

– Je l'ai vue prendre le chemin du village des vallées, ajouta-t-elle. Marcher lui fera le plus grand bien.

Mélénor profita de cet instant de tranquillité pour informer ses grands-parents de la situation dans les territoires maintenant hermétiquement fermés de Yzsar.

– Verlon souille les terres : son pays est en voie de devenir une région désertique. Les habitants qui se trouvent sous son pouvoir sont voués à une misère sans issue, et j'ai bien peur qu'il réserve le même sort à l'ensemble du continent. Je me sens impuissant devant cette menace, alors je suis venu vous demander de l'aide. Vous êtes de grands magiciens ; vous pouvez certainement neutraliser les méfaits de Verlon et de son horrible conseiller, avant qu'ils tuent tous ces pauvres gens.

– C'est impossible, Mélénor...

Le roi l'interrompit.

– Je sais que vous n'intervenez pas dans les affaires du continent, mais il s'agit de la vie de milliers de personnes : des femmes, des enfants, des vieillards... tous bafoués, martyrisés, massacrés.

– Là n'est pas le problème, mon fils. Une force supérieure manipule tes ennemis. Tu penses que Verlon, Delia et Naq sont effroyables. Dis-toi bien qu'ils ne sont que des pantins dérisoires et que le mal que tu as vu ne prend pas sa source dans les terres de Yzsar.

– Tu ne feras donc rien pour empêcher cette dévastation, s'indigna Mélénor.

– Je n'ai pas dit que je ne ferai rien, précisa Hμrtö. Je dis seulement que je ne peux pas t'aider tout de suite. Si nous allons là-bas maintenant, je ne donne pas cher de notre peau. Le monde sera alors condamné sans retour.

✧

L'arrivée inopinée de Noa et d'Aglaë secoua Mélénor, qui commençait à peine à surmonter son agitation. Il y avait longtemps qu'il n'avait pas vu sa grand-mère. Malgré toutes ces années, le souvenir de la mort atroce de sa mère le fit souffrir cruellement ; Aglaë ressemblait tellement à Carmine ! Il embrassa pourtant son aïeule tout en observant l'étrange enfant-panthère qui le dévisageait.

– Vous êtes le père de Thelma, le roi de Gohtes ? demanda Noa.

– En effet.

– Je suis Noa, mais tout le monde m'appelle Douce.

Aglaë la saisit par l'épaule.

– Douce est ma pupille.

– Maître Hμrtö va me donner un protecteur comme il en a donné un à Thelma, tint à préciser Noa.

Mélénor jeta un œil insisif à Hμrtö.

– Tu as donné un protecteur à Thelma et je ne le savais pas ? dit-il avec humeur.

Aglaë comprit qu'il valait mieux laisser ses parents s'expliquer avec Mélénor. Elle embrassa Mauhna et força Noa à la suivre.

– Où est Thelma ? Je veux voir Thelma, protestait la petite.

– Elle doit être chez le boulanger. Viens, allons la rejoindre et manger une brioche avec elle.

Après le départ d'Aglaë, Mélénor fut surpris d'entendre une réelle exaspération dans la voix de son grand-père.

– J'ai donné un protecteur à Thelma et puis après ? Synhova Mélénor, tu ne crois pas qu'on s'est assez cherché de poux pour aujourd'hui ?

Le roi de Gohtes battit en retraite. Seul Hµrtö avait suffisamment d'autorité pour l'appeler ainsi ; c'était sa manière de rappeler à son petit-fils qu'il devait rester modeste. « Tout roi que tu sois, tu demeureras toujours le fils de ton clan, et le clan a priorité sur l'individu. » Combien de fois Mélénor avait-il entendu le magicien lui répéter cette phrase ? Il rabattit sa fierté et choisit de changer de sujet.

– Cette enfant, Noa... c'est l'enfant issue d'un avortement raté, n'est-ce pas ?

Hµrtö attendit silencieusement l'avis de Mauhna avant de répondre.

– Oui, Mélénor. C'est la fille de la duchesse de Breaimes.

– La fille de Leila ! Mais c'est impossible... Elle n'avait pas d'enfant quand elle a été tuée dans une embuscade.

Mauhna raconta à Mélénor comment la fille du banquier avait réellement trouvé la mort et pourquoi Ubert de Lomgo, son garde du corps et ami, avait inventé cette fable d'attaque de brigands. Mélénor enfouit son visage dans ses mains et s'enferma dans un silence douloureux. Hµrtö comprit que les soupçons qu'il nourrissait depuis la naissance de Noa étaient justifiés.

– Mélénor, c'est toi ? Tu es le père de Noa ?

– Quelle horreur ! Nom d'une déesse... Je vous en supplie, ne le dites surtout pas à Isadora.

Malgré l'air abattu de Mélénor, Mauhna avait du mal à contenir sa colère. Elle avait assisté, impuissante, à l'agonie de la duchesse. Elle se souvenait de chaque moment de son inutile combat, tout cela parce que Mélénor, ce damné séducteur, n'arrivait pas à maîtriser ses pulsions. Elle s'arrêta devant son petit-fils, qui leva vers elle un visage défait. La magicienne croisa les mains derrière son dos.

– Je ne sais pas ce qui me retient de te gifler ! lança-t-elle d'une voix sévère. Tu avais ta femme, des tas de maîtresses, mais ce n'était pas encore assez ; il te fallait la femme d'un autre. Sombre imbécile...

Mauhna s'interrompit avant d'aller trop loin. En d'autres circonstances, Mélénor aurait protesté vigoureusement ; sa fierté était bien trop grande pour qu'il se laisse invectiver de la sorte. La soudaine prostration de son petit-fils avait de quoi décontenancer la magicienne. La bouche sèche, Mélénor murmura :

– Ils l'ont tuée... Ces monstres odieux l'ont tuée ! Grand-mère, c'est la robe... la robe !

– Quelle robe ? Leila aussi parlait d'une robe, mais je n'ai pas compris ; j'ai cru qu'elle délirait.

Complètement atterré, le roi raconta comment Leila et lui avaient été poussés l'un vers l'autre par une robe ensorcelée.

– Pourquoi ne nous as-tu rien dit ?

– J'avais promis à la duchesse que ce moment d'égarement resterait notre secret. J'avais promis.

Hμrtö voulut l'apaiser.

– Je comprends... Tu as eu raison.

– Non, vous ne comprenez pas ! s'emporta Mélénor. Verlon et Delia l'ont tuée, aussi sûrement que s'ils lui avaient percé le ventre avec un sabre. Et moi, j'ai été cette arme.

Mauhna sentit ses épaules s'affaisser sous le poids de ces affreux souvenirs. Maintenant, elle comprenait.

– Non, Mélénor, objecta-t-elle. J'étais là. J'ai déjà sauvé des centaines de femmes désespérées qui étaient aussi mal en point qu'elle. Leila n'est pas morte à cause du bébé ni de l'avortement ; c'est un maléfice qui m'a empêchée de la guérir. La robe contenait un envoûtement mineur ; même un jeune sorcier sait utiliser ce sortilège d'attraction, mais l'autre, le sortilège de décomposition, celui-là était le fait d'un très grand sorcier.

– Qui ? Je veux savoir qui ? gronda Mélénor en serrant les poings.

Hμrtö se frotta le menton avant de parler.

– Au cours des huit dernières années, chaque fois que nous avons communiqué ensemble par la magie de nos miroirs, tu m'as demandé ce que signifiaient les événements bizarres qui se sont produits au cours de ce fameux voyage... celui qui t'a conduit à cette alliance déplorable avec Verlon contre Trevör Oks Bortka.

– Et chaque fois, tu m'as répété que le moment n'était pas venu, que tu devais vérifier certains faits avant de me renseigner. Ai-je été assez patient ?

– Je comprends ton irritation, mon fils. Pourtant, tu dois me faire confiance : jusqu'à présent, il était inutile de t'alarmer pour un conflit séculaire qui ne pourra pas trouver de dénouement avant de nombreuses années.

– Un conflit ? Pourquoi attendre ? Réglons-le maintenant.

– Regarde comme tu te montres impulsif. C'est pour cette raison que nous tardions à t'informer. Sache que, pour un certain temps encore, ta grand-mère et moi maîtrisons la situation ; nous sommes les maîtres du jeu.

– Du jeu ? Je comprends de moins en moins !

Mauhna s'installa auprès d'eux.

– Je crois le moment venu de t'expliquer la menace qui pèse sur notre monde.

Elle fit un geste discret et une carafe de vin apparut entre les deux hommes. Mélénor remplit les trois verres pendant qu'Hμrtö se débattait avec ses souvenirs.

– Tu sais pourquoi notre peuple a dû quitter la terre des Ejbälas, comment cet endroit béni est devenu la Terre des Damnés ?

– À cause de la forêt, qui était devenue hostile, non ?

– Tous nos territoires perdaient peu à peu leur équilibre. Cette instabilité n'était pas le fait d'un dérèglement de la nature, mais la conséquence des actions d'un sorcier nommé Artos. Depuis cette époque, nous préférons appeler ce détestable personnage L'Autre ou Le Troisième... et pire, parfois, quand nous ne sommes qu'entre nous !

Mauhna déposa son verre pour continuer le récit de son époux.

– Nous étions les disciples d'Hodmar, trois amis inséparables : Hµrtö, Artos et moi. L'Autre était un esprit rebelle, doté d'une indéniable séduction. De nous trois, c'était le plus doué. Il apprenait si vite qu'Hodmar le taquinait en lui répétant qu'un jour il surpasserait son maître. J'aimais bien Artos, mais pas assez à son goût.

Hµrtö versa une grande rasade de vin dans son verre.

– Ce magicien n'avait pas que des qualités ; il était aussi terriblement ambitieux et envieux. Les années passant, il a commencé à devenir intolérant et colérique. Il ne supportait pas l'affection que le maître avait pour moi. Surtout, il était amoureux de Mauhna.

La vieille dame releva la tête. Un pli profond creusait la peau parfaite de son front.

– Je me disais que ça lui passerait. Je n'ai rien fait pour encourager ses sentiments, pourtant il me poursuivait sans relâche, devenant de plus en plus insistant. Un jour, il m'a bousculée dans un coin et a tenté de m'embrasser. Je l'ai repoussé violemment en utilisant mes pouvoirs. Sa riposte a été sauvage ; je me suis évanouie, et il a bien failli me violer. À cette époque, Hµrtö et moi communiquions déjà par la pensée. Il a tout de suite su que j'étais en danger. Il est arrivé juste à temps et il a pétrifié Artos. Hodmar a levé le sortilège pour donner à son élève la chance d'expliquer son geste. Dans sa grande bonté, Hodmar croyait à un égarement passager ; il était convaincu que son disciple se repentirait.

– Le Troisième semblait devenu fou, poursuivit Hμrtö. Nous avions de la difficulté à reconnaître en cet homme rempli de haine et d'amertume le camarade amusant qui avait parcouru avec nous le chemin ardu de l'apprentissage des maîtres. La mort dans l'âme, Hodmar l'a chassé, et nous ne l'avons plus revu pendant de très longs siècles. Bien plus tard, nous avons découvert que son dépit l'avait conduit vers la magie des ténèbres, mais, au moment de notre mariage, nous le croyions tout simplement parti vivre dans une autre contrée.

– En fait, Artos avait décidé de retrouver l'ancien empire des sphinx. Ses pouvoirs étaient aussi grands que son ambition ; il a fini par découvrir la cité et ses innombrables temples. Il a passé des années à étudier les fresques et les énigmes qui ornent les murs des lieux sacrés jusqu'à ce qu'il comprenne le mystère du volcan : la prison de Korza et des autres pierres du mal. Pendant ce temps, Hμrtö et moi vivions paisiblement avec les gens de notre race sur la terre de nos ancêtres, Tyr op Ejbälas. C'est là que j'ai donné naissance à Aglaë puis à Jordan, notre fils.

Mélénor vit des larmes noyer le regard de Mauhna. Il lui prit la main tendrement.

– J'ignorais que vous aviez un fils.

– Tu l'as bien dit, Mélénor... Nous *avions* un fils, soupira la magicienne. Cet enfant bouillait d'une colère que nous ne comprenions pas. Il était talentueux et nous l'entourions d'attention, mais rien ne semblait jamais le satisfaire.

La magicienne libéra sa main. Dans un geste pathétique, elle agrippa le tissu de sa robe comme on s'accroche à une bouée. Hµrtö toussota et reprit la parole ; sa voix résonna comme un glas dans une nuit sans lunes.

– Quand les territoires ont commencé à montrer des signes de déséquilibre, nous avons utilisé les remèdes habituels, mais rien ne fonctionnait. C'est Hodmar qui a compris qu'un mage noir avait entrepris de détruire notre monde. J'ai tout de suite su qu'il s'agissait de L'Autre ; lui seul avait assez de pouvoir et de rancœur pour forger un projet aussi sinistre. Peu de temps après, notre maître a été assassiné. Ses grimoires ont disparu en même temps que l'une des clés du volcan. Tu savais que Korza était maintenue prisonnière par trois clés et trois incantations qui les activent, non ?

– Bien sûr ! J'ai peut-être omis d'enseigner ces faits à Thelma, mais je ne les ai pas oubliés pour autant, se défendit Mélénor, revêche.

– Ne te vexe pas, je t'en prie !

– Désolé, grand-père. Je me sens un peu irritable depuis quelque temps. Continue.

– Hum ! Tout le monde a soupçonné Jordan, qui était devenu un jeune homme impossible à maîtriser.

– Depuis qu'il avait été reçu dans l'ordre des maîtres, Jordan s'acharnait sur Hodmar ; il estimait que le vieux maître était dépassé et mesquin parce qu'il interdisait l'accès à ses grimoires.

– Tu ne dois pas ignorer, Mélénor, dit Mauhna, que les livres des ténèbres sont réservés au cœur pur du grand maître, qui les utilise pour comprendre et combattre les forces du mal.

167

Le roi hocha la tête, indiquant ainsi qu'il saisissait mieux l'importance du vol des manuscrits. Hµrtö poursuivit le récit.

– Jordan s'est enfui le jour même où nous avons découvert le corps sans vie d'Hodmar. Nous avons cherché notre fils en vain dans tout le territoire.

– L'apparente culpabilité de notre fils dans le meurtre du grand maître a bien failli me rendre folle. Malgré tout, les Anciens ont déclaré que nous ne pouvions pas être tenus responsables des égarements de Jordan ; ils ont accru nos pouvoirs et demandé à Hµrtö de succéder à Hodmar en tant que chef spirituel de notre peuple.

– Nous avons dû mettre de côté nos soucis personnels pour revenir au problème plus pressant du déséquilibre de la nature ; la santé de notre peuple était en péril. À armes égales, nous avons combattu les sortilèges d'Artos mais, quelques années après la disparition de Jordan, Korza a été réveillée pour la première fois.

Mauhna croisa ses mains sur son cœur. Un pli amer marquait sa bouche ; elle ne voulait pas pleurer.

– Mélénor, sais-tu comment on réveille les pierres du mal ?

– Non, je l'ignore.

– Il faut qu'un mage noir leur sacrifie l'âme d'un mage blanc, expliqua Mauhna d'une voix émue. Artos a réveillé Korza en pervertissant Jordan et en le conduisant vers la magie noire ; il lui a donné l'âme de notre fils.

Hµrtö se leva et se mit à arpenter la pièce.

– Nous sommes partis tous les deux pour affronter L'Autre ; il fallait à tout prix rendormir la pierre maléfique. Notre ennemi avait parsemé notre chemin de piège. Nous avons néanmoins atteint son refuge au sein même de la Cité des sphinx. Artos voulait que nous le rejoignions, car il avait besoin de nos clés et de nos incantations pour accomplir son véritable dessein : libérer Korza. Cependant, au préalable, il devait nous affaiblir afin de nous dominer plus facilement.

– Nous avons traversé les épreuves des éléments, abattu des monstres et résisté aux charmes des esprits tentateurs. Quand nous avons finalement trouvé le temple où Le Troisième se terrait, il nous attendait. Jordan était avec lui, l'âme irrémédiablement corrompue. Ils ont réuni leurs pouvoirs pour nous attaquer. Nous étions épuisés, mais nous luttions avec une ardeur égale à notre désespoir.

Hμrtö vint se placer derrière sa femme. Il posa ses mains sur les épaules robustes de Mauhna. Le sorcier semblait accablé par son récit.

– Mauhna a flanché quand Jordan s'est mis à lui parler doucement : « Viens, maman, viens avec nous. Nous serons les maîtres du monde et nous serons de nouveau réunis. Tu m'as tellement manqué ; maintenant, plus rien ne va nous séparer. » Mauhna était comme en transe, elle marchait lentement vers lui, tandis que j'essayais de la mettre en garde.

– Dans ma tête, se souvint la magicienne, j'entendais la voix d'Hμrtö, mais elle n'était qu'un murmure dominé par les paroles perfides de mon enfant, que je tenais enfin dans mes bras. J'ai senti la main de Jordan qui dénouait le cordon de ma clé ; à cette époque, je la portais attachée à ma ceinture.

Avant de poursuivre, Mauhna montra à Mélénor un médaillon de platine suspendu à un chaîne d'or blanc. Les arabesques en filigrane précieux avaient toujours fasciné Mélénor.

169

– Je croyais que c'était une sorte de... porte-bonheur !

– Nous ne devons jamais nous en séparer. Seule la mort libère le lien qui existe entre la clé et son gardien. Cette dépendance, cependant, n'existe plus quand les trois clés maîtresses sont réunies.

Hµrtö passa la main dans le col de sa tunique pour dévoiler une clé au pourtour hexagonal. À l'intérieur du cadre massif, les fils d'or formaient une dentelle au tracé capricieux. Mauhna enchaîna.

– Je n'ai même pas résisté quand Jordan a pénétré dans mon esprit pour y dénicher l'incantation qui donne son pouvoir à la clé ; je me sentais enfin en paix. La suite s'est passée très vite. Quand Artos a eu la certitude que Jordan détenait l'incantation, il lui a ordonné de me pétrifier : « Ne la tue surtout pas, je n'ai pas le goût de posséder une morte. Je veux qu'elle soit mienne pour le reste de l'éternité. »

Mélénor vit Hµrtö resserrer son étreinte sur l'épaule de son épouse. La voix enrouée, il reprit la parole.

– Artos riait de mon dilemme. Si je cessais de lutter contre lui pour empêcher Jordan de pétrifier sa mère, Artos me volait mon incantation et me tuait aussitôt. Si je continuais de m'opposer à lui, j'abandonnais celle que j'aimais, je trahissais Mauhna. La haine qui me dévorait le cœur finissait d'épuiser mes forces. Je ne quittais pas mon ennemi des yeux, mais, dans ma folie, je rêvais que je tuais mon fils, cette chaire ingrate que nous n'aurions jamais dû engendrer.

Hµrtö fit une pause avant de poursuivre.

– Jordan a commis une faute, une toute petite faute : il a hésité. Oh ! pas très longtemps, mais il avait oublié qu'il affrontait une magicienne exceptionnelle.

170

Mauhna leva une main qui semblait lourde comme du plomb. Elle la déposa sur celle de son mari.

– J'ai récupéré ma clé et j'ai foudroyé l'esprit de mon fils jusqu'à ce que sa mémoire soit complètement purifiée. Lorsque je l'ai transformé en couleuvre, Artos a compris qu'il venait de perdre l'avantage. Sans mains ni doigts, sans souvenir de sa formation magique, Jordan ne pouvait plus jeter de sort ; j'avais ligoté son pouvoir. J'ai immédiatement détourné mes rayons vers L'Autre, l'obligeant à se concentrer sur sa défense et l'empêchant de secourir son disciple.

– Le courage de Mauhna m'a animé d'une nouvelle force, poursuivit Hµrtö. J'ai intensifié mon attaque contre Artos en invoquant l'esprit des sphinx. Je crois qu'ils m'ont entendu, car L'Autre a commencé à reculer. Quand notre ennemi a tenté de s'enfuir, il a reçu un sortilège dans le dos.

– Dans ma fureur, j'avais renoncé à le pétrifier, dit Mauhna en affichant un sourire énigmatique. J'avais plutôt choisi un enchantement peu connu, parce que très ancien, un sort capable de ralentir toutes les fonctions physiques de sa victime. Lourd comme du marbre, Artos a mis dix jours à faire le deuxième pas de sa fuite. Nous l'avons laissé ainsi, conscients du risque que nous prenions, mais nous ne pouvions pas nous résoudre à commettre un meurtre. Nous espérions que, si un jour il trouvait un sorcier capable de le libérer, nous aurions suffisamment augmenté nos pouvoirs pour le maîtriser de nouveau.

Mélénor secouait la tête avec véhémence ; son caractère vindicatif se rebellait.

– Il voulait vous tuer, vous auriez pu vous justifier sans problème, protesta-t-il. Après tout, c'est lui, n'est-ce pas, qui a assassiné Hodmar ?

Hμrtö approuva puis il haussa les épaules.

– Il m'arrive de douter, Mélénor, admit le maître de magie avec une pointe de regret dans la voix. En ce temps-là, cela nous a semblé la meilleure solution ; maintenant que Le Troisième a retrouvé ses pouvoirs, maintenant qu'il a, une fois de plus, réveillé Korza, je ne sais plus si nous avons bien fait.

– Artos a donc réussi à trouver un magicien assez puissant pour le libérer.

– De toute évidence.

Le roi soupira, compatissant, mais tout de même accablé.

– Vous avez perdu un terrible pari, il me semble !

Mauhna se leva à son tour. Mélénor découvrit qu'il ne la regardait plus de la même manière ; cela dépassait son entendement que sa grand-mère ait pu surmonter de pareilles épreuves. Elle secoua un peu la tête, ce qui fit onduler sa magnifique chevelure blanche.

– De toute manière, nous ne pouvons rien changer au passé. Après avoir rendormi Korza, nous avons abandonné Artos dans la prison de son corps de pierre et nous sommes retournés auprès des nôtres. Je n'ai pas eu à décider du sort de Jordan, car il avait filé.

Hμrtö revint s'asseoir auprès de Mélénor.

– Malgré notre victoire, même si nous avions neutralisé nos ennemis, il nous a été impossible de sauver nos territoires ; Artos avait définitivement rompu l'équilibre de nos forêts. Mauhna et moi étions trop affaiblis pour renverser la situation. Notre peuple a dû quitter la Terre des Ejbälas, Tyr op Ejbälas, qui est devenue Tyr op Komme, la Terre des Damnés. Tu connais la suite : notre exil, notre rencontre avec ton ancêtre, Garomil, et, finalement, notre nouvelle vie à Yste al Rapka, l'Île-aux-Tortues.

Mauhna s'appuya à la rambarde de la terrasse. Elle contempla le paysage apaisant, la vallée qui s'étalait, luxuriante et chaude, dans le soleil couchant.

– Le voile qui masque le ciel sur le continent est le résultat de l'activité de Korza. Les nuages portent les ondes négatives du mal. Artos nous provoque ; il nous attend là-bas, dans l'ancienne Cité des sphinx, quelque part aux confins de la Terre des Damnés. Il sait que nous ne pouvons pas laisser Korza répandre l'inspiration du mal. Cette fois, nos races n'y survivraient pas, car la pierre exhale les miasmes du mal suprême.

– Les hommes sont devenus trop nombreux, poursuivit Hµrtö, et leur vulnérabilité les conduit facilement à répondre à la violence par la violence. Dépassé un certain seuil, le monde ne pourra plus faire marche arrière et il s'enfoncera définitivement dans les ténèbres.

– Le mal suprême ? interrogea le roi.

Avant de satisfaire la curiosité de son petit-fils, le magicien jeta un œil à son épouse. Voyant qu'elle acquiesçait, il se racla la gorge.

– Korza s'emploie à pervertir un sentiment essentiel à la survie de nos espèces. Devines-tu lequel ?

– La probité, la justice ? se risqua le souverain.

– Bien essayé, mais ce n'est pas cela.

– Alors, dis-moi.

– Il s'agit de la compassion naturelle des parents pour leurs enfants.

– En quoi est-ce si important ?

– Réfléchis bien, mon fils. Sans cette affection fondamentale, les races pensantes négligeraient leur progéniture, ce qui s'avérerait fatal pour nous.

– Le développement sain des petits dépend en grande partie des soins de leurs parents. Les enfants privés d'attention bienveillante sont davantage portés à la destruction, qu'elle soit dirigée contre les autres ou contre eux-mêmes. Une société constituée d'êtres insensibles conduirait inexorablement nos civilisations à la barbarie puis à l'extinction, conclut gravement Mauhna.

Mélénor grimaça. Il se tut un long moment, ressassant ce flot d'information qui le déroutait.

– Pour réveiller Korza une seconde fois, il a fallu qu'Artos sacrifie l'âme d'un autre magicien blanc, non ?

– En effet. Qui selon toi ? lui demanda Mauhna.

Mélénor secoua la tête.

– Je ne vois pas.

– Delia... La reine de Yzsar !

– Comment le savez-vous ?

174

– Tu nous l'as très bien décrite. Cette femme-caméléon est notre ancienne élève, et maintenant qu'elle a, de son plein gré, choisi le monde de l'obscur, elle est certainement devenue redoutable.

Hμrtö remit sa clé sous sa tunique et but une gorgée de vin avant de conclure.

– L'objectif d'Artos n'a pas changé. Il veut libérer la pierre pour que le malheur et la dépravation s'abattent sur le monde. Pour cela, il a besoin de nos clés.

– Hμrtö et moi irons de nouveau l'affronter. Cette fois nous serons mieux préparés.

– Lui aussi sera mieux préparé, déclara le magicien, car sa cuisante défaite lui a prouvé notre valeur, et il nous sait capables de le vaincre. Nous ne sommes pas encore prêts, Mélénor. Nous devons accroître nos pouvoirs et, surtout, trouver un moyen de nous prémunir contre les effets déséquilibrants de la Terre des Damnés et de Yzsar. Si nous nous rendons sans protection dans ces territoires toxiques, nous serons immédiatement terrassés par le grand mal et nous ne pourrons plus sauver personne. Je suis désolé pour le peuple sacrifié par Verlon. J'aurais sincèrement voulu t'aider à sauver ces pauvres gens, mais le véritable combat se fera dans la Cité des sphinx, pas dans le Yzsar. Si nous vainquons, ce peuple opprimé sera libéré.

– Et si vous perdez ? s'inquiéta le roi.

– Rien ne pourra empêcher le mal d'envahir notre monde.

– Dans combien de temps serez-vous prêts ?

– C'est impossible à dire pour l'instant.

– Je ne peux pas rester les bras croisés en attendant que Verlon sème la désolation jusque dans le pays de Gohtes !

– Je n'ai rien dit de tel.

– Alors ?

– Tu vas mener ton combat comme nous allons mener le nôtre. Cela fait partie des plans d'Artos. J'ignore dans combien de temps, Mélénor. Une chose est certaine cependant, tu vas repartir en guerre.

– J'irai me battre avec toi, papa.

Personne n'avait remarqué Thelma. Elle était assise dans l'escalier qui menait au bord de la rivière et semblait avoir tout entendu. L'enfant alla prendre la main de Mauhna.

– Grand-mère, tu sais... dans mon rêve... c'était eux, dit la fillette.

– Qui, eux ?

– Korza et Artos.

L'enfant dévisagea la magicienne ; il y avait une telle intensité dans son regard.

– Mais je n'ai pas vu Jordan, affirma-t-elle. Peut-être qu'il en a eu assez des ténèbres ! Peut-être qu'il va rentrer à la maison !

La magicienne sentit sa gorge se nouer. « J'aimerais tellement te croire, ma petite », pensa-t-elle. Elle embrassa la tête de l'enfant.

– Peut-être, Thelma... peut-être.

Mélénor se leva péniblement de sa chaise. Il saisit Thelma par la main et l'entraîna au bord de l'eau. Il s'éloigna suffisamment pour être à l'abri du regard des magiciens demeurés sur la terrasse. Au loin, sur la route de terre battue, il aperçut Isadora revenant du village avec un panier rempli de fruits. En dépit de la distance, Mélénor pouvait voir qu'elle chantait en marchant.

– Depuis quand étais-tu là à nous écouter ? demanda-t-il à Thelma.

– Je ne sais pas.

– Étais-tu là quand Aglaë et Noa sont venues ? insista Mélénor.

Le roi plongea son regard inquiet dans les yeux clairs de sa fille ; celle-ci ne répondit pas directement à la question.

– Pourquoi es-tu fâché ? Est-ce parce que grand-père m'a donné un protecteur ?

Mélénor vit le rouge monter au visage de Thelma. « Elle a donc tout entendu. Par tous les esprits, comprend-elle ce que cela signifie ? Noa... ma fille, sa sœur... »

– Non, chérie, je ne suis pas fâché.

– C'est comme ça qu'il s'appelle.

– Qui donc ?

– Mon arbre, mon protecteur... il s'appelle Chéri.

Mélénor se sentait complètement dérouté. Isadora venait de les apercevoir. De la route, elle leur faisait de grands signes de la main.

– Écoute-moi bien, princesse, il faut que tu me promettes de ne rien répéter à ta maman à propos de Noa. Tu sais comment elle est ; elle va se faire du mauvais sang et elle va devenir malheureuse. Tu ne veux pas que ta maman soit triste, n'est-ce pas ?

– Non.

– Tu me promets de ne rien dire ?

– Tu sais, mon arbre... reprit Thelma.

– Qu'est-ce qu'il a, ton arbre ?

– Il m'appelle....

Mélénor la coupa, bouillant d'impatience.

– Est-ce que tu comprends ce que je te demande, Thelma ?

– Bien sûr, papa. C'est pour cela que mon arbre m'appelle l'héritière des silences.

– L'héritière des silences... Vraiment ! Ça veut dire que tu sais te taire ?

– Voilà ! Noa est ma sœur, mais ça restera notre secret... à toi et à moi.

– VIII –

Tandis que Mélénor et Isadora montaient sur le bateau qui allait les ramener à la Cité des Mirages, Thelma serrait très fort la main de Cid. Mélénor avait expliqué à Thelma qu'il devait vite retourner sur le continent. La princesse s'était montrée très raisonnable ; de toute évidence, la défense de la Nouvelle-Bortka était bien plus importante que l'initiation d'une petite elfe.

– Viens, ma jolie princesse, on retourne dans la vallée, dit Cid en la ramenant à la réalité. Le grand jour approche pour toi.

– Tu crois que je serai reçue dans le Clan des magiciens ?

– Comment veux-tu que je le sache ? Est-ce que j'ai la tête d'un Ancien ? lança-t-il en faisant une affreuse grimace.

Thelma rit avec son ami. L'espace d'un instant, elle songea à lui ouvrir son cœur et à lui révéler le trouble que lui causait son nouveau sphinx, mais elle se ravisa. « Il vaut mieux ne rien lui dire ; il va trouver cela trop répugnant et, tout comme papa et maman, il ne m'aimera plus. » Quand elle était allée remettre sa tunique après la révélation, Thelma avait jeté un coup d'œil rapide à la masse informe et sanguinolente de son nouveau sphinx. Secouée mais déterminée, elle avait découpé une bande dans l'étoffe des Anciens et l'avait enroulée autour de ses hanches pour bien cacher le fœtus qui dormait sous son nombril. Elle avait passé sa jolie tunique de soie et avait essayé de ne plus penser à cette partie d'elle-même. Elle s'était juré de ne plus jamais regarder son corps. Son adresse lui permettait maintenant d'ajuster, à l'aveuglette, le bandeau qu'elle ne sentait presque plus.

✧

Thelma retrouva Noa avec plaisir. Elles prirent la route qui menait au village du Clan des bois. Sur tous les chemins on voyait les habitants de l'île qui se rendaient à l'assemblée annuelle. Selon leur habitude, Noa et Thelma marchaient devant Hμrtö, Mauhna et Aglaë.

Derrière les magiciens venaient la famille d'Atthal et les petits pensionnaires qui faisaient leur apprentissage dans le Clan des rives. Ces enfants étaient particulièrement fébriles à l'idée de rejoindre leurs véritables familles. À l'instar de tous les jeunes de l'île, ils avaient passé les deux derniers cycles des lunes dans leur clan d'adoption pour apprendre les mœurs des gens avec lesquels ils partageraient un jour leur vie adulte. Ils retournaient aujourd'hui auprès de leurs parents, dans la maison qui les avait vu naître. Pourtant, à la fin des vacances estivales, ils seraient contents de retourner vivre dans leur famille adoptive où les usages correspondaient davantage à leur nature profonde. Un enfant-épaulard s'ennuie parfois dans la tanière d'une maman-vison, aussi aimante et attentive qu'elle soit.

Ils durent traverser un pont imposant pour enfin atteindre la partie sud du territoire des bois. Dans cette région de l'île, il y avait toutes sortes d'habitations étranges.

Certaines maisons s'enfouissaient dans le sol comme des terriers. D'autres étaient construites dans des arbres gigantesques ; de longues échelles donnaient accès à ces demeures suspendues dans les branches. Ici, pas de pierre, uniquement du bois, de la terre et du chaume.

Un grand lac séparait le territoire des vallées de celui des bois. Du côté des bois, en bordure du lac, s'étalait une vaste étendue dégarnie. L'herbe qui couvrait le sol était courte, fine et d'une étonnante couleur argentée. C'était le lieu de rassemblement des elfes-sphinx ; on l'appelait le « chaudron des lunes ».

Tout autour du chaudron, Thelma reconnut les couleurs des clans qui se regroupaient. Cid la salua avant de se perdre dans la masse bleue des membres de son clan. Juste à côté, on reconnaissait les habitants des cavernes grâce à leurs tuniques de couleur ocre. Venaient ensuite le blanc du Clan des sommets, le vert sombre du Clan des bois, le gris argenté du Clan des rivières, le vert tendre du Clan des vallées puis un petit groupe compact que Thelma n'arrivait pas à identifier ; les membres de ce clan portaient des tuniques noires mais, parmi eux, on voyait quelques tuniques rouges comme celle d'Aglaë. Entre ce groupe étrange et le Clan des rives, les membres de tous les ordres de magie refermaient le cercle. Au centre de cet anneau bien segmenté, les enfants non initiés couraient et jouaient, vêtus de leur tunique aux couleurs variées ; ils n'avaient le droit de porter la couleur d'un clan qu'après leur initiation. Thelma pointa du doigt le groupe des elfes noirs.

– Grand-père, qui sont ces gens ?

– Ces elfes vivent un peu à l'écart ; leur territoire se situe au-delà des massifs du sud, en bordure de la mer. Ils appartiennent au Clan des rebelles.

– Ce sont des méchants ? demanda la petite fille en ouvrant de grands yeux inquiets.

– Bien sûr que non ! Dans la langue ancienne, ce clan portait le nom de Jynabör, ce qui signifie « les tourmentés », « les agités ». Dans notre langue, il n'existe pas vraiment d'équivalent, on a donc traduit par « rebelles ». La plupart des elfes de ce clan possèdent deux, parfois même trois sphinx. Ces influences contradictoires perturbent leur personnalité et ils ont souvent du mal à trouver leur équilibre. Cependant, après de longues années de méditation et de travail sur eux-mêmes, certains d'entre eux parviennent à un niveau de conscience peu commun. Alors, tout comme Aglaë, ils sont autorisés par les Anciens à délaisser les vêtements noirs pour porter des tuniques rouges, emblème des grands sages.

Thelma chercha la fille d'Hµrtö parmi la foule. Radieuse, cette dernière avait rejoint ceux de son clan. La fillette vit un homme vêtu de noir bousculer les gens pour se frayer un chemin jusqu'à Aglaë. La magicienne s'élança dans les bras tendus de l'homme, qui l'embrassa avec passion, malgré le monde qui les entourait. Hµrtö sourit à Thelma.

– C'est Bhöris... son époux.

– Ils ne vivent pas ensemble ? s'étonna la princesse. Pourtant, ils ont l'air très amoureux.

– Bhöris n'est pas un homme de tout repos. Ils sont beaucoup plus heureux depuis qu'ils vivent ainsi.

– Alors... ce monsieur... est mon arrière-grand-père ?

Thelma n'était pas certaine d'apprécier cette idée. Bhöris avait l'allure d'une bête sauvage impossible à dompter.

– Oh non ! Souviens-toi que ta grand-mère Carmine était à moitié humaine. Son père, le premier mari d'Aglaë, est mort depuis plusieurs siècles ; Jason a vécu parmi nous par amour pour notre fille. Nous l'aimions tous beaucoup.

En attendant que la cérémonie de l'initiation lui révèle enfin le clan auquel elle appartiendrait pour le reste de sa vie, Thelma décida de suivre les magiciens. Les membres du Clan des érudits les accueillirent avec chaleur. La princesse reconnut le jeune Leani qui, manifestement, aurait préféré courir avec les enfants au centre du cercle plutôt que de rester là avec ceux de son ordre. Le beau Rysqey l'accompagnait. Noa se précipita vers le jeune professeur, qui la serra très fort dans ses bras ; il semblait si heureux de voir l'enfant-panthère que Thelma sentit un pincement d'envie lui étreindre le cœur.

Les elfes-sphinx s'assirent sur l'herbe argentée pour manger et boire en attendant le coucher du soleil. Quand la première lune apparut au-dessus du massif des montagnes, Hụrtö s'avança dans le centre du cercle. Il fit asseoir les enfants tout autour de lui, puis il s'adressa à la foule.

– Mes amis, soyez les bienvenus à notre grande assemblée annuelle.

Un rayon de lumière jaillit de la paume droite du magicien pour éclairer Atthal, le chef du Clan des rives. Ce dernier fit un pas en avant et salua son chef spirituel.

– Le Clan des rives honore la nature et la mer. Que l'esprit des sphinx protège la famille des Ysonia.

Ysolt, la petite femme responsable des elfes-philosophes, franchit à son tour le cercle lumineux.

– Le Clan des cavernes honore la nature et la pierre. Que l'esprit des sphinx protège la famille des Doboquart.

Ainsi, solennellement, chaque chef présenta ses hommages.

– Le Clan des sommets honore la nature et le vent. Que l'esprit des sphinx protège la famille des Elomar.

– Le Clan des bois honore la nature et la forêt. Que l'esprit des sphinx protège la famille des Synhova.

– Le Clan des rivières honore la nature et l'eau vive. Que l'esprit des sphinx protège la famille des Cozarone.

– Le Clan des vallées honore la nature et la terre. Que l'esprit des sphinx protège la famille des Ochfili.

– Le Clan des rebelles honore la nature et le feu. Que l'esprit des sphinx protège la famille des Jynabör.

Mauhna fut la dernière à pénétrer dans l'enceinte de lumière.

– Le Clan des magiciens honore la nature et l'occulte. Que l'esprit des sphinx protège la famille des Loxillion.

Hụrtö était très grave quand il reprit la parole.

– Une enfant a reçu une mission lors de la révélation récente de son deuxième sphinx. La Marque est exceptionnelle ; il s'agit d'un pensant-lion, un sphinx. Vous savez tous qu'un tel signe représente un avertissement.

Thelma se sentit misérable devant le mouvement de panique que cette déclaration déclencha. Le magicien réclama le silence.

– Nous allons vivre une période de bouleversements, et il est possible que notre race soit en danger. Le Clan des magiciens concentre déjà ses efforts pour activer les boucliers qui empêchent L'Autre de nous attaquer. Tant que nos protections fonctionnent, l'ennemi ne peut concevoir une image nette de l'île... sa cible ; cela nous préserve de ses foudres.

Un murmure de soulagement s'éleva de la foule. Hµrtö poursuivit :

– Je dois cependant vous confirmer que Korza a été réveillée et que les nuages que nous observons proviennent effectivement de son gouffre. Les effluves hostiles pénètrent plus avant dans certaines régions d'Anastavar. Nos boucliers projettent des ondes contraires qui atténuent les effets pervers des vapeurs, si bien que, pour l'instant, elles ne perturbent que les habitants les plus instables.

Elomar Khali, la responsable du Clan des sommets, décrivit l'état du ciel. Plusieurs membres magiciens de son clan survolaient régulièrement le continent.

– Les nuages affaiblis n'atteignent pas encore le Môjar. Par contre, l'efficacité de votre protection diminue en allant vers le nord ; dans le Yzsar, la masse demeure plus sombre.

– Ce pays se situe beaucoup trop près de la source du mal, tint à préciser le maître de magie. Néanmoins, je considère que nous maîtrisons la situation.

– À ce rythme, intervint Mauhna, il faudra plusieurs années avant que la masse nuageuse gagne en étendue et en intensité.

– En dépit de cela, reprit Hµrtö, nous devrons tout de même aller combattre notre ennemi et rendormir Korza. Lorsque nous serons prêts, nous formerons une communauté qui ira là-bas ; j'aurai alors besoin de volontaires.

Hµrtö se sentit fier de son peuple quand tous les bras se levèrent d'un même geste libre et déterminé.

– Merci, mes braves. Le temps n'est pas encore venu. Avant de nous rendre en Terre des Damnés, nous devons mettre au point un remède : vous savez qu'aucun elfe-sphinx pur ne peut s'attarder sur le continent sans être atteint du grand mal. Notre expédition ne pourra donc pas se faire avant longtemps. De plus, selon la prophétie, d'autres événements doivent précéder le temps de l'affrontement.

– Quels événements ? s'enquit un femme du Clan des rivières.

– Des trahisons, des alliances...

– Rien d'exceptionnel, si on parle du monde des hommes, ironisa un vieillard des sommets.

– Je te l'accorde, s'inclina le magicien. Mais on parle aussi d'apparition de créatures dénaturées et surtout d'une arme. La prophétie demeure très vague sur ce point. Selon mon interprétation, cet instrument, voué à anéantir le mal, ne sera pas prêt avant plusieurs années.

Cette révélation laissa les elfes-sphinx songeurs. Considérant qu'il avait satisfait la curiosité de ses concitoyens, le maître de magie conclut :

– Voilà en ce qui concerne la situation actuelle. Maintenant, j'aimerais que nous oubliions nos soucis afin d'honorer ensemble la nature, notre mère très sage.

Le magicien fit signe aux enfants de se lever. Ceux qui n'avaient pas l'âge d'être initiés retournèrent auprès de leurs parents. Hμrtö rassembla autour de lui une vingtaine de jeunes, parmi lesquels se trouvaient Noa et Thelma. Ce petit groupe compact se déplaça pour libérer le centre du chaudron des lunes, qui s'illumina d'une très belle lumière blanche. Des chants joyeux se firent entendre, et les Anciens se matérialisèrent les uns après les autres. Pour cette occasion, ils avaient une taille adulte et étaient vêtus de costumes scintillants. Kurbi salua la foule, qui applaudit à tout rompre.

– Que la cérémonie commence !

Les elfes magiciens levèrent lentement les bras, la paume de leurs mains tournées vers l'herbe lumineuse. Comme attirés par le puissant geste des Anciens, des arbustes argentés émergèrent du sol. Ils poussèrent ainsi autour des héritiers des sphinx jusqu'à former un immense labyrinthe qui les cacha complètement à la vue du public. Thelma n'en croyait pas ses yeux. Ses amis, qu'elle avait connus à la petite école de magie, étaient tous très excités, mais pour elle, qui n'avait jamais assisté à ce spectacle, l'expérience était angoissante et la peur lui tenaillait les entrailles. Même la voix rassurante d'Hμrtö ne parvint pas à chasser son trouble.

– N'ayez pas peur, tout va très bien se passer. Vous allez pénétrer à tour de rôle par l'entrée que vous voyez là, expliqua le maître de magie. Vous rencontrerez un Ancien qui vous posera une question. Quand vous aurez répondu, il vous indiquera la direction à prendre pour vous conduire au prochain elfe qui, à son tour, vous interrogera. De question en réponse, vous cheminerez à l'intérieur du labyrinthe. Quand vous en sortirez, vous serez en face de votre clan, et celui-ci vous accueillera.

Thelma sentait ses genoux trembler.

– Qu'arrivera-t-il si je ne connais pas la réponse à la question ? s'inquiéta-t-elle.

Hµrtö prit le menton de l'enfant dans sa grande main douce.

– C'est ce qui est merveilleux... il n'y a pas de mauvaises réponses, Thelma. Qui y va en premier ?

Noa bondit, et Hµrtö lui fit signe de pénétrer dans le labyrinthe. Après trois enfants eurent passé devant elle, Thelma décida que rien n'était pire que l'attente. Elle surmonta sa peur et se dirigea vers l'entrée. Contrairement à ses craintes, il y avait une lumière douce à l'intérieur, et elle vit immédiatement le premier guide : une femme au visage rond et ridé. Il se dégageait d'elle une telle bonté que Thelma se dit qu'elle devait sentir la tarte aux pommes. Cette idée était si saugrenue que Thelma se mit à sourire. Quand elle s'approcha de la femme, la princesse sentit distinctement l'odeur des fruits chauds et du miel.

– Quelle est ta couleur préférée ?

– Le rose !

– Très bien, va de ce côté.

Après quelques rencontres, Thelma oublia complètement ses craintes. Chaque Ancien lui réservait une surprise agréable et les questions étaient très simples. Thelma ne comprenait pas que les questions ne servaient qu'à détourner son attention pendant que l'elfe lisait dans son cœur pour la guider jusqu'au prochain détour. Elle reçut une fleur magique qui insistait pour s'accrocher à ses cheveux. Un Ancien lui raconta une histoire qu'elle vit défiler dans sa tête.

Elle but une potion qui lui donna, le temps d'une chanson, une voix aussi cristalline que celle de l'elfe qui l'accompagnait à la harpe. Elle finit par rencontrer Kurbi.

– Quelles étaient les deux races mères ?

– Les Ghör, les géants, et les Nagù, les pensants.

– C'est très bien, Thelma. Voici un livre qui a appartenu à Danze.

– Danze ? La grande prêtresse ? Une des trois dernières survivantes Nagù ?

– Oui ! Celle qui a été assassinée par les hommes après avoir conçu le pacte des elfes-sphinx. Elle te confie son précieux livre de sagesse.

La princesse ouvrit le petit bouquin, convaincue qu'elle y découvrirait des écritures anciennes, mais toutes les pages étaient blanches. Malgré tout, Thelma était ravie.

– Il a vraiment appartenu à Danze ?

– Oui, et elle voulait qu'il soit à toi puisque tu portes La Marque des sphinx. Quand tu seras plus vieille, tu pourras poser des questions à ton livre et il te répondra.

– Comment est-ce possible ? Le papier est vierge !

– Ne t'en fais pas, le livre te répondra. C'est le moment, Thelma. Prends ce couloir, ton clan t'attend.

La petite fille marcha lentement en se répétant : « Le Clan des magiciens, le Clan des magiciens. » Lorsqu'elle sortit de la douce lumière du tunnel, tout lui sembla très sombre, puis elle aperçut la tunique rouge d'Aglaë. Les rebelles l'accueillirent avec un enthousiasme que la petite fille ne partageait pas. Aglaë fit signe aux membres de son clan de les laisser seules un moment.

– Tu es déçue ? Avec tes deux sphinx, tu devais pourtant bien te douter que tu joindrais nos rangs... non ?

– Je voulais tellement devenir magicienne.

– Rien ne t'en empêche, allons ! Regarde-moi : je suis rebelle *et* magicienne. Rysqey, le professeur du collège, et Leani, son protégé, tu les connais ?

– Je les ai rencontrés au village des érudits.

– Leani appartient au Clan des rivières et Rysqey, au Clan des vallées. Ils ont pourtant été reçus au collège parce qu'ils ont le don. Crois-moi, tu pourrais être acceptée au collège même si tu es une rebelle.

Thelma pencha la tête pour observer sa tunique. La couleur avait changé mais pas la broderie ; elle en fut soulagée.

– Je ne suis pas certaine d'aimer le noir.

– Alors, tout comme moi, il te faudra étudier. Tu devras travailler très fort et méditer de longues années. Ainsi, tu pourras revêtir la tunique rouge des grands sages... Jynabör Thelma !

Thelma lui sourit. Bien vite, une ombre réapparut dans ses yeux.

– Qu'y a-t-il, Thelma ? demanda Aglaë.

– Je ne sais même pas si je vais pouvoir rester ici avec vous.

– C'est ce que tu désires ? Tu souhaites demeurer parmi nous ?

– Je ne sais pas ; parfois oui, parfois non.

Aglaë la pressa contre sa poitrine en riant.

– Bienvenue dans le merveilleux monde des rebelles et de leurs éternelles hésitations !

Loin de l'Île-aux-Tortues, un ancien rebelle se tenait au-dessus d'un vide puant. L'Autre n'avait jamais rêvé de tunique rouge, pas plus qu'il ne connaissait les affres de l'hésitation.

Seul, suspendu au-dessus du gouffre de Korza, Artos évaluait sa situation avec réalisme : il se savait dépendant de ses ennemis. Pour l'instant, du moins. Il était contraint de vivre à l'intérieur des frontières de la Terre des Damnés. Hors de ces territoires pervertis, ses pouvoirs patiemment reforgés n'auraient eu aucun effet. Le seigneur des ténèbres ne pouvait donc pas aller au-devant des mages blancs pour récupérer les clés et les incantations qu'il désirait tant.

Depuis leur refuge, ses ennemis le narguaient en contrant plutôt efficacement les effets de Korza. Artos devinait que les elfes-sphinx se cachaient sur une île au large du pays de Gohtes. Il surveillait la moindre faille dans la protection des boucliers érigés par ses adversaires. Il lui fallait capter une image de l'endroit ; ensuite seulement, il pourrait détruire leur tanière. « Pas de visualisation claire, pas d'action possible », se répétait-il, citant avec amertume les enseignements de son ancien maître Hodmar. En effet, que l'idée lui plaise ou non, certaines règles demeuraient immuables, tant pour l'exercice de la magie noire que pour celui de la blanche.

« Autant me l'avouer, les moyens de les forcer à venir à moi sont limités. Soit ! reconnut Artos en lâchant une sphère de verre dans la gueule du volcan. Votre heure sera la mienne, mais d'ici là, ne comptez pas sur moi pour vous laisser en paix. »

Convaincu que le pire supplice pour ses ennemis serait d'assister, impuissants, à la déchéance de ceux qu'ils aimaient, Artos avait demandé à Delia de lui dénicher des effets personnels des souverains de Gohtes. Elle les avait retrouvés dans une armoire où elle les avait oubliés après avoir elle-même tenté de les ensorceler. À l'époque, son pouvoir s'était avéré trop faible pour mettre au point ce genre de sortilège. Le Cobra propulsa la sphère translucide, qui se figea dans le souffle fétide de la déesse du mal. Son contenu s'enflamma d'une lueur maléfique. La boule avait rejoint trois autres récipients suspendus dans le vide : celui de métal contenait du venin de scorpion, celui de marbre dissimulait des écailles de serpent. L'autre, de glace noire, était vide, mais il ne tarderait pas à recevoir une plume et une mèche de cheveux. Ce type de sortilège portait le nom ancien de *somahtys*, ce qui signifiait « possession ».

« Je domine déjà l'esprit de mes alliés de Lombre et de Laphädeys. Sous peu, je tiendrai le cœur des monarques du Môjar dans le creux de ma main. Pour l'instant, voyons comment les souverains de Gohtes réagiront à mon assujettissement. Lutteront-ils ? Céderont-ils ? »

Pour ce *somahtys*, Artos disposait d'une lettre écrite de la main de la reine Isadora. Il s'agissait d'un poème mièvre qu'elle avait autrefois adressé à son mari, quand il séjournait au palais de Sol'Maglian Ez Môjar. À cette époque, Naq espionnait le roi de Gohtes pour le compte de Verlon. Il avait tout simplement repêché le document dans une corbeille, où Mélénor l'avait négligemment jeté, et l'avait donné à la reine de Yzsar.

Au sein de la sphère illuminée, la missive côtoyait une feuille de chêne subtilisée au sphinx de Mélénor. Huit années plus tôt, sous l'apparence de la très jolie Jadd, l'épouse de Verlon l'avait cueillie sur la poitrine de son amant endormi par le vin et les effluves de l'urssac.

– Vous êtes maintenant sous le joug direct de Korza ! gronda Artos.

Le sorcier noir avait pris soin de mouiller la lettre et la feuille de chêne avec la potion qui alimentait le mal suprême : le défaut de compassion envers les enfants. Selon son humeur, variant l'intensité au gré de sa fantaisie, la déesse du mal léchait les contenants de ses langues de feu ou les enfermait dans un nuage de fumée sulfureuse, et chaque état produisait des effets différents sur ses victimes. Elle pouvait cesser son harcèlement pour un long moment et le reprendre subitement, déstabilisant encore plus ceux qu'elle châtiait.

– Sous le signe de l'air, j'invoque le vide. Qu'il remplisse vos cœurs d'inconstance. Que vienne la tourmente qui vous dressera l'un contre l'autre et contre le fruit même de vos entrailles.

– IX –

Ils étaient revenus depuis cinq jours dans la Cité des Mirages. Mélénor travaillait beaucoup, et Isadora savait qu'il allait bientôt lui annoncer son départ pour Celtoria. Leur voyage de retour avait été aussi agréable que l'aller, et Isadora espérait qu'un enfant grandissait réellement dans son ventre. Elle décida de rejoindre Mélénor dans son cabinet. Son mari n'était pas à sa table de travail ; le temps était si doux qu'il avait ouvert la porte du balcon. Accoudé à la balustrade, il contemplait les jardins.

– Tu sembles bien songeur, mon ami, dit Isadora en le découvrant.

Mélénor se força à sourire pour accueillir sa femme. Depuis son retour sur le continent, il lui semblait que l'omniprésence des nuages assombrissait son humeur, et il admettait mal ce genre de faiblesse. Tout à coup, une violente odeur de soufre lui monta au nez. Sa vue se brouilla d'un voile rougeâtre.

– Sens-tu cette puanteur ? demanda-t-il à Isadora, qui plissait également le nez.

– Quelle horreur ! se contenta-t-elle de lui répondre.

– Je préviendrai l'intendant des jardins. Il doit y avoir une bête morte dans les massifs.

Tentant d'ignorer ce désagrément, il invita Isadora à venir admirer le paysage.

– Viens voir comme c'est beau.

La chaleur faisait frissonner l'air. Le son cristallin de l'eau des fontaines ajoutait une note de fraîcheur au décor surnaturel ; filtrée par le masque des nuages, la lumière se teintait de belles nuances orangées qui rappelaient les anciens couchers de soleil. Les domestiques bougeaient avec cette langueur que seul l'été autorise, soulignant la beauté sensuelle des femmes, qui portaient des robes légères et de grands chapeaux. Le regard d'Isadora fut attiré par le spectacle émouvant d'une très belle femme et d'un garçon à peine plus âgé que Thelma. La femme coupait des roses, que l'enfant déposait soigneusement dans un panier. La reine les pointa du doigt.

– Qui sont-ils ? Je ne les avais jamais remarqués.

– Pourquoi veux-tu savoir cela ? demanda Mélénor.

– Je ne sais pas. Elle est si blonde et lui, si noir. Regarde comme les cheveux du garçon sont bouclés. Quand tu étais enfant, tu devais lui ressembler. Il paraît si...

La suite resta bloquée dans la gorge d'Isadora. Elle plissa les yeux et mit sa main en visière pour mieux observer l'enfant. Quand il déplaça son panier, Isadora put apercevoir ses mains. « Un Longs-Doigts... » La voix de Mélénor résonna, étrangement lointaine.

– Elle s'appelle Sarah et son fils, Collin.

Isadora sentit sa bouche s'assécher. L'odeur de soufre s'intensifia, et elle vit la scène se teinter de rouge.

– C'est une de tes maîtresses, n'est-ce pas ?

– Isadora, je t'en prie !

– Réponds-moi, Mélénor. Elle l'est ? insista la reine.

– Elle l'a été ! Voilà ! Tu es contente maintenant ?

– Et lui, c'est ton fils ?

Mélénor passa devant elle pour se réfugier à l'intérieur. Isadora l'y suivit prestement.

– C'est bien cela ? Ce Collin est ton fils, dit Isadora sur un ton mauvais.

– Excuse-moi, j'ai du travail, rétorqua brutalement son mari.

– Tu en as combien de ces petits bâtards, dis-moi ? Combien en as-tu semé sur le continent ?

– Isadora, il suffit ! tonna le roi, soudainement gagné par une fureur incontrôlable.

– Tu veux me faire taire maintenant ! s'écria la reine. Aie au moins le courage de me regarder en face.

Mélénor abattit son poing sur sa table de travail.

– J'avais une vie avant de t'épouser. Jamais je ne te l'ai caché.

– Et maintenant, quel genre de vie mènes-tu ? À quel avenir ta frivolité nous condamne-t-elle ? S'il t'arrivait malheur, laquelle de tes putains viendrait me chasser de mon palais ?

– Cette discussion est close, conclut-il froidement.

Il lui désigna la sortie. Quand la reine lui tourna le dos, Mélénor lança :

– Je pars demain. Ne te sens surtout pas obligée de venir me saluer.

Lorsque la porte eut claqué, le roi se prit la tête entre les mains.

– Nom d'une déesse, qu'est-ce qui m'arrive ? Je dois reprendre la maîtrise de moi-même.

L'odeur et le voile se dissipèrent lentement, laissant le roi ravagé par une nausée tenace et une insupportable migraine.

✧

L'époque des moissons se terminait et les nuits étaient déjà plus fraîches. Mélénor avait quitté Döv Marez depuis deux cycles des lunes. La hargne du roi était telle qu'il n'avait pas écrit une seule fois depuis son départ ; il n'était pourtant pas dans ses habitudes de se montrer rancunier. Isadora devait admettre qu'elle non plus n'avait rien entrepris pour favoriser leur réconciliation.

Avant de sortir dans les jardins, elle s'enveloppa de son châle préféré. « Toujours cette horrible puanteur. N'y a-t-il donc personne d'assez compétent dans ce fichu château pour trouver la source de cette abomination ? » Elle avait congédié deux jardiniers parce qu'ils avaient osé prétendre que l'odeur n'existait pas.

– Vous venez marcher avec moi ?

– Bien sûr, ma reine. Est-ce que j'amène Collin ?

– Non, Sarah. Partons toutes les deux ; nous serons plus tranquilles pour discuter. Êtes-vous déjà allée sur le belvédère ?

Sarah se sentait malade d'angoisse depuis que la reine l'avait soustraite à ses tâches de scribe pour la compter au nombre de ses dames de compagnie. La jeune femme ne savait jamais si les questions les plus anodines ne recelaient pas quelque piège. Évidemment qu'elle était déjà allée sur le belvédère ; Mélénor adorait faire l'amour à cet endroit. C'était voilà bien des années, avant le mariage du roi.

– Non, jamais, mentit-elle.

Sarah avait bien essayé de tenir Collin à l'écart de cette situation insupportable, mais comment refuser quoi que ce soit à la reine ? Depuis le dernier passage de son mari dans la Cité des Mirages, la souveraine semblait particulièrement troublée et elle portait une attention suspecte au fils de Sarah.

Tout en grimpant dans les sentiers escarpés, la compagne de la reine réfléchissait. « Cela ne peut plus continuer. Je vais m'enfuir avec Collin ; j'irai au Môjar. Avec mes économies et les bijoux que Mélénor m'a donnés, je devrais pouvoir tenir le coup jusqu'à ce que je trouve une nouvelle place. »

– La vue est magnifique, n'est-ce pas ?

– Oui, c'est très beau.

L'ascension avait donné des sueurs aux deux femmes. Malgré le vent fort, Isadora voulut retirer son châle, mais une bourrasque le lui arracha des mains. En retombant, il s'accrocha paresseusement aux branches d'un arbuste en contrebas.

– Oh ! mon châle, se désespéra la reine. C'est un présent de mon époux. Vous savez comment Mélénor est susceptible...

– ...

– Il serait terriblement vexé s'il découvrait que je l'ai perdu.

– Je vais vous le chercher, proposa Sarah.

– Vous êtes trop bonne, chère amie.

Sarah se pencha en prenant appui sur la balustrade, mais elle était beaucoup trop loin. Elle s'accroupit et passa sous la rambarde. Elle s'assura que la pierre où elle avait posé le pied était bien solide, puis elle agrippa une branche qui lui permit enfin de rattraper le châle. La branche céda d'un seul coup. À l'exception de la reine, personne n'entendit le cri de sa dame de compagnie. Après avoir rebondi sur les rochers, son corps désarticulé disparut dans les rapides du fleuve.

Isadora rangea sa dague mouillée de sève.

– Désolée, chère amie. Il le fallait.

Le voile rouge ne quittait presque plus la vue de la souveraine. Elle croyait qu'il s'agissait d'un effet particulier de sa grossesse.

– Maintenant, Sarah, vous ne pourrez plus réclamer ce qui m'appartient. Sans votre serment, Collin ne peut rien contre moi et ma fille... ou mes filles, ajouta-t-elle en grimaçant.

Isadora caressa son ventre déjà rond.

– Il faut que je porte un garçon, supplia-t-elle, en s'adressant au ciel. Cela mettrait fin à cette insoutenable menace.

C'est alors qu'elle sentit l'enfant bouger en elle.

– Eh là, tu me sembles bien jeune pour gigoter comme ça ! s'exclama-t-elle, tout de même émerveillée.

Victime de l'envoûtement d'Artos, la souveraine ne mesurait pas l'horreur de son crime, mais le bébé, dans sa chair, réagissait violemment. Au moment du meurtre, ses yeux aveugles s'étaient ouverts sur un univers rouge et sombre. Une subite urgence, faite d'angoisse et de dégoût, avait alors commandé à son corps de se dépêcher de grandir.

– Tout va bien, mon petit homme, tout va bien. Dors, mon poussin, maman est là.

– X –

L'arrivée de l'automne annonçait pour Thelma la fin de son séjour dans l'île. Quand, par le pouvoir des miroirs, Hµrtö avait communiqué avec Mélénor, le roi s'était montré inflexible.

– Thelma doit rentrer à Döv Marez.

– Tu avais dit que tu réfléchirais.

– J'ai réfléchi et j'ai décidé que ma fille n'avait pas de temps à perdre à apprendre la magie.

– Mélénor, tu sais combien la magie pourrait l'aider, avait tenté de plaider le magicien. Tu ne peux pas être insensible à ce point...

– M'insulter ne t'avancera à rien. Depuis quand interviens-tu dans le destin des gens ?

– Je n'interviens pas dans le destin de Thelma, protesta Hµrtö. Tu connais aussi bien que moi la différence entre soustraire quelqu'un à sa destinée et lui fournir des armes pour aller au combat !

À bout d'arguments, Mélénor avait donné un grand coup de poing sur la table et l'image s'était brouillée dans le miroir du magicien. Après quelques instants, Hµrtö avait vu réapparaître la mâchoire contractée et l'expression fermée du roi.

– Je suis son père, c'est moi qui décide, avait-il décrété.

Le maître de magie avait soutenu le regard agressif du roi, puis il avait soupiré.

– Mon fils, je crois que les vapeurs maléfiques des nuages de Korza commencent à t'affecter. Rappelle-toi... le mal suprême, le défaut de compassion envers les enfants ! Tu ne t'informes même pas de tes deux petites. Ta moitié humaine t'expose à...

– Pour qui me prends-tu ? Une mauviette influençable ?

– Vois comme tu t'emportes.

– Je m'emporte parce que tu essaies de me dicter ma conduite.

– Tu as toujours été fier, mon fils, mais là tu deviens rigide et froid, cela ne te ressemble pas. J'essaie seulement de te mettre en garde contre...

Le visage de Mélénor avait disparu subitement, et Hµrtö avait compris qu'insister ne servirait à rien : il avait détecté une aura malsaine mêlée à celle de son petit-fils et il devinait que le roi subissait davantage que les effets des nuages.

✧

Thelma avait été très déçue quand Hµrtö lui avait annoncé la nouvelle. Avec Mauhna, il avait cherché à consoler la fillette.

– Tu vas revoir ton amie Jorane et puis, il y a Chéri ; il doit bien te manquer un tout petit peu. Songe à ta maman ; elle sera tellement heureuse de t'avoir de nouveau auprès d'elle.

– Viendrez-vous me voir parfois ?

Mauhna avait caressé la tête de l'enfant. Ses cheveux avaient repoussé, mais la magicienne était convaincue qu'Isadora les lui recouperait dès son retour au palais.

– Nous viendrons tous les deux et, si ta maman nous y autorise, nous t'emmènerons voir Aglaë et Noa. Nous ferons d'autres voyages-éclair.

– On pourrait même aller voir papa à Celtoria ? demanda la princesse, les yeux brillants d'espoir.

– Hum ! Bien sûr, si tes parents sont d'accord.

Malgré toutes ces promesses, Thelma se sentait triste. Noa aussi. Les deux fillettes se préparaient à se dire adieu dans le jardin d'Aglaë. Il n'y avait plus de poils sur les membres de l'enfant-panthère. Le transfert se faisait très lentement ; la minuscule fillette avait maintenant sur la poitrine quatre pattes poilues, mais plus personne ne le voyait, car Noa avait troqué sa jupe lilas pour la tunique verte du Clan des bois. Un chaton tout noir reposait sur son épaule. Pour le plus grand plaisir de la fillette, le petit félin ronronnait dans son cou : c'était son « Chéri » et elle l'avait appelé Toupty. Noa s'était montrée sceptique quand Hµrtö lui avait présenté son protecteur.

– Contre quoi un si petit animal peut-il me protéger ?

– Contre la seule chose capable de te détruire : la violence de ta propre nature. Il va t'obliger à dominer ta force. Quand ce sera fait, il pourra devenir grand.

– Vous voulez dire qu'il va rester bébé très longtemps ?

– Tant que tu n'auras pas dompté ta force.

– Mais... moi, j'aimerais bien qu'il soit toujours un chaton !

– Je comprends, Noa, mais nous devons tous vieillir un jour ou l'autre.

– On pourrait faire une exception pour Toupty.

– Si tu l'aimes vraiment, tu vas souhaiter qu'il devienne grand car c'est ce qu'il désire.

– S'il vieillit, il n'aura plus besoin de moi et il me quittera ! dit l'enfant-panthère d'une voix triste.

– Pas nécessairement... pas si tu réussis à toucher son cœur.

Noa aimait beaucoup Toupty et elle travaillait très fort pour devenir plus « Douce ». Elle tendit son chaton à Thelma.

– Il est temps que je devienne une vraie petite fille. Montre-moi comment.

Thelma réfléchit un moment en caressant la petite boule de poils blottie sur ses cuisses.

– Douce, moi non plus, je ne sais pas comment être une vraie enfant ! s'exclama la princesse. Je ne sais pas jouer, je ne fais pas les choses que font les autres fillettes... Ma mère me l'interdit.

Noa dut reconnaître que Thelma avait raison.

– Je sais ce que nous allons faire : tu vas jouer à être ma mère !

– Ta... quoi ?

– Ma mère. Ce sera un pacte entre toi et moi.

Sachant qu'il était inutile d'argumenter avec Noa, Thelma se garda de répliquer.

Mélénor ayant insisté pour que Thelma retourne bientôt auprès de sa mère, les maîtres de magie durent écourter leur visite des clans. Toutefois, soucieux d'apporter un peu de réconfort à leur petite princesse, les vieux mages se souvinrent qu'elle adorait les livres et ils l'amenèrent au cœur du monde des cavernes. Tous les gens qui vivaient dans ce village enfoui au centre des montagnes bougeaient au ralenti. Même les jeux des enfants semblaient empreints d'une gravité pleine de réflexion.

– Ces elfes-sphinx ne connaissent pas la précipitation. Il faut être très patient pour côtoyer les protecteurs des pierres.

Au centre de leur monde trônait un bâtiment gigantesque. Jamais Thelma n'avait vu autant de bouquins. Mauhna lui expliqua.

– La bibliothèque du Clan des cavernes est certainement la plus riche après celle de la Cité des sphinx.

Ce court séjour dans le monde feutré des elfes des cavernes, qu'on appelait aussi les elfes-philosophes, plut beaucoup à Thelma. Un calme intérieur s'installa dans son âme, lui permettant de mieux accepter le chagrin de son départ et le deuil de son rêve de devenir magicienne.

– XI –

Isadora referma trop tard les pans de sa longue cape. En voyant le ventre arrondi de la reine, Mauhna comprit tout de son état, mais l'hostilité de la souveraine était si manifeste que la magicienne ne risqua aucun commentaire. De toute évidence, l'enfant à naître ne laissait déjà plus de place pour Thelma dans le cœur de sa mère. Toutefois, connaissant bien la reine et ses amours exclusives, la magicienne ne s'en étonnait pas. Aussi désolante que soit cette réalité, elle n'était toutefois pas la pire. Mauhna frissonna quand elle découvrit une aura noire autour des mains de la reine.

La vieille dame reconnut aussitôt la nature de l'envoûtement. Hµrtö lui avait décrit cette lueur particulière qu'il avait détectée chez Mélénor : la même énergie pernicieuse collait au corps astral de la reine. Malheureusement, les maîtres de magie ne pouvaient rien contre ce type de sortilège. « Il faudrait que nous sachions quels sont les objets précis qu'Artos utilise pour son enchantement ; alors seulement nous pourrions neutraliser le *somahtys*. »

Cet ensorcellement s'ajoutait aux effluves des nuages de Korza pour corrompre l'âme déjà fragile d'Isadora. « Un meurtre... elle a commis un meurtre. »

Dans son insouciante candeur, Thelma ne voyait rien de tout cela. Elle essayait de se souvenir des usages de la cour. Comme elle avait perdu l'habitude des révérences, elle faillit l'oublier.

– J'espère que tu as bien profité de ton été, l'accueillit sèchement la reine, car désormais tu vas passer tout ton temps ici. Tu as trop de choses à apprendre pour te permettre de te reposer.

Puis, s'adressant à la magicienne, elle ajouta d'une voix métallique :

– Je vous remercie d'avoir pris soin de ma fille, mais vous comprendrez que je ne pourrai plus la laisser partir avec vous.

– Hμrtö et moi pensions venir la chercher quelquefois.

– Ce ne sera pas possible, répondit la reine, glaciale.

– Oh ! Quelques jours seulement, voire quelques heures...

– Comme je viens de vous le dire, ce ne sera pas possible.

Mauhna fronça les sourcils et se rapprocha de la reine.

– Pourquoi faites-vous cela ?

Isadora tremblait intérieurement. Le regard pénétrant de cette sorcière lui faisait peur.

– Cela ne vous concerne pas, se défendit la mère de Thelma. Il s'agit d'une décision que Mélénor et moi avons prise.

– Vous avez quelque chose à nous reprocher ?

– Je n'ai pas à me justifier devant vous, rétorqua la reine, hautaine.

– J'aimerais seulement comprendre. Vous savez, les nuages maléfiques peuvent troubler vos sentiments et...

– Cessez vos stupides remontrances ! s'emporta Isadora. Vous ne m'aimez pas et vous me méprisez, mais sachez que je me moque de ce que vous pensez. Je suis une reine forte et puissante, et ce ne sont pas de vulgaires nuages qui réussiront à me troubler.

– Vous ignorez tout des pouvoirs maléfiques qui vous menacent. Votre entêtement à priver Thelma de notre présence démontre...

Isadora rougit sous le coup de la colère.

– Les nuages n'ont rien à voir avec cette décision, poursuivit-elle en criant. Mélénor n'aime pas l'emprise que vous tentez d'exercer sur notre fille.

Le cœur de Thelma battait à tout rompre. Elle s'interposa entre les deux femmes.

– Ma reine, je vous en prie...

– Depuis quand te permets-tu d'interrompre la conversation des adultes ? Ce ne sont pas des manières dignes d'une princesse. Va dans le cabinet à côté et ferme la porte. Attends-moi là, je ne serai pas longue.

Quand la porte se fut refermée sans que Thelma ait pu embrasser sa grand-mère, Isadora croisa les bras sur sa poitrine. Mauhna voulut reprendre la discussion, mais la reine lui tourna le dos.

– Je ne vous retiens pas, madame.

– Vous me devez des explications, insista Mauhna d'une voix autoritaire.

– Je ne vous dois rien du tout. Partez et ne revenez plus jamais.

– Nous sommes très attachés à Thelma et elle nous le rend bien. Pourquoi lui refuser des visites salutaires ?

– Cette enfant est la mienne. Vous n'avez aucun droit sur elle.

Comprenant qu'elle ne réussirait pas à raisonner la reine, la magicienne laissa parler son cœur.

– Elle est très sensible, cette chère petite. Ne lui faites pas de mal, je vous en supplie.

– Pour qui donc me prenez-vous ? Allez-vous-en, siffla Isadora. Je ne veux plus vous voir, espèce de vieille sorcière. Jamais !

Mauhna disparut avant de céder à une colère qui aurait anéanti cette femme rongée par le mal.

✧

Thelma sursauta quand sa mère poussa la porte avec violence.

– Viens avec moi.

Thelma fut surprise de voir la reine tourner à gauche ; l'aile du château où logeait la famille royale se trouvait à l'opposé. Isadora traversa la grande salle des banquets et entraîna Thelma vers les communs.

– C'est maintenant que va commencer ton véritable apprentissage. Qu'est-ce que tu crois que nous sommes... ton père, moi, toi ?

– Des souverains ?

– Erreur ! s'exclama la reine avec emphase. Nous sommes des serviteurs ; nous sommes au service du peuple et non l'inverse. Voilà ce que tu dois apprendre.

Elles pénétrèrent dans les cuisines, surprenant les domestiques, qui se figèrent dans leurs occupations. Les bavardages se turent d'un seul coup, puis les dos se courbèrent dans un salut respectueux. Thelma vit l'intendant se frayer un chemin parmi la valetaille. Il fit une révérence et s'adressa à la reine d'une voix onctueuse.

– Votre Altesse, en quoi puis-je vous être utile ?

– Occupez-vous de cette enfant, ordonna la reine.

– Qui est-ce ? s'enquit l'intendant en coulant un œil torve vers la princesse. Il me semble que son visage m'est familier.

– Une lointaine cousine.

– Voilà qui explique tout : elle ressemble à la princesse Thelma... Sans ses magnifiques cheveux, il va sans dire.

Thelma fut ahurie de découvrir que tout le monde acceptait facilement ce mensonge ; il est vrai que, sans perruque ni dentelles, elle paraissait plutôt quelconque. Sa mère la poussa devant elle.

– Fournissez-lui un costume de bonne et prenez-la à votre service, le matin et le soir. Je tiens à ce qu'elle se rende à l'école durant le jour ; je ne tolère pas que les gens de ma famille soient ignorants. N'hésitez pas à lui donner les tâches les plus répugnantes, car cela forme le caractère. Si elle se plaint, avisez-moi ; je me chargerai de lui faire passer l'envie de rechigner... tout comme le ferait sa propre mère.

Isadora fit volte-face et sortit en marmonnant :

– Tout va bien, mon petit homme, tout va bien. Dors, mon cœur, maman est là.

Une femme à l'allure revêche s'approcha de l'intendant.

– Qu'est-ce qu'elle raconte, la reine ? Seigneur, je crois qu'elle commence à perdre l'esprit.

L'intendant haussa les épaules.

– Cette femme n'a jamais eu toute sa tête, si tu veux mon avis.

L'homme reporta bientôt son attention sur Thelma, qui était complètement hébétée. Le visage grêlé de l'intendant ne souriait plus.

– Comment t'appelles-tu ?

– ...

– Tu es sourde ou quoi ? Ton nom, c'est quoi ?

Thelma racla sa gorge douloureuse ; elle la sentait faite de verre pilé.

– Tè...

Les domestiques s'attroupèrent pour mieux profiter du spectacle. L'intendant fit claquer une sangle de cuir dans sa main.

– Tu t'appelles Tè ? Eh bien, Tè, j'ignore quelle faute tu as commise, mais la reine semble très en colère contre toi. Il va falloir que tu marches au pas ; tu as entendu... je peux aller me plaindre de toi directement à elle.

Sans savoir pourquoi, l'image de Noa s'imposa à l'esprit de Thelma. Y puisant du courage, elle redressa la tête en se disant que sa sœur n'aurait jamais courbé l'échine devant un homme pareil. Dans le trouble de son âme, la princesse refusait d'admettre l'évidente méchanceté de sa mère. Elle cherchait donc désespérément une explication à cette ignoble conduite. « Elle me met au défi, voilà ! Elle désire connaître la profondeur de ma loyauté et de mon courage. Elle souffre certainement de m'imposer pareille épreuve... Elle me l'a souvent rappelé : la vie des souverains est exigeante. Il me suffit d'être obéissante, travailleuse et serviable. Quand la reine verra comment je me comporte, elle ne tardera pas à me redonner ma vraie place. » Elle espéra que sa voix ne tremblerait pas.

– Par quoi voulez-vous que je commence ?

– Tiens donc, Tè a une langue.

– Mon nom est... Amleht ! Appelez-moi Amleht !

– C'est un nom de garçon ?

– Par quoi voulez-vous que je commence ? répéta la fillette, devinant à son air mauvais que l'homme cherchait à la provoquer.

Thelma reçut la sangle en plein visage.

– Impertinente !

L'intendant s'approcha si près qu'elle put sentir des relents d'oignon et de tabac à pipe dans son haleine puante.

– Ne me parle plus jamais sur ce ton, vermine !

Thelma baissa la tête sans répliquer, même si, elle en était convaincue, sa réponse n'avait contenu aucune trace d'effronterie.

– Va nettoyer les latrines des cochers!

– Très bien, monsieur !

Les réflexes de Thelma s'étaient beaucoup améliorés au contact de Douce. Cette fois, la sangle s'abattit dans la paume ouverte de sa main. Sans demander son reste, la fille du roi dépassa l'intendant. « Oh ! Misère ! Vite les latrines, je vais vomir. »

– XII –

Artos lut l'incantation à voix haute : *Binor werta get ronade quoanta.* Son rire dément remplit la pièce où il travaillait depuis plusieurs jours.

– Très bien... Celui-ci remporte la palme !

Le seigneur des ténèbres avait fouillé tout ce temps dans ses livres de magie noire pour repérer un sortilège particulièrement cruel qu'il destinait à son ennemi Hμrtö. Il jeta un œil sur la bibliothèque qui l'entourait : elle contenait des milliers de grimoires.

– Je peux certainement trouver plus sanguinaire.

Condamné à patienter dans son refuge jusqu'à ce que les mages blancs daignent l'y rejoindre, L'Autre occupait ses loisirs à préparer soigneusement sa vengeance. Il y mettrait des siècles s'il le fallait ; pour lui, seule la perversion du châtiment final comptait.

– Je t'attends, minable petit sorcier. Je t'attends.

– Vous m'avez appelé, maître ?

Artos leva sur son disciple ses yeux bridés de reptile qui brûlaient en permanence d'une horrible lueur rougeâtre. L'air hagard, Jordan piétinait sur place. Le fils de ses ennemis n'avait rien perdu de sa beauté ; ses longs cheveux blonds soigneusement lissés révélaient l'ovale parfait de son visage et soulignaient sa mâchoire virile qui, voilà plusieurs siècles, lui avait donné un profil particulièrement frondeur. Le vert pur de ses yeux était pailleté de taches dorées qui attiraient le regard. Jordan portait un collier de rubis qui chatoyait dans la lumière. On avait du mal à ne pas se laisser envoûter par autant de perfection.

– Non, va dans ton trou.

– Bien, maître !

Jordan se transforma en couleuvre. Le corps sinueux du reptile était de couleur émeraude, à l'exception d'une bande rouge qui lui encerclait le cou, rappelant le contraste des yeux de l'homme avec son collier rubis. La couleuvre disparut dans une fissure.

Artos relut l'incantation qui rougeoyait dans le livre. Les cursives de feu bordaient de cendre le papier calciné, mais la phrase restait là, suspendue pour toujours dans la page immortelle. Les lueurs de l'incantation faisaient briller les yeux effroyables du seigneur du mal, pourtant l'intense plaisir qu'il avait ressenti en découvrant l'incantation s'était déjà évanoui. Il referma le livre brutalement et se dirigea vers la table des potions. Les émotions du sorcier noir oscillaient d'un extrême à l'autre depuis qu'il avait réveillé Korza, passant de la plus froide patience à une exaspérante morosité. Déshumanisé, il n'était pas sensible aux vapeurs de la pierre du mal, mais maintenant qu'elle provoquait ses ennemis, il se surprenait à attendre. « Je suis prêt à vous abattre comme des rats, espèce de lâches. Pourquoi tardez-vous tant ? » La réponse lui paraissait pourtant évidente. « Ils me narguent, ils se croient les plus forts et agissent comme si je ne les menaçais pas. »

Dans sa fureur, Artos balaya le contenu d'une étagère chargée de fioles. Les liquides se mélangèrent et le bouillonnement produisit des vapeurs acides qui remplirent la pièce. Jordan réapparut et, sans dire un mot, il entreprit de tout nettoyer. L'air devenait irrespirable.

– Ça va, Jordan. Pour cette fois, je t'autorise à utiliser tes pouvoirs.

Jordan fit un geste souple de la main, et il ne resta plus rien du désordre. Il attendit sagement le prochain ordre de son maître.

Vaincu par l'inutilité de sa colère, Artos s'affala sur son trône. Toutes les fois qu'il doutait, il se remémorait les événements qui avaient suivi son dernier affrontement avec ses ennemis ; ce souvenir avait pour effet de raviver sa haine et de l'aider à supporter l'attente jusqu'au jour de sa vengeance. Il regarda autour de lui. C'était dans ces lieux que tout s'était déroulé. Il s'attarda un long moment sur un cercle qu'il avait tracé à même le sol de marbre, morbide évocation de l'endroit précis où le sortilège l'avait atteint.

– Jordan ?

– Oui, maître ?

– Lis-moi le récit de mon histoire. J'aime l'entendre de ta bouche.

Le fils des magiciens alla chercher dans la bibliothèque un gros cahier couvert de l'écriture agressive de son maître. Il l'ouvrit à la première page et lut de sa voix monotone :

Hμrtö et Mauhna m'ont ensorcelé plutôt que de me tuer. Jamais je ne le leur pardonnerai. Plutôt que de m'offrir la mort prévue par la loi des mages, plutôt que de me transpercer le cœur avec le « surin des proscrits », ces traîtres se sont contentés de me reprendre l'arme que j'avais moi-même volée à Hodmar. Il faut savoir que, tout comme les grimoires de magie noire, le grand maître des magiciens a la garde du surin que les Anciens appellent Saygöe. *Pour le commun des mortels, ce couteau, avec sa longue lame effilée et sa poignée de nacre, a une allure plutôt inoffensive : le genre d'objet que les femmes du monde portent à leur ceinture comme un bijou. Pourtant,* Saygöe *a des pouvoirs terrifiants ; une fois planté dans le cœur d'un sorcier noir, il en chasse le mal aussi bien que la vie. Si le sacrifice est exécuté par un autre magicien, le surin transfère tous les pouvoirs du supplicié à son bourreau. Depuis le moment où mes ennemis m'ont maîtrisé, je ne trouve plus de repos ; il m'est insupportable de penser qu'ils m'ont volé la seule arme capable de me détruire.*

Artos regardait les murs sans les voir ; les images qui défilaient dans sa tête dataient de plusieurs siècles déjà.

Je me rappelle la course lente du temps. Combien j'ai mis de jours pour atteindre la fontaine qui coule au fond du temple ! Ma soif était atroce. Je me souviens comment le murmure de l'eau vive m'a tourmenté, représentant à la fois mon unique espoir et une insupportable torture. Quand j'ai enfin atteint le bassin, j'ai failli m'y noyer à cause de mon manque de mobilité. Ma souffrance est devenue intolérable. Par moments, je délirais mais, la plupart du temps, mon esprit restait cruellement éveillé ; les sorciers blancs ne m'avaient pas fait la grâce de me priver de ma conscience, et j'ai cru que j'allais bientôt mourir.

Sans raison apparente, Jordan interrompit sa lecture. Artos éleva toutes ses voix contre lui pour secouer son apathie.

– Je ne t'ai pas demandé d'arrêter. Continue, limace !

Mon cœur a bondi au ralenti, me faisant souffrir pendant de nombreuses heures quand la créature m'a surpris, apparemment immobile au bord de la fontaine. Il s'agissait d'un homme sauvage ; il avait les pieds et la tête d'un porc. Son corps à la peau épaisse et rose dégageait une odeur répugnante.

L'homme-porc a tenté plusieurs approches prudentes, avançant d'un pas puis reculant de deux. Cette danse disgracieuse a duré un long moment avant qu'il se décide à toucher le tissu de ma robe. Il s'est finalement agenouillé devant mon corps figé. Pour un homme sauvage, il n'était pas très malin : au temps où il était encore un elfe-sphinx, il avait certainement déjà présenté des signes de retard. Ainsi prosterné, l'homme-porc a marmonné des paroles incompréhensibles en se balançant au rythme de sa mélopée, et j'ai enfin compris : ce simple d'esprit adulait ma beauté. À travers ses prières, j'ai distingué le nom de l'homme-porc. Dans son langage primaire d'idiot, toutes les supplications se ressemblaient : « Donne du courage à Hoag. Donne de l'or à Hoag. Donne une femelle à Hoag. »

Au bout d'un moment, il s'en est allé. Devinant que cet homme sauvage pouvait bien représenter mon unique espoir, j'ai impatiemment attendu son retour. Quand Hoag est enfin réapparu, il a tendu un serpent devant mes yeux de pierre, puis il l'a décapité avec un coutelas primitif ; Hoag m'avait offert un sacrifice, Hoag avait honoré son dieu.

J'ai mis plusieurs heures à tendre imperceptiblement les lèvres. Hoag, qui n'avait d'yeux que pour moi, a bien perçu cette légère modification, sans manifestement en comprendre la signification.

J'ai hurlé dans ma tête. Un accès de folie m'a poussé aux confins du désespoir jusqu'à ce que je me calme et que je reprenne la maîtrise de moi-même. Avec une infinie patience, j'ai réussi à atteindre l'esprit de la créature. J'ai d'abord commencé par répéter son nom : « Hoag, Hoag, Hoag. Bon Hoag. Faim. Maître a faim. »

La stupide créature cherchait dans le temple l'origine de la voix. Finalement, Hoag a ramassé la carcasse inerte du serpent et il l'a passée sur mes lèvres asséchées. « Bon Hoag, encore. » C'est ainsi qu'un homme-porc a commencé à me nourrir avec du sang de serpent.

J'ai progressivement retrouvé mes forces. Je me disais : « Tout compte fait, le serpent n'est pas un mauvais choix : force froide et impitoyable. » Les années ont passé, et mon corps a commencé à se transformer. Ma peau s'est couverte d'écailles et ma figure s'est mise à ressembler à celle d'un reptile.

Un jour, Hoag a brandi une couleuvre sous mon nez. « Méchant Hoag, méchant. Pas serpent... ça couleuvre. » L'homme-porc a frappé la bête contre le sol et il a levé son sabot pour l'écraser avec dépit. « Non, Hoag, non, attends. » J'avais cru entendre une voix familière. Toujours par la pensée, j'ai interrogé le reptile, qui se débattait pour échapper à la poigne d'Hoag.

Artos dévisageait Jordan alors qu'il lisait ces mots. Il ne vit aucune émotion se dessiner sur le beau visage indifférent.

— *Est-ce toi, Jordan ? Est-ce toi ?*

— *Je ne sais pas qui je suis ! Je vous en prie, ne me faites pas de mal !*

— *Tu es Jordan !*

— *Je suis Jordan ?*

J'ai commandé à Hoag de trouver de la nourriture pour la couleuvre, qui a été gavée puis placée sur le sol, juste sous mon index pointé.

— *Écoute-moi bien, Jordan. Tu dois rester parfaitement immobile.*

— Est-ce que j'aurai mal ?

— Oui, affreusement, mais... veux-tu demeurer une couleuvre ?

— Non ! Je n'aime pas ramper sur le sol.

Il m'a fallu tout un cycle des lunes pour prononcer l'incantation complète. Jordan a repris lentement sa forme d'elfe-sphinx sous les yeux ébahis d'Hoag, qui ne voyait là que la confirmation de mon pouvoir divin. La transformation a été longue et douloureuse, si bien que Jordan a mis des années à retrouver son ancienne vitalité.

Après tous ces efforts, j'ai découvert que je n'étais pas plus avancé, car Mauhna avait effacé la mémoire de son fils. Toujours en communiquant par la pensée, j'ai dû reprendre l'enseignement complet de Jordan : « J'ai besoin que tu retrouves ton savoir d'antan, car le sort que la sorcière m'a jeté est puissant et seul un magicien aussi puissant peut le défaire. » Jordan était alors comme une pâte malléable que je pouvais façonner à ma guise. Malgré tout, je me savais dans un état de vulnérabilité extrême et j'ignorais combien de temps Jordan demeurerait sous mon joug. À défaut de mieux, j'ai progressivement abandonné le sang de serpent pour le remplacer par celui des loups, plus dominant et plus féroce. Je me suis lentement métamorphosé en une créature aussi terrifiante que fascinante.

Au bout de longs siècles, Jordan a finalement trouvé le très ancien et complexe sortilège de Mauhna. Pour le défaire, il lui a fallu découvrir une formule alambiquée dans les sonorités d'une langue oubliée. Dès que j'ai été libéré du fardeau de mon corps de pierre, j'ai bondi sur Hoag. Sous le regard incrédule de Jordan, j'ai enfoncé mes crocs acérés dans la gorge de l'homme-porc et je l'ai saigné dans l'eau de la fontaine. Quand j'ai mangé la chair crue de mon sauveur, une grisante énergie noire a circulé dans mes veines. La violence de cette scène a cependant réveillé Jordan *de sa torpeur. Il a sans doute cru qu'après Hoag ce serait son tour, alors il a pointé son index vers moi dans l'espoir de m'anéantir, mais j'ai été plus rapide que lui. Après avoir vécu pendant des siècles dans un corps lourd et inerte, j'avais développé une force et une agilité surhumaines. Un seul bond m'a projeté sur Jordan, que j'ai soulevé de terre avec une facilité étonnante. Je lui ai fracassé la tête contre le mur et il a perdu conscience.*

Artos se mit à rire, et le son de toutes ses voix résonna jusque dans les hauts plafonds du temple.

– J'aime bien ce passage. Toi, Jordan... dis-moi... ne trouves-tu pas cela amusant ?

– Oui, maître !

– Continue, pauvre crétin.

J'ai traîné le corps inanimé du fils de mes ennemis jusqu'aux restes de la carcasse de Hoag et j'ai fouillé dans les entrailles de l'homme-porc pour en retirer un bout de boyau sanglant. J'ai enroulé les tripes autour du cou de celui qui m'avait défié. Quelques incantations ont suffi pour transformer les viscères en un magnifique collier de rubis, qui assure l'assujettissement total de Jordan à moi, son maître. Quand Jordan a repris conscience, j'ai testé la puissance de mon sortilège.

– *Jordan !*

– *Oui, maître ?*

– *Mange Hoag.*

– *Oui, maître.*

Le fils d'Hurtö a saisi un bras et il a enfoncé ses dents dans la chair crue pour en détacher un lambeau.

– Jordan !

– Oui, maître ?

– Coupe ta main gauche.

– Oui, maître.

Le regard vide, Jordan a saisi l'arme primitive qu'Hoag avait utilisée pour dépecer ses proies. Pour se trancher la main, il a dû donner plusieurs coups, car la lame était émoussée. Je l'ai arrêté au moment où il entreprenait de casser l'os de son poignet.

– Ça suffit.

– Oui, maître.

J'ai saisi la main qui pendait encore au bout de quelques tendons et je l'ai guérie avec des paroles magiques.

– Tu auras besoin de tes deux mains pour chasser.

– Oui, maître.

– Tu vois ce collier ?

– Oui, maître.

– Tu ne dois jamais l'enlever.

– Jamais l'enlever. Oui, maître.

– Très bien. Maintenant, transforme-toi en couleuvre et disparais de ma vue.

– Oui, maître.

Jordan a commencé à chasser pour me nourrir, mais il n'a pas eu à le faire très longtemps ; j'ai fouillé dans les grimoires d'Hodmar pour découvrir le secret de la potion déshumanisante. J'ai dit à Jordan : « Plus jamais je n'aurai faim. Plus jamais je ne dépendrai d'un porc pour survivre. »

– Oui, maître.

Mon serviteur est d'une efficacité et d'une loyauté sans faille, mais il est nul pour la conversation.

Artos arracha le cahier des mains de son esclave.

– Disparais.

– Oui, maître !

Artos se leva. Confronté à l'étendue de sa solitude, il avait découvert depuis longtemps le sens profond de l'infini. Les siècles passant, il s'y était fait. Le bruit de la fontaine ramena le seigneur du mal à la réalité. Brasser tous ces souvenirs avait réveillé sa soif de vengeance. Artos préférait de beaucoup cet état d'esprit à la morosité qui l'avait envahi un peu plus tôt. Il alla à la fontaine et laissa le sang couler sur ses mains tendues. Le sang de Hoag avait été le premier à remplir le bassin. Depuis, celui de bien d'autres victimes était venu alimenter la cascade. Le sorcier saisit une petite fiole sur le rebord de granite. Il en versa quelques gouttes dans le bassin ; cette potion empêchait le sang de coaguler et de bloquer la fontaine. Le maître des ténèbres ouvrit ensuite sa gueule de reptile pour laisser le liquide onctueux glisser dans sa gorge ; c'était le seul aliment que son corps déshumanisé tolérait encore.

Modregal était tout heureux de répéter à qui voulait l'entendre qu'il était un ancien lieutenant du roi Verlon. Le plaisir venait du mot « ancien ». L'homme avait maintenant quarante ans. Cinq ans plus tôt, il avait promis à Noemi, son épouse, qu'à la fin de son engagement au service de Verlon, il l'emmènerait vivre dans un des nirvanas. Naq, le conseiller du roi, avait à peine regardé son lieutenant quand il avait signé le document autorisant Modregal et sa famille à s'installer dans le nirvana numéro trois. Tout le monde disait que c'était celui qui possédait les plus beaux jardins, et Noemi adorait les fleurs. Modregal conduisait la charrette tout en parlant avec animation.

– Tu vois, Noemi, tout s'est passé comme je l'avais prévu, jubilait-il. Ils ont beau être complètement fous, ils ont honoré leur parole.

– Après vingt ans de service, tu l'as bien mérité.

– Je le crois. Ces vingt années ont été vraiment pénibles mais maintenant, c'est fini. J'ai payé le prix ; nous allons enfin vivre en paix.

Modregal appréciait d'autant plus sa bonne fortune qu'au cours des cinq dernières années, la situation avait encore empiré au pays de Yzsar : la misère, la dépravation et l'insalubrité régnaient partout, affectant les nobles comme les prolétaires, les villes comme les campagnes.

Assis sur le tas que constituaient les maigres effets de sa famille, Hauns, dix-sept ans, rechignait comme d'habitude.

– Est-ce que quelqu'un m'a demandé mon avis ? Qui s'intéresse à ce que je pense ?

Modregal eut un mouvement d'impatience. Il se calma quand Noemi lui toucha délicatement le bras. Les yeux de sa femme lui disaient : « C'est de son âge, ne t'en fais pas. »

– Ne me dis pas que tu n'es pas heureux, s'étonna la mère de Hauns. Tout le monde rêve d'aller dans les Cités des élus.

– Eh bien... pas moi !

– Et pourquoi donc ?

– Je voulais devenir chevalier, participer à des tournois, être un grand combattant. Misère ! Là où nous allons les armes sont interdites. Quelle sorte d'avenir m'attend en ces lieux ?

– Nous verrons bien ce que la cité peut offrir à un jeune homme bourré de talents, le rassura son père.

– En tout cas, ne compte pas sur moi pour devenir un minable factionnaire comme toi.

Cette fois, Noemi se retourna vivement vers son fils.

– Hauns, je t'interdis de parler ainsi à ton père. Tu ignores ce qu'il a enduré pour obtenir ce privilège. Je te trouve bien ingrat, déclara-t-elle avec véhémence. Tu devrais apprécier ta chance et remercier ton père au lieu de maugréer. Allez... excuse-toi !

Hauns adorait sa mère et il n'aimait pas la voir fâchée contre lui. Il lui sourit et mit la main sur l'épaule de Modregal.

– Pardon, papa, je ne pensais pas ce que j'ai dit.

– Je sais, mon fils, je sais. Je ne suis pas un imbécile et je comprends ton désir de mener une vie meilleure que la mienne. Non seulement je comprends, Hauns, mais c'est ce que je souhaite de tout mon cœur. Rien ne me rendrait plus heureux que de te voir réaliser tes rêves.

– Il y a tant de choses que je voudrais faire.

– Dis-toi bien, mon fils, que s'il existe des occasions dans ce damné pays, elles ne peuvent se trouver que là où nous allons, car la vie à Corvo ne peut déboucher que sur l'indigence.

✧

Les murs qui entouraient la cité numéro trois étaient faits de blocs de pierre impossibles à percer. Des soldats armés surveillaient jour et nuit les quelques portes qui donnaient accès à la ville. D'autres hommes, également armés, circulaient en permanence sur des passerelles surélevées pour empêcher ceux qui en auraient eu l'idée de sauter par-dessus les murs de la forteresse. Modregal présenta son laissez-passer à l'officier de réception de la porte nord. Celui-ci était un jeune maigrichon qui se donnait des airs importants dans son uniforme noir, sanglé d'une ceinture dorée. Après avoir regardé le contenu du chariot de Modregal, il lui rendit le parchemin portant la signature de Naq.

– Tout semble en règle. Quelle fonction exercerez-vous dans la « trois » ?

– Je serai factionnaire... sentinelle, déclara fièrement Modregal. Vous savez, je suis un ancien lieutenant du roi Verlon. J'ai obtenu mon certificat de retraite.

– Je vois...

Le jeune contrôleur s'approcha de Modregal. Il enfonça à plusieurs reprises son index dans la poitrine musclée du lieutenant.

– Comprenez bien une chose, dit l'impudent personnage, les factionnaires, ici, sont tenus, comme tous les citoyens, de rendre des comptes aux « SSM ». Nous sommes les vrais responsables de la cité.

Quand Modregal vit Hauns prêt à bondir sur le jeune effronté, il sentit sa propre rage l'envahir. « Pour qui se prend-il, ce petit minable ? M'humilier... devant ma famille. » Ce n'était toutefois pas le moment de faire un scandale. Il avança le menton pour répliquer.

– Je sais tenir mon rang... jeune homme !

Le maigrichon les laissa passer et entreprit de harceler la famille suivante. Dès qu'il eut franchi les portes de la cité, Modregal oublia l'incident. Jamais il n'avait vu un si bel endroit. Les rues étaient propres ; partout, il y avait des espaces verts qui invitaient les gens à s'attarder. Les maisons semblaient accueillantes et confortables. Les enfants jouaient.

Depuis combien d'années n'avait-il pas vu cela : des enfants jouer dans les rues sans peur des dangers qui les guettaient sans cesse ?

– Modregal... mon ami !

Le lieutenant se retourna et se trouva devant un homme au visage rond et jovial.

– Drakmer ! Merci d'être venu nous accueillir.

– Je n'aurais pas manqué ton arrivée pour tout l'or du monde.

Drakmer avait été le second de Modregal pendant plusieurs années. Il avait pris sa retraite deux ans plus tôt, et c'est lui qui avait écrit à son ancien chef pour lui suggérer de venir dans la « trois ». Drakmer présenta sa famille ; son épouse, Orise, était une petite femme souriante que Noemi trouva d'une élégance sans pareille. Le femme de Modregal regarda avec dépit ce qu'elle considérait depuis des années comme sa meilleure robe. « J'ai l'air d'une paysanne mal dégrossie. » Orise avait noté le malaise de Noemi. Elle lui sourit gentiment.

– Ne vous en faites pas, je vais vous faire découvrir les échoppes de la cité. Vous auriez ri de voir mon accoutrement à mon arrivée.

Noemi se sentit encore plus embarrassée.

– C'est que nous ne sommes pas très...

– Oh ! Ne vous en faites pas. Ici, rien n'est coûteux... Cela semble un peu curieux au début, mais on s'y fait très vite.

Hauns n'avait pas dit un mot ; il semblait comme en état de transe et ce n'était ni à cause des jardins fleuris ni en raison de l'évidente prospérité des commerces. Non, Hauns n'avait d'yeux que pour Loece. D'un geste timide de la main, la fille de Drakmer avait salué le jeune homme, qui avait été ému jusqu'au fond du cœur. Modregal ramena son fils à la réalité.

– Viens, Hauns, Drakmer va nous conduire à notre maison.

L'homme jovial embrassa la ville d'un large geste du bras.

– Ce sont des architectes réputés qui ont construit notre cité. Eh bien, Hauns ? Comment trouves-tu la « trois » ?

Hauns rougit en regardant Loece.

– Parfaite, monsieur, dit-il, rêveur. Absolument parfaite. Je crois que je vais me plaire ici.

– Voilà qui est bien ! Bon... les femmes dans le chariot. Nous, les hommes, nous allons marcher devant. Votre maison est à deux pas de la nôtre. Nous allons être voisins, n'est-ce pas magnifique ?

Drakmer entraîna Modregal et Hauns avec lui, ce qui rendit celui-ci très fier. « Il me considère comme un homme. » Il bomba le torse, conscient que Loece ne l'avait pas quitté des yeux. Ils circulèrent dans les rues paisibles où seule la présence des uniformes noirs rappelait l'atmosphère oppressante des autres cités de Yzsar. Drakmer ne souriait plus.

– Ce sont les SSM, dit-il tout bas. Il faut se méfier d'eux ; ils espionnent les citoyens et cherchent à les prendre en défaut. Même nous, les sentinelles, nous sommes sous surveillance.

Hauns voulut participer à la discussion, soucieux de prouver à Drakmer qu'il avait eu raison de le considérer comme un homme.

– SSM, qu'est-ce que cela signifie ?

– Ce sont les initiales pour « soldats de la surveillance morale ». Ils traquent les délinquants, ceux qui contreviennent à la loi. Vous savez, certains « élus » obtiennent leur entrée de façon peu honnête ; les nirvanas, comme n'importe quelle société, accueillent leur lot de racaille. Soyez très prudents et respectez le règlement à la lettre, sinon les SSM vous expulseront sans procès. Ils viennent la nuit et vident les maisons. Du jour au lendemain, vous avez disparu. J'espère que tu as bien compris, Hauns ?

– Oui, monsieur.

– C'est très important. Pas de réunions clandestines ni de discussions éthiques, pas de commentaires désobligeants sur nos souverains et, surtout, pas de livres autres que ceux de la bibliothèque communale. Dis, Hauns, tu n'as pas emporté de livres prohibés, n'est-ce pas ?

– Prohibés ?

– Tu as certainement vu la liste : aucune lecture subversive à caractère politique ou philosophique, pas de fables ou de poésies puisqu'elles dissimulent souvent des discours pamphlétaires.

L'hésitation d'Hauns fit blêmir Drakmer, qui se retourna vivement vers Modregal.

– Brûle-les dès que tu seras chez toi. C'est vital. Cette ville est vraiment fantastique, mais on n'y tolère aucune forme de dissidence. Si vous voulez y demeurer, faites comme moi et suivez scrupuleusement le règlement. Les SSM découvrent des choses que vous ne pouvez pas soupçonner. Par exemple, prenez la famille qui habitait votre maison ; on aurait pourtant juré qu'il s'agissait de bonnes gens. Les SSM ont trouvé des armes cachées sous les paillasses... De si charmantes personnes !

Modregal tenta de rassurer Drakmer.

– Nous serons très prudents, ne t'en fais pas.

Hauns se tut, mais Modregal le connaissait bien. Ils étaient mûrs pour une discussion musclée, lui et son rebelle de fils.

– XIV –

– Eh, « La tache », viens là.

L'homme que le soldat venait d'interpeller prit l'air indigné de celui qu'on dérange dans une tâche importante. Pourtant, tout le monde savait que « La tache » était le pire paresseux qu'on ait jamais envoyé dans les mines de Verlon.

– Oui, m'sieur ? répondit le forçat en avançant sans se presser.

« La tache » se faisait un devoir de ne jamais donner leurs grades aux surveillants qui harcelaient méthodiquement les prisonniers comme lui. « Je suis peut-être un fainéant mais je ne suis pas un lèche-bottes. J'ai ma fierté. » Le caporal fit siffler son fouet à deux cheveux de la joue violacée du prisonnier : une large tache de vin couvrait la moitié du visage ingrat de l'homme. Il n'y avait que sa femme pour encore l'appeler par le nom que lui avait donné sa mère.

– Cesse de faire le malin et dégage-moi ce tas de pierres.

– Il vaudrait mieux demander à cet autre, là-bas, celui qui a les bras aussi gros que mes cuisses. Je suis un homme malade et...

Le fouet l'atteignit à l'épaule et lui cingla le cou. « La tache » se dirigea vers le tas de pierres en se disant que, cette fois, il n'aurait d'autre choix que de travailler. Depuis qu'il était arrivé dans les mines, il avait souvent réussi à tromper les surveillants ; il suffisait de se faire discret et de se défiler pour aller dormir dans un coin jusqu'à ce que sonne la cloche de la cantine. Tant qu'il rapportait ses rations de brouet à sa femme, il parvenait à vivre dans un climat de paix relative. Dans une caverne déjà surpeuplée, on leur avait attribué un espace exigu, où ils avaient déposé leurs gamelles et leurs paillasses. Pendant que « La tache » faisait semblant de travailler, sa femme s'usait la peau à laver les uniformes des officiers des mines. Ils avaient complètement perdu la notion du temps. « Depuis combien de jours sommes-nous ici, trente... cent jours ? »

– Allez... plus vite que ça ! Tu veux encore goûter à mon fouet ?

« La tache » choisit une pierre pas trop grosse qu'il porta en courbant exagérément le dos.

– Où je la mets, m'sieur ?

Le caporal soupira et lui indiqua, d'un mouvement de la tête, un chariot qui bloquait presque le passage du gisement principal. « La tache » fit quelques voyages sous l'œil attentif du caporal. « Il va bien finir par en avoir assez de me surveiller. Si l'heure du repas peut arriver, pis de truie. »

La nourriture qui intéressait tant le forçat ne lui était pourtant pas destinée. Les esclaves des mines ne recevaient qu'un bout de pain avant le jour et une ration de brouet après le travail. Les soldats avaient cependant droit à un vrai repas au milieu de la journée. La femme arrivait en transportant avec elle toutes sortes d'odeurs appétissantes. Cela torturait les prisonniers. Malgré tout, ils appréciaient l'intermède, car, pendant que les surveillants mangeaient, les esclaves pouvaient se reposer un peu. Si la femme était jolie, la pause se prolongeait ; quand tous les soldats avaient eu leur tour, la femme repartait, l'âme et la robe en lambeaux.

En retournant vers le tas de pierres, « La tache » pensait à sa femme. Elle n'avait jamais été belle mais, dans sa jeunesse, sa peau soyeuse l'avait fait frémir. Peu de temps après leur mariage, « La tache » avait décidé que son métier de cordonnier était bien trop fatigant. Il avait vendu son échoppe, située à Oz'Steyfian, et s'était enrôlé dans l'armée impériale du Môjar qui payait de gros salaires pour faire parader ses soldats dans de beaux uniformes. Selon l'officier qui l'avait recruté, les promotions et les augmentations venaient toutes seules et la retraite arrivait tôt. Le sergent avait toutefois omis de préciser que, dans l'armée, on se lève à l'aube, et « La tache » avait horreur de cela.

Quand il avait déserté, sa femme l'avait banni du lit conjugal. La peau de sa Pohly s'était fanée aussi vite que sa bonne humeur. Pris au piège, le couple avait fui au pays de Yzsar. Avec ce qui restait de leurs économies, « La tache » avait acheté une petite ferme. « Le bonheur... Rien à faire... La nature s'occupe de tout. » Le lopin de terre s'était vite transformé en culture de mauvaises herbes, puis le sol était devenu rouge et desséché ; même les cultivateurs sérieux avaient tout perdu. Sa femme était devenue aussi aride que la terre du potager. Du matin au soir, Pohly répétait : « Si tu n'avais pas été aussi stupide, tu aurais compris que, même pour un paresseux comme toi, cordonnier au Môjar, c'était un métier de tout repos. »

Ils avaient tenté leur chance à Corvo, mais personne n'avait voulu engager un incapable comme « La tache ». Quand ils avaient été chassés de leur dernier taudis, ils avaient été ramassés pour vagabondage. Depuis ce temps, ils attendaient la mort dans les mines de Verlon. « La tache » entendit la cantinière arriver avec le repas des soldats. « J'espère qu'elle est jolie. » À l'instar de la plupart des esclaves, le forçat ne connaissait plus la compassion ; il ne se souciait pas du sort que les soldats réservaient à cette pauvre femme.

Profitant de la présence encombrante du chariot, « La tache » se dissimula aussitôt que le caporal eut quitté son poste. Quand il le vit glisser son fouet dans sa ceinture, il comprit que la femme lui plaisait. « Ça me donne un peu plus de temps. » Le matin même, Pohly lui avait fait une scène encore plus orageuse que les précédentes. Elle l'avait roué de coups de pied et lui avait envoyé des taloches dans la tête jusqu'à ce qu'il se sauve, la queue entre les jambes, sous les railleries de ses voisins d'infortune. En avalant son bout de pain rance, il avait décidé qu'il en avait assez. « Je vais m'évader... Tant pis pour la mère dragon, moi, je lève les voiles. »

Une rumeur circulait parmi les esclaves ; certains d'entre eux avaient disparu après avoir déclaré qu'il existait une issue, un passage secret qui conduisait à l'extérieur. Pour l'atteindre, il fallait traverser le secteur le plus surveillé : le quartier des couveuses, communément appelé l'« atelier des monstres ».

« La tache » attendit encore un moment puis il s'éloigna en longeant les murs suintants des tunnels. Pour se donner du courage, il pensa à Pohly. « Plus jamais je ne verrai ta face de vipère. » Le prisonnier savait que, laissée à elle-même, si elle voulait survivre, Pohly devrait quitter les buanderies pour aller travailler aux cuisines. « Un jour, tu iras porter le repas aux soldats et là... » L'idée de se venger, du même coup, de sa matrone et des gardiens le réjouissait au plus haut point. « La tache » imaginait l'expression de dépit des soldats quand ils verraient la face de guenon de sa Pohly. « Vous lui mettrez un sac sur la tête. »

En faisant bien attention à ne pas se faire repérer, « La tache » avança dans le dernier tunnel conduisant au secteur des couveuses. Une odeur écœurante lui souleva l'estomac ; il ne vomit pas parce qu'il n'avait rien à rendre. Il respira par petits coups, et son malaise se dissipa. Une fois remis, il observa attentivement : des portes visiblement très lourdes et gardées par deux soldats armés de sabres fermaient les installations de l'atelier des monstres. Un groupe de travailleurs passa tout près de lui. « La tache » bondit et se mêla aux autres. Il franchit les portes sans encombre et se retrouva dans une salle gigantesque, où la chaleur et l'humidité étaient si accablantes qu'elles faisaient oublier l'inconfort de la puanteur. Tout en suivant le groupe, « La tache » regardait autour de lui ; il cherchait un indice, un signe qui lui révélerait l'emplacement du passage secret. Un cri strident retentit derrière lui. Quand il se retourna, il n'eut pas le temps de voir le visage de la créature qui lui asséna un coup sur le crâne. « La tache » sombra dans l'inconscience.

– XV –

En rentrant du collège, Thelma s'arrêta derrière la roseraie pour sa visite quotidienne à son ami Chéri. L'arbre l'accueillit avec son habituelle chaleur ; au fil des ans, le cerisier était devenu plus qu'un protecteur. Jour après jour, il recevait les confidences de la jeune fille.

– Tu as reçu une lettre, ma jolie !

Le pigeon vint se poser sur le bras de Thelma. Elle aimait bien cette femelle roucoulante qui avait insisté pour choisir elle-même son nom, faisant fi de l'amusement qu'il provoquait chez ses nouveaux amis.

– Merci, Rudolf !

Chéri avait apprivoisé l'oiseau pour permettre à Thelma de garder un contact épistolaire avec ses grands-parents. Cela contrevenait aux interdictions répétées d'Isadora, mais le cerisier encourageait sa jeune protégée à défier sa mère, les exigences de celle-ci dépassait souvent les limites. Thelma lut le mot de Mauhna et soupira.

– Je donnerais cher pour les serrer dans mes bras.

– Pas de nouvelles de Noa ?

– Grand-mère dit qu'elle fait des progrès, mais ses explications restent vagues. Je crois qu'elle craint de m'inquiéter.

La princesse venait d'avoir quatorze ans et elle vivait toujours dans les communs avec les autres domestiques, qui la connaissaient sous le nom d'Amleht, une prétendue petite cousine de la reine. En six ans, Thelma avait eu le temps de faire le tour de toutes les corvées du château. Elle s'y attelait en rentrant du collège et ne se plaignait jamais. Contrairement à ce qu'elle avait d'abord cru, sa mère ne s'était pas empressée de la réintégrer dans les appartements royaux.

– Tu dois t'imprégner totalement du monde des prolétaires, soutenait la souveraine avant de congédier fraîchement sa fille.

Thelma se gardait de protester. Depuis que la reine prétendait sentir en permanence une intolérable odeur de soufre, son humeur la poussait à des accès souvent désastreux, tant en paroles qu'en gestes.

Concernant son père, Thelma se sentait déchirée ; l'attitude du roi était vraiment devenue trop imprévisible. Parfois, il se montrait heureux de la voir mais, généralement, il semblait éviter sa fille ; pire, il paraissait indifférent à son sort, ne s'inquiétant pas de son absence dans les appartements royaux. Au cours de ses rares séjours à Döv Marez, le roi acceptait sans réserve les explications invraisemblables de son épouse, clamant soudainement : « Les enfants, c'est l'affaire des femmes ! » Reprenant son ancienne litanie, Thelma se répétait souvent : « Je ne pleurerai pas ! Je ne pleurerai pas ! »

Hµrtö avait expliqué à la princesse que ses parents subissaient un ensorcellement qui les rendait occasionnellement insensibles aux autres, particulièrement aux enfants.

– Nous sommes impuissants devant ce type de sortilège, avait déploré le vieux magicien. Au moins, ton père est conscient de ce qui lui arrive.

Avec une délicatesse infinie, l'aïeul de Mélénor avait fini par faire admettre à son petit-fils l'existence et les effets du *somahtys*, qui dessinait une aura trouble autour de son âme et de celle de son épouse. À compter de ce moment, le roi avait cherché à réfréner ses émotions destructrices ; malheureusement, il n'y parvenait pas toujours.

Au cours des six dernières années, bien d'autres événements avaient captivé l'attention des souverains de Gohtes, leur donnant une apparente justification pour leur négligence envers leur fille.

– Même sans ce détestable enchantement, les excusait Thelma, ils auraient bien peu de temps à me consacrer.

Loin de chez lui, le roi tentait de convaincre le peuple de la Nouvelle-Bortka de l'urgence de constituer une armée : selon lui, une grande guerre se préparait. Personne ne semblait le croire.

Isadora, pour sa part, partageait son temps entre ses deux passions : l'exercice du pouvoir et sa vénération pour son merveilleux petit prince. Thelma ne se faisait plus d'illusion : son frère Nathan allait hériter des titres et du royaume, et elle serait reléguée à des tâches subalternes. Cette situation cependant n'entachait en rien l'affection sincère qu'elle avait pour son frère. « Quel curieux petit homme ! » Alors qu'il n'avait que cinq ans, il avait l'apparence d'un jeune garçon de neuf ans et se comportait comme tel.

Venu au monde avant terme, le bébé, énorme, avait beaucoup fait souffrir sa mère. Cette naissance prématurée avait surpris Mélénor à Celtoria. Cette fois encore, c'était

Cassandra qui avait annoncé l'heureux événement au roi. Par la magie de leur miroir, la ministre avait pu voir le visage de Mélénor s'éclairer d'un véritable bonheur.

– Un fils ! Un elfe-sphinx !

– En parfaite santé... mais c'est un géant !

– Je suis comblé, avait réussi à souffler le roi, ému.

Dès qu'il avait su qu'Isadora et lui-même étaient victimes d'un sortilège, le souverain de Gohtes en avait informé la vieille dame. La Longs-Doigts admirait les efforts fournis par le fils de Carmine pour résister aux effets de l'envoûtement. Le jour de la naissance de Nathan, elle avait compris que, ainsi éloigné du poupon, le nouveau papa arrivait à se protéger du *somahtys* et à manifester sa joie plutôt que sa répugnance.

– Comment se comporte la reine avec lui ? s'était-il inquiété.

– Ce bambin doit être un magicien : visiblement, elle l'adore.

– En dépit du *somahtys* ?

– Votre petit homme semble plus fort que l'envoûtement de L'Autre.

– J'espère pour lui que ça durera.

– Je l'espère aussi !

– Faites-moi plaisir, Cassandra, décrivez-le-moi.

La dame s'était exécutée avec plaisir puis elle avait conclu :

– Il a dans la main droite une tache de vin assez singulière ; on dirait une cuirasse ou une armure.

– Il deviendra un grand guerrier ! avait décrété Mélénor. Le prince Nathan sera un redoutable combattant.

Très tôt cependant, le gamin avait ajouté un motif d'inquiétude au fardeau du roi. Luttant férocement contre sa répulsion envers les enfants, le roi avait voulu conduire le prince chez les maîtres de magie afin qu'ils l'examinent. Dès lors, le gamin était devenu un autre élément de discorde entre les deux époux.

– Ce bébé grandit de façon anormale, avait-il tenté d'alerter Isadora.

Dominée par sa démence, refusant d'entendre les avertissements de Mélénor concernant le *somahtys*, la reine interprétait ce phénomène comme une attestation du caractère exceptionnel de son fils et refusait d'accompagner son mari dans l'Île-aux-Tortues. Mélénor avait alors demandé à son grand-père de faire un voyage-éclair à Döv Marez.

– Il faut absolument procéder à la révélation, avait immédiatement diagnostiqué Hµrtö. Le sphinx captif de Nathan accélère son développement physique et intellectuel.

– Qu'attendez-vous alors pour le révéler ?

– Tu dois convaincre Isadora d'assister à la cérémonie.

– Aussi bien chercher à raisonner un mulet ! Faites comme si elle était morte, avait furieusement répliqué le roi.

– Tu sais bien qu'il nous est impossible de déroger aux règles. Si la mère est vivante, elle doit se présenter.

La maîtrise de Mélénor devenant encore plus précaire en présence d'Isadora, il lui avait fallu plusieurs cycles des lunes avant de lui faire accepter l'inévitable rencontre avec les maîtres de magie et les Anciens.

– Tu ne voudrais pas priver Nathan de toute son enfance. Tu l'aimes beaucoup trop pour cela, non ?

Les atermoiements de la reine associés à la nécessité d'attendre l'alignement propice des astres avaient long-temps reporté la cérémonie, si bien qu'au moment de sa révélation, le petit prince avait trois ans mais présentait le corps et la mentalité d'un enfant de sept ans. En dévoilant le sphinx-éléphant de Nathan, les magiciens avaient enfin libéré l'héritier royal de cette poussée extraordinaire.

Pendant tout ce temps, Thelma avait été le témoin impuissant et oublié de ces drames familiaux. Sa sensibilité exacerbée par son propre malheur la rendait compatissante à la souffrance d'autrui. Ainsi, elle partageait le désarroi des elfes-sphinx que la menace d'Artos maintenait dans un état d'angoisse insupportable. En dépit de leurs préoccupations, les magiciens de l'île entretenaient l'action protectrice des boucliers, si bien que peu de gens se trouvaient affectés par les effets des nuages. Pour sa part, Thelma était immunisée par son sphinx si particulier. La jeune fille s'inquiétait aussi pour ses grands-parents, qui cherchaient désespérément le moyen de neutraliser les effets déstabilisants du continent ; il s'agissait d'une précaution préalable à la mise sur pied d'une communauté qui devait aller sur la Terre de Damnés pour affronter L'Autre et rendormir Korza.

Pour l'héritière des silences, ces dernières années paraissaient interminables, alors que pour les adultes qui gravitaient autour d'elle, le temps semblait fuir à toute allure.

Ayant embrassé Chéri, Thelma rentra au palais avec l'idée de se débarrasser rapidement de ses corvées pour faire un saut dans une aile oubliée du château. Depuis qu'elle avait découvert la forêt intérieure du palais, elle s'y réfugiait dès qu'elle en avait l'occasion.

La princesse appréciait la forêt de Carmine qui, en plus de lui fournir un peu de solitude et de repos, lui rappelait l'Île-aux-Tortues. Thelma quitta la buanderie en emportant un grand seau d'étain.

– Je vais vider les cendres de l'aile sud.

L'intendant ne lui prêta aucune attention ; il était trop occupé à trousser les jupes d'une jeune servante fraîchement débarquée de la campagne ; l'orpheline avait été conduite au château par son oncle, qui prétendait qu'elle coûtait trop cher à nourrir.

Thelma nettoya les cheminées à toute vitesse, puis elle se rendit dans la forêt. Les vieux jardiniers la laissaient circuler librement, heureux de trouver en cette mystérieuse visiteuse une admiratrice de leur œuvre, qui tombait lentement dans l'oubli. Ils lui permettaient même de nourrir les bêtes. Cette fois, cependant, il était tard et les jardiniers étaient déjà rentrés chez eux. Seule, sans se presser, la princesse suivit les sentiers fleuris. Une petite licorne bondit devant elle avant de s'enfuir farouchement. Thelma coupa à travers le feuillage dans l'espoir de la rattraper. « Grand-père dirait qu'il est naturel que les bêtes se méfient des hommes, mais j'aimerais bien t'apprivoiser, ma jolie. »

La jeune fille se sentit triste tout à coup. Sa solitude lui pesait. Quand elle sortit du boisé, elle se retrouva dans un jardin où les oiseaux volaient librement ; l'air était rempli de leurs chants joyeux. Des pierres plates avaient été placées au centre des bosquets pour offrir une base à un bassin en marbre sculpté. Thelma s'en approcha. Ses ancêtres magiciens lui avaient écrit que ce bassin était en fait l'ancien miroir de Carmine, inactif sans le mot de passe : cette clé codée, la mère de Mélénor l'avait emportée avec elle dans la mort.

La princesse regarda l'eau tranquille et se souvint d'un rêve qu'elle avait fait la nuit précédente. Agenouillée au bord d'un étang, elle avait été attirée par des scintillements provenant du fond sablonneux. Elle avait plongé les mains dans l'eau fraîche et en avait ressorti deux pierres lumineuses : l'une argentée, l'autre dorée. Thelma se souvenait qu'elle avait été surprise de les trouver si chaudes. Elle avait soufflé sur les pierres, qui s'étaient mises à bouger jusqu'à prendre la forme de petits personnages. Bientôt, elle avait reconnu Mauhna et Hμrtö ; les magiciens se tenaient debout dans la paume de ses mains.

Ses mains, Thelma les trouvait maintenant désespérément vides. Elle pencha son visage au-dessus du bassin et s'examina sans complaisance. Ses larmes firent onduler la surface de l'eau.

– Vous me manquez tous tellement, pleura-t-elle. Votre chaleur me manque.

L'eau se remplit d'arabesques laiteuses, et le visage épanoui du magicien apparut.

– Tu l'as trouvé ! Tu as trouvé le mot de passe du miroir de Carmine ! Quel est-il ?

– Chaleur... je crois !

Le miroir scintilla, confirmant la découverte de la jeune fille. Thelma était si heureuse de voir son grand-père que ses larmes redoublèrent. Mauhna se matérialisa bientôt derrière le magicien. Ensemble, ils sourirent à une Thelma abasourdie.

– Vous êtes là ? Vous êtes bien là ! C'était si simple ! Chaleur...

La princesse mit ses mains dans l'eau ; l'image se brouilla mais les visages restèrent suspendus dans l'onde. Mauhna lui sourit de nouveau.

– Nous avons tant souhaité que tu découvres le secret du miroir... Ainsi nous pourrons te voir sans contrevenir à l'interdiction de ta mère. Tu as beaucoup changé.

Hµrtö semblait très ému.

– Tu deviens une belle jeune fille.

Thelma se dit que son grand-père manquait d'objectivité.

– Merci, mais je sais que je suis d'une désolante banalité. Il y a pourtant un avantage à cela : l'intendant me fiche la paix. Il y en a toujours une plus jolie que moi dans les parages.

Alertée par ce commentaire, Mauhna plissa les yeux pour mieux observer la jeune fille.

– Ma chérie, que fais-tu vêtue de la sorte ? C'est un costume de domestique, non ?

La princesse hésita trop longtemps avant de répondre. La situation, aussi heureuse qu'inattendue, ne l'avait pas préparée à cette confrontation.

– Oh ! Je m'habille ainsi pour donner un coup de main aux animaliers... Vous savez, ils aiment bien quand je viens ; cela leur rappelle le temps où la reine Carmine entretenait elle-même sa forêt.

– Ne me mens pas, la gronda la magicienne. Je lis dans tes yeux comme dans ceux de ton père.

Rongée par la honte, la jeune fille avoua qu'elle leur avait caché la vérité : dans les nombreuses lettres qu'elle leur avait envoyées, elle n'avait jamais fait mention de sa vie dans les communs. Elle avait préféré imaginer, pour elle-même autant que pour eux, la vie princière dont elle rêvait encore.

– Je ne voulais pas vous occasionner de soucis, murmura-t-elle, lamentable.

Hµrtö interrogea sa femme du regard. Mauhna acquiesça à la question muette. Quelques secondes plus tard, la sorcière était auprès de Thelma. Elle la prit par la main.

– Viens.

La jeune fille se retrouva dans la maison de ses grands-parents. Hµrtö la serra dans ses bras puis il la fit asseoir gravement.

– Nous venons de faire un geste que ta mère désapprouverait. Je dois te dire que c'est contre mes principes, mais, puisque tes parents se trouvent sous l'effet d'un ensorcellement qui fausse leur jugement, je considère que j'ai le droit de défier leurs interdits. Nous avons une responsabilité envers toi et nous désirons savoir exactement ce qui se passe dans ta vie. Si tu es malheureuse, si on te traite mal, nous devons le savoir.

– Je dois me montrer patiente, expliqua Thelma. Entre-temps, je travaille très fort pour m'instruire et me préparer à mon avenir, même si j'ignore de quoi il sera fait.

– Nous ne doutons pas de ton courage. N'es-tu pas en colère contre tes parents ?

– Pourquoi donc ? Ils subissent un sortilège contre lequel même vous ne pouvez rien.

– Contrairement à Mélénor, ta mère ne fait aucun effort pour se dominer. Elle a toujours été exigeante avec toi.

– J'y suis habituée.

Mauhna se sentit peinée pour sa petite-fille.

– Mais les fêtes et les assemblées officielles... Tu dois bien y assister, non ?

– La reine dit que j'étudie à l'étranger. Quand elle me laisse venir, elle me fait porter un masque.

– Un masque ? s'exclamèrent les magiciens d'une même voix hébétée.

– Oui, un masque... et une perruque. La reine raconte à tout le monde que je suis si belle qu'il vaut mieux cacher mon visage jusqu'à ce que je sois en âge de me marier. Le peuple trouve cela très... intrigant. Ma mère a toujours eu du talent pour la politique.

– Et pour le théâtre ! ironisa Mauhna.

Thelma ne releva pas ; elle se sentait toujours mal à l'aise quand les gens faisaient des remarques désobligeantes sur sa mère, et cela arrivait souvent dans les cuisines avec les domestiques.

– Veux-tu rester ici, avec nous ? s'informa Hμrtö, convaincu à l'avance de la réponse.

– Non ! La reine viendrait me chercher.

– Nous te protégerons.

– Contre ses armées ? Vous voulez la voir débarquer avec un régiment ?

– Mais puisqu'elle se désintéresse de ton sort.

– Pas selon elle. De plus, elle n'acceptera jamais que vous contestiez son autorité, et cela n'a rien à voir avec moi.

– Laisse-nous au moins parler à ton père. Une fois sensibilisé, il pourra peut-être raisonner la reine.

– Non ! répéta Thelma. Le harcèlement de ma mère deviendra pire si vous intervenez. Croyez-moi, mon sort n'est pas si atroce.

Le vieil homme se souvint alors des visions qu'il avait eues concernant le destin difficile de cette enfant. Le cœur brisé, il comprit que sa petite-fille parlait avec sagesse. Mieux que personne, il savait l'inutilité de lutter contre la fatalité. Une subite lassitude le submergea néanmoins. Consciente de sa peine, la princesse décida de changer de sujet.

– Comment se porte Aglaë ? Et Noa ?

Les deux magiciens inclinèrent la tête en même temps, puis ils répondirent à l'unisson :

– Elles vont très bien !

Hµrtö lui prit la main et la fit se lever.

– Allons les saluer !

Thelma n'attendait que cela. Mauhna prit cependant la peine de la mettre en garde.

– Noa a beaucoup changé. Elle est devenue une jolie petite elfe, mais il a fallu qu'elle régresse... bon... Viens, tu verras par toi-même.

L'instant suivant, ils frappaient à la porte de la caverne d'Aglaë. La belle savante embrassa Thelma avec affection. Celle-ci avait oublié le bonheur qu'on éprouve à être entouré de gens aimants et chaleureux. Elle eut un choc en voyant Noa ; on aurait dit qu'elle avait tout juste deux ans, mais elle était d'une beauté exceptionnelle. Sa peau ambrée contrastait avec sa chevelure noire, épaisse et ondulée. Dans son petit visage de poupée, ses grands yeux bleus brillaient d'une intelligence malicieuse. Noa cessa de jouer avec son chaton pour porter toute son attention sur Thelma. Elle se leva et mit Toupty sur son épaule avant de tendre un doigt vers la princesse en regardant Aglaë.

– El...ma ! El...ma !

– Tu as raison, Douce ! C'est notre Thelma ! voulut traduire Aglaë.

Noa déposa le chaton sur le sol et frappa du pied, ce qui fit fuir l'animal. La voix de la petite exprimait une frustration incompréhensible.

– Non ! El...ma !

Aglaë tenta de la calmer.

– Je ne comprends pas, Noa. Tu ne reconnais pas Thelma ?

Furieuse, Noa se dirigea vers la jeune fille. Elle tira sur sa manche en continuant sa complainte.

– El...ma... ma !

Thelma se souvint tout à coup de leur pacte. La jeune fille s'accroupit et ouvrit les bras. Noa s'accrocha à elle comme un petit singe.

– El...ma... ma ! répéta la fillette, visiblement ravie.

– Je sais, Noa. Je comprends.

Les trois adultes les regardaient avec curiosité. Aglaë s'approcha des deux filles.

– Tu comprends ce qu'elle essaie de dire ?

Thelma rougit un peu avant de répondre. Pouvait-elle vraiment révéler ce que Noa répétait : « Elle... maman ! » ?

– C'est un secret entre Noa et moi. Des histoires de petites filles, sans plus !

Noa étreignait sa demi-sœur avec passion. Voyant que l'enfant n'allait pas la lâcher, la princesse trouva une chaise et berça la petite en lui chantant un air qu'Isadora avait longtemps fredonné pour l'endormir. Ce souvenir remplit ses yeux de larmes.

Quand Thelma revint de son expédition secrète, elle se rendit auprès de Chéri pour partager avec lui son immense bonheur. Le cerisier pleura de joie, caressant les cheveux de la tendre enfant.

– Conserve bien ce souvenir ; un jour, il te tiendra le cœur au chaud.

Thelma passa par le potager avant de rentrer au château. Fidèle à lui-même, l'intendant l'attendait pour la prendre en défaut.

– D'où viens-tu ? Je ne me souviens pas de t'avoir autorisée à sortir !

La princesse lui mit sous le nez un bouquet de thym frais et une poignée de ciboulette.

– La cuisinière... vous la connaissez !

Comme bien des artistes, la cuisinière du palais avait ses caprices. Les marmitons se moquaient d'elle en imitant ses envolées courroucées. « Jamais d'herbes séchées... Aussi bien mettre de la cendre dans les plats ! »

✧

À compter de ce jour, dès qu'elle avait quelques heures de liberté, Thelma utilisait le miroir de Carmine, et ses grands-parents l'emmenaient voir Noa. Mauhna s'inquiétait de l'attitude possessive de Noa envers sa sœur ; la magicienne craignait que cette affection soit trop lourde à porter pour une jeune fille.

– Ne t'en fais pas, grand-mère !

– Tu sais que Douce se nourrit de ton énergie pour grandir.

– Oui... Je t'en prie, ne te fais pas de souci.

– Je trouve que tu as l'air fatiguée quand tu nous quittes.

– Peut-être un peu, mais c'est une bonne fatigue. Personne n'a besoin de moi là-bas.

La magicienne n'insista pas. Noa bénéficiait grandement de la générosité de Thelma. Après trois cycles des lunes, Douce avait atteint le développement physique qu'elle avait au moment de son pacte avec la princesse ; on lui donnait sept ou huit ans. En vérité, elle possédait la maturité et l'élocution de ses quatorze ans, son âge réel. Ce jour-là, Hµrtö amena les deux filles dans le village des vallées, car il avait besoin de discuter avec le chef du clan. Noa attira Thelma dans le jardin.

– Tu m'as beaucoup aidée et j'aimerais te rendre service à mon tour. Viens, je t'emmène voir une femme exceptionnelle. Je lui rends souvent visite avec Aga. Elles sont de bonnes amies.

Noa la conduisit vers la maisonnette du jardinier. La femme qui les reçut portait des voiles sur la tête et le visage ; seuls ses yeux noirs étaient visibles. Noa fit les présentations.

– Thelma... je te présente dame Synhova Gherznithrz.

Les yeux de la femme brillèrent d'un éclat amusé.

– Je sais, c'est imprononçable. Ici, tout le monde m'appelle Muscade.

Noa prenait son rôle très au sérieux.

– Madame, je vous présente Jynabör Thelma. Elle est la fille du roi de Gohtes... et ma demi-sœur... par notre père.

Thelma dévisagea Noa ; sa bouche s'ouvrit puis se referma.

– Tu savais ?

– Bien sûr ! Nos grands-parents sont bien trop honnêtes pour taire pareille information.

– Je continuais à garder le secret, moi, s'offusqua Thelma.

– C'est très bien comme cela... mais pas entre nous !

Cette interruption dans les présentations permit à Muscade de se ressaisir. Elle se souvenait de Thelma, de son séjour dans l'île l'été de son initiation. À cette époque, le simple fait de revoir Mélénor avait suffi à replonger la combattante dans sa mélancolie. La jeune femme avait perdu une sérieuse bataille quand elle avait ignoré ses principes pour aller rejoindre son amant à la Cité des Mirages. Quand elle avait compris son erreur, il était trop tard ; Isadora les avait surpris dans la chambre du roi. Muscade avait eu si honte qu'elle s'était enfuie sans savoir où aller. Dans les couloirs du palais, aveuglée par ses larmes, elle était entrée en collision avec Hμrtö. Le magicien s'apprêtait à rejoindre Mauhna, qui venait d'assister à la mort incompréhensible de Leila Ez Breaimes et à la naissance de Noa, l'enfant-panthère. En dépit de son esprit préoccupé par l'annonce du réveil du mal, Hμrtö avait immédiatement reconnu Gherznithrz ; jamais le maître spirituel des elfes-sphinx n'oubliait un enfant qu'il avait initié.

– Gherznithrz, que fais-tu ici ?

La jeune femme s'était effondrée dans les bras du sorcier, et celui-ci l'avait ramenée dans l'île. Teyho, le chef du Clan des vallées, avait accueilli la jeune femme ; avec le temps, elle était devenue comme sa fille. Gherznithrz avait avoué ses torts et exprimé ses regrets à Mauhna, mais elle demeurait inconsolable. Quand elle avait choisi de se voiler, Hµrtö avait, une fois de plus, essayé de la tirer de son apathie.

– Quel deuil portes-tu, ma chère enfant ?

– Celui de ma fierté. J'ai commis une faute impardonnable en désirant l'époux d'une autre femme.

Malgré son désir de respecter la souffrance de Muscade, le magicien avait quand même insisté sur un point.

– Mélénor est d'une nature plutôt volage. Tu ne dois pas sacrifier ta vie pour une faute qu'il a partagée et qu'il ne semble pas regretter.

L'ironie de la situation bouleversait Muscade : se retrouver en face des deux filles de Mélénor. Elle se souvenait de la douleur qui l'avait saisie quand elle avait vu Mélénor présenter fièrement son épouse à Teyho. Aujourd'hui, après toutes ces années, Muscade comprenait que cette ultime souffrance avait représenté le début de sa guérison. L'âme tout à coup plus légère, elle invita les demoiselles à s'asseoir. Noa exposa immédiatement le but de sa visite.

– Madame, nous aurions besoin de leçons.

– De leçons ?

– Oui ! Des leçons de combat, précisa Noa. Grand-père Hµrtö a dit que vous êtes la meilleure.

Muscade croisa ses mains sur ses genoux. Thelma nota la couleur sombre de la peau de la femme voilée.

– Mais Douce... il y a des années que je ne combats plus.

– Cela ne s'oublie pas ! C'est impossible.

La femme ferma les yeux un moment. La fille-panthère insista.

– Il faut nous aider, madame. Thelma doit apprendre à se défendre ; elle est à la fois trop tendre et trop rigide.

– Et toi, Noa, que désires-tu apprendre ?

– Moi, je dois apprendre à maîtriser ma force. Je suis certaine que vous pouvez nous aider.

– Tu sais te montrer persuasive.

– Vous acceptez ?

– Attends un peu, dit la femme voilée. Il y a une condition.

– Tout ce que vous voudrez, madame.

– Je veux que tu cesses de m'appeler « madame », je déteste cela. Toutes les deux, vous m'appellerez Muscade.

– Alors vous acceptez ?

Pour toute réponse, Muscade fit signe aux deux sœurs de la suivre. Elles sortirent dans le soleil lumineux.

– Il nous faut de l'espace.

Elles se rendirent près d'une fontaine.

– Ici, ce sera parfait.

Noa s'approcha de Muscade.

– Merci, Muscade, vous êtes formidable.

– Ne me remercie pas trop vite ; tu ne sais pas encore combien tu vas souffrir.

Au même instant, Hụrtö sortait sur le balcon avec le chef du Clan des vallées. La conversation animée entre les deux hommes s'arrêta brusquement. Le spectacle auquel ils assistèrent leur ravit le cœur : les uns après les autres, Muscade retira ses voiles. Elle les offrit au vent, qui les emporta si loin qu'ils finirent par sombrer dans la mer. Thelma se dit qu'elle n'avait jamais vu une femme aussi belle.

✧

Les leçons allaient bon train, et la princesse gagnait en force, en souplesse et en assurance. Noa continuait de grandir et Thelma continuait de mentir. Chaque fois qu'elle revenait d'une de ses escapades, elle inventait, pour l'intendant, une nouvelle raison à sa sortie : des fleurs pour les tables, de l'eau de pluie pour les cheveux de la reine, de la lavande pour le linge.

Occupé à fouiller dans les corsages des servantes, le maître de la valetaille était plus facile à berner qu'Isadora. Cependant, au grand soulagement de Thelma, sa mère était entièrement absorbée par sa dévotion pour son fils et se souciait peu des absences mystérieuses de son aînée. La reine passait tout son temps libre avec Nathan, lui enseignant le chant, la danse et le théâtre. Fort talentueux, le garçon faisait l'orgueil de la souveraine. Jamais elle ne s'emportait contre l'héritier, qui pouvait tout obtenir d'elle par un simple sourire candide. Les mauvaises langues soutenaient que la chute de l'idole était inévitable, et chacun pariait sur le moment et la raison de sa prochaine disgrâce. Pour sa part, Thelma bénissait son frère qui, consciemment ou non, allégeait son fardeau. Quand le prince surprenait sa sœur encore rose après son entraînement, il clignait de l'œil d'un air entendu, démontrant une sagacité et une loyauté supérieures à celles d'un enfant de neuf ans. Thelma l'adorait tout autant qu'Isadora.

Cette fois-là, à son retour de l'île, la princesse avait une double raison de rendre visite à Chéri ; c'était le temps des cerises, et l'intendant n'aurait aucun mal à croire que la marquise Vor Listel en avait réclamé. Tout le monde connaissait la gourmandise de la marquise, mais, surtout, elle était une alliée indéfectible. La grosse femme avait l'esprit vif, et mentir pour la princesse la soulageait de son sentiment d'impuissance devant le sort que la reine réservait à sa fille.

Le voyage-éclair ramena donc Mauhna et Thelma dans la roseraie. La magicienne s'apprêtait à repartir quand Isadora surgit de nulle part.

– Je me doutais bien que je ne pouvais pas vous faire confiance. Ne vous avais-je pas interdit de revoir ma fille ?

Cette fois, Mauhna n'avait pas l'intention de se laisser dicter sa conduite.

– Depuis quand vous souciez-vous de Thelma ? À voir comment vous la traitez, je n'ai aucun remords à lui donner un peu de liberté et de repos.

– Liberté... repos... pour une princesse ? Vous ne comprenez rien à rien, ce n'est pas...

– Laissez tomber vos discours insensés.

– Insensés ? gronda la reine, menaçante.

La magicienne vit le visage terrorisé de Thelma. Elle comprit trop tard que sa petite-fille serait la seule perdante si la discussion continuait sur ce ton.

– Calmez-vous, Isadora. Essayons de parler raisonnablement.

Ce faisant, elle scruta l'aura sombre qui enveloppait l'âme de la reine. « Elle se laisse entièrement dominer par le *somahtys*. »

– Allez-vous-en ! hurla la souveraine.

Un voile rouge lui couvrit la vue.

– Disparaissez, sorcière... Disparaissez... Vous savez si bien le faire.

Discrètement, Mauhna fit signe à Thelma, qui hocha la tête pour signifier qu'elle comprenait. C'était un bien petit geste, mais il portait tellement de tendresse : « Nous nous reverrons... Sois courageuse... Je t'aime. »

Quand la magicienne eut disparu, Isadora parla d'un ton glacial.

– Ce que tu as fait, c'est mal. Tu le sais ?

– Oui, ma reine.

– Donc, tu reconnais que tu m'as désobéi.

– Oui, ma reine, admit Thelma en baissant humblement la tête.

– Est-ce que tu mérites une punition ?

– Oui, ma reine.

– Bien.

Thelma fut surprise de voir sa mère se détendre. Sa voix semblait presque joyeuse quand elle reprit :

– Le temps est parfait pour une balade dans les jardins. Il y a longtemps que nous n'avons pas marché ensemble.

– Oui, ma reine.

– Montre-moi ton arbre, demanda la souveraine, apparemment saisie d'une soudaine inspiration.

Thelma sentit son estomac se nouer.

– Il n'a rien d'extraordinaire.

– Ah bon ? se moqua la reine. Depuis le temps que tu me casses les oreilles avec ton ami fantastique...

Thelma regarda sa mère pour voir si elle plaisantait ; jamais elle ne lui avait reparlé de son cerisier, mais elle ne voulait surtout pas l'irriter.

– Nous ne nous voyons plus souvent, mère. Vous travaillez tellement. Je ne crois pas vous avoir cassé les oreilles avec quoi que ce soit ces derniers temps.

– Qu'est-ce que tu insinues ? Que je mens ? Que je perds la raison ?

La princesse recula prudemment.

– Bien sûr que non, ma reine.

– Montre-moi ton arbre, ordonna-t-elle sèchement. Et surtout, n'essaie pas de ruser ; je sais qu'il s'agit d'un cerisier et qu'il doit porter des fruits... c'est la saison.

Thelma se sentit coincée ; Chéri était le seul cerisier autour du palais. La mort dans l'âme, la jeune fille guida sa mère jusqu'à son protecteur. Isadora en fit le tour.

– Fais-le parler !

– Mais... mère, ce n'était qu'une histoire d'enfant.

– On va voir ça !

La reine fit un geste de la main et un homme sortit de la roseraie ; il portait une hache.

– Ne faites pas cela, mère, je vous en prie.

Isadora prit une petite voix plaintive et ricana en imitant sa fille.

– *Ne faites pas cela, mère, je vous en prie !*

Isadora s'approcha à deux doigts du visage de sa fille. Son haleine acide surprit Thelma quand elle souffla :

– Ce n'est qu'un arbre comme les autres, non ? Tu as reconnu que tu méritais une punition... eh bien, la voilà !

– Mère ? supplia la jeune fille.

Mais Thelma savait que ses supplications étaient inutiles. Elle alla vers le jardinier et lui prit la hache.

– Je vais le faire moi-même, déclara-t-elle, le cœur brisé.

Isadora signifia au jardinier de reprendre l'instrument.

– Me crois-tu idiote ? Tu penses peut-être que j'ignore comment vous fonctionnez, vous autres, les elfes-sphinx ? Tu espères le sauver sous mon nez... Tu te dis que je ne suis qu'une imbécile d'humaine. Tut, tut, tut ! J'étais déçue de découvrir que tu n'es qu'une menteuse, mais là je comprends que la dissimulation n'est pas ton pire défaut ; j'ai mis au monde une enfant malhonnête qui n'hésiterait pas à me trahir.

Elle reprit la petite voix plaintive.

– *Je vais le faire moi-même.*

Le ton glacial revint sans aucune transition.

– Tu es aussi manipulatrice que ton père.

Puis, s'adressant au jardinier :

– Coupez cet arbre, et vite !

Quand Chéri s'écroula, Thelma pleura sans retenue. Elle s'approcha du tronc brisé et vit trop tard une boulette de papier blottie dans un petit lit de bois cicatrisé. Isadora avait déjà saisi le papier. Sa voix était aussi coupante que la lame de la hache quand elle brandit le texte sous les yeux de Thelma : *À cause de ça, j'aime mieux mon père que ma mère parce que lui il ne me dispute jamais et qu'il est très très beau.*

– Comme ça, tu préfères ton père ? On m'avait parlé de l'ingratitude des enfants, mais jamais je ne m'attendais à autant de méchanceté. J'ai été trop bonne avec toi. À partir de maintenant, je te jure que tu auras de bonnes raisons de me détester, éructa Isadora avant d'exécuter une volte-face rageuse.

Restée seule, Thelma s'effondra à côté de son ami mort. Elle enlaça la souche encore pleine de sève parfumée.

– Chéri, dis-moi que c'est un cauchemar. Dis-moi que je vais me réveiller et que tu seras encore là.

Elle appuya son front contre l'écorce pour sangloter. Tout à coup, elle sentit un frôlement sur sa main. Une pousse verte perçait au pied de l'arbre terrassé. Avant la fin du jour, le cerisier avait repoussé. Le visage souriant de Chéri réapparut dans la pénombre. Cette fois, Thelma pleura de joie et de soulagement. Le corps abandonné de l'ancien Chéri disparut, puis le nouveau cerisier se chargea de fruits mûrs.

– Maître Hµrtö est un magicien très prévoyant, expliqua Chéri en souriant. Il avait mis une grosse poignée de noyaux dans mon trou. Il voulait que je te protège, et rien ne va m'empêcher de le faire, pas même la reine. Si elle me coupe encore, je repousserai ; je repousserai jusqu'à ce qu'elle abandonne.

– Ma mère me déteste maintenant. Qu'est-ce que je dois faire ?

– Partir, Thelma. Sauve-toi d'ici.

– Mais je n'ai pas encore quinze ans, se plaignit la jeune fille.

– Je sais, mais cet endroit est mauvais pour toi.

Thelma réfléchit un bon moment.

– Je veux encore essayer, Chéri. Maman va finir par comprendre. Je vais être plus gentille avec elle et elle va me pardonner.

– Te pardonner ? Pourquoi ? Tu n'as rien fait de mal.

– Je lui ai désobéi !

– Pour passer un peu de temps auprès de ceux que tu aimes ! Ce n'est pas un crime que je sache ! C'est elle qui devrait te demander pardon.

– J'ai peur, Chéri. J'ai trop peur... Et puis, je ne sais pas où aller. Si je m'enfuis dans l'île ou à Celtoria, elle me retrouvera et me ramènera ici pour mieux me harceler.

Le cerisier caressa la joue de Thelma.

– Je préfère cette vérité à tes autres prétextes... Il ne faut pas se mentir à soi-même, ma jolie.

Ils se turent tous les deux pendant un moment. Quand le cerisier reprit la parole, le ton de sa voix était plus ferme.

– Puisque ta décision est prise, je crois qu'il est temps que je te révèle ton deuxième don. Les Anciens m'ont demandé de choisir le moment opportun... Eh bien, je crois que ce moment est venu. J'ignore comment tu vas utiliser ce don. Tu dois comprendre qu'il peut devenir une véritable malédiction. Si tu n'es pas certaine d'en faire bon usage, oublie-le. N'en parle à personne et viens me voir si tu as des doutes.

Thelma écouta attentivement ce que Chéri lui expliqua. Elle retint tout sauf le plus important : la mise en garde.

– XVI –

Hµrtö et Mauhna soupirèrent à l'unisson ; ils commençaient à désespérer de trouver un jour la solution à leur problème. Depuis plusieurs années, dans l'ambiance étouffante de la grande bibliothèque du collège de magie, ils cherchaient le moyen de contrer les effets déstabilisants des environnements altérés du continent. Rysqey, leur élève et ami, semblait aussi sur le point de perdre courage.

– Je n'ai rien trouvé dans le tome quatre cent trente et un des registres des potions. Je commence à penser que les sphinx n'ont tout simplement pas prévu que les hommes pourraient créer un monde aussi dénaturé.

Mauhna referma bruyamment son grimoire. La poussière lui chatouilla le nez, et son éternuement en souleva encore plus.

– Sortons d'ici. J'ai besoin d'air.

Les trois magiciens se rendirent dans une pièce attenante qui leur servait de laboratoire. Ils se frayèrent un chemin parmi les tables encombrées et débouchèrent sur une terrasse, située au sommet de la plus haute tour du collège. Au loin, la mer roulait des vagues énormes qui s'écrasaient avec fracas sur les flancs de la falaise.

– Il va falloir trouver par nous-mêmes, résuma Mauhna. Les livres ne nous révéleront rien... pas cette fois.

Le maître de magie soupira en admirant le paysage.

– Si au moins nous savions par où commencer, ajouta-t-il pour lui-même.

Leani apparut soudainement dans l'embrasure de la porte. À bientôt quinze ans, l'apprenti magicien avait l'apparence ingrate des jeunes de son âge ; sa voix avait des ratés, ses cheveux mal lavés rebiquaient dans tous les sens et un fin duvet blond chatouillait sa lèvre supérieure. Rysqey trouvait qu'il se comportait encore comme un enfant, même s'il avait cessé depuis longtemps de transformer les pierres en tortues. Il arrivait au jeune professeur de s'impatienter avec l'adolescent, qui lui vouait une admiration sans bornes. Rysqey alla rejoindre Leani sur le pas de la porte.

– Qu'est-ce que tu fais là ? Je te croyais à la bibliothèque à préparer ta composition.

– C'est ce que je faisais, mais je ne trouve aucun bouquin qui traite de mon sujet de recherche.

– Et quel est ce sujet ?

– J'ai choisi de parler des monstres.

– Des monstres... Ce thème ne faisait pas partie de la liste.

– Quoi ? C'est pourtant un sujet passionnant !

Leani était fasciné par les créatures fantastiques ou monstrueuses ; quand la réalité lui semblait trop banale, il n'hésitait pas à s'inventer des bêtes aux caractéristiques aussi insolites qu'invraisemblables. Hμrtö intervint.

– De quels monstres veux-tu parler, Leani ?

– Des hommes sauvages et des berohls.

– Pourquoi les berohls ? s'étonna le maître de magie.

– Parce que ce sont les plus féroces des hommes sauvages.

Rysqey secoua la tête énergiquement.

– Mais non, tu mélanges tout : les berohls ne sont pas des hommes sauvages.

– Tu es certain ? Il me semble que...

Voyant l'agacement de Rysqey, Mauhna prit la relève.

– C'est sûr, Leani, affirma-t-elle. Les hommes sauvages sont des elfes-sphinx qui ont transgressé le pacte ; il faut avoir de la compassion pour eux.

– Mais ce sont des monstres !

– Comprends-moi bien, Leani, ce sont des malheureux qui souffrent parce qu'ils se souviennent de leur ancienne existence.

– Pourquoi ont-ils transgressé le pacte ?

– Pour éviter la mort, dit gravement Mauhna. Quand nous avons quitté la Terre des Damnés, plusieurs elfes-sphinx étaient trop malades pour entreprendre le voyage. Dans de telles circonstances les elfes-sphinx préfèrent généralement se laisser mourir, mais certains ont trop peur.

– Je peux comprendre cela. Comment ont-ils fait pour devenir des monstres ?

Mauhna commençait à comprendre l'exaspération de Rysqey.

– Ils ont transgressé le pacte en buvant le sang de l'espèce qu'ils protégeaient. Cela a eu pour effet de transformer leurs corps ; ils ont fini par ressembler plus à l'espèce qu'à des elfes. De cette façon, ils ont pu retrouver leurs forces et survivre au déséquilibre de nos anciennes forêts.

– Est-ce qu'ils sont devenus fous ou faibles d'esprit ?

– Mais non ! Les hommes et les femmes sauvages conservent toutes leurs facultés mentales. Cette conscience intacte emprisonnée dans leur enveloppe charnelle corrompue leur cause une grande peine qui les porte à la révolte, voire à la violence.

– Pouah ! Boire du sang ! Ils devaient être drôlement désespérés pour faire cela...

Hμrtö fit sursauter ses compagnons quand il s'écria :

– C'est une idée lumineuse... Leani, tu es un génie !

Interdite, Mauhna se tourna vivement vers son mari.

– Pourquoi dis-tu cela ?

– Mauhna... voilà notre réponse, s'enthousiasma Hµrtö. Tu viens de le dire toi-même : en buvant le sang des espèces, les hommes sauvages ont pu survivre dans les environnements déséquilibrés.

– Hµrtö... dis-moi que tu n'es pas sérieux ? s'inquiéta-t-elle.

L'agitation gagna aussitôt Rysqey.

– Il a raison ! Leani vient de nous montrer la voie.

– Évidemment, reprit Hµrtö, heureux de trouver un appui auprès du jeune instituteur, il faudra faire les choses différemment, mais la solution est là.

– Mais cette *solution*... elle soulève des tas de problèmes ! protesta la magicienne.

– On les prendra les uns après les autres !

Leani ne comprenait rien à ces échanges ; tout lui échappait et plus personne ne s'occupait de lui.

– Qu'est-ce qui se passe ? Est-ce que quelqu'un pourrait ?...

Rysqey le coupa sèchement.

– C'est trop compliqué, Leani. Retourne à ton travail.

Mauhna se sentait à la fois fébrile et anxieuse ; elle saisit l'adolescent par l'épaule et lui fit faire demi-tour. Elle le poussa délicatement à l'intérieur du laboratoire.

– Puis-je travailler ici ? s'enquit le jeune homme en la suppliant du regard. C'est plus tranquille qu'à la bibliothèque.

– Je veux bien, mais tu ne touches à rien, l'avertit Mauhna. D'accord ?

– D'accord !

Rysqey fronça les sourcils en regardant Leani.

– Tu as bien compris, Leani ? Tu ne touches à rien.

– Ça va, ça va, j'ai compris... je ne suis ni sourd ni idiot !

Hµrtö rappela l'adolescent.

– Regarde sur le rayon au-dessus de ma table de travail, il y a un répertoire des races connues de notre monde. Tu y trouveras certainement des informations intéressantes sur les berohls.

– Merci, maître.

Leani sourit à Hµrtö, puis il fit une grimace à Rysqey avant de quitter la terrasse. Le beau visage de Rysqey devint cramoisi.

✧

Leani repéra rapidement le bouquin sur la tablette. Il le saisit et le feuilleta, follement excité d'y trouver des illustrations. Il s'assit à même le sol et contempla la poitrine nue d'une femme-poisson qui représentait la race éteinte des Nagù.

Il y avait un bon moment que Leani se concentrait sur l'histoire des berohls quand il fut distrait par un étrange sifflement. Agacé par le son aigu et entêtant, il se leva et fit le tour de la pièce. Sur la grille d'un brasero, au-dessus des flammes ardentes, une bouilloire ouvragée faisait tout un vacarme. La vapeur montait dans une cheminée couverte de miroirs embrumés qui dégoulinaient dans l'atmosphère humide.

– Ils sont tellement énervés par cette histoire... ils en oublient même le thé.

Leani regarda autour de lui. Quand il eut déniché un plateau et des tasses, il enroula un torchon autour de sa main puis il retira la bouilloire avec précaution. Il fit apparaître un petit bouquet de muguet et dressa le plateau avec soin. Il utilisa le torchon pour éponger la buée d'un des miroirs. Il regretta aussitôt son geste ; l'image que lui renvoyait la glace n'était pas très flatteuse. Il tenta de lisser ses cheveux en broussaille puis, devant ce pitoyable résultat, il se détourna avec dépit : « Aucune fille ne voudra jamais m'embrasser, pas avec une tête de navet comme la mienne. » Il soupira, plia son torchon sur son avant-bras et saisit le plateau alourdi par la belle bouilloire. Il regagna la terrasse en espérant que Rysqey ne le renverrait pas sur-le-champ. Quand les trois magiciens virent apparaître l'adolescent, l'horreur se peignit sur leurs visages. Leani regarda par-dessus son épaule pour s'assurer qu'aucun berohl ne l'avait suivi. Dans les nuages qui obscurcissaient le ciel du pays de Gohtes, le regard de millions de petits yeux avides fut attiré vers le sud. Sans qu'aucun vent les porte, les nuages gris se gonflèrent et prirent la direction de cette île inconnue qui émergeait d'une masse de brouillard laiteux.

✧

Aux confins de la Terre des Damnés, Artos fut alerté par un signal qu'il attendait depuis longtemps. Il se précipita vers sa table ; au centre du meuble, la plaque d'onyx qui lui servait de miroir magique commençait à réfléchir des images. Le loup-reptile vit le visage contrarié d'un jeune homme qui se battait avec une tignasse impossible.

– Recule ! Miroir... recule !

La pierre noire ajusta l'image, révélant une pièce qui ressemblait étrangement à son propre laboratoire.

– Ça y est ! Je les tiens. Recule ! Miroir, recule encore.

Artos eut tout juste le temps de fixer dans sa mémoire la forme de l'île, puis l'image disparut d'un seul coup ; ses ennemis venaient de réinstaller le brouilleur magique. L'Autre dessina sur-le-champ le croquis du refuge de ses ennemis. Son rire dément résonna contre les hautes voûtes de son antre.

– Tant que je ne possédais pas d'image précise de ma cible, aucune action ne m'était possible ! Mais là, maintenant que j'ai vu, plus rien ne m'arrêtera.

✧

Hµrtö avait agi avec diligence, mais le mal était fait et ils le savaient tous. Rysqey ne décolérait pas.

– Nom d'une tempête ! Leani, comprends-tu le tort que tu viens de causer ?

L'adolescent tordait le torchon dans ses mains tremblantes.

– Je ne pouvais pas savoir, Rysqey. J'ai voulu bien faire.

– C'est bien toi, ça.

– Comment aurais-je pu deviner que ces miroirs sont reliés aux boucliers de protection ? se défendit l'adolescent.

– Par ta faute, notre ennemi a identifié sa cible. Que crois-tu qu'il va faire maintenant ? Nous ne sommes plus en sécurité... voilà la vérité. Sang de vipère, tes parents n'ont jamais songé à t'appeler « calamité » ?

Hμrtö intervint :

– Inutile de le harceler, Rysqey.

Le jeune professeur respira profondément pour retrouver son calme. Il choisit de prendre exemple sur son maître qui, en dépit de la situation désastreuse, conservait son sang-froid.

– Dis-toi que, voilà tout juste quelques heures, nous ignorions encore le moyen d'aller sur le continent pour affronter Artos. Maintenant que nous savons qu'il nous faut boire le sang de nos espèces, nous pouvons former la communauté. Si nous agissons rapidement, nous pourrons sauver l'île.

– Mais L'Autre...

– Notre ennemi a beau être puissant, il ne pourra pas mettre au point une telle destruction avant plusieurs cycles des lunes. Reste confiant, Rysqey.

Le jeune homme acquiesça.

– J'aimerais que tu organises une assemblée spéciale, enchaîna Hµrtö. Il faut prévenir tout le monde. Pendant ce temps, je vais communiquer avec les Anciens ; nous aurons besoin de leur aide.

✧

Après qu'Hµrtö eut exposé les faits à l'assemblée des Anciens, Kurbi parla au nom de ses pairs.

– Sincèrement, Hµrtö, je dois t'avouer que votre projet ne me réjouit pas. Dans les circonstances, j'imagine que nous n'avons pas le choix. Vous comprenez que nous devrons obtenir le consentement des espèces ? Après tout, il s'agit d'une transgression manifeste du pacte des elfes-sphinx.

Hµrtö et Mauhna hochèrent la tête à l'unisson.

– Et pour Hµrtö et moi ? s'inquiéta la magicienne.

– C'est un autre problème, reconnut Kurbi. Générale-ment, les astres collaborent avec nous, mais il faudra négo-cier et, avec eux, cela peut prendre du temps ; la notion d'urgence leur est inconnue.

– Je pourrais...

– Non, Hµrtö, tu as déjà beaucoup à faire. Laisse, je m'en occupe ; pendant ce temps, prépare ton peuple.

Les Anciens disparurent comme ils étaient venus. Mauhna vint se blottir contre son mari. Hµrtö la serra dans ses bras.

– À toi, je peux bien le dire... Mauhna, j'ai peur !

278

– Moi aussi, Hμrtö..., moi aussi, j'ai peur.

✧

Tous les elfes-sphinx se retrouvèrent au chaudron des lunes ; l'ambiance était sinistre, car les assemblées spéciales étaient toujours annonciatrices de mauvaises nouvelles. Un mouvement de panique saisit la foule quand Hμrtö déclara :

– Notre ennemi nous a repérés. Artos nous a désormais dans sa mire.

Elomar Khali, la chef du Clan des sommets, exigea des explications.

– Comment est-ce possible ? Vous aviez promis de nous protéger ! Les boucliers fonctionnent pourtant ; mes vautours les ont vu miroiter encore ce matin.

Dans les rangs du Clan des magiciens, Leani rêvait de se transformer en ver de terre. Pour leur part, les autres sorciers étaient hébétés ; ils avaient travaillé très fort pour mettre au point ces boucliers qu'ils considéraient comme infaillibles. Hμrtö reprit la parole.

– Il y a eu un... incident, expliqua-t-il d'un ton qu'il voulait apaisant. Je le regrette autant que vous, mais il est inutile de revenir sur le passé puisque nous ne pouvons rien y changer.

Atthal, le chef du Clan des rives, s'avança pour prendre la parole.

– Ce qui compte maintenant, c'est de décider ce que nous allons faire.

– Tu as raison ! approuva le maître de magie. Nous formerons très bientôt la communauté qui partira en mission sur le continent. Nous attendons l'aide des astres et des Anciens pour réaliser notre projet. J'espère que nous pourrons vaincre notre ennemi avant qu'il s'attaque à notre île, mais il vaut mieux se tenir prêts à affronter le pire.

Le chef des Ochfili dit tout haut ce que personne n'osait même penser.

– Tu crois que nous allons devoir quitter l'île ? Mais pour aller où ?

Hµrtö baissa la tête. Quand il la releva, ses yeux brillaient de larmes. Comment dire à son peuple qu'il n'en avait aucune idée ?

– Je l'ignore, Teyho, avoua-t-il simplement, pourtant il faut se tenir prêts. Tous les clans doivent augmenter leur production. Atthal ?

– Oui, maître ? répondit le chef du Clan des rives.

– Il va nous falloir des navires pour déplacer tout le monde. Cela veut dire que nous aurons besoin de beaucoup de bois...

Le magicien regarda Synhova Diend. Le grand chef du Clan des bois lui répondit par un hochement de tête déterminé. Hµrtö se tourna ensuite vers le Clan des cavernes.

– ... et du métal... Les forges fonctionneront à plein régime, enchaîna-t-il.

S'adressant ensuite aux gens des vallées :

– Il nous faudra du tissu, des cordages et de la soie pour les voiles... et des vivres, il faut amasser des provisions, cela concerne tout le monde.

Bhöris, le mari d'Aglaë, prit la parole en tant que chef des Jynabör. Les rebelles étaient des organisateurs enthousiastes qui savaient, dans les moments difficiles, insuffler du courage et de l'espoir dans le cœur des elfes-sphinx.

– Les rebelles iront prêter main-forte aux autres clans. Vous pouvez compter sur nous.

– Merci, Bhöris.

Mauhna s'avança à son tour.

– Les magiciens maintiendront l'action des boucliers mais, tôt ou tard, le mal peut rejoindre notre île. Il faut donc préparer des potions et des remèdes pour fortifier les plus faibles avant le voyage... si jamais il faut en venir là...

Hμrtö ouvrit les bras comme pour embrasser tous les elfes d'un seul geste fraternel.

– Nous devrons faire preuve de courage. Demeurons solidaires ; c'est là que réside notre force.

– XVII –

Dans le palais fortifié de Celtoria, Mélénor apposa sa signature sur les documents qui, il le savait fort bien, allaient finir d'envenimer ses relations avec la noblesse de la Nouvelle-Bortka. Quelques jours plus tôt, le roi avait échappé de justesse à la mort ; plutôt que de l'atteindre à la tête, la flèche avait transpercé son épaule droite. La blessure avait guéri plus vite que l'angoisse qu'elle avait engendrée. Les gardes du corps de Mélénor n'avaient pas mis longtemps à faire parler l'homme de main que le duc Oks Beltrim avait engagé pour assassiner celui qu'il désignait comme « l'usurpateur ». Cette fois, la princesse Sabbee avait admis l'échec de sa politique de conciliation ; les nobles continueraient de mettre en péril la stabilité de l'État tant et aussi longtemps qu'ils s'imagineraient capables de la manipuler.

Mélénor tendit les documents à Sabbee, qui les signa à son tour ; il s'agissait du jugement du truand qui avait accepté le contrat. La pendaison allait avoir lieu le lendemain, et la foule accourait déjà pour voir le spectacle ; il y avait au moins trente ans que le peuple de Bortka n'avait pas assisté à une pendaison publique. Une sentence exemplaire bien plus facile à rendre que la suivante, celle qui allait certainement plonger le royaume dans le chaos. La deuxième condamnation visait le duc lui-même. Après la pendaison de l'homme de main, le duc allait être flagellé et officiellement dépossédé de ses titres, de ses terres et de tous ses biens. Sabbee avait exigé l'exil et elle tremblait en songeant à la réaction de l'aristocratie. Mélénor tenta de la raisonner.

– Dites-vous bien, madame, que la prochaine fois ils pourraient s'en prendre à vous. Il faut faire preuve de fermeté et de constance, sinon nous ne méritons pas d'être assis sur un trône.

– Je sais que vous dites vrai, mais j'aurais préféré ne pas avoir à recourir à de tels moyens.

– Toute votre vie, vous devrez chercher l'équilibre entre l'obligeance qu'exige la justice et la fermeté qui garantit une paix durable.

– La paix... Croyez-vous vraiment que nous y arriverons ? soupira la jeune femme.

Mélénor se sentit troublé par la question. Depuis qu'il se savait possédé par un sortilège, il s'inquiétait constamment de la justesse de son jugement et de ses réactions. Sa fierté se rebellait contre cette odieuse domination qui, trop souvent, lui faisait perdre la maîtrise de lui-même.

Un autre fait déroutait Mélénor : à son grand déplaisir, il devrait bientôt admettre qu'il avait obéi à des préjugés et que Sol'Maglian avait eu raison en prétendant que sa hargne contre Verlon n'était pas justifiée. L'ennemi du nord restait confiné dans ses terres pourries et ne manifestait, pour l'heure, aucune intention belliqueuse. Au rythme où allaient les événements, le roi de Gohtes n'aurait plus d'excuses pour se réfugier à Celtoria, loin des caprices toujours croissants d'Isadora. Lorsqu'il rentrait à Döv Marez, le souverain ne savait jamais s'il retrouverait une épouse heureuse de l'accueillir ou une harpie l'accablant de reproches.

– Nos frontières sont tranquilles, non ? Contrairement à ce que j'appréhendais, Verlon n'a toujours pas montré le bout de son nez. Je crois que le pire est derrière nous ; nous vivons un moment difficile, mais, une fois la noblesse domptée, nous pourrons nous vanter d'avoir fait de la Nouvelle-Bortka une terre de paix et de liberté.

– Il me plaît de vous croire... mon bel ami, murmura Sabbee d'une voix tendre.

Mélénor sentit une chaleur irradier sur sa cuisse. Dans sa poche, son miroir magique réclamait son attention. Il se leva, mais Sabbee saisit sa main avant qu'il la plonge dans sa poche.

– Mélénor... mon prince ! déclara-t-elle avec ferveur. Quand pourrons-nous penser à nous deux ? Cette attente me rend folle... M'épouser vous semble-t-il un sort si abominable que...

Mélénor s'affola devant le piège qui se tendait de nouveau devant lui.

– Ma douce, je vous en prie, soyez encore un peu patiente.

– Vos conseillers vous ont pourtant confirmé l'existence des clauses de dérogation. Les lois du pays de Gohtes autorisent aussi la polygamie des souverains.

– Je sais, mais si je vous épousais maintenant, ce serait reconnaître que je n'ai pas assez d'autorité pour m'imposer sans votre support ; je perdrais irrémédiablement la face et vous aussi.

– Faisons-le en secret alors... Prenez-moi comme on prend une épouse ! le supplia-t-elle.

Le miroir devenait de plus en plus chaud. Mélénor le sortit de sa poche et le cacha derrière son dos. Cette situation devenait vraiment trop ridicule ; lui, l'ancien séducteur, se voyait piégé comme une pucelle. Le roi ne savait plus où en étaient ses sentiments. Il demeurait strictement fidèle à Isadora, mais, pour être franc avec lui-même, il devait reconnaître que Sabbee avait touché son cœur. Jour après jour, il travaillait en harmonie avec cette femme droite qui jamais ne lui avait dissimulé ses émois. Le désir croissant qu'il ressentait pour la jeune femme le mettait au supplice. « Peut-être est-ce un effet pervers du *somahtys* ? » Quand il craignait de succomber, il courait se réfugier à Döv Marez. Là-bas, la dure réalité conjugale lui coupait toute envie de se lier à une autre femme.

Il embrassa le front brûlant de la jeune femme.

– Vous méritez mieux que cela, madame. Excusez-moi.

Il courut se réfugier dans ses appartements, où il trouva Alban occupé à faire les malles. Mélénor s'écroula dans un fauteuil.

– Qu'est-ce que tu fais là ? demanda-t-il, intrigué par ce remue-ménage.

– Je me prépare, dit Alban en vidant tout le contenu d'une armoire. Si j'en crois mon expérience, nous allons bientôt avoir une affaire urgente à régler au pays de Gohtes.

– Tu n'es tout de même pas devin, rigola Mélénor. Allons, sois sérieux. Comment sais-tu que je projette de partir ?

– Ce matin, la princesse m'a avoué qu'elle désirait te parler de votre éventuel mariage.

Le roi montra son miroir à son ami.

– Nous aurons peut-être une bonne raison de quitter Celtoria. Grand-père cherche à me joindre.

Mélénor concentra son attention sur la surface laiteuse du miroir. Le visage inquiet d'Hµrtö lui fit perdre toute envie de rire. Le magicien lui raconta les derniers événements avant de conclure :

– Notre monde entre dans une période qui peut le conduire à sa destruction. Il est temps que tu affrontes tes ennemis et nous, le nôtre.

– Ce que tu dis n'a aucun sens, protesta Mélénor. Mis à part quelques problèmes internes, tout est calme ici. Il n'y a aucune menace de guerre ; nos frontières sont paisibles. Je crois que tu accordes trop d'importance à ces nuages...

– Ne sont-ils pas de plus en plus denses et sombres ?

– Oui mais... Je croyais que vous les maîtrisiez.

– Nous les avons contenus pendant un certain temps. Maintenant, leur pouvoir s'intensifie. Réponds-moi, mon fils. Comment se portent les récoltes ?

– On fertilise davantage, mais tout va bien de ce côté aussi.

– Combien de temps penses-tu que cela va durer ? insista Hµrtö. Vos terres s'épuisent, Mélénor, la disette guette le continent.

Le roi sentit le voile rouge envahir son regard.

– Tu exagères... comme toujours, fit-il, plus cinglant qu'il ne l'aurait souhaité.

– J'aimerais tant que ce soit vrai. Tu dois venir dans l'île avant notre départ.

– Quel départ ? Tu ne vas pas aller là-bas, dis-moi..., s'inquiéta soudainement le roi. Tu n'as pas l'intention de retourner sur la Terre des Damnés ?

– Il le faut pourtant.

– Attends-moi, je viens ! Nous allons discuter calmement de tout cela. La situation ne peut pas être aussi grave.

Le magicien se contenta d'ajouter :

– Quand tu viendras, amène Thelma.

– Thelma ?

– Oui, Thelma, tu sais... ta fille... As-tu oublié que tu as une fille ? ne put s'empêcher de lancer le magicien avec une pointe d'amertume.

L'odeur de soufre asphyxia le roi. La pensée de ses enfants lui nouait invariablement l'estomac. L'idée de se retrouver auprès d'eux lui donnait la nausée : il les évitait sciemment, craignant, en leur présence, de céder à son incontrôlable fureur et de leur faire du mal. Cette souffrance le poursuivait sans cesse. Il se reprochait de les abandonner.

« Je n'ai pas vu grandir Nathan, je connais à peine Noa et Collin. Et Thelma... » C'était sa princesse qui lui causait le plus de chagrin parce qu'il se souvenait du temps où il était encore capable de la serrer dans ses bras sans que des pensées cruelles lui obscurcissent l'esprit.

– Grand-père, je t'en prie ! Au moins, dis-moi pourquoi Thelma doit venir avec moi. Tu sais combien il m'est difficile de résister aux effets du sortilège en sa présence.

– Les Anciens la réclament, fit la voix déjà lointaine du maître de magie. Tu devras te dominer. Bon courage, je te viendrai en aide quand tu me rejoindras dans l'île.

Mélénor n'eut pas le temps de répliquer ; le miroir se couvrit de brume et le visage du magicien disparut. Mélénor regarda Alban, immobile, une tunique dans chaque main.

– Tu crois qu'Hµrtö a raison ? Il exagère certainement la menace.

– Exagérer ! Le maître de magie ?

– Il doit devenir sénile pour envisager de débarquer sur la Terre des Damnés !

Alban secoua sa torpeur et retourna vers les malles béantes.

– Tu veux vraiment mon avis ?

– Bien sûr ! s'exclama Mélénor.

– Je n'ai jamais rencontré quelqu'un d'aussi sensé que ton grand-père. Si j'étais toi, j'irais à sa rencontre au plus vite.

– Et la pendaison ? Et le bannissement du duc ?

– Nous partirons après... À moins que Sabbee ne te mette la corde au cou d'ici là, se moqua l'ami du roi.

La puanteur se dissipa en même temps que le voile. Mélénor soupira. Grâce à sa nature bienveillante, Alban aidait son ami à reprendre la maîtrise de lui-même.

– Passe-moi ces cuissardes, lui demanda le chambellan.

Une botte fendit l'air et vint fracasser un vase orné de petits oiseaux jaunes et bleus. Les deux amis rirent jusqu'à en avoir mal aux côtes ; ils avaient toujours détesté ce vase.

– XVIII –

Même si elle vivait encore dans les communs, Thelma pensait avoir réussi à atténuer le courroux de la reine.

La jeune fille avait préparé avec soin sa visite à la souveraine. En dépit des avertissements de Chéri concernant l'usage de son deuxième don, la princesse avait décidé de le mettre à profit pour tenter d'amadouer sa mère. Elle avait laissé passer un peu de temps avant de se rendre dans les appartements royaux, espérant que la fureur de la reine aurait diminué. Comme elle s'y attendait, Isadora l'avait accueillie froidement.

– Que fais-tu ici ? avait-elle demandé sans aménité.

Faisant fi des frictions qui opposaient la mère et la fille, Nathan, le petit prince, s'était empressé d'aller au-devant de sa sœur. Ayant grandi trop vite, il présentait le corps et l'esprit d'un garçon d'environ dix ans même si, en réalité, il n'en avait que six. Doté d'un cœur bienveillant, ce petit homme faisait preuve d'une intelligence fascinante qu'il employait à déjouer les contradictions de sa mère.

– Ma reine, voici notre princesse adorée, s'était-il réjoui effrontément.

– Humph !

Ce protecteur des éléphants prenait tant de place qu'il avait réussi un tour de force : agrandir le cœur de sa mère. Il demeurait donc dans les bonnes grâces de la reine en dépit d'un retour vacillant du roi dans l'affection limitée d'Isadora. La jeune fille aurait bien aimé posséder ne serait-ce qu'une parcelle de cette conscience que Nathan avait de sa propre valeur. Thelma l'embrassa avec tendresse.

– Toujours aussi audacieux, mon frère ? lui avait-elle soufflé.

– Toujours aussi nerveuse, ma sœur ?

– Elle me déteste !

– Sois courageuse !

Il l'avait retenue par la main.

– Viendras-tu t'exercer à l'escrime avec moi ?

– Je veux bien, avait chuchoté Thelma, les yeux animés du plaisir anticipé. Mère ne doit pas le savoir cependant.

– N'aie crainte ! Le maître d'armes est mon ami et...

– Cessez de comploter dans mon dos, s'était impatientée la reine.

Obéissant à l'ordre de sa mère, Nathan avait pris congé. Avant de sortir, il avait discrètement serré le bras sa sœur.

Thelma avait inspiré profondément avant de s'approcher d'une Isadora plus hautaine et glaciale que jamais.

— Ma reine, je vous en prie, avait demandé humblement la princesse, écoutez-moi avant de me renvoyer. Plus que tout au monde, je désire que vous me pardonniez.

— J'ignore si c'est possible.

— J'ai commis des fautes graves et je le regrette. Pourtant, cet écart m'a permis de découvrir mon deuxième don et... j'aimerais vous en faire profiter.

Isadora s'était enfin intéressée à sa fille.

— Tu penses pouvoir me rendre service..., toi ? avait-elle persiflé.

— Oui, ma reine.

— Je t'écoute.

— Qu'est-ce que les elfes-sphinx possèdent qui pourrait vous faire envie ?

— Apprends, ma fille, que je ne suis pas une envieuse ! s'était immédiatement emportée la reine. Je n'ai rien à envier à personne, surtout pas à tes semblables.

Changeant aussitôt de tactique, Thelma avait tendu à Isadora une pochette de soie rouge.

— Mes cheveux possèdent un pouvoir. Arrachez-en un et vous rajeunirez d'un jour. Je suis venue vous offrir mes cheveux et votre jeunesse. Il vous suffit d'arracher un cheveu et de le mettre dans la pochette ; il vous gardera du vieillissement tant que vous le conserverez. Il ne faut surtout pas le détruire.

Isadora s'était approchée de Thelma.

– Tu te moques de moi, avait-elle déclaré, menaçante.

Thelma n'avait pas reculé. Ses leçons de combat avec Muscade lui avaient appris la maîtrise et la force, et son entraînement secret avec son frère consolidait ses aptitudes chèrement acquises.

– Pas du tout. Que risquez-vous à essayer ?

Isadora avait arraché un premier cheveu puis un deuxième. Pour Thelma, c'était très douloureux. L'espoir qu'elle avait vu naître sur le visage de sa mère lui avait permis d'endurer sa souffrance.

– Il faudra en prendre plusieurs pour voir une différence, mais je pourrais venir chaque soir après mes corv... euh ! mes leçons de souveraine et bientôt...

Isadora s'était précipitée vers sa coiffeuse. Saisissant son miroir à main, elle s'était examinée avec attention.

– Viens ici que j'en prenne encore.

Au bout d'une heure, Isadora avait été convaincue. La glace lui renvoyait l'image de son visage plus ferme où se lisait encore un peu d'étonnement.

– J'avais une ride ici, j'en suis certaine... Elle a disparu !

– Vous avez raison, on ne la voit plus.

– Mais, mon corps... est-ce que cela va modifier mon corps ? avait demandé la reine, le regard rempli d'espoir.

– Bien sûr. Bientôt, vous serez comme à vingt ans.

Un long silence s'était installé entre la reine et sa fille.

– Reviens, Thelma, reviens demain, avait finalement ordonné Isadora, perdue dans la contemplation rêveuse de son visage. Si tout se passe comme tu le dis, nous pourrons peut-être envisager la prochaine étape de ta formation... auprès de moi, ici, avec Nathan !

Thelma avait fait sa révérence en masquant sa déception : elle avait espéré dormir dans sa chambre le soir même. Tout en massant sa tête endolorie, elle s'était répété que le temps viendrait où la reine lui rendrait ses anciens privilèges.

Les jours suivants, Thelma rendit régulièrement visite à la reine. Depuis cette découverte inespérée, Isadora caressait un rêve : reconquérir son époux. Maintenant qu'ils avaient un héritier mâle et qu'aucune rivale ne pouvait plus la détrôner, la souveraine se désolait de l'aigreur de ses relations avec Mélénor. L'éloignement et le temps aidaient à atténuer, dans son souvenir, l'âpreté de leurs anciennes querelles. Repoussant l'idée qu'un quelconque sortilège puisse empoisonner leur relation, elle se convainquait que son apparence défraîchie était l'unique cause de la tiédeur de son amant. Après tout, même si elle ne voulait pas l'admettre devant sa fille, la reine enviait l'allure inchangée de son bel elfe-sphinx. Bien que les souverains soient tous deux âgés de quarante et un ans, le roi en paraissait dix de moins.

✧

Quand Mélénor débarqua au palais de la Cité des Mirages, il retrouva Isadora telle qu'elle était à l'époque de leurs premières années de mariage. Contenant, de part et d'autre, leurs humeurs incendiaires, ils réussirent à renouer avec leur ancienne intimité. Le souverain tira une grande fierté de cette réconciliation, qu'il attribua à sa maîtrise de lui-même : l'odeur de soufre et le voile rouge devinrent presque imperceptibles. Il se domina suffisamment pour tolérer la présence de Nathan, mais, parce qu'il gardait le souvenir des moments tendres vécus autrefois avec sa petite princesse, il ressentait une douleur intolérable devant Thelma et préférait l'éviter.

Poussé par la curiosité, le roi interrogea sa femme : il voulait connaître le secret de son rajeunissement, mais elle refusa de le lui révéler. Elle fit vaguement allusion à un régime très sévère et à des onguents qu'elle avait confectionnés. Le roi se dit que Volda, la tante un peu sorcière d'Isadora, devait y être pour quelque chose. Après tout, cela n'avait aucune importance. Il s'abandonna à ce rare plaisir de goûter quelques moments de quiétude. Et puis, pour un homme aussi sensuel que lui, que désirer de plus qu'une épouse expérimentée dans un corps de jouvencelle. Au bout de quelques jours, toutefois, il comprit combien il était facile de confondre amour et volupté charnelle. Une voix importune lui soufflait qu'il se mentait à lui-même.

Il eut bien du mal à s'arracher aux étreintes passionnées de la reine et à reprendre le bateau qui devait l'emmener dans l'Île-aux-Tortues.

– J'ai promis à Hµrtö que j'irais le rencontrer, mais je reviendrai bientôt.

– Et tu repartiras aussitôt, ajouta Isadora, légèrement agressive.

– Pas cette fois, déclara Mélénor pour l'apaiser. Il n'y a plus apparence de guerre, tout est tranquille aux frontières. Je peux bien me permettre de passer un peu de temps auprès de toi. De toute manière, Sabbee doit apprendre à se débrouiller seule.

– Comment est-elle ?

– Qui ?

– La princesse Sabbee. Comment est-elle ?

Mélénor regretta aussitôt d'avoir imprudemment abordé ce dangereux sujet. Il constata que la seule pensée de la princesse de Nouvelle-Bortka faisait battre son cœur. Ses yeux se voilèrent de rouge et il dut respirer profondément pour se contenir. Les mots n'avaient pas encore franchi ses lèvres qu'il éprouvait déjà de la honte.

– Eh bien... comparée à toi, dit-il en faisant mine de réfléchir sérieusement à la question, elle semble aussi attirante qu'un crapaud !

Isadora lui sauta au cou en riant. Quand Mélénor lui annonça qu'il devait amener Thelma, la reine haussa les épaules, indifférente.

– Cette enfant est ingrate et menteuse. Essaie de profiter de ce temps avec elle pour assouplir son caractère.

Fière de se montrer au bras de son époux, Isadora descendit de son carrosse pour l'accompagner jusque sur le quai. Nathan et Thelma les suivaient en échangeant des rires complices : le prince mimait estacades, feintes et autres coups audacieux.

Au moment de l'embarquement, Mélénor ne put s'empêcher de comparer la mère et la fille. « Que peut bien fabriquer Thelma pour avoir cette allure de domestique ? Avec une mère élégante comme la sienne, elle devrait être gracieuse et soignée. Elle doit être bien négligente pour avoir les mains aussi usées, et ses cheveux... Quelle horreur ! Son crâne est aussi dégarni que celui d'un vieillard ! »

Il embrassa Isadora et s'approcha de son fils. Inconscient de son geste, le prince lui avait montré sa paume droite en le saluant.

– J'aime à croire que cette tache signifie que tu deviendras un valeureux combattant.

Nathan observa la forme brunâtre et sourit, énigmatique.

– Qu'y voyez-vous, père ?

– Une armure, assurément. N'est-ce pas ce que tu distingues aussi ?

Le garçon devint soudainement grave. S'assurant que la reine ne l'entendait pas, il chuchota à l'oreille de Mélénor :

– Vous ne me croirez pas, mais j'ai le souvenir du temps où j'étais dans le ventre de ma mère. Un jour, elle a fait quelque chose de très mal et j'ai souffert énormément, alors j'ai tendu la main. J'ai arraché cette chose qui lui enfermait le cœur et rendait ses affections exclusives. Maintenant, en dépit du *somahtys*, une nouvelle conscience grandit en elle.

Mélénor dévisagea son fils, convaincu qu'il trouverait sur ses lèvres une moue moqueuse, mais l'enfant ne souriait pas.

– Vous n'êtes pas obligé de me croire, répéta-t-il en fixant son père droit dans les yeux.

Le prince se rendit ensuite embrasser sa sœur.

– J'aurais aimé aller dans l'île avec toi.

– Tu vas me manquer.

– Toi aussi ! Salue nos grands-parents de ma part et dis-leur que je ne les oublie pas, même si notre mère m'interdit de les voir.

Le prince et la reine firent des signes de la main aux deux voyageurs jusqu'à ce que le navire ne soit plus qu'un point insignifiant ballotté par l'océan capricieux.

✧

Mélénor avait sincèrement espéré retourner vivre auprès d'Isadora, mais rien ne se passa comme il l'aurait souhaité. Quand il débarqua dans l'île, il comprit que la situation était grave ; les elfes s'affairaient de façon inhabituelle et l'inquiétude hantait leur regard. Hụrtö et Mauhna accueillirent pourtant le père et la fille avec la même chaleureuse cordialité. Par voyage-éclair, les magiciens les ramenèrent dans leur maison de pierre située tout près du village des érudits.

Mauhna nota que Thelma semblait particulièrement morose. Quand elle questionna sa petite-fille, celle-ci se contenta de murmurer que tout allait bien. En fait, jamais Thelma n'avait été aussi triste. Toute sa vie elle avait rêvé de passer un peu de temps seule avec son père ; la traversée représentait pour elle une chance inespérée de combler son désir. L'expérience s'était toutefois révélée pire qu'un cauchemar ; elle avait vite compris que son père faisait tout pour l'éviter. Il l'avait complètement ignorée, plongé dans la lecture de projets de loi longs et ennuyeux. Malgré tout, Thelma avait profité d'un matin calme pour le rejoindre sur le pont. Elle lui avait parlé de son collège et de ses résultats, qui remplissaient ses professeurs de fierté.

– Ils disent que je suis leur meilleure élève, avait-elle conclu en cherchant une quelconque trace de satisfaction sur le visage impassible du roi.

L'odeur de soufre avait alors subitement effacé celle de la mer, ajoutant son aigreur à l'effet néfaste des nuages de Korza. Perdant partiellement le contact avec la réalité,

Mélénor avait interrogé sa fille sans complaisance. Coup sur coup, il lui avait posé des questions sur les types de gouvernements, les accords commerciaux entre nations, les équivalences de monnaie et la politique étrangère du pays de Gohtes. Rouge de confusion, elle avait balbutié :

– Ces matières ne sont pas enseignées, mais...

– Et ils appellent ça un collège ! s'était moqué Mélénor, méprisant.

– Personne n'a de meilleurs résultats que moi en science et en rédac..., avait voulu se justifier Thelma.

– Et tu es la meilleure ?

– Oui !

Mélénor avait brandi son long index sous le nez de sa fille.

– Dans ce cas, tu es la meilleure des médiocres !

Atterrée, Thelma avait fui son père pour le reste de la traversée. « Je ne pleurerai pas ! Je ne pleurerai pas ! » scandait-elle en elle-même.

Dans la maison des magiciens, Mélénor s'installa dans un fauteuil, convaincu qu'il allait réussir à raisonner son grand-père. Hµrtö trouva étrange l'attitude renfermée de Thelma. Quand il l'invita à se joindre à eux, elle secoua obstinément la tête. Le magicien soupira en se disant que l'adolescence était un bien mauvais moment à passer. Il lui sourit tendrement, et des larmes noyèrent les yeux de la jeune fille. Mauhna poussa son mari vers Mélénor, lui laissant entendre qu'elle se chargeait de leur petite-fille.

La discussion entre Hµrtö et Mélénor se poursuivit jusqu'au début de la nuit. Le magicien se montra si persuasif que Mélénor finit par reconnaître ce qu'il tentait de nier depuis un certain temps.

— Verlon n'a pas ouvert les hostilités, mais mes espions me rapportent des nouvelles inquiétantes, avoua-t-il à regret.

— Dis-moi tout ce que tu sais, Mélénor. Chaque détail peut nous être utile.

— On me rapporte que les nuages sont maintenant noirs dans les terres du nord. Les nuages sont noirs et ils transportent une odeur de chair brûlée qui oblige les gens à se masquer le visage.

— Notre riposte ne se rend pas aussi loin, déplora Hµrtö. Et les forçats, ceux que Verlon envoient dans les mines ? Qu'advient-il d'eux ?

Mélénor se couvrit les yeux avec les mains : le voile rouge obscurcissait son esprit.

— Toujours pareil ! Je n'y peux rien... Comprends-moi, grand-père, je ne peux rien pour ces pauvres gens. Je t'en prie, dis-moi que tu comprends ?

Le magicien hocha gravement la tête ; il savait trop bien comment, devant la misère, un chef pouvait être confronté à son impuissance.

— Au pays de Gohtes, les récoltes sont mauvaises, poursuivit Mélénor. Les nuages sont encore blancs, mais ils sont de plus en plus denses. Les esprits sont moroses et les gens deviennent querelleurs. La violence augmente dans les campagnes comme dans les villes.

– Comment expliques-tu le fait que Verlon n'ait pas encore attaqué ? Il connaît ta vulnérabilité, il alimente la convoitise de votre noblesse. Qu'est-ce qu'il attend ?

– Je l'ignore. Je pense qu'il estime que nos forces sont encore trop égales. Il préfère accroître celle de ses armées avant d'attaquer.

– Prenons le problème autrement, suggéra le magicien. Si tu étais à la place de Verlon, que ferais-tu ? Comment t'y prendrais-tu pour t'assurer la victoire ?

– Je te vois venir, fit Mélénor en secouant la tête en signe de désaccord. Ne t'inquiète pas, Verlon a beau avoir la langue bien pendue, il ne réussira jamais à convaincre le roi du Môjar de collaborer avec lui.

– Qui parle de Sol'Maglian ?

– Tu penses à quoi ? Le pays de Laphädeys est bien trop loin.

– Peut-être, mais pas le pays de Lombre... Tu sais que le vieux roi est complètement sénile. On dit que son neveu, le comte de Lombre, le manipule allègrement. Ce comte n'a aucun scrupule et il va prendre le pouvoir à la première occasion. C'est un allié tout désigné pour Verlon.

– Mais il y a les montagnes. Faire passer des armées entières par ces sommets, crois-en mon expérience, c'est absolument impossible !

– Ils pourraient se rejoindre par les mers du nord, argumenta Hμrtö.

– Tu crois vraiment ce que tu dis ?

– Tu n'es pas assez naïf pour penser que Verlon va se contenter de ce qu'il vous a déjà pris.

– Donc, selon toi, cette trêve... c'est comme le calme avant la tempête ?

– Vérifie avec tes espions. Si tu découvres qu'ils construisent beaucoup de bateaux, tu auras ta réponse.

Le roi de Gohtes se leva en se massant les tempes. Cette discussion ne lui plaisait pas, mais le raisonnement du magicien était solide. Si Hµrtö disait vrai, Mélénor s'était encore fait berner par le fourbe de Verlon.

– Pour un souverain qui se prétend aguerri, se désola-t-il, je viens de faire preuve d'un aveuglement impardonnable.

– La tactique est vieille comme le monde, mon fils. Tout est question de priorité. Verlon t'a placé dans une situation où tu ne pouvais que répondre au plus urgent : la révolte des nobles.

– Peut-être bien, mais si ce félon obtient l'appui de l'héritier de Lombre, nous allons être dans un sale bourbier, constata Mélénor.

Il réfléchit un moment avant de reprendre :

– Penses-tu que toi et grand-mère pouvez intervenir assez vite pour empêcher cette guerre ?

– C'est peu probable, répondit le magicien avec dépit. Si j'ai un conseil à te donner, tente ta chance de nouveau... Va expliquer à Sol'Maglian...

– Il n'en est pas question ! s'insurgea le roi. Je me suis déjà humilié devant ce prétentieux...

– Ta fierté porte ombrage à ton jugement, Mélénor.

– Tu peux penser ce que tu veux, mais cette démarche ne mènerait nulle part, car Sol'Maglian est trop entêté ; il a dit non une fois, il continuera de dire non.

– As-tu songé que tu lui prêtes peut-être ton propre tempérament obstiné ?

– Nom d'une déesse ! Que la langue te sèche, vieux bouc !

Mélénor regretta immédiatement ce mouvement d'humeur ; il était inutile et puérile d'en vouloir à Hµrtö simplement parce qu'il avait raison.

– Je te demande pardon, grand-père... Je suis vraiment trop secoué. J'étais venu te convaincre que tu t'inquiétais inutilement et voilà que je découvre que je ne me suis pas assez inquiété.

Il soupira bruyamment.

– Et puis, il y a ce damné sortilège qui m'empoisonne la vie. Je me montre odieux, principalement avec Thelma. Tu as vu comme elle est triste... C'est ma faute, j'ai été un monstre de rigidité avec elle tout au long de la traversée. Je ne te parle même pas du comportement d'Isadora : elle la harcèle constamment sans que je me sente la force d'intervenir. Ne peux-tu rien pour nous ?

Levant doucement l'index, le sorcier entoura son petit-fils d'une énergie protectrice. Mélénor sentit une grande sérénité envahir son âme, chassant odeur et voile.

– Cela te soulagera tant que tu resteras dans l'île. Mauhna et moi avons en vain essayé d'introduire ces ondes apaisantes à l'intérieur de talismans. Si nous avions réussi, nous en aurions fabriqué pour toi et Isadora. Nous sommes navrés.

– Moi qui rêvais de reprendre enfin une vie normale avec ma famille, dans mon pays.

– Il vaut probablement mieux que tu évites de te retrouver trop longtemps en présence de ta femme et de tes enfants puisque le *somahtys* vous affecte plus spécifiquement. Ta place est aux frontières. D'après moi, Verlon n'attendra pas plus d'un an.

Le roi retourna s'affaler dans son fauteuil.

– Toi et grand-mère, quand partez-vous ? demanda-t-il.

– Dès que possible. Voilà pourquoi il fallait que tu viennes. Demain, il y a une assemblée ; nous allons former la communauté qui aura pour mission d'empêcher Artos de libérer Korza.

– Et pourquoi Thelma devait-elle être ici ?

– Je l'ignore ; les Anciens ont précisé que l'elfe porteur de La Marque du sphinx devait être présent.

– Mais...

– Allons dormir, mon fils. Nous en saurons plus demain.

✧

Mauhna n'avait rien pu tirer de Thelma. En désespoir de cause, elle lui avait répété combien elle l'aimait, et la jeune fille avait pleuré dans ses bras. Au matin, Thelma avait les yeux bouffis et elle se sentait honteuse de son apitoiement. « Je ne dois pas pleurer. » Elle s'habilla en notant que jamais le noir de sa tunique ne s'était aussi bien harmonisé avec son humeur. Elle ne s'aperçut pas que le vêtement n'était pas celui qu'elle avait retiré la veille. Quand Mauhna vit sortir la jeune fille de sa chambre, elle fronça les sourcils en penchant un peu la tête. La magicienne pointa son doigt vers l'estomac de la jeune fille.

– J'ai échangé ta tunique contre une nouvelle, mais tu l'as mise à l'envers !

Thelma retourna dans sa chambre et retira le vêtement pour l'examiner. Il y avait deux broderies : le cerisier était maintenant situé dans le dos du vêtement et ses branches se déployaient élégamment sur les épaules. Cela expliquait pourquoi, ayant l'habitude de le porter sur la poitrine, elle avait enfilé le vêtement à l'envers. Sur la nouvelle tunique, un sphinx gracieux et énigmatique avait été brodé à l'emplacement du cœur.

– Oh non ! s'exclama-t-elle, désespérée. Maintenant, tout le monde va savoir que je suis celle qui annonce le chaos.

Dans son état d'accablement, elle s'imaginait que les elfes-sphinx la rendraient responsable de leurs tourments. Il lui fallut un bon moment avant de se résoudre à rejoindre les autres. La tête basse, elle passa rapidement devant son père. Elle eut un choc en le voyant vêtu de la tunique vert sombre de son clan ; jamais il ne l'avait portée devant elle.

– As-tu bien dormi ? demanda le roi d'une voix affable.

Thelma hésita ; était-ce à elle qu'il s'adressait sur ce ton amène ?

– Oui... merci, père ! répondit-elle, étonnée. Et vous ?

– Trop peu, ma chérie !

La jeune fille fut soulagée qu'Hµrtö interrompe ce qu'elle interprétait comme une mauvaise imitation d'intimité familiale. Elle ne pouvait pas deviner que, provisoirement immunisé contre le *somahtys*, son père s'exprimait avec une sincérité toute naturelle.

– Il est temps que nous partions. Thelma ? fit le magicien en saisissant doucement la main de sa petite-fille.

– Oui, grand-père ?

– Viens avec moi. Mauhna va emmener Mélénor.

Le voyage-éclair les conduisit à la limite du territoire des vallées, tout près du pont menant au chaudron des lunes. Thelma se mêla aux membres du Clan des rebelles, tandis que son père rejoignait le Clan des bois où se trouvait déjà Noa. Cette dernière avait maintenant l'apparence de ses quinze ans ; son sphinx, une panthère noire grande comme sa main, ronronnait entre ses seins rebondis de jeune fille. Sa beauté était éblouissante, et le vert foncé de sa tunique mettait en valeur son joli teint ambré. Quand Douce aperçut Thelma, elle lui envoya un baiser du bout des doigts. Tout de suite après, la fille-panthère fonça vers Mélénor.

– Vous me reconnaissez ?

– Suis-je censé vous connaître, mademoiselle ? demanda courtoisement le roi.

– Je suis votre fille : Synhova Noa. J'avais une tout autre allure la seule fois où vous m'avez rencontrée.

Noa désigna le félin noir brodé sur son cœur. Mélénor ne savait pas comment réagir.

– Je..., bredouilla-t-il, troublé par l'étrangeté de la situation.

Débordé par les effets de l'envoûtement, perdu dans le tumulte de ses nombreuses préoccupations, il avait relégué au tréfonds de sa conscience l'existence de la fille de Leila, *sa* fille. Une honte dévastatrice le saisit au cœur.

– Comment était ma mère ? demanda Noa sans se soucier du malaise de son père. Vous qui l'avez connue, dites-moi comment était Myra'Leila.

– C'était une femme exceptionnelle que j'aimais beaucoup, finit-il par répondre malgré sa gorge nouée.

Une voix familière surgit dans le dos de Mélénor.

– Dans la bouche de cet homme, Noa, cela ne veut rien dire du tout ! Ta mère mérite certainement mieux que les paroles vides d'un séducteur insouciant.

Muscade mit un bras protecteur autour des épaules de Noa.

– Toi ? Ici ? s'étonna Mélénor, le cœur assailli de souvenirs douloureux.

La fille-panthère s'éclipsa. Ses questions pouvaient attendre que ces deux-là aient réglé leurs comptes.

– Tu as le droit de me traiter avec mépris, reconnut Mélénor sous le regard sombre de Muscade. Pourtant, j'aimerais que tu me croies quand je te dis que je regrette. Tu méritais mieux que ce que j'avais à t'offrir.

Il voulut lui toucher la main, mais Muscade fit un pas en arrière pour se soustraire au magnétisme de son ancien amant.

– Ne me touche pas... je t'en prie. Si tu as encore un peu de respect pour moi, ne me touche pas !

– Je ne te veux aucun mal, l'assura Mélénor en laissant lourdement retomber sa main.

– J'aurais préféré ne jamais te revoir.

Elle lui tourna le dos et trouva refuge auprès de Diend, le chef du Clan des bois.

Hμrtö et Mauhna prirent place au centre de l'assemblée. Derrière eux se dressaient huit piques portant autant d'étendards aux couleurs des clans. Les Anciens se matérialisèrent et entourèrent les maîtres de magie. Sans préambule, Kurbi aborda le sujet de la formation de la communauté. Dans la langue mystique des elfes magiciens, une troupe chargée d'une mission aussi importante portait le nom de *marjh*, ce qui signifiait « démarche » ou « quête ».

– La *marjh* sera formée de huit membres : un représentant de chaque clan.

Atthal, le chef du Clan des rives, s'avança pour prendre la parole.

– Cela pose un problème, car les porteurs des clefs doivent être du nombre ; cela fait deux magiciens. Il faudra donc que la communauté compte neuf membres.

Kurbi secoua énergiquement la tête.

– Impossible. Pour équilibrer la magie de la *marjh*, il faut huit membres... pas un de moins, pas un de plus.

Bhöris, le mari d'Aglaë, s'avança à son tour.

– Le problème peut être facilement contourné, expliqua-t-il, puisque l'élu des rebelles peut nous représenter tout en remplaçant le participant d'un autre clan... à condition, évidemment, que l'un de ses sphinx l'affilie à cette famille.

Izolt, la petite femme responsable du Clan des cavernes, demanda la parole à son tour.

– Nous, les gens du centre de la terre, ne vivons pas au même rythme que vous tous ; même le plus courageux d'entre les elfes de pierre serait trop lent pour participer à la mission sans la mettre en péril. Je demande donc à l'assemblée que l'élu des rebelles soit aussi le représentant du Clan des cavernes.

Bhöris acquiesça, conscient que cette requête limitait le nombre d'aspirants rebelles, l'élu devant porter au moins un sphinx du règne minéral. Il se rembrunit, car cette contrainte l'excluait lui-même des candidats. Lorsque chacun eut regagné sa place, Hμrtö et Mauhna se dirigèrent vers les drapeaux. Ensemble, ils prirent celui qui portait l'emblème du Clan des magiciens, le damier multicolore des neuf ordres de magie. Ils allèrent se placer au centre d'un large cercle dessiné sur le sol de la vallée, puis ils plantèrent le drapeau dans l'herbe argentée.

– Les membres de la *marjh* devront être immunisés contre les effets déstabilisants du continent, dit Hμrtö d'une voix forte. Le seul moyen d'y parvenir consiste à faire boire aux élus le sang des espèces qu'ils protègent.

La réaction fut immédiate, et la dernière phrase du maître magicien se perdit dans le tumulte. Les elfes parlaient tous en même temps.

– C'est affreux...

– Ils vont devenir des hommes sauvages !

Kurbi amplifia sa voix pour forcer l'assemblée au silence.

– Avant de vous porter volontaires, vous devez donc mesurer l'ampleur du sacrifice à consentir : les élus mettront leur harmonie en péril. Ils pourraient bien ne jamais retrouver leur intégrité physique.

– C'est une abomination, protesta un homme dans la foule.

– Je sais, reconnut Kurbi, boire le sang des espèces est contraire au pacte des elfes-sphinx, mais les circonstances sont exceptionnelles. Cette mission est essentielle ; la nature, telle que nous la connaissons, risque d'être complètement détruite. Nous, les Anciens, avons rencontré les ambassadeurs des espèces pour leur expliquer la situation et pour obtenir leur autorisation de transgresser le pacte.

Tout le monde retenait son souffle en attente du verdict. Kurbi se tourna vers Mauhna et Hμrtö.

311

– Les espèces ont accepté, poursuivit l'Ancien, mais elles ont posé des conditions. Le sacrifice des élus ne peut pas dépasser un certain seuil ; ils ne doivent pas boire le sang jusqu'à devenir des hommes sauvages.

– Le sang aura cet effet, pourtant, souleva Mauhna.

– Pas si vous mettez au point des antidotes. Pour chaque espèce qui donnera son sang, il faudra fabriquer une potion neutralisante.

– J'ignore comment produire de tels antidotes.

– Les espèces nous ont fourni les secrets de ces potions.

– Et comment les administrera-t-on ?

– Régulièrement, au cours de votre séjour en terre insalubre, surtout si le corps commence à présenter des signes de transformation, les élus s'arrêteront et boiront l'antidote.

– Mais alors, supputa Mauhna, ils s'exposeront aux déséquilibres du grand mal.

– En effet, cela les rendra vulnérables pour quelques jours. Pendant ce temps, ils seront forcés de cesser toute activité, sinon les fièvres les prendront et ils seront tués, comme tous ceux de notre race qui s'attardent sans protection dans ces environnements corrompus. Avez-vous bien compris ?

Hµrtö et Mauhna hochèrent la tête. Dans l'assemblée, une vague de soulagement allégeait les cœurs : les élus échapperaient à l'abomination de la transformation. Mélénor comprenait cependant que la fabrication des antidotes allait retarder le départ de la communauté et que son action serait considérablement ralentie ; son espoir de voir les magiciens empêcher la guerre venait de fondre d'un seul coup.

Kurbi se retourna vers le groupe des Anciens. Sept elfes magiciens sortirent des rangs pour le rejoindre. Leurs mains, perdues dans les plis de leurs capes, dissimulaient des objets à la vue de l'assemblée.

— Pour les porteurs des clefs, reprit le chef des Anciens, il a fallu la collaboration des astres. Voici les sangs les plus nobles qui soient : le nectar de l'astre solaire et le lait des trois lunes.

Deux elfes magiciens découvrirent des fioles de verre. L'une contenait un liquide doré. Elle fut remise à Hμrtö en même temps qu'une petite pochette de soie munie d'un long cordon. Hμrtö rangea la fiole dans la pochette puis il passa le cordon autour de son cou, faisant reposer la fiole sur sa poitrine, à côté de la clef du volcan. Mauhna fit de même avec le sang des lunes. Kurbi poursuivit sans attendre.

— Outre ces fluides hors du commun, les ambassadeurs ont décidé de restreindre le nombre d'espèces qui sacrifieront leur sang pour permettre aux élus de traverser la Terre des Damnés. Leur décision est sans appel et il faudra s'y conformer. Ils ont décrété : « Une espèce pour chacun des doigts de la main d'un homme. »

Les cinq elfes magiciens restant firent un pas en avant, soulevant des interrogations dans l'assemblée.

— Il reste six membres à élire, se récria une voix. Nous n'avons pas le compte !

Kurbi leva un bras autoritaire pour demander aux elfes-sphinx de patienter.

– Il existe une solution, n'ayez crainte.

– Quelles sont les espèces qui offriront leur sang ?

– Dans leur langage primaire, voici ce que les ambassadeurs nous ont révélé pour les identifier : Le premier vole...

Un elfe du Clan des vallées leva la main ; une guêpe au dard menaçant ornait sa tunique. Kurbi ignora l'homme et poursuivit :

– Mais il n'a que deux pattes.

Le premier elfe magicien dévoila une gourde recouverte de plumes. Dans l'assemblée, on entendit le même murmure :

– Un oiseau...

– Une race d'oiseau donnera son sang à son elfe porteur afin qu'il devienne membre de la *marjh* !

Plusieurs mains se levèrent : bon nombre de protecteurs d'oiseaux réclamaient l'honneur de se joindre à la communauté. Agacé, Kurbi secoua la tête.

– Pas tout de suite, attendez la fin, je vous prie.

Les mains disparurent et Kurbi continua.

– Le deuxième vit sur la terre mais n'a pas de bouche.

– Une plante ou un arbre... un végétal !

Une gourde couverte de paille fut présentée à la foule.

– Le troisième nage dans les flots mais respire comme les animaux terrestres, poursuivit Kurbi.

– Un mammifère marin !

La gourde suivante était faite de peau.

– Le quatrième pond des œufs mais n'a pas d'ailes.

Il fallut montrer la gourde recouverte d'écailles pour que quelqu'un risque une réponse.

– Un reptile ?

Kurbi acquiesça.

– Le cinquième, conclut-il, fait l'envie des hommes même s'il semble sans vie.

Aucune suggestion ne fusa. Kurbi fit signe au dernier elfe magicien de dévoiler sa gourde ; elle était en or. Kurbi conclut en déclarant :

– Un métal ou une pierre précieuse.

– Nos espèces ne possèdent ni veines ni sang, protesta une femme du Clan des cavernes.

– En effet, mais on peut capter leur essence pour la couler dans l'eau pure.

Les plus vifs parmi les elfes calculaient et commençaient à comprendre que quelque chose clochait. Il restait six membres à élire, sept bannières flottaient dans le vent, mais seulement cinq sangs étaient disponibles.

Aglaë s'avança résolument vers la rangée de drapeaux. Elle saisit le noir des Jynabör et l'ocre du Clan des cavernes, car, comme tous les rebelles, la fille des maîtres de magie portait deux sphinx. En plus de la race des lions, la savante protégeait la pierre la plus convoitée du monde : le diamant. L'Ancien passa la chaîne de la gourde en or autour du cou d'Aglaë. La rebelle présenta les deux drapeaux à l'assemblée puis elle les frappa l'un contre l'autre ; ils se fondirent en un seul qui arborait désormais une bannière noire et ocre. Aglaë prit position dans le cercle. Elle se plaça derrière ses parents ; à eux trois, ils comptaient pour trois clans : les magiciens, les rebelles et les cavernes. La magicienne planta son drapeau et releva la tête.

Bhöris, son époux, sortit de son groupe et se dirigea vers le Clan des sommets. Il s'adressa à une grande femme qui le dominait d'une bonne tête.

– Elomar Khali, dit-il avec respect, chef du Clan des sommets, je te demande une très grande faveur : accorde-moi la permission de réclamer le sang de l'oiseau et de représenter ton clan.

Le chef des rebelles avait aussi deux sphinx : un lynx et un condor. Son audace souleva un flot de protestations parmi les gens des sommets.

– Répondant à la requête d'Isolt des cavernes, enchaîna Bhöris sans se démonter, mon épouse représente les Jynabör et l'espèce du monde minéral. C'était bien ce qui avait été convenu, n'est-ce pas ?

– Tout juste, lui accorda Khali.

– Je n'ai pas le droit de retenir mon épouse ; elle est maîtresse de son existence, mais imagine quel sera mon supplice si je dois rester ici alors qu'elle risquera sa vie si loin de moi. Permets-moi de partir avec elle. Permets-moi de veiller sur elle. Je m'adresse à toi parce qu'il ne reste que quatre gourdes : celles de l'oiseau, du reptile, du mammifère marin et du végétal. Je ne peux réclamer aucun sang sauf celui de l'oiseau, et ta famille est celle des condors.

Puis il s'adressa à Hʉrtö et Mauhna :

— Je suis un valeureux guerrier et un très bon maître de camp, plaida-t-il avec ferveur. Je vous serai utile.

Mauhna le regarda dans les yeux.

— Bhöris, je ne doute pas de tes aptitudes, mais tu es le chef de ton clan et...

— Les rebelles savent très bien se passer d'un chef ! l'interrompit son gendre.

Cette vérité fit rire toute l'assemblée.

— Et puis... j'aime tellement votre fille.

Mauhna regarda Khali. La grande femme qui dirigeait le Clan des sommets était impressionnante, drapée dans son long manteau blanc brodé d'un griffon majestueux. La magicienne lui sourit.

— Acceptes-tu que ton clan soit représenté par Bhöris le rebelle, protecteur des condors ?

Khali passa devant Bhöris et saisit le drapeau blanc. L'Ancien lui tendit le cordon de la gourde couverte de plumes. Plutôt que de pencher la tête, la grande femme s'empara du flacon ; sa main ressemblait à une serre puissante capable de broyer l'échine d'un homme. Elle enfonça le drapeau aux pieds de Bhöris puis elle lui passa le cordon autour du cou. Quand Bhöris releva la tête, la femme griffon lui serra l'épaule.

– L'honneur de la famille des Elomar repose entre tes mains, lui dit-elle gravement. Ne me déçois pas... mon frère.

Bhöris prit position dans le cercle sous le regard ému d'Aglaë.

Atthal, le chef baleine, se proposa comme représentant du Clan des rives.

– J'ai besoin de toi ici, objecta Hμrtö. Si, pendant notre absence, vous devez évacuer l'île, ce sera à toi de veiller sur tes compatriotes, de les mener sur tes navires en attendant de... de trouver une nouvelle terre d'accueil. Ta place est ici, mon ami.

Cid, le fils dauphin d'Atthal, leva le bras. Son père l'avait pris de vitesse, et il était heureux de la décision du maître de magie.

– Père, laisse-moi y aller pour nous deux.

Cid reçut la gourde de peau et, quand l'elfe magicien le conduisit à sa place dans le cercle, il nota que sa position formait, avec celles de Bhöris et d'Aglaë, un triangle parfait autour des magiciens. Il n'y avait plus que deux gourdes, mais il restait trois positions à combler. Muscade quitta la masse vert sombre du Clan des bois.

– J'irai au nom du Clan des bois, fit-elle en s'inclinant gracieusement devant les maîtres de magie. Puisque je suis à moitié humaine, je ne souffre pas du déséquilibre du conti-nent. Avec moi, vous faites l'économie d'une fiole de sang.

La combattante avait vite compris que la solution au problème de la gourde manquante passait par l'engagement d'un elfe-sphinx métissé. Les murmures approbateurs dans la foule indiquaient que les participants adhéraient à sa proposition. Muscade choisit de pousser son avantage :

– J'ai formé des armées complètes de combattants d'élite et j'ai des raisons personnelles de vouloir participer à cette mission.

Mélénor la rejoignit au centre du chaudron des lunes.

– L'idée de Muscade est excellente, déclara-t-il. J'irai pour le compte des Synhova. Moi non plus, je n'ai pas besoin d'une gourde.

Muscade répliqua sans attendre.

– Pourquoi cherches-tu à m'évincer ?

– Je suis inquiet pour toi, chuchota-t-il pour éviter qu'on l'entende. Cette mission est dangereuse et je ne voudrais pas...

– De quel droit oses-tu te mêler de ma vie ?

– Il n'est pas prudent de s'engager dans une telle affaire pour des motifs personnels. Je sens qu'un grand dépit t'anime et...

– Et quoi ? explosa-t-elle. Pour qui te prends-tu ? Tu n'es pas en position de faire la morale à qui que ce soit !

Hұrtö mit fin à leur embarrassante querelle.

– Mélénor, tu ne peux pas échapper à ton destin. Tu dois protéger les hommes contre Verlon et ses alliés.

– Mais...

– Muscade est tout à fait apte à venir avec nous, trancha le magicien en signifiant à son petit-fils de reprendre sa place dans son groupe.

Mélénor avait l'âme en lambeaux ; tout son être lui disait que Muscade courait volontairement à sa perte. Il sentait dans sa froide obstination une attirance morbide. De son côté, la combattante se reprochait son emportement, qui trahissait une émotivité malsaine. En donnant des leçons aux filles de son ancien amant, elle avait renoué avec le combat et la force. N'avait-elle accompli ce laborieux retour que pour foncer, tête baissée, vers une fin brutale ? Sa colère s'évanouit, la laissant vide et troublée : Mélénor avait démontré une fine sensibilité en lisant si aisément dans son cœur.

L'esprit torturé, Muscade vint se placer entre Aglaë et Bhöris. Avec moins de conviction qu'elle l'avait d'abord imaginé, elle planta à ses pieds le drapeau vert foncé du Clan des bois.

Ymeld, un combattant alligator et ami de Bhöris, reçut la gourde d'écailles et le drapeau argent du Clan des rivières. Il se plaça juste en face des magiciens et d'Aglaë. Rysqey, le jeune professeur de magie, compléta le cercle. La gourde de paille vint cacher la partie supérieure de sa broderie qui représentait un pied de vigne chargé de fruits.

Kurbi revint prendre la parole.

– Nous allons demander à l'esprit des sphinx de sceller les liens de la *marjh*.

Les Anciens se regroupèrent et entonnèrent un chant aux accents solennels. Au moment précis où le soleil se couchait, une lumière jaillit de sous les pieds d'Aglaë, inondant la plaine d'un bel éclat bleuté. La même lueur apparut sous Bhöris et Cid, puis des éclairs dessinèrent un premier triangle autour des magiciens.

Le spectacle était fascinant, et la foule ouvrait de grands yeux pour ne rien manquer. Après un moment, pourtant, des murmures se firent entendre dans l'assemblée. Kurbi fit cesser le chant des Anciens. La belle lumière bleue disparut, tandis que Kurbi retournait auprès des membres de la *marjh*.

— Il y a un problème avec le deuxième trio, déclara-t-il aussitôt.

Mélénor vit là un signe confirmant ses craintes. Cette fois, il s'adressa directement à Kurbi.

— C'est Muscade... Je ne veux pas l'offenser, mais elle me semble trop fragile. Laissez-moi la remplacer, nous verrons bien.

Hμrtö et Mauhna quittèrent le centre du cercle pour aller discuter avec eux. Hμrtö se montra très ferme avec Mélénor.

— Je t'ai déjà dit non, n'insiste pas.

Kurbi leva brusquement la tête, puis il partit d'un pas décidé vers le Clan des rebelles.

— Veux-tu me prêter le livre de Danze ? demanda-t-il à Thelma quand il l'eut retrouvée parmi le flots des tuniques noires.

— Comment savez-vous que je l'ai toujours sur moi ? s'étonna la princesse.

– Je ne te l'aurais jamais donné si tu n'en avais pas été digne, lui répondit-il en souriant.

Elle sortit le bouquin de sa poche et le tendit à l'Ancien.

– Viens ! lui ordonna-t-il en désignant le centre du chaudron des lunes.

Thelma aurait préféré demeurer parmi les membres de son clan qui ne lui avaient porté aucune attention jusque-là, mais Kurbi se montra inflexible et elle dut le suivre. L'inévitable se produisit alors ; tout le monde remarqua son sphinx. Kurbi et les magiciens se concentrèrent sur le livre de Danze.

– Livre des vérités, dis-nous ce qui ne va pas avec le deuxième triangle.

La couverture du livre se souleva et les pages tournèrent jusqu'à s'arrêter sur l'une d'entre elles ; elle était toute blanche. Thelma vit apparaître des mots illisibles qu'Hµrtö et Mauhna déchiffrèrent.

– Que dit-il ? demanda la princesse avec curiosité.

– Il dit : « Le porteur du sphinx sait. »

La princesse sentit un long frisson d'anxiété la parcourir. « Comment ça, je sais ? Je ne sais rien du tout, moi ! » Tout le monde la regardait. Son père lui parla doucement en caressant sa joue.

– Thelma, je t'en conjure. Muscade ne doit pas aller là-bas. Ce serait une grave erreur.

Hµrtö intervint.

– Mélénor, ça suffit. Je te défends d'influencer ta fille.

La princesse tremblait de tous ses membres. Elle était intimidée, et son regard s'égarait dans le vide, quelque part entre Mélénor et Muscade. « Comment ai-je fait pour me retrouver dans une situation pareille ? » Il lui semblait qu'elle allait fondre sous l'intensité du regard de son père. Redevenue posée, prête à affronter la décision quelle qu'elle soit, Muscade fixa les yeux sur la jeune fille, puis elle lui adressa le signe ; regroupant les doigts de sa main droite en un cône symbolique, elle toucha son front, puis son cœur, puis son ventre. C'était le signe des combattants. Noa et elle l'avaient appris au cours de leur entraînement. Cela signifiait : « Apaise ta pensée, calme ton cœur et concentre ta force. » Thelma ferma les yeux et répéta le geste dans son esprit. Quand elle rouvrit les yeux, elle se sentit plus paisible mais tout aussi impuissante. Mauhna vint à son secours.

– Tes rêves, Thelma, sers-toi de tes rêves, murmura-t-elle.

La princesse se souvint aussitôt. La nuit précédente, elle avait rêvé que ses dents tombaient. C'était désagréable et surtout très triste. Elle les plaçait en rond sur une petite assiette et s'étonnait de n'en compter qu'une seule blanche. Chacune portait une minuscule gravure. Thelma se souvint alors qu'il y en avait une qui se distinguait des autres. Cela lui donna une idée. Elle hésita pourtant avant de faire un geste ; tout le monde l'observait avec curiosité. Dans son esprit, elle refit le signe des combattants. « Courage, Thelma ! Vas-y. »

Elle marcha lentement autour du chaudron des lunes, puis elle se mit à examiner les broderies des membres du Clan des rivières. Elle chercha un long moment en vain. La nervosité avait rendu ses mains moites et, quand elle les essuya sur sa tunique noire, elle eut un nouvel espoir. Elle se rendit dans le Clan des rebelles et recommença à scruter les broderies sur les tuniques sombres. Au bout d'un moment, elle revint au centre du chaudron. « Mon père a raison, je suis la meilleure des médiocres ! » Hµrtö couvrit ses épaules de son bras.

– Que cherches-tu ? lui demanda-t-il sans la brusquer.

– Je dois me tromper, grand-père...

– Dis-moi ce que tu cherches. On verra ensuite, l'encouragea-t-il.

– Qui protège les tortues ?

– Les tortues ? Eh bien...

Le maître de magie se tourna vers le Clan des rives et désigna un homme à la silhouette étrangement ronde dans sa tunique bleue.

– Pas les tortues des mers... les tortues des rivières !

Hµrtö la regarda avec consternation.

– Thelma, es-tu bien certaine... les tortues des rivières ?

– Oui... enfin... C'est à cause de mon rêve, bredouilla Thelma, de nouveau assaillie par le doute.

La fille de Mélénor s'interrompit ; jamais elle ne s'était sentie aussi malheureuse. Même son adorable grand-père semblait contrarié maintenant. Néanmoins, Hµrtö fit signe à Rysqey de s'approcher.

– Va me chercher Leani, demanda-t-il au jeune professeur.

– Mais... maître... ce n'est pas sérieux ? Pas lui !

Thelma comprit alors pourquoi la dent grise était plus petite que les autres. « Ce n'est pas un adulte. Leani... il doit avoir mon âge maintenant. » Elle se souvenait du petit garçon turbulent qui changeait les pierres en tortues. Comme elle l'avait envié de pouvoir étudier au collège de magie.

— Rysqey, je t'en prie, insista Hɥrtö, va me chercher Leani.

Quand le jeune professeur revint avec l'adolescent, les protestations fusèrent de toutes parts.

— Ce n'est pas vrai, s'emporta Bhöris, le chef des rebelles. Vous n'allez pas remplacer un valeureux guerrier comme Ymeld l'alligator par un enfant... tortue !

Le beau Rysqey enchaîna. Tout en s'adressant à Hɥrtö, il lançait des regards furieux à Thelma, qui se sentait misérable ; depuis le premier jour, elle était tombée sous le charme du jeune professeur. Elle l'admirait de loin en espérant qu'un jour il la remarquerait. « Pour me remarquer, là, il me remarque. »

— Nous allons risquer nos vies aux confins de la Terre des Damnés et vous voulez que nous amenions monsieur « calamités » ? s'indigna Rysqey.

Thelma aurait voulu disparaître sous terre. Traduisant mal le regard triste et tourmenté de Mélénor, elle se disait qu'il avait certainement honte d'elle. Plus que tous les autres, Bhöris avait du mal à contenir sa colère. Thelma se prit à espérer que, dans sa rage, l'impétueux rebelle lui assène un bon coup sur la tête et qu'il l'expédie dans le monde des morts où elle pourrait enfin reposer en paix. « Cela ne ferait de peine à personne, de toute façon », se dit-elle au bord des larmes. Mauhna et Aglaë tentèrent de calmer le chef des rebelles.

– Les rêves de Thelma sont souvent révélateurs.

– Et si elle se trompe, cette fois ? s'entêta-t-il. La nuit de son rêve, elle était peut-être souffrante ou fiévreuse. Cela provoque des hallucinations parfois !

Leani lui-même se joignit à ceux qui protestaient haut et fort. Il n'avait pas du tout l'intention de boire du sang de tortue et encore moins l'envie d'aller faire une promenade sur la Terre des Damnés. « Les berohls, dans les livres, c'est un chose mais... en rencontrer des vrais, très peu pour moi. »

Hµrtö décida qu'il était temps de reprendre la situation en main.

– Ça suffit ! Que chacun regagne sa place... On va recommencer la cérémonie. Si Thelma fait fausse route, les esprits vont tout simplement refuser le deuxième trio et nous serons fixés.

Tout le monde convint que c'était le meilleur moyen de mettre fin à cette incroyable méprise. Leani remplaça Ymeld dans le cercle et les Anciens reprirent leur chant. La lumière bleue forma le premier triangle ; il y eut une interruption qui fit sourire Bhöris. Rysqey allait l'imiter quand une lumière rouge jaillit de sous ses pieds. La même lumière apparut sous Muscade puis sous Leani. Des éclairs rubis dessinèrent alors le deuxième triangle qui s'inversait par rapport à celui formé par Aglaë, Bhöris et Cid. Une lueur jaune relia les six positions en suivant le cercle sur l'herbe argentée, ensuite des faisceaux blancs jaillirent des pointes des lances pour atteindre le sommet du drapeau des magiciens, formant une étoile qui explosa en son centre comme un geyser multicolore.

Quand la nuit fut de nouveau noire, les voix des Anciens se turent, laissant le peuple des elfes-sphinx dans un silence hébété. Les elfes magiciens firent apparaître des torches et Kurbi alla vers les membres de la communauté. Il posa sa main sur l'épaule de chacun en répétant :

– L'esprit des sphinx t'a choisi, l'esprit des sphinx te protège.

La foule envahit le centre du chaudron des lunes ; chacun voulait transmettre ses vœux aux membres de la nouvelle communauté. Thelma se fit bousculer sans ménagement ; plus personne ne s'intéressait à elle. Elle chercha un endroit tranquille pour se remettre de ses émotions, mais Mauhna la rejoignit bientôt.

– Tu vois, tu avais raison finalement, dit gentiment la magicienne.

– Peut-être, mais c'était horrible, grand-mère. Je n'étais pas vraiment certaine de comprendre le sens de mon rêve.

– Raconte-le-moi.

Mauhna écouta attentivement et hocha la tête, satisfaite.

– Tu as fait une très bonne interprétation et je comprends ton trouble. Cela demande beaucoup de courage pour écouter ses voix intérieures, surtout devant autant d'adversité.

– Il y a une chose pourtant que je n'ai pas comprise.

– Quoi donc ? s'enquit Mauhna.

– Quand j'ai placé la petite dent-tortue dans l'assiette, j'ai entendu une voix très douce qui disait : « Il doit être puceau et le demeurer, car son innocence est son arme la plus précieuse. »

– Voilà qui est très important, dit gravement la vieille dame. Suis-moi.

Elles retournèrent auprès de la communauté, et Thelma vit Mauhna parler à l'oreille d'Hμrtö. Ce dernier fronça les sourcils puis il s'adressa à Rysqey. Ensemble, ils rejoignirent Leani. Le plus discrètement possible, Hμrtö demanda à l'adolescent s'il était puceau. Rouge comme une pivoine, Leani se mit à regarder ses pieds.

– À mon âge, bien sûr que non... Toutes les filles me courent après, vous savez ! Je n'y peux rien... elles sont folles de moi.

Rysqey lui souleva le menton.

– Leani, je sais que tu mens.

– Pourquoi dis-tu cela ? Je ne suis pas puceau, bon ! s'entêta l'adolescent.

– Avec qui ? Et quand ? voulut savoir Rysqey.

Hμrtö interrompit le professeur et demanda à Thelma de lui prêter le livre de Danze.

– Le représentant des rivières est-il puceau ? demanda-t-il.

Thelma vit apparaître des symboles étranges qui semblaient composer un mot ; cela ressemblait vaguement à « Öyt ». Le magicien referma le livre.

– Le livre a dit « oui ». Leani, je veux la vérité.

L'adolescent boudait. Il désigna Thelma, qui remettait le livre dans sa poche.

– Pas devant elle, dit-il, l'air revêche.

Thelma s'éloigna sans attendre ; elle s'était fait suffisamment d'ennemis dans cette seule journée. Leani évita de regarder Rysqey quand il répondit enfin.

– Je n'ai même jamais embrassé une fille... Elles se moquent toutes de moi.

Le jeune professeur lui sourit enfin.

– C'est parce qu'elles te connaissent mal. Ça viendra bientôt !

Rysqey vit alors une ombre passer sur le visage de son maître. Hμrtö hésita un moment.

– Leani, tu seras un peu comme un héros, tu sais...

– Eh, c'est vrai ! Les filles vont peut-être commencer à voir que j'existe...

– Il y a un léger problème, poursuivit le grand maître, l'air embarrassé.

Leani devina aussitôt qu'il n'aimerait pas ce que le magicien allait lui annoncer.

– Boire le sang de tortue va ralentir ta croissance. Je suis désolé, mais tout le temps que durera notre mission, tu resteras tel que tu es : un adolescent.

– Non, non et non ! Je veux devenir un homme... J'en suis presque déjà un... Regardez, j'ai même de la barbe ! s'écria-t-il en désignant son menton glabre.

– Je vais préparer ton antidote en premier, poursuivit le magicien sur un ton qu'il voulait apaisant, car il te faudra boire du sang très bientôt. Je suis désolé, Leani.

Le jeune homme saisit le drapeau à la bannière grise et le jeta sur le sol.

– Pourquoi fallait-il que ça m'arrive à moi ? cria-t-il en s'enfuyant dans la foule. Sang de berohl ! Sang de boudin ! Sang de crapaud !

Rysqey fit un geste pour rassurer Hµrtö et se lança à la poursuite de son protégé. Il trouverait bien un moyen de le consoler.

✦

Mélénor ne put revoir Muscade car elle l'évitait. Lui gardait-elle rancune pour leur lointaine aventure ? Lui reprochait-elle d'avoir cherché à l'écarter de la communauté ou craignait-elle de succomber à cette attirance qui demeurait vibrante entre eux ? Il était perplexe et se désolait de devoir partir sans avoir fait la paix avec elle. Il se préparait à retourner sur le continent quand Hµrtö monta le rejoindre à bord du navire.

– Que se passe-t-il, grand-père ? Tu me sembles bien agité.

– Il faut que je te dise, Mélénor... Je ne t'ai pas demandé de venir dans l'île seulement pour que tu assistes à la formation de la *marjh*.

Le magicien mit dans les mains de Mélénor un petit couteau à longue lame. Mélénor le soupesa en regardant son grand-père avec curiosité.

– Ça sert à quoi, cette babiole ? On dirait un ustensile pour peler les fruits. Très joli !

– C'est *Saygöe*, le surin des proscrits.

Le magicien expliqua à Mélénor que le surin avait été fabriqué par les sphinx pour annihiler les pouvoirs des magiciens noirs. Fasciné, Mélénor retourna le couteau dans ses grandes mains.

– Eh bien, dis donc ! s'exclama-t-il. Autant de puissance dans un objet à l'allure si... inoffensive.

– Les sphinx aimaient bien ce genre d'antinomie ! admit le magicien. Je veux que tu le prennes avec toi. Tu dois le conserver précieusement. Je te fais entièrement confiance !

– Attends ! dit le roi, visiblement confus. Je ne comprends pas. Tu t'en vas affronter Artos et tu n'apportes pas la seule arme capable de l'anéantir.

– Je sais que tu as du mal à comprendre, Mélénor. Cette arme ne me sert à rien puisque je n'ai pas l'intention de m'en servir.

– Tu ne vas pas nous refaire le coup du sortilège de ralentissement ? s'emporta le roi en secouant furieusement la tête. Regarde où cela nous a conduits.

– Nos pouvoirs sont plus grands, continua calmement le maître de magie. Ta grand-mère et moi trouverons bien le moyen de le neutraliser définitivement cette fois, mais...

– ... tuer, tu ne peux pas ! ironisa malgré lui Mélénor.

Hµrtö regarda son petit-fils avec une telle détermination que celui-ci finit par abandonner.

– Je présume que grand-mère est d'accord avec toi.

– Évidemment !

– Puisque c'est ainsi, finit par convenir Mélénor. Mais... pourquoi me le donnes-tu à moi ?

– Je te l'ai dit : j'ai confiance en toi.

– Il y a autre chose. Dis-moi la vérité, insista le souverain.

– Tu es un combattant, mon fils. Tu es courageux. Si nous échouons, si Artos a raison de la *marjh*, *Saygöe* sera l'ultime espoir des hommes.

– Tu veux que j'accomplisse ce que tu répugnes à faire toi-même ?

– Détrompe-toi, Mélénor, je ne suis pas un lâche. Si nous ne parvenons pas à vaincre le mal avec des armes conformes à nos valeurs, alors cela voudra dire que j'ai eu tort. Cela signifiera que nous vivons désormais dans un monde régi par la loi des hommes, celle qui décrète que seul le mal peut combattre le mal.

– C'est pourtant l'évidence puisque les sphinx eux-mêmes ont fabriqué cette arme, raisonna le roi.

– C'était une autre époque, c'était avant qu'ils emprisonnent Korza. Les hommes et les elfes ont évolué depuis ce temps. Notre monde ne devrait plus tolérer autant de violence, et la magie noire n'aurait jamais dû ressurgir.

– Tu es trop idéaliste, grand-père !

– Je suis comme je suis.

Mélénor s'approcha du maître de magie. De toute sa fierté virile, il résistait à une forte envie d'étreindre cet homme si sage et puissant.

— Je m'inquiète pour toi et pour la communauté, finit-il par avouer.

— Nous avons nos propres armes.

Mélénor suspendit le surin à côté de sa dague, puis il soupira.

— De toute manière, si ton idée est faite, j'imagine qu'il est inutile d'essayer de te raisonner !

— C'est un trait de famille, tu le sais bien !

Mélénor sourit à son grand-père.

Les deux hommes savaient qu'ils se quittaient pour longtemps, peut-être pour toujours. Le roi sortit son miroir de sa poche.

— Nous pourrons au moins nous parler !

— Tant que nous serons loin d'Artos. Ça deviendra trop dangereux quand nous atteindrons la Terre des Damnés.

— Promets-moi de revenir vivant, implora Mélénor, dans un chuchotement.

Le magicien savait suivre son cœur : il étreignit son petit-fils en songeant qu'il y avait bien longtemps qu'il ne l'avait pas fait avec autant d'émotion.

— Toi aussi, Mélénor, prends garde à toi. Tes ennemis se montreront sans pitié.

Un silence embarrassant s'installa entre les deux hommes. Hμrtö n'avait pourtant pas encore tout dit.

– Je veux que tu emmènes Noa avec toi. C'est ta fille et quelqu'un doit prendre soin d'elle pendant notre mission. Même livré à la guerre, le continent sera plus sûr que l'île ; je crains qu'Artos n'ait des plans sinistres pour Yste al Rapka.

Bien que surpris, Mélénor accepta l'idée. « Il est plus que temps que j'assume cette responsabilité. » Il y avait un embêtement, pourtant.

– Comment vais-je réagir à sa présence quand s'évanouira ta protection et que le sortilège s'attaquera de nouveau à moi ? Je suis peut-être plus dangereux pour cette enfant que tous les plans d'Artos contre l'île.

– J'en doute. Pas si tu luttes avec courage contre la domination du *somahtys*.

– J'essaie mais je n'y arrive pas toujours, déplora le roi.

– Emmène Noa à Celtoria et guide-la de loin, suggéra le vieux sage. Confie-la à des gens capables de diriger de manière positive sa belle énergie, tout comme Muscade l'a fait en lui enseignant l'art du combat. Ici, les ressources sont limitées pour une jeune fille bouillante de fougue. Sa moitié humaine réclame de l'action. Vraiment... sa place est dans ton monde.

– Et la mienne est aux frontières.

Un silence grave s'installa entre les deux hommes.

– Je descends, annonça finalement le magicien en étreignant une dernière fois son petit-fils.

– Une guerre m'attend à Döv Marez.

– Pourquoi dis-tu cela ?

– Je vais encore manquer à mes promesses et Isadora va vouloir me tuer, mais je n'y peux rien... Tu l'as dit, ma place est aux frontières.

– Sincèrement, c'est ce que je crois, affirma le magicien.

Mélénor releva fièrement la tête.

– Le jour où Verlon frappera, il me trouvera sur son chemin.

✧

Quand le navire accosta à Döv Marez, Thelma supplia son père de l'emmener, elle aussi, à Celtoria. Même Noa ne réussit pas à faire fléchir Mélénor, lequel se montra furieusement buté : le voile rouge et l'odeur le harcelaient depuis quelques jours, lui rendant insupportable la présence de ses filles.

– Tu as ta mère et elle a besoin de toi, répondit-il pour se débarrasser.

– Mais père, voulut protester la princesse, vous ne savez pas comment la reine...

L'impatience du roi grimpa d'un cran : il devinait très bien comment Isadora pouvait agir sous la domination du *somahtys*, mais il lui était impossible de prétendre que la princesse se trouverait entre de meilleures mains auprès de lui. Il fit un effort surhumain pour se calmer.

– Avec cet envoûtement qui me domine, je préfère que tu restes avec ta mère.

– Mais elle aussi...

– Il n'y a pas de mais, tu restes ici, voilà tout, la coupa-t-il sèchement, tandis que le voile rouge s'intensifiait devant ses yeux.

Dans son gouffre, Korza s'amusait à lécher la sphère de verre de ses flammes ; la feuille de chêne grésillait dans un feu surnaturel.

– Profites-en pour t'instruire ; tes connaissances politiques sont nulles et, de grâce, arrange-toi un peu... Tu as l'air d'une vraie souillon !

Les deux sœurs se quittèrent sur le pont du navire. Thelma eut l'impression qu'on lui arrachait le cœur ; non seulement son père ne voulait pas d'elle mais, en plus, il la privait de Douce.

✧

Comme Mélénor s'y attendait, Isadora réagit violemment quand il lui expliqua qu'il devait repartir aussitôt pour Celtoria. Le fait que la guerre soit imminente n'était pas une excuse suffisante pour raisonner la reine. Elle avait nourri tellement d'espoirs et forgé de si beaux rêves depuis que Mélénor lui avait promis qu'il resterait auprès d'elle ! Une fois de plus, ils se quittèrent sans s'être réconciliés. Sa frustration alimentée par le feu empoisonné de Korza, la reine arracha de pleines poignées de cheveux à Thelma avant de la chasser.

La princesse se rendit derrière la roseraie pour confier sa peine à Chéri. Elle s'accroupit au pied du cerisier, puis Rudolf vint se poser sur son épaule. L'arbre traduisit pour la jeune fille le roucoulement du pigeon.

– Notre bonne amie te promet de porter tes lettres à Noa.

– Mais Celtoria est très loin et les nuages sont plus sombres vers le nord.

– Rudolf dit que c'est sans importance si...

Ils furent interrompus par l'arrivée de Cassandra. Ayant été alertée par la crise de rage de la reine, la ministre cherchait désespérément la princesse.

– Oh ! Vous voilà, lança-t-elle, soulagée. Vous a-t-elle fait du mal ?

Thelma se releva en jetant un œil vers Chéri. Le visage bienveillant du protecteur avait disparu en même temps que l'oiseau. Elle nota que le cerisier avait gardé ouvert le trou de son oreille.

– Mes cheveux, comme toujours !

La jeune fille ouvrit tout à coup la bouche puis la referma. Ses yeux exprimaient une terreur qui saisit la ministre.

– Qu'avez-vous, mon enfant ?

– Je... Mon ventre...

Cassandra pencha la tête et aperçut une tache humide sur la tunique de la princesse.

– Je suis blessée, s'effraya Thelma en sentant le liquide chaud couler entre ses cuisses.

La vieille dame comprit alors que la reine ne s'était pas préoccupée d'instruire sa fille quant aux changements qui se préparaient dans son corps. Elle l'invita à se rasseoir et à l'écouter calmement.

– Vous êtes devenue une femme, fit-elle en souriant.

Cassandra était bien consciente que Thelma se souviendrait toujours d'avoir été abandonnée en ce jour si important de sa nouvelle vie. Elle s'efforça tout de même de lui présenter ce moment comme un heureux événement.

C'est ainsi que Chéri apprit, en même temps que sa protégée, comment les elfes et les humains se reproduisaient. Il n'en parla jamais à la princesse, mais il demeura interdit devant cette réalité qui le dépassait. « Pas étonnant que les hommes soient si agressifs puisqu'ils sont conçus dans la passion et mis au monde dans la douleur et le sang. »

La ministre eut beau raccompagner elle-même la servante Amleht et se porter garante de sa bonne conduite, l'intendant demeura convaincu que la jeune fille revenait d'une fugue. Pour bien marquer qu'il était le maître et qu'il n'admettait aucune insubordination, il décida de punir la délinquante. Il lui attacha les poignets et, devant toute la valetaille, il la fouetta jusqu'à ce que le sang de la jeune fille coule en longues traînées écarlates sur ses fesses, ses cuisses et ses mollets. Le visage rouge, le corps en sueur, l'intendant renvoya les témoins à leurs occupations.

– Voilà ce qui arrive à ceux qui me manquent de respect.

Thelma ne versa pas une larme. Quand elle fut de nouveau capable de tenir sur ses jambes, elle se rendit dans la forêt intérieure du château. Avec l'eau du bassin, elle lava son corps souillé. Ce bassin étant aussi le miroir magique de Carmine, elle aurait pu appeler ses grands-parents qui l'auraient immédiatement secourue, mais elle ne le fit pas. L'indifférence et le mépris l'avaient inexorablement condamnée à la honte. Elle mettrait des années à comprendre que sa solitude était la rançon de cette honte.

✧

Mélénor se rendit aux écuries où il choisit un étalon particulièrement fougueux. Il galopa sans escorte dans les rues sombres de la cité. Il attendit un long moment devant la porte d'une jolie maison aux fenêtres ornées de volets bleu azur. Alban lui ouvrit enfin ; dans ses bras, des paquets hurlants s'agitaient frénétiquement. Ana venait de donner naissance à des jumeaux, et Alban tentait de les endormir au moment où Mélénor avait frappé. Ana offrit du vin au roi puis ils prirent place autour de la table. Depuis que cette petite femme ronde et joyeuse était entrée dans la vie d'Alban, le soleil semblait toujours briller pour le chambellan. Lui et son épouse faisaient partie de ces gens probes et bienveillants que les nuages affectaient peu. Mélénor regarda avec envie le léger désordre de cette maison pleine de vie.

Il raconta ce qu'il avait découvert avec l'aide d'Hµrtö puis il annonça à Alban qu'ils devaient partir le lendemain.

– Verlon va attaquer bientôt ; nous devons préparer notre défense.

Alban se leva pour tendre les bébés à son épouse. Visiblement mal à l'aise, Ana s'excusa avant de prendre congé du roi.

Alban ne fit pas de détour.

– Je n'irai pas avec toi. Ma femme a besoin de moi maintenant.

– Mais, Alban, voulut protester le roi, tu ne peux pas me faire cela. La guerre s'en vient et...

– C'est tout réfléchi, mon ami. Je ne te demande pas ta permission, je t'informe de ma décision.

Alban fut étonné de voir Mélénor réagir aussi violemment. Le roi s'emporta, hurla, frappa la table de son poing. Alban tenta de le raisonner.

– Je ne te comprends pas. Tu m'as déjà dit que tu n'étais pas assez mesquin pour m'empêcher de vivre ma vie. Qu'est-ce qui t'arrive ? Est-ce encore ce damné enchantement ?

– Nom d'une déesse, le sortilège n'a rien à y voir, tonna Mélénor. Tu me lâches au moment où j'ai le plus besoin de toi.

– C'est faux. Tu as plusieurs compagnons fidèles et compétents. Tu vas me manquer mais je n'y peux rien. Nous resterons en...

Mélénor se leva d'un bond.

– Ne te donne pas cette peine, dit-il d'une voix glaciale.

– Allons, tu ne vas pas partir fâché... C'est trop bête.

– Que la peste t'emporte !

Le roi sortit en claquant la porte. Alban resta pétrifié dans la pièce désertée. Alors, seulement, il entendit pleurer ses fils ; le vacarme les avait sans doute effrayés.

✧

Mélénor marchait d'un pas rageur dans les rues sombres de la ville. Il n'arrivait pas à maîtriser sa colère et, pour aggraver la situation, son cheval avait disparu ; il l'avait pourtant attaché solidement. Il aurait préféré mourir plutôt que de demander une monture à Alban. Il avait le goût de frapper dans les murs tellement il se sentait irrité. Un bruit de sabots ferrés l'attira dans une ruelle. Malgré l'épaisse couche de nuages, les lueurs filtrées de la première lune lui permirent de reconnaître son cheval, occupé à chiper des pommes dans un tonneau éventré. Mélénor regarda autour de lui pour se repérer : il se trouvait derrière la cidrerie. L'odeur de fermentation était suffocante, et il avait hâte de retourner sur son navire et de lever l'ancre. Il vit l'éclair de la lame avant de l'entendre fendre l'air. Il évita de justesse le coup qui visait sa gorge. Il fit bon usage de sa colère et se battit avec fureur. Ses trois adversaires étaient forts et adroits. Mélénor ne voyait pas leur visage parce qu'ils avaient pris soin de les masquer. L'espace manquait dans la venelle, ce qui forçait les combattants à des attaques rapprochées. Les coups pleuvaient. Mélénor les esquivait habilement, mais il savait qu'il ploierait bientôt sous le nombre. C'est alors que Valtan, son garde du corps, surgit de nulle part et lui prêta main-forte contre les brigands.

– Attention, à votre gauche.

Ensemble, ils contre-attaquèrent, reprenant lentement l'avantage sur leurs adversaires moins aguerris. Mélénor trébucha quand un des assaillants lui jeta un tonneau de fruits dans les jambes. Le roi eut le temps de voir une lame pointée sur son cœur, puis son crâne heurta le sol.

Lorsque Mélénor rouvrit les yeux, il vit un homme penché sur lui ; c'était Polan le soigneur. Il surveillait la plaie, qui se refermait rapidement sur la poitrine du roi. Mélénor tourna douloureusement la tête et aperçut Valtan, qui revenait d'une ruelle adjacente.

– Ils ont pris la fuite, annonça le jumeau de Polan.

Le soigneur tendit sa gourde à Mélénor.

– La lame n'a pas touché le cœur ; vous allez vous rétablir très vite.

– Que faites-vous ici ? s'étonna le roi.

– Nous sommes vos gardes du corps, non ?

Valtan s'adressa à son souverain.

– Je ne crois pas que ce soit une bonne idée de vous promener seul dans les rues de la ville.

– Vous m'avez suivi ?

– Discrètement tout de même, déclarèrent ensemble les frères jumeaux.

La chemise de Mélénor pendait, dévoilant le chêne sur sa poitrine. Il referma les pans de son manteau puis il se releva précautionneusement, car la tête lui tournait un peu. Il se demanda si ses hommes avaient remarqué l'état pitoyable de son sphinx ; depuis les derniers cycles des lunes, alors que son âme perdait peu à peu son harmonie, le chêne dépérissait ; les branches s'étiolaient, le feuillage fanait, mais Mélénor fermait les yeux. « Demain... je penserai à cela demain. »

Mélénor s'approcha de Valtan. Ce colosse au grand cœur avait toujours impressionné le roi : maniant l'épée et le luth avec une égale habileté, le guerrier savait faire preuve d'une sensibilité qui contribuait à sa force intérieure. Une idée se forma alors dans l'esprit préoccupé

342

du roi. Son emportement contre Alban était la preuve qu'il n'était pas toujours possible de contenir les effets du *somahtys*.

— J'ai peut-être une mission spéciale pour toi.

— Je suis à votre service, Altesse.

— Tu seras parfois séparé de ton frère.

— Notre collaboration est naturelle mais pas obligée.

— Très bien. Je vais mettre entre tes mains l'avenir d'une personne qui m'est très chère.

✧

Quand le navire leva les voiles le lendemain matin, Valtan fut présenté à Noa.

— Je serai votre maître d'armes, mademoiselle.

La fille-panthère le mit immédiatement au défi. Ils s'installèrent sur le pont, armés et cuirassés. À chacun des assauts de la jeune fille, Valtan la désarmait avec une facileté déconcertante. Les cris de frustration de Noa retentirent longtemps avant qu'elle s'avoue vaincue. En sueur, elle s'affala contre la paroi du bastingage et fixa les yeux tendres de son professeur.

— Avez-vous connu ma mère ?

— Oui, voilà bien des années. Nous avons vécu des aventures incroyables, mais jamais la duchesse n'a manqué de courage. Je crois que vous tenez d'elle votre ténacité.

– Et mon sale caractère, s'égaya Noa. Appelez-moi Douce.

Une affection teintée de respect naquit immédiatement entre le colosse et la fille-panthère. Cette dernière pressa Valtan de lui parler de Leila. L'ancien garde du corps de Mélénor y prit un plaisir évident, cédant parfois à la tentation d'embellir la lointaine réalité.

Dès qu'il eut présenté Valtan à Noa, Mélénor s'enferma dans sa cabine. Il refusait de penser à Alban et à la fin brutale de leur amitié. Il se dévêtit pour examiner sa blessure, qui n'avait laissé qu'une infime cicatrice sur sa poitrine. Le miroir lui retourna le spectacle désolant de son chêne malade. Il allait remettre sa chemise quand il aperçut une tache sur sa peau, juste sous son nombril. Quand il la toucha, il ressentit une vive brûlure. « Non ! Pas cela... ce n'est pas vrai ! Cela ne peut pas m'arriver à moi ! » Il mit un peu d'eau-de-vie sur la tache et cela lui rafraîchit la peau. La tache devint plus pâle. Il appliqua encore un peu d'alcool et elle disparut complètement. Mélénor s'habilla et s'empressa d'oublier ce nouveau souci. « Demain... j'y penserai demain. »

– XIX –

Verlon avait très mal réagi quand il avait enfin compris que la potion déshumanisante l'avait privé à tout jamais des plaisirs de la chair. Naq et Delia avaient tenté de le raisonner, en vain ; le petit roi de Yzsar était tombé dans une nostalgie qui avait paralysé tous les efforts de Naq pour entreprendre la conquête des terres de la Nouvelle-Bortka. Sans l'accord du roi, impossible de négocier avec le comte de Lombre, qui exigeait des monceaux d'or pour sceller une alliance militaire.

Mais Artos, le maître de Naq, ne tolérait aucune excuse. Le monstre borgne savait qu'il devait trouver rapidement une alternative pour remplacer les soldats du pays de Lombre. Avec l'aide de Delia, il avait entrepris les premières expériences visant à fabriquer le soldat parfait. Pour ce faire, ils croisaient des hommes sauvages et leurs femelles. Ensuite, ils gavaient les génitrices d'élixirs composés d'essences animales, générant des races mutantes pas toujours réussies. Dans le ventre de la terre, au cœur des montagnes, ils avaient commencé avec un petit laboratoire ; lentement, l'officine s'était étendue jusqu'à devenir ce qu'ils appelaient maintenant « l'atelier des monstres ». Le projet allait si bien que Verlon avait consenti à visiter les installations. Dès lors, Delia avait vu revivre l'homme pervers qu'elle avait connu, et la conception de ces créatures était devenue la nouvelle passion de son époux.

Inlassablement, depuis plus de deux ans, Verlon croisait les sangs, conduisait les mâles aux génitrices et assistait à leurs ébats dénaturés. Les résultats se faisaient pourtant attendre.

Verlon observait avec dépit le dernier rejeton de la mère-gorille quand il eut une idée lumineuse, laquelle prouva à Naq que son souverain était enfin redevenu lui-même.

– Les ouvriers ne sont pas assez motivés, constata le roi. Il faut les secouer un peu, et je crois savoir comment : nous allons les diviser en équipes. Chaque équipe aura une génitrice et devra nous livrer un monstre combattant.

– Je ne vois pas comment cela peut motiver cette bande de fainéants.

– Attends, attends, que je t'explique. Nous allons opposer les monstres-soldats de deux équipes. Le monstre qui gagne sauve la vie de son équipe, mais les perdants...

– Oui, les perdants ? voulut savoir le conseiller.

– On les pend. Les gagnants affrontent la prochaine équipe et ainsi de suite jusqu'à ce que nous ayons notre champion.

– C'est brillant !

– Et bien moins fatigant ! poursuivit Verlon. Aux équipes de faire le sale travail. À partir de maintenant, je vais me contenter de superviser les projets.

– Mais, objecta Naq, pendant ce temps, notre maître s'impatiente. Il va bientôt demander « sa guerre ». Il considère déjà qu'elle tarde trop.

– On va le calmer, ne t'en fais pas, répondit le petit roi d'un air suffisant. Que dirais-tu d'un voyage au pays de Lombre ? Le comte Ferraro veut de l'or en échange des armées de son oncle. Eh bien, on va lui en apporter un plein carrosse.

Le monstre tatoué réfléchit un moment à la proposition de Verlon.

– Le vieux roi, ajouta-t-il l'air songeur, il me semble qu'il a fait son temps, tu ne trouves pas ?

– En effet, je crois qu'il a assez vécu.

Naq sourit en montrant ses dents étincelantes et pointues. Le monstre avait mis quelques jours à s'habituer au bras et à la jambe qu'Artos lui avait greffés. Les membres prélevés sur le cadavre de son père lui avaient d'abord semblé rétifs, mais, maintenant, il les utilisait avec souplesse et puissance. Le monstre caressa son sabre comme un amant touche le sein de sa maîtresse.

– Je vais me faire un plaisir de...

– Tut, tut, tut, l'interrompit Verlon, c'est une tâche pour Delia ; le poison est ici plus indiqué.

– L'important, c'est que le comte accède au trône. Je m'occuperai de tous ceux qui se mettront en travers de son chemin.

Derrière eux, un ouvrier patientait ; il attendait le verdict du roi et de son conseiller concernant le sort du bébé mutant mis au monde par la mère-gorille. Même un arrogant comme « La tache » savait se faire discret devant Naq et Verlon. L'esclave n'avait plus le loisir de s'adonner à la paresse depuis qu'il avait été assommé par un garde dans le site interdit de l'atelier des monstres.

Un hasard extraordinaire lui avait sauvé la vie. Ce jour-là, la mère-éléphant n'avait pas apprécié que l'on tue son dernier rejeton. À l'instar des autres génitrices, c'était une femme-sauvage maintenue captive en raison de ses capacités de reproduction. En proie à une rage désespérée, elle avait piétiné tous les esclaves de son secteur ; la confusion la plus totale régnait dans l'enclos des couveuses quand « La tache » avait eu la mauvaise idée d'y pénétrer et de se faire repérer par un gardien et son gourdin. Conscients du danger, les autres ouvriers avaient fui les lieux et la génitrice en colère.

Une fois le calme revenu, le gardien du secteur avait constaté les dégâts. Ce mutant faisait partie de la cohorte de monstres que Naq sélectionnait avec soin pour constituer les services d'ordre des mines de Verlon. Parmi les spécimens issus des expériences aléatoires des croisements, il choisissait ceux ayant hérité d'un corps musclé, d'un tempéramant brutal mais discipliné et d'une cervelle d'idiot. Pour le reste, leur apparence hideuse variait au gré des ingrédients utilisés lors de la gestation. N'ayant pas l'intention de ramasser lui-même les corps en bouillie, celui qui avait tapé sur la tête de « La tache » l'avait ranimé en lui vidant un seau d'eau boueuse sur le visage. Il lui avait ensuite bien fait comprendre que sa vie ne tenait qu'à son bon vouloir.

– J'ai ordre de tuer tous les intrus. Si tu tiens à ta peau, tu vas me nettoyer tout ça. Je verrai ensuite ce que je ferai de toi.

« La tache » avait trimballé les corps à travers l'atelier pour les jeter les uns après les autres dans la gueule incandescente d'un foyer faisant office de bûcher. Il avait lavé le sol jusqu'à ne plus sentir ni ses mains ni ses genoux.

Depuis le coin où il attendait le verdict de Verlon, l'ancien cordonnier regardait la silhouette colossale de Naq en pensant à l'ironie de sa situation ; il avait beau être paresseux, il n'était pas suicidaire. Il se souvenait avec quelle célérité il avait travaillé pour convaincre le garde-mutant de l'épargner. Depuis ce jour, il trimait comme un bœuf en se remémorant les paroles acides de sa femme, Pohly : « Si tu n'avais pas été aussi stupide, tu aurais compris que, même pour un paresseux comme toi, cordonnier au Môjar, c'était un métier de tout repos. »

Dans son coin, imitant l'attitude humble du parfait lèche-bottes, « La tache » ne perdait pas un mot de la conversation des grands patrons. « Des équipes... les perdants seront pendus... Boudin de putain ! »

Naq bouscula la mère-gorille pour l'éloigner de son bébé.

– Et puis ? Qu'est-ce qu'on fait de celui-là finalement ? demanda-t-il au roi.

Verlon regarda la forme vagissante qui gigotait sur la paille souillée. Le nouveau-né ressemblait à un berohl difforme pourvu de bras démesurément longs.

– On n'en tirera rien de bon, conclut le roi en faisant signe à l'esclave d'entrer dans l'enclos.

« La tache » s'approcha du bébé monstre en espérant que la mère-gorille n'allait pas lui arracher la tête. Sans être aussi imprévisible que la mère-éléphant, cette génitrice pouvait se montrer violente, et sa force dépassait celle de plusieurs hommes. « Je ne veux pas mourir... Il me faut une équipe... les meilleurs hommes, les plus travaillants... et la génitrice... La mère-gorille a beaucoup de potentiel, mais ils ne savent pas comment l'exploiter. » Naq l'interrompit dans ses réflexions.

– Alors « La tache », tu te grouilles ou quoi ? Débarrasse-nous de cette chose et que ça saute.

L'esclave avait appris à ses dépens que les bébés monstres pouvaient se montrer récalcitrants, surtout quand il s'agissait de leur survie.

– Oui, mon maître, tout de suite, mon maître.

« La tache » s'empara d'un torchon crasseux et emmaillota sa main, qui cicatrisait mal depuis qu'il avait été sauvagement mordu. La blessure purulente avait bien failli avoir raison de lui cette fois-là, mais il récupérait lentement. « Mon équipe... ce sera mon équipe. Je sais ce qu'il faut faire. Ils m'obéiront pour sauver leur peau. Moi, je dirigerai les travaux. Finies les corvées, ce sera moi le patron. »

Il saisit le bébé par les pieds et sortit de l'enclos de la mère-gorille en prenant soin de tenir le nourrisson à bout de bras. Dans son autre vie, quand il avait encore tout son temps, « La tache » avait beaucoup lu. Ses lectures préférées concernaient le monde animal, et le forçat se félicitait de la pertinence de ses connaissances. « Ce sera facile de recruter les membres de mon équipe, car je vais les convaincre que je représente leur seule chance de rester en vie. Mais comment faire pour obtenir la mère-gorille ? »

Quand il pénétra dans la salle d'incinération, il se souvint du garde-mutant. « La tache » l'avait vu saillir une des génitrices, ce qui était formellement interdit puisque cela faussait les expériences de reproduction. « Je te tiens, salaud ! Tu vas t'arranger pour piper les dés et m'attribuer la mère-gorille, sinon Naq saura que tu mets ta queue là où elle n'a rien à faire. » Content de lui, l'ancien cordonnier regarda une dernière fois le bébé monstre qui se débattait au bout de son poing. Les autres esclaves étranglaient les nourrissons avant de les balancer dans le four, pour ne pas qu'ils souffrent, disaient-ils. « Ils sont trop bêtes. C'est le meilleur moyen de se faire mordre. » Il jeta dans le feu le dernier-né de la mère-gorille, rigolant de le voir hurler dans les flammes.

– XX –

Le fils de Modregal entra comme un coup de vent dans leur maison confortable du nirvana numéro trois. Le jeune homme était agité et il fallut que sa mère le calme pour que Modregal comprenne enfin ce qui le bouleversait autant.

– Mais, c'est impossible, Hauns, dit l'ancien officier de Verlon, sentant son estomac se nouer sous l'angoisse.

– Viens avec moi, tu verras bien.

Modregal prit le temps de revêtir son uniforme de factionnaire ; cela l'aiderait peut-être à obtenir des informations. Son intuition lui disait que leur existence paisible venait de prendre fin, mais il ne savait pas pourquoi. Noemi était trop inquiète pour rester seule. Elle accompagna donc son fils et son mari. Ils n'eurent pas à marcher bien longtemps, car la demeure de leurs amis se trouvait dans la rue voisine. Modregal resta figé devant le spectacle inconcevable.

– Permettez ? s'enquit-il poliment en s'avançant vers le plus haut gradé des SSM.

– Que voulez-vous ? répondit l'autre, revêche. Vous n'avez rien à faire ici.

Le père d'Hauns ne se laissa pas démonter.

– Je suis Modregal Kom Marriot.

Modregal avait insisté sur le « Kom » pour bien faire comprendre à l'officier qu'il s'adressait à un noble.

– C'est la maison de mon ami Drakmer, poursuivit-il. Cette famille est absolument irréprochable...

– C'est vous qui le dites ! lança l'officier des SSM sur un ton méprisant. Des livres de poésie... vous trouvez cela conforme ?

– De la poésie ! Mais qu'y a-t-il de subversif ?...

Devant le regard soupçonneux du militaire, Modregal changea de tactique.

– C'est donc cela ? fit-il d'un air entendu. On ne peut plus faire confiance à personne ! Heureusement qu'il existe des hommes compétents comme vous pour protéger l'intégrité de notre cité.

L'officier eut un sourire condescendant ; il était trop stupide pour discerner l'énormité de la flatterie.

Modregal se félicita d'avoir laissé Hauns derrière lui ; son fils aurait été capable de sauter à la gorge de ce prétentieux. L'ancien lieutenant de Verlon fit un clin d'œil complice à l'officier et lui offrit du tabac pour sa pipe.

– Entre vous et moi, chuchota-t-il, vous pouvez bien me le dire. Il devait y avoir autre chose, je ne sais pas... des armes par exemple ?

Le soldat fit mine d'hésiter, mais il brûlait de se faire valoir.

– Cela restera entre nous ? demanda-t-il pour la forme.

– Bien sûr ! affirma Modregal en portant sa main droite à son cœur. Entre militaires... Nous sommes des gens d'honneur.

– C'est moi qui ai tout fait, se vanta l'officier des SSM. Je les surveillais depuis un bon moment. Du beau travail, du très beau travail...

– Qu'avez-vous trouvé ? insista Modregal en se forçant à sourire.

– De l'herbe à rêver... une pleine jarre !

L'officier bomba le torse. Modregal n'eut pas à feindre la stupéfaction.

– De l'urssac ? Pas possible ! s'étonna-t-il.

– Et un bloc de résine gros comme mon poing.

– Que va-t-il arriver à ces gens ? voulut savoir l'ami de Drakmer.

– Expulsés !

Modregal tenta de camoufler son soulagement.

– Ils ne seront donc pas pendus ?

– Notre vénéré Verlon est trop clément. Allez savoir pourquoi, il préfère les laisser vivre.

Quand il rejoignit son fils et Noemi, Modregal les supplia de le suivre sans rien dire.

– Pas ici. Ne restons pas là.

– Oh ! Loece, gémit Hauns. Qu'est-ce que je vais devenir sans elle ?

Depuis leur arrivée dans la Cité des élus, Hauns fréquentait la fille de Drakmer, et les deux jeunes gens avaient annoncé leur intention de se marier. Modregal essaya de le consoler ; il mit son bras autour des épaules de son fils affligé.

– Ils sont toujours vivants. Ils ont été expulsés mais ils sont saufs.

Hauns se dégagea d'un coup sec.

– Qu'est-ce que ça change ? Je ne vivrai pas un jour de plus ici... Pas sans elle.

– Tu ne vas quand même pas quitter le nirvana ?

– Pourquoi pas ? Et n'essaye pas de me retenir, s'écria Hauns en s'enfuyant.

Modregal voulut le rattraper, Noemi le retint.

– Laisse-le. Regarde, il se dirige vers la maison. Viens et dis-moi ce que tu as appris.

Ils pénétrèrent dans un jardin et allèrent s'asseoir au pied d'un chêne. Quand Modregal eut relaté sa conversation avec l'affreux officier des SSM, il conclut :

– Tu sais aussi bien que moi que Drakmer était trop scrupuleux pour enfreindre les règlements.

– Cela est d'autant plus insensé que nous savons qu'il désapprouvait l'usage de l'urssac, ajouta Noemi.

– Si on m'avait dit qu'il cachait des armes, j'aurais compris... Drakmer est un militaire après tout, mais de l'urssac... je n'arrive pas à y croire.

Modregal resta songeur un moment.

– Noemi ?

– Est-ce que tu penses la même chose que moi ? demanda-t-elle en regardant son époux.

– C'est un coup monté.

– Qui pouvait en vouloir à Drakmer ? tenta-t-elle de raisonner. Il ne cherchait pas d'histoires, il était si rangé.

– Il faut que je découvre ce qui s'est passé. Je ne fais aucune confiance aux SSM.

Ils s'interrompirent en voyant justement deux soldats vêtus de noir entrer dans le parc. Noemi se blottit dans les bras de son mari comme s'ils n'étaient que des amoureux innocents. Modregal sentait Noemi trembler. Il lui prit la main pour la ramener à la maison.

– Nous n'avons pas été assez prudents, déclara l'ancien officier de Verlon d'une voix tendue. Plus jamais nous ne devons parler librement en public.

Noemi acquiesça. Quand ils rentrèrent à la maison, elle s'effondra. Le pire était arrivé ; Hauns avait disparu en

357

emportant quelques vêtements et un peu de nourriture. Il avait laissé un mot.

Pardonnez-moi, mais je dois retrouver Loece. Papa, tu m'as enseigné la force et le courage ; je ne laisserai jamais personne réduire ma vie à un simulacre de bonheur. Je crois qu'un jour tu comprendras. Je t'aime, maman. Pour toujours, votre Hauns.

– XXI –

Plus rien n'était pareil dans la Cité des Mirages : finies les fêtes, finie la musique. Les effluves de Korza empoisonnaient l'esprit des citoyens. Manifestement, la riposte des boucliers de l'Île-aux-Tortues n'était plus suffisante, et Thelma était terrifiée à l'idée que la situation puisse empirer. Bien qu'immunisée par La Marque des sphinx, elle avait du chagrin à la vue de tant de détresse ; elle luttait toutefois contre son penchant nostalgique, se disant que son combat n'était rien comparé à celui qui attendait ses grands-parents et les autres membres de la *marjh*. La princesse osait à peine se promener dans les rues de la ville qui sentait la pourriture et la décadence. Elle avait noté que les effets néfastes des nuages variaient selon les personnes. Les gens heureux riaient moins, mais ils ne tombaient pas dans la démence et la délinquance comme les plus fragiles. La fille de Mélénor se rendit voir son arbre. Chéri l'accueillit avec son habituelle bonne humeur, pourtant Thelma n'arrivait pas à se débarrasser de son anxiété.

— Ceux qui ont un caractère plus vulnérable sont en train de sombrer, déclara-t-elle, attristée par son impuissance.

— C'est assez naturel.

– Ma mère..., continua la princesse, je crois que la folie la guette. Elle est complètement imprévisible, toujours plus instable... comme si c'était possible ! Ses sentences sont impitoyables : rien qu'aujourd'hui, elle a fait pendre neuf hommes.

– Elle te fait du mal ? demanda Chéri, compatissant.

– À part mes cheveux, pas vraiment.

Chéri se retint de rappeler à la princesse qu'il l'avait prévenue contre les effets pervers de son deuxième don. Thelma sentit l'hésitation de son protecteur et reprit la parole avant d'essuyer un reproche justifié.

– J'évite la reine autant que je le peux, mais avec l'intendant, c'est plus compliqué, avoua-t-elle. Même ses bons amis se méfient de ses emportements ; il ne se maîtrise plus du tout, ni dans ses colères ni dans ses... pulsions...

La jeune fille rougit et détourna le regard vers les bosquets desséchés qui l'entouraient.

– Quand vas-tu te décider à quitter cet endroit maudit ? s'indigna le cerisier en secouant frénétiquement son feuillage lustré.

– Tu crois vraiment que c'est le moment ? protesta Thelma. Je ne peux pas partir seule, les routes sont devenues beaucoup trop dangereuses.

Chéri resta un moment sans parler, songeant au destin périlleux que devrait suivre sa protégée. Le spectacle autour de lui ajoutait à son affliction.

– Tu as vu l'état de la forêt et des jardins ? demanda-t-il.

Thelma hocha la tête. Les arbres, les plantes et les fleurs dépérissaient depuis plusieurs cycles des lunes ; les rayons du soleil ne parvenaient plus à percer la masse sombre des nuages et, dans cette atmosphère sinistre, nul n'avait le cœur au jardinage.

– Je suis allée à la rivière hier matin, puis je me suis rendue au bord de la mer. J'ai vu plusieurs poissons morts sur les berges ; les vautours rôdent sans toucher les carcasses qui pourrissent en viciant l'air.

– La nature s'empoisonne lentement.

– C'est horrible, renchérit la jeune femme, mais attends que je te raconte quelque chose d'encore plus étrange. Dans les ports, on entend des histoires hallucinantes de monstres marins qui s'attaquent aux équipages des navires. Bientôt, plus personne ne voudra prendre la mer.

– Et les animaux difformes ? Tu as remarqué ? voulut savoir Chéri.

– J'ai vu. Tu crois que les enfants seront touchés ?

– C'est inévitable si personne n'arrête L'Autre et ne s'assure de rendormir Korza. À ce propos, as-tu des nouvelles des maîtres de magie ? La *marjh* est-elle en route ?

– Je l'ignore.

– Pourquoi cette distance avec tes grands-parents ? s'enquit le cerisier.

– Tu ne peux pas comprendre, éluda-t-elle.

– C'est là toute l'estime que tu as pour moi ?

Une branche vint caresser le visage de la princesse, qui se décida à regarder son ami dans les yeux.

– Je ne veux pas qu'ils s'inquiètent pour moi ; ils ont bien assez de soucis comme cela. Et puis...

– Quoi, Thelma ?

– Je sais que ça va te sembler insensé...

– Je t'écoute.

– On dirait que chaque fois que je les vois, je finis par payer très cher mon bonheur. Après chacune de mes visites dans l'île, ma vie prend une tournure encore plus désagréable.

– Tu ne vas pas devenir superstitieuse tout de même ?

– Je savais que tu ne comprendrais pas ! s'offusqua la jeune fille.

– Tut ! Tut ! Tut ! Je comprends, Thelma. Tu as souvent été blessée, et je connais chacun de tes chagrins : ta mère, ton père...

– Noa qui vit maintenant à Celtoria !

– Même moi ! Tu as pleuré quand le jardinier m'a abattu.

– Mais toi, tu es revenu, tu ne m'as pas abandonnée.

– Tu penses que c'est ce que tes grands-parents ont fait ?

– Non, certainement pas ! répondit Thelma avec ferveur. Ils ont dû essayer de me contacter, mais je ne vais plus dans la forêt intérieure.

– Pourquoi te punis-tu toi-même ?

– J'ai honte ! avoua-t-elle après un moment d'hésitation. Regarde-moi, regarde mes cheveux, mes habits de servante... Personne ne me respecte, tout le monde se moque de moi. Je ne mérite pas l'amour de ces êtres exceptionnels.

La jeune fille se mit à pleurer, et Chéri la serra contre lui. Pourquoi fallait-il que cette enfant ait un destin si cruel ? Le vent se leva, et le cerisier huma l'air puant de la cité. Tandis qu'il murmurait des paroles apaisantes, une prière silencieuse gonfla son cœur de bois : « Maître Hμrtö, dame Mauhna, faites vite, sinon la désolation n'aura plus de fin. »

– XXII –

Tous les elfes s'étaient donné rendez-vous au village des rives pour assister au départ de la *marjh*. La veille, il y avait eu un banquet et une fête ; le temps d'une nuit, on avait essayé d'oublier le danger qui guettait les huit voyageurs, mais, dans le matin brumeux, le peuple d'Hµrtö se réveillait le cœur lourd. Les voyageurs montèrent à bord, accompagnés par les recommandations insistantes des chefs de clans : « Soyez prudents... Gardez le contact... Revenez bientôt... » Assisté par Bhöris et Muscade, Cid hissa les voiles. Le fils d'Atthal avait choisi d'utiliser sa goélette ; bien que petite, l'embarcation était stable et manœuvrable, même en haute mer. Les élus virent lentement leur île devenir un point minuscule, qui sombra bientôt dans le gris trouble de l'océan.

Le jeune Leani s'était isolé dans un coin pour bouder ; il détestait boire le sang de tortue, et, comme pour le harceler, Rysqey l'avait forcé à en prendre juste avant l'embarquement. « Et si je vomissais ? Avec ce maudit roulis, ça n'aurait rien d'étonnant... Monsieur Rysqey ne pourrait pas me le reprocher. » L'adolescent se ravisa en pensant que le goût horrible lui resterait encore plus longtemps dans la bouche. Pour se changer les idées, il sortit sa petite flûte en bois ; son père la lui avait fabriquée peu de temps avant de mourir. Leani sourit pour lui-même. Sa persévérance dépassait de beaucoup son talent ; il jouait faux, saccageait les rythmes et trouvait le moyen de massacrer les plus belles mélodies, mais rien ne décourageait l'enthousiasme du garçon. Il pouvait jouer pendant des heures sans se lasser, et, en prime, cela exaspérait Rysqey.

Quand Cid l'invita à le rejoindre à la barre, Leani avait retrouvé sa bonne humeur. Il avait déjà oublié qu'il s'était promis de n'adresser la parole à personne de tout le périple. L'homme-dauphin lui montra comment manœuvré le navire. Avec une patience infinie, il lui apprit à faire face aux vagues, à surveiller les voiles et à voir venir le vent. Hµrtö observait la scène en se disant que, assurément, nul n'échappait au charme de Cid. Il rejoignit le capitaine et son apprenti.

– Notre jeune homme a-t-il du talent ?

– Je dirais mieux, je dirais qu'il a la navigation dans le sang, maître !

Leani rougit de plaisir. Il reçut, dans le dos, une claque virile qui faillit lui faire lâcher le gouvernail.

– Tiens-moi cela, mon garçon, et regarde bien !

Tel un singe, Cid s'agrippa au bastingage. Il se pencha dangereusement et porta ses mains à sa bouche pour émettre des sifflements étranges qui rebondissaient sur la surface agitée de la mer. Leani était si fasciné qu'il oublia de regarder devant lui. Le magicien le fit sursauter quand il saisit la barre pour redresser le navire.

– Attention, Leani, tu tiens nos vies entre tes mains.

Cid poursuivit encore un moment son indéfinissable mélopée puis il revint prendre la direction du bateau.

– Va, Leani, va voir.

Il y en avait des dizaines, peut-être même des centaines. Les dauphins nageaient, sautaient, faisaient la fête autour du navire. Quand Cid jeta l'ancre dans une baie du continent, tout le monde plongea pour nager avec les dauphins ; on aurait dit une bande de gamins en vacances. Ils le refirent souvent, et l'homme-dauphin s'amusa à défier le garçon-tortue.

– Je parie que je peux rester sous l'eau bien plus longtemps que toi.

Ils se provoquèrent ainsi pendant des jours, irritant Rysqey, qui s'inquiétait pour son protégé.

– Ce n'est qu'un jeu stupide, ronchonnait-il tandis que tout le monde s'émerveillait des exploits des deux adversaires.

– Allons, Rysqey, tentait de le raisonner Hμrtö, c'est dans la nature des espèces qu'ils protègent.

– Je sais bien, maître, mais ils disparaissent si longtemps. Chaque fois, je me dis qu'ils se sont noyés.

– Fais confiance à Cid.

Ce jour-là, Leani et Cid furent les seuls à oser affronter les eaux froides portées par les courants du nord. L'adolescent s'amusait avec une femelle, qui le prenait pour un des petits de sa bande – c'est du moins l'interprétation que Leani donnait de l'étonnante sollicitude de l'animal. Tout à son plaisir, le jeune magicien ne vit pas qu'il s'était éloigné du bateau. Malgré le sel qui lui brûlait les yeux, il s'aperçut que Cid était remonté sur le pont. L'homme-dauphin et les autres lui faisaient de grands signes ; ils appelaient,

appelaient, mais leurs voix se perdaient dans le bruit des vagues et les cris étrangement rauques des dauphins. Leani commença à s'inquiéter quand il vit Hμrtö et Muscade empêcher Rysqey de sauter à l'eau. S'il n'avait pas déjà été transi, Leani aurait frissonné d'effroi ; il venait de comprendre que tous les dauphins s'étaient enfuis à l'exception de la femelle et de trois petits. Une ombre gigantesque apparut sous eux. La tête du serpent de mer émergea lentement jusqu'à dépasser le plus haut mât du navire. La bête plongea sa gueule béante si près de Leani que les remous le précipitèrent contre le flanc de la femelle dauphin. Le garçon s'accrocha à elle et, ensemble, ils filèrent vers la goélette. Leani avalait de l'eau et il se répétait que, s'il ne finissait pas dans le ventre du monstre marin, il allait certainement mourir noyé. Il sentit tout à coup une masse brutale lui râper le dos. Il crut un moment que la bête l'avait rattrapé. Dans un ultime effort, la femelle dauphin souleva l'adolescent hors de l'eau. Les oreilles bourdonnantes, Leani entendit la voix assourdie de Rysqey :

– La corde, Leani, la corde... Vite !

Les hommes le hissèrent juste au moment où le monstre capturait le troisième bébé. Leani vit le corps sectionné du jeune dauphin disparaître dans la gueule remplie de crocs. Seule face à la bête sanguinaire, la femelle attendait ; elle semblait avoir compris que toute tentative de fuite était vaine.

En dépit du tremblement incontrôlable de ses jambes, Leani grimpa au bastingage comme il avait vu Cid le faire. Il se mit à agiter violemment les bras et à crier pour détourner l'attention du monstre aux yeux jaunes. Tout le monde hurlait. Sans ménagement, Bhöris saisit l'adolescent pour le ramener sur le pont.

– Tu es fou ou quoi ? Tu veux nous faire tuer ?

Leani se débattit en pleurant puis se laissa aller contre la poitrine du chef des rebelles, mais le mal était fait ; la bête s'approcha jusqu'à heurter la coque du navire, qui tangua dangereusement. La tête du reptile surplombait le pont et ses yeux froids semblaient chercher sa prochaine victime. Hμrtö, Mauhna et Aglaë s'avancèrent en même temps. Ensemble, ils pointèrent leur index vers le monstre indifférent. Devant un tel danger, ce geste semblait étrangement dérisoire.

– *Fordir tat sequoni börteh*, scandèrent les trois magiciens.

Le serpent de mer ouvrit sa gueule trempée de salive et de sang, mais, au lieu de la refermer sur l'un des voyageurs, il laissa échapper une plainte rageuse. Sa queue battit l'eau si près de la proue que tout le monde se trouva éclaboussé. L'embarcation rebondit sur les vagues. Rysqey vint prêter main-forte aux trois autres magiciens. Il était trop jeune pour avoir déjà combattu des monstres marins. Il répéta les paroles du sortilège en espérant que son pouvoir s'additionnerait à celui de ses aînés.

– *Fordir tat sequoni börteh.*

La plainte devint plus intense et le corps sinueux du monstre se tordit de douleur. Quand le serpent de mer plongea pour s'enfuir, Leani échappa à l'étreinte de Bhöris. Sans hésitation, il sauta dans les vagues. La femelle dauphin était saine et sauve. Leani la caressa longuement pour la consoler ; il savait que rien n'est pire que de perdre des êtres aimés.

Les dauphins revinrent, mais plus personne n'osa se baigner avec eux. Hμrtö expliqua à ses compagnons que la bête n'était pas un véritable serpent de mer.

– Ces créatures ont disparu à l'époque du premier réveil de Korza. Le monstre que nous avons vu est issu de croisements dénaturés. Vous avez remarqué ses crocs et les dentelures de sa nageoire dorsale ? Mélénor a rencontré un spécimen semblable voilà quelques années. Si je ne me trompe pas, c'était à peu près au même endroit. Je ne connais pas beaucoup de sorciers assez puissants et insolents pour faire ainsi outrage à la nature.

Dès cet instant, bien qu'ils n'aient pas encore foulé le sol de l'ennemi, les elfes-sphinx surent qu'ils étaient sur les traces du mal.

✧

Les voyageurs abandonnèrent le navire dans une baie discrète. Bien que Cid fût convaincu que les dauphins pouvaient surveiller la goélette, Hụrtö préféra renforcer la garde. Il fit appel à quelques fantômes qui lui étaient dévoués.

– Nous vous serons redevables, mes amis, dit-il à une forme aux pourtours évanescents.

– Partez sans crainte, maître. Si jamais quelqu'un ose mettre le pied sur ce pont, nous nous occuperons de lui.

Un autre visage se superposa à celui du premier fantôme. Les esprits aimaient bien parler ainsi, à tour de rôle, complétant la phrase du précédent, comme si leurs pensées à tous n'en formaient qu'une seule.

– Oui... il aura la peur de sa vie.

Ils quittèrent le bateau et gagnèrent la rive dans des barques légères. Ils déchargèrent leurs maigres bagages avant de dissimuler adroitement les embarcations dans un bosquet d'herbes hautes. Ils convinrent que cet endroit serait, en cas de nécessité, leur point de ralliement.

Au cours de la traversée, ils s'étaient penchés sur leur premier défi : trouver le moyen le plus rapide de gagner la Terre des Damnés depuis leur point de débarquement, situé un peu au sud de Yulianna, la grande ville portuaire du pays de Yzsar. Parce que Muscade était mieux informée des coutumes continentales, elle accompagna Cid et Bhöris dans une mission d'exploration des villages côtiers. Leur visite avait pour but de mieux connaître le mode de vie des habitants du pays de Verlon. Vêtus comme de riches bourgeois du pays de Môjar, ils circulèrent sans être ennuyés et, compte tenu de l'or qu'ils dépensaient avec largesse, ils obtinrent aisément des réponses à leurs questions.

Discrètement, Muscade dessina plusieurs croquis ; elle s'intéressa aux vêtements, aux chariots et aux uniformes des militaires. Elle accompagnait ses dessins de notes diverses : ornements, couleurs, qualité des tissus et des matériaux.

Pour sa part, Cid passa plusieurs nuits mouvementées dans des tavernes à soldats. Il faisait si bien boire les hommes qu'aucun ne remarquait que le généreux étranger buvait à peine.

Les trois espions retournèrent bientôt vers la caverne qui abritait le reste de la troupe. Ils firent le récit détaillé de ce qu'ils avaient découvert pendant que Muscade étalait ses dessins.

– Si nous voulons être crédibles, voilà comment il nous faut voyager, expliqua-t-elle.

Hµrtö avait suggéré que le moyen le plus discret d'atteindre la Terre des Damnés était de transformer la troupe en un convoi d'esclaves puisque certaines des mines de Verlon longeaient les abords des terres corrompues. Plus loin, il leur faudrait improviser, car personne ne savait à quoi ressemblaient désormais ces territoires berceau de leur race.

Muscade commença par les croquis des uniformes que Cid, Rysqey et Bhöris allaient endosser pour jouer le rôle des soldats de Verlon. Elle décrivit ensuite à Aglaë les armes à imiter, les chaînes et les bracelets qui entravaient les pieds et les mains des esclaves. La magicienne fit apparaître chaque objet puis elle apporta des retouches pour assurer un réalisme parfait. Ils portèrent une attention particulière aux gants et aux pansements qui devaient camoufler leurs longs index aux ongles foncés. Muscade termina par une leçon générale pour les acteurs ; elle leur décrivit le comportement habituel des esclaves, celui des soldats entre eux et le traitement odieux qu'ils réservaient à leurs prisonniers. Hμrtö remercia chaleureusement les trois espions pour le succès de leur première mission.

– Je crois que nous sommes prêts, déclara-t-il, satisfait. Nous partirons demain à l'aube, aussi reposons-nous bien ce soir ; qui sait quand nous pourrons le faire de nouveau. Rysqey, tu veux bien t'occuper du repas ?

– Bien sûr, maître.

Grâce aux pouvoirs des magiciens, la communauté n'avait pas à se soucier des vivres. Les elfes de l'île préparaient les repas dans le respect des traditions des espèces, puis ils les déposaient au centre du chaudron des lunes pour que les magiciens les fassent voyager jusqu'à eux. C'était un doux réconfort pour les membres de la *marjh* de pouvoir compter sur cette nourriture, qui les liait à leurs amis et à leur monde. Malgré ces bons soins, les effets déstabilisants du continent commençaient à troubler la santé des voyageurs. Avant le repas, Hμrtö demanda le silence.

– Le moment est venu de boire le sang des espèces qui nous permettra de survivre à l'environnement hostile de cette terre. Pour certains, ce sera plus difficile...

Leani, qui buvait du sang depuis le lendemain de la formation de la *marjh*, l'interrompit sur un ton amer.

– Je suis certain que rien n'est pire que le sang de tortue.

Bhöris le regarda en grimaçant.

– Tu crois que le sang de condor, c'est mieux ?

– Tu préférerais peut-être du sang de dauphin ? renchérit Cid.

Leani se sentit un peu honteux. Il haussa les épaules pour cacher son trouble et retrouver un peu de sa contenance.

– Ce n'est pas juste !

Hụrtö préférait lui donner la parole plutôt que de le voir se refermer sur lui-même. Tous faisaient des efforts pour intégrer le jeune homme malgré son humeur capricieuse.

– Qu'est-ce qui est injuste, Leani ? demanda doucement le maître de magie.

– Bien... vous, dame Mauhna et dame Aglaë...

– Oui ? l'encouragea Hụrtö.

– Ce n'est pas comme du vrai sang : nectar solaire, lait des lunes, rosée de diamants... rien de dégoûtant. Et Rysqey, lui ? De la sève de vigne... Alors non, ce n'est pas juste !

– Tu n'as pas tort, Leani, reconnut Hµrtö. J'aurais préféré que ce soit plus facile pour toi et pour les autres. En fait, j'aurais préféré que rien de tout cela ne soit nécessaire. Au moins, tu ne seras plus seul.

Leani lui sourit puis changea radicalement d'humeur.

– Je meurs de faim, s'exclama-t-il en se frottant le ventre. J'espère que Lina nous a préparé des écrevisses à l'ail.

Hµrtö ne se laissa pas distraire.

– Le sang d'abord, dit-il fermement en regardant chacun de ses compagnons. Soyez très attentifs. Cela peut prendre plusieurs jours, mais dès que vous ressentirez des symptômes de transformation, il faudra me prévenir. Comme les Anciens l'ont exigé, nous arrêterons alors immédiatement pour prendre les antidotes.

Mauhna sortit sa gourde. Les autres l'imitèrent. Sous leurs yeux étonnés, les flacons de sang et d'antidote brillèrent d'un nouvel éclat bleuté.

– Je viens de les ensorceler, expliqua la magicienne. Elles sont maintenant invisibles, sauf pour vous-mêmes.

– Prenez-en grand soin, insista Hµrtö, car elles représentent désormais votre survie en ces terres hostiles.

– Buvons !

Muscade baissa la tête dans un signe de respect pour cet acte solennel qu'elle ne partageait pas. Après qu'ils eurent bu, Rysqey fit apparaître les plats. Les yeux remplis d'un ravissement béat, Leani se rua sur une casserole d'écrevisses. Aglaë prit une gorgée de vin puis elle s'éclaircit la voix.

– Outre les effets de la transformation, il est possible que vous ayez certains malaises. Si c'est le cas, dites-le-moi, j'essaierai de vous soulager... Enfin, si c'est possible.

– Quel genre de malaises, dame Aglaë ? s'inquiéta Cid.

– Je l'ignore. Cela dépend du sang. Peut-être qu'il n'y en aura pas. C'est d'ailleurs ce que je nous souhaite. Mangeons maintenant.

✧

Le chariot avançait péniblement dans les rues encombrées de Yulianna. Sur son cheval, Bhöris chassait la foule pour se forcer un passage. Ils auraient préféré éviter de traverser la ville, mais toutes les routes qui conduisaient aux mines de Verlon passaient par là. Rysqey conduisait le chariot, tandis que Cid lui tournait le dos, apparemment occupé à surveiller les esclaves enchaînés.

Ils atteignaient enfin l'extrémité nord de la ville quand ils rencontrèrent des soldats de la garde civile. Ils étaient trois, fiers comme des paons dans leur uniforme marqué de l'écusson de Verlon. Le chef s'adressa à Bhöris, qui portait des galons de capitaine.

– Ton convoi est plutôt inhabituel, capitaine.

Bhöris avança la mâchoire dans un mouvement autoritaire et agressif.

– Comment ça, inhabituel ? Qu'est-ce qu'un petit gardien comme toi peut bien y connaître ?

Il fit signe à Rysqey de faire avancer le chariot, mais le chef des gardes civils l'intercepta en descendant de son cheval.

– Eh ! Qu'est-ce que tu fais là ? maugréa le rebelle en abandonnant lui aussi sa monture.

– J'inspecte la marchandise.

– Depuis quand ? Occupe-toi de tes affaires, bonhomme !

Le gardien fit mine de ne pas entendre l'objection du capitaine. Il pointa son doigt vers Hμrtö.

– Un vieux... Ça ne vaut pas cher ! estima-t-il en grimaçant.

– Peut-être pas, mais c'est un fugitif, lui répondit Bhöris, peu amène.

– Tu as un point ! Mais là, qu'est-ce que je vois ? Depuis quand ils embarquent des jeunots pour les mines ? s'étonna le gardien. Es-tu certain que tu es honnête, capitaine ?

Cid sauta du chariot et saisit l'impudent par le col de sa veste.

– Tu es vraiment trop bête ! lui souffla-t-il au visage. Tu ne connais donc pas les goûts particuliers de nos patrons ?

– Un esclave sexuel... Pouach ! fit l'autre en tirant la langue de dégoût.

Cid le relâcha brusquement.

– Bon, ça suffit, tu nous retardes.

Le garde civil l'ignora. Il grimpa dans le chariot et enfonça l'extrémité de sa cravache dans l'estomac d'Hμrtö.

– Comment tu t'appelles ?

– Hurto ! répondit le magicien en modifiant son accent.

– D'où est-ce que tu viens pour avoir un nom pareil ?

– La première grande purge paysanne de Bortka, dit le magicien d'une voix aussi morne que dédaigneuse. Nous étions tous aux premières loges.

– Et cultivé avec ça ! se moqua le milicien. Ce genre de type cause toujours des embêtements.

Cid fit siffler son fouet à deux doigts du visage boueux du magicien, qui baissa la tête, toute trace de fierté disparue.

– Il n'essaie même plus !

Le gardien prit Cid à témoin.

– De la racaille de l'ancienne Bortka. Pas étonnant qu'on les envoie piocher le roc.

Maîtrisant son envie de frapper l'abject personnage, Cid se concentra sur le rôle qu'il devait jouer. Il cracha par terre en signe de mépris.

– Hum ! Tout juste bon à crever dans les mines.

Le chef des gardes revint vers Leani. Il mit sa main dans son pantalon pour y faire apparaître une grosse bosse qu'il plaça juste sous le nez du garçon. Entravé sur son siège, Leani ne pouvait pas reculer. Il détourna les yeux en rougissant.

– Celui-là, gouailla le gardien, c'est pas le même genre de pic qui va le faire crever !

Visiblement content de sa repartie, l'importun interpella Bhöris.

– Capitaine, dis, tu vas nous laisser profiter de tes femmes. Allez ! Sois bon prince.

Imperceptiblement, Bhöris porta la main à la poignée de son épée. Il allait dégainer, déçu de devoir déjà dévoiler leur couverture, quand Rysqey éclata de rire.

– Vas-y, mon gars. Vas-y... si le cœur t'en dit.

Cid et Bhöris regardèrent le jeune magicien comme s'il était devenu fou. Rysqey toutefois affichait un sourire ironique, ce qui intrigua ses compagnons et rendit le chef des gardiens soupçonneux.

La convoitise fut pourtant plus forte que la méfiance ; l'ignoble individu arracha le voile de Mauhna puis celui d'Aglaë. Bhöris eut un mouvement de recul devant la laideur incroyable des deux magiciennes. Aglaë arbora un sourire aguicheur qui, dans un visage crevassé de plaies, révéla des dents pourries et des gencives purulentes.

– Tu viens, mon joli ? fit-elle d'une voix éraillée.

Déterminé à ne pas se laisser ridiculiser, le chef se dirigea vers Muscade. Pivotant sur son siège de cocher, Rysqey retira lui-même le torchon qui couvrait la tête de la belle combattante. Le chef des gardes jura en la voyant. Quelques mèches filasses collaient au crâne dégarni qui semblait avoir été écrasé entre deux pierres. Un œil plus bas que l'autre louchait vers le nez busqué surmonté d'une énorme verrue. Le menton s'ornait de plus de poils noirs que n'en portait l'aisselle de l'homme horrifié. Rysqey recouvrit la tête de Muscade en riant.

– Elle a osé me proposer ses faveurs pour que je la laisse s'évader... Tu imagines !

Malgré tout, le chef fit lever Muscade en la tirant par le poignet. La combattante aurait pu le mater sans peine mais elle se retint ; tout comme Bhöris, elle connaissait l'importance de leur couverture. Il importait surtout de ne pas attirer l'attention. Muscade serra donc les dents plutôt que les poings quand le malotru souleva sa jupe.

– Elle a des jambes superbes... et des fesses ! siffla-t-il, admiratif. Si tu lui tiens ce torchon sur la tête, je lui fais son affaire.

Excédé, Bhöris bondit dans le chariot. Il poussa Muscade, qui s'affala sur le banc, puis il se retourna lentement vers le gardien.

– À ta place, je ne ferais pas cela, grogna le rebelle, menaçant.

– Et pourquoi donc ? C'est ta petite amie ? ironisa l'autre.

– Tu es le pire imbécile que j'aie jamais rencontré. Elle n'attend que cela, tu ne le comprends donc pas ?

Le garde fit face au faux capitaine, qui continua dans un souffle.

– J'avais deux autres soldats... Ils sont morts vidés de leur sang...

– Qu'est-ce que ça vient faire avec...

– ... la queue coupée, l'interrompit Bhöris, bien net ! C'est assez horrible à voir, un trou juste au-dessus des testicules.

Le visage du chef devint livide.

– Tu me fais marcher, non ?

– Cette femme est une kaspolienne. Si tu ne me crois pas, vas-y. Tes compagnons rapporteront à ta femme ton cadavre exsangue. Elle sera très fière de raconter à tes enfants que leur père est mort en violant une esclave, qui lui a coupé la queue.

– Mais les kaspoliennes, ça n'existe pas ! voulut se convaincre le gardien.

– Tu diras ça à ceux qui sont morts. Cette femme, dit Bhöris en désignant Muscade, a dans le ventre des dents plus acérées que celles d'un requin et...

Quand Bhöris vit le chef déglutir douloureusement, il poursuivit en prenant l'air désabusé de celui qui, tout compte fait, se fiche éperdument de la suite des événements.

– ... elle déteste les hommes !

Complètement refroidi, l'importun descendit enfin du chariot. Après avoir jeté un dernier coup d'œil aux esclaves, il éclata de rire.

– Capitaine, celle-là va tout droit à l'atelier des monstres, c'est certain. Là-bas, crois-moi, elle vaut son pesant d'or.

Bhöris ne comprenait pas le sens de cette remarque, mais il se tapa les cuisses en riant.

– Elle est bien bonne, celle-là... L'atelier des monstres !

Les soldats et les gardes rigolèrent un bon moment.

– Viens, capitaine, je t'offre à boire !

– Impossible, refusa Bhöris, je dois continuer mon chemin, je suis déjà en retard de plusieurs jours.

– Viens au moins pour une partie de cartes. Ce ne sera pas long ! insista l'autre.

Bhöris était piégé ; il ne connaissait pas les jeux populaires du pays. Cid s'interposa en faisant tinter des pièces dans sa bourse.

– J'y vais, capitaine. Juste une, pour l'honneur de notre régiment.

Cid bénit en silence ses nuits passées dans les tavernes des villages. Dans l'atmosphère vaseuse et enfumée des tripots, il avait d'abord observé les soldats. Rapidement, il avait compris les règles et il avait découvert quelques trucs, qu'il avait testés avec succès. Il avait vite battu ses adversaires à leur propre jeu. Tout comme ses amis les dauphins, Cid possédait une mémoire impressionnante et, plus que tout, il adorait jouer.

✧

La mine sombre, Bhöris regarda Cid s'éloigner avec les miliciens ; le Jynabör aurait préféré fuir en vitesse cette ville et ses pièges. Il soupira, saisit la bride de son cheval et chercha à se convaincre que, dans les circonstances, ils s'en tiraient tous plutôt bien. Comme s'il avait lu dans les pensées du rebelle, Rysqey déplaça le chariot vers un coin reculé de la cour d'une auberge. Quand les faux esclaves se sentirent à l'abri des yeux et des oreilles indiscrets, ils se risquèrent à échanger leurs impressions. Mi-figue, mi-raisin, Muscade souleva un coin de son voile.

– Qui nous a fait ça ? demanda-t-elle, interdite.

– J'ai deviné ce que Rysqey avait en tête, répondit Mauhna. J'ai transformé mon visage et je présume qu'Aglaë a fait comme moi.

– Je crois que c'était assez convaincant ! acquiesça cette dernière en riant.

Muscade déglutit.

– Mais moi... Qui m'a fait ça ? insista-t-elle.

Rysqey rougit puis il détourna la tête, embarrassé.

– C'était pour vous protéger... Je ne...

Muscade sourit.

– Ne soyez pas mal à l'aise, le rassura-t-elle. Je sais que vous n'aviez pas d'autre choix. C'est seulement que personne ne m'avait encore regardée avec une telle expression de dégoût. C'était... En fait, je ne sais pas...

La combattante s'interrompit brusquement quand deux soldats sortirent de l'auberge. Ils étaient costauds et portaient des uniformes rouge et or qui leur donnaient fière allure. Muscade rabattit son voile pour réintégrer son rôle. Quand les hommes eurent quitté la cour, elle s'adossa contre le montant inconfortable de son banc de bois.

– Par contre, reprit-elle, l'histoire de la kaspolienne, c'était plutôt risqué...

– Les uniformes..., l'interrompit le maître de magie. Sang de vipère !

Bhöris s'approcha de son prétendu prisonnier.

– Quels uniformes ?

– Ces deux soldats... Rouge et or, ce sont les couleurs du pays de Lombre !

– Verlon a donc réussi à conclure cette alliance, raisonna Bhöris.

Le maître de magie passa la main dans le col de son vêtement crotté pour y faire pénétrer la brise.

– Je parierais ma chemise qu'il y a un nouveau roi sur le trône de Lombre. La guerre ne va pas tarder à éclater sur les frontières de la Nouvelle-Bortka, se désola Hµrtö.

– Croyez-vous que Mélénor et Sabbee ont eu le temps de s'organiser ?

– Je l'espère, Bhöris, répondirent ensemble les deux maîtres de magie.

Des images sanglantes assaillirent l'esprit de Mauhna, qui sentit une autre onde glaciale lui hérisser la peau.

Quand la nuit fut plus noire, les femmes découvrirent leur visage. La proximité des latrines rendait l'air irrespirable, mais cela semblait plus supportable sans les affreux voiles qui leur piquaient la peau. Agacé par la soudaine frivolité de Rysqey, qui riait à tout propos, Bhöris abandonna son rôle pour aller discuter avec Mauhna.

– Dites-moi, madame, ça doit être tellement grisant de voler. Racontez-moi ce qu'on ressent quand on ne fait qu'un avec le vent.

Pendant ce temps, coincée avec le jeune professeur de magie qui lui tenait des propos étrangement décousus, Muscade s'inquiétait. « Peut-être est-ce la nervosité qui le fait réagir ainsi. » Pourtant, la combattante n'arrivait pas à se détendre ; son instinct lui dictait de rester en alerte. Elle observa ses compagnons avec curiosité. Leani était affalé dans un coin. Elle l'appela doucement.

– Leani, tout va bien ?

L'adolescent tourna la tête sans même la soulever. Il ouvrit un œil, lui sourit mollement, et se rendormit aussitôt. Muscade dévisagea Aglaë :

– Et vous, Aglaë ? Comment vous sentez-vous ?

– Merveilleusement bien, répondit la magicienne en se redressant. Je me sens calme et sereine, alors que je suis généralement... Oh ! vous croyez...

– Regardez-les ! chuchota Muscade. Je ne bois pas de sang, alors mes perceptions ne sont pas altérées. Ils se comportent bizarrement, vous ne trouvez pas ?

– Ce n'est peut-être que la fatigue ou une réaction à l'énorme tension que nous venons de subir.

– Vous dites sans doute vrai. Restons vigilantes, proposa-t-elle à la guérisseuse.

✧

La suite des événements donna raison à Muscade. Bhöris renonça à son nouvel intérêt pour les aspects du vol plané le temps d'aller chercher Cid, qui s'attardait ; visiblement, l'homme-dauphin n'avait pas l'intention de quitter la table de jeu. Cachées par l'épais manteau gris des nuages, les trois lunes étaient bien hautes dans le ciel quand la communauté sortit enfin des murs de la ville de Yulianna. Aglaë et Muscade firent part de leurs craintes aux maîtres de magie. Ils décidèrent de trouver un coin discret où se cacher. Le désordre le plus complet régnait, et il fallut toute la volonté de Muscade et toute l'autorité d'Hɥrtö pour empêcher la troupe de se conduire comme une bande d'élèves dissipés.

Quand ils eurent déniché un endroit sûr, Hɥrtö réclama le silence.

– Nous avons commencé à ressentir les malaises du sang, dit-il gravement.

Leani se tortillait pour essayer d'apercevoir son dos.

– Nous sommes en train de nous transformer ?

– Mais non, Leani, le rassura le maître de magie. Aglaë nous avait prévenus que certains troubles pouvaient apparaître. Bien que mineurs, ils représentent néanmoins le premier degré de la transformation.

Hɥrtö leur ordonna de boire les antidotes, puis il insista pour que tout le monde aille dormir. Le lendemain, les membres de la *marjh* avaient la nausée, mais leurs malaises s'étaient un peu atténués. Sans attendre, Aglaë se mit au travail. Il lui fallut tout le temps de cette première halte forcée pour préparer des baumes capables de soulager certains effets secondaires du sang. Ils ne reprirent la route que vingt jours plus tard. Hɥrtö les rassembla avant le départ.

– Nous connaissons maintenant les effets du sang sur chacun de nous, déclara-t-il. Vous pourrez calmer les symptômes en appliquant les baumes sur vos poignets. Cela nous permettra de progresser un peu plus vite. Nous devrons quand même nous arrêter pour les périodes de repos et la prise régulière de l'antidote.

Rysqey grimaça en exprimant un doute partagé par plusieurs d'entre eux.

– Êtes-vous certains que les effets déstabilisants de l'environnement sont pires que ceux du sang ?

Mauhna lui sourit tristement.

– Malheureusement, oui, c'est le cas pour tous les elfes-sphinx purs. J'ai vu des milliers d'elfes mourir ainsi au temps de l'exil : le corps se couvre de pustules, les entrailles s'enflamment et bientôt les forces abandonnent le malade, qui sombre dans la démence.

– Alors pas de sang, pas de mission !

– À moins d'être à moitié humain comme Muscade, conclut Mauhna. Mais vous le saviez quand vous vous êtes portés volontaires, non ?

Les membres de la *marjh* se montrèrent courageux en dépit du goût du sang qui leur parut bien amer.

✧

Ils poursuivirent leur route sans être importunés par les gardes civils. Après plusieurs jours, abandonnant le chariot, ils quittèrent discrètement les voies publiques pour s'enfoncer dans les bois environnants. Ils pénétrèrent sans s'en apercevoir dans les territoires de la Terre des Damnés. Ils avançaient depuis quelques heures quand le sentier qu'ils suivaient prit fin abruptement. Devant eux s'étendait ce qui avait déjà été une immense vallée. L'espace était désormais envahi par des buissons compacts de ronces. Au-delà de la vallée d'épines, Hμrtö désigna l'orée d'une forêt aussi noire que la nuit.

– Nous devons atteindre cette forêt, annonça-t-il.

Ils commencèrent sans attendre à tracer leur chemin dans les buissons acérés. Tout le monde participait, même Leani. Cependant, sous l'effet puissant des fluides des astres, la douleur eut bientôt raison des maîtres de magie, qui durent renoncer à prêter main-forte à leurs amis.

Hμrtö sentait son corps le brûler comme du feu, alors qu'un froid abyssal coulait dans les veines de Mauhna. Ils traînaient misérablement derrière les autres, évitant de se regarder pour ne pas ajouter à leur malheur le poids de leur nouvelle rancune. Dans sa détresse, Mauhna avait voulu se blottir contre son mari, qui l'avait repoussée avec une exaspération qui ne lui ressemblait pas. La magicienne avait été profondément blessée. Hμrtö avait bien essayé de s'excuser, mais les deux époux savaient que le cœur n'y était pas. Dans son accablement, le maître de magie était obsédé par une pensée qui le rendait injustement envieux : « Je prendrais bien la place de Mauhna ; avoir froid, oui froid, comme ce serait bon ! » Pendant ce temps, Mauhna rêvait de soleil et de feu de bois : « Pourquoi ne comprend-il pas que l'absence de chaleur est pire que tout ? »

Quand ils atteignirent enfin l'orée de la plus sinistre des forêts, tous les membres de la *marjh* étaient épuisés. Cette halte fut plus longue que les précédentes. Au bout de quelques jours, Hμrtö attira Mauhna dans ses bras. Ils pleurèrent ensemble d'impuissance devant cette douleur qui les rendait irascibles et intolérants, alors qu'ils avaient toujours été une source de réconfort l'un pour l'autre.

– Je croyais avoir connu le pire dans ce monde, mais il n'y a pas de mots pour décrire ça, avoua Hμrtö.

– J'ai peur, souffla Mauhna, encore frissonnante. Si Artos nous trouve dans cet état...

– J'y ai pensé aussi. En vérité, je ne pense qu'à cela. Nous ne pouvons pas courir ce risque.

– Que pouvons-nous faire ?

– Ralentir, Mauhna, nous n'avons pas le choix. Nous ne pouvons pas attendre d'être malades à ce point pour prendre l'antidote et calmer nos souffrances. Nous devons ralentir.

– Mais la guerre ? objecta la magicienne.

– Nous avons voulu croire que nous pourrions intervenir à temps. C'était de l'utopie.

– Il y aura des milliers de morts, s'attrista Mauhna. Et Mélénor qui comptait sur nous...

– Je suis désolé, Mauhna.

Hμrtö baissa les yeux pour échapper au chagrin évident de son épouse. La voix de Mauhna tremblait tandis qu'elle ravalait ses sanglots.

– Et les autres ? demanda-t-elle. Les innocents qui vont mourir parce que nous devons ralentir... Leur sang ne sera-t-il pas sur nos mains ?

– Pas sur les nôtres, Mauhna, sur celles d'Artos.

– Et notre responsabilité ? Je refuse de faire comme si nous n'en avions aucune !

– Et quelle sera notre responsabilité si nous échouons ? voulut la raisonner Hμrtö. Quelle sera-t-elle si, profitant de notre faiblesse, L'Autre nous abat et qu'ensuite il pourrit le monde ? D'une manière ou d'une autre, Mauhna, le sang coulera et ce sera la faute de notre ennemi.

Ils restèrent enlacés un long moment sans rien ajouter, puis Mauhna renversa la tête pour plonger son regard dans celui de son époux.

– Hμrtö ?

– Oui, ma chérie ?

– M'aimes-tu encore ? Sois franc, je... nous...

– Tut, tut, tut ! Notre amour a toujours été plus fort que les tentatives d'Artos pour le détruire et il subsistera jusqu'à notre dernier souffle.

✧

Quand ils furent tous remis, ils se rassemblèrent autour d'Hμrtö. Bhöris posa la question qui les préoccupait tous.

– Et maintenant, où allons-nous ? demanda-t-il.

La forêt les dominait, sombre et menaçante ; inutile de chercher la trace d'un quelconque sentier dans ces bois hostiles. La réponse du magicien les laissa sans voix.

– Je n'en ai aucune idée !

Rysqey ouvrit la bouche puis la referma, ahuri.

– Mais vous êtes déjà allés dans la Cité des sphinx, répliqua Cid. Vous avez vaincu Artos dans le temple même de nos ancêtres !

– C'est vrai ! reconnut le magicien.

Il saisit la clé dorée qu'il cachait sous sa tunique, puis il s'approcha de son épouse, qui tenait sa propre clé de platine.

– Après la mort de Danze, expliqua Mauhna, les Anciens ont sacrifié une partie des pouvoirs des Nagù pour protéger la cité grâce à des sortilèges qui la rendent invisible. De plus, quand elle se matérialise, la ville sainte n'est jamais au même endroit.

Cid leva les bras au ciel.

– C'est complètement fou ! Si je comprends bien, nous devons trouver une cité invisible qui se déplace on ne sait où. Et comment sommes-nous censés réussir ce tour de force ?

Mauhna regarda autour d'elle avant d'attirer l'attention de ses amis sur un rocher recouvert d'une mousse noirâtre qui dégageait une odeur répugnante. Hụrtö et elle placèrent leur clé l'une sur l'autre en les faisant pivoter en sens inverse. La lumière qui brillait dans leurs paumes, l'une blanche, l'autre dorée, filtra au travers des filigranes. Un plan apparut sur la surface mate de la pierre.

– Il fallait le dire ! soupira Bhöris, visiblement soulagé. Nous n'avons qu'à lire cette carte.

– Ce n'est pas si simple, le détrompa Hụrtö. Ce n'est pas à proprement parler une carte. Elle indique un point de départ, une direction et une distance, mais elle ne tient pas du tout compte de la géographie des lieux. Je peux vous montrer comment on se guide avec ce tracé, mais il demeure très approximatif ; la marge d'erreur est grande.

– En le suivant, poursuivit Mauhna, on peut se retrouver devant une montagne, un gouffre ou un fleuve qu'il faudra, le plus souvent, contourner avant de reprendre la bonne direction. Et comme si ce n'était pas déjà assez compliqué, la cité peut aussi bien se matérialiser au cœur d'un massif que dans les profondeurs de la mer. Les Anciens ne s'encombrent pas de ce genre de détail.

Hµrtö ajusta sa lumière pour améliorer la netteté du tracé.

– Il y a un autre problème, dit-il en tentant d'ignorer le désarroi croissant de ses compagnons. Pour que le plan soit complet, il nous faudrait la troisième clé.

Rysqey s'approcha de l'image pour mieux l'étudier.

– Que représente ce point-là ?

– Cette marque indique toujours l'endroit où nous sommes, expliqua le maître de magie.

Il invita les autres à se rapprocher de lui et dessina un cercle imaginaire autour d'une portion du plan.

– La clé de Mauhna indique le premier tiers du chemin. Ma clé révèle le dernier tiers. Le symbole que vous voyez là représente la Cité des sphinx : notre destination. La section intermédiaire est fausse. Pour connaître le chemin complet, il nous faudrait la clé d'Hodmar détenue par Artos.

Cid se redressa. Il regarda les maîtres de magie avec une lueur malicieuse dans les yeux.

– Je vous connais trop, déclara-t-il en souriant. Si vous nous avez entraînés jusqu'ici, c'est que vous croyez que nous pouvons réussir. Est-ce que je me trompe ?

– Tu as raison, Cid. Évidemment, il faudra travailler plus fort, mais les sphinx avaient tout prévu. Regardez les icônes qui figurent dans chaque section ; les sphinx ont semé des indices pour compenser la perte de l'une des clés. Les indices changent avec le temps, tout comme l'emplacement de la cité.

Mauhna désigna l'endroit marqué d'une lune.

– C'est notre position de départ, dit-elle. D'après le point qui nous situe dans l'espace, nous n'en sommes pas trop éloignés.

– À condition de ne pas rencontrer d'obstacles majeurs, rappela Bhöris, toujours réaliste.

– Évidemment ! commenta Hμrtö.

– La première partie de notre route sera la plus aisée, reprit Mauhna. Par la suite, il faudra être à l'affût, car nous devrons chercher des indices qui nous conduiront à l'étoile qui marque le début de la dernière section.

Muscade écarquillait les yeux pour mieux déchiffrer les formes minuscules.

– Et quels sont les indices que nous devons chercher ?

– Comme Hμrtö l'a expliqué, les indices changent. Nous devrons regarder le plan tous les jours. Ce ne sera pas facile ; il s'agit souvent de charades ou d'énigmes à résoudre. Vous verrez bientôt comment on procède.

Le maître de magie sourit en remettant sa clé sous sa chemise.

– Voilà pourquoi nous avions besoin de vous tous. À plusieurs, nos chances de réussir sont bien meilleures.

La mine perplexe, Leani secoua la tête.

– Artos n'a obtenu la clé d'Hodmar que bien longtemps après avoir découvert le temple des sphinx et le secret de Korza.

– En effet, approuva le magicien.

– Il l'a volée en même temps que les livres de magie noire quand il a assassiné votre maître, poursuivit l'adolescent, concentré sur son raisonnement.

– C'est vrai.

– Puisque la Cité des sphinx est aussi bien protégée, comment a-t-il fait pour la trouver sans aucune clé ?

– C'est une excellente question, mon garçon, le félicita Hµrtö, mais la réponse risque de te décevoir. Les mages noirs disposent de moyens qui ne sont pas à notre portée. Artos avait déjà choisi le monde de l'obscur lorsqu'il nous a quittés. Cela, par contre n'explique pas tout. On peut supposer que le hasard l'a conduit dans la Cité des sphinx.

– Mais vous ne cessez de répéter que vous ne croyez pas au hasard ! protesta Leani.

– Voilà tout le problème !

Mauhna passa une main tendre dans les cheveux en bataille de l'adolescent.

– Nous croyons que l'esprit des sphinx a guidé Artos jusque dans l'enceinte de la cité interdite, annonça-t-elle gravement.

Plusieurs voix indignées s'élevèrent en même temps.

– Pourquoi ? voulurent savoir les membres de la troupe.

Le maître de magie saisit son sac et le mit en bandoulière.

– Parce que lui seul est assez fou pour vouloir libérer Korza et que le seul moyen de mettre le monde définitivement à l'abri des effluves de la pierre du mal, c'est justement de la libérer.

– La libérer ? répéta Leani, complètement démonté.

– Oui, pour l'anéantir...

Hμrtö se retourna et s'enfonça dans les bois en faisant signe à ses compagnons de le suivre.

– Je crois que c'est la volonté des sphinx, lança-t-il en réveillant l'écho de la fôret noire, leur volonté et notre véritable mission.

Affronter Artos, l'immonde sorcier noir, semblait déjà un défi insurmontable pour les élus de la *marjh*, mais quand ils comprirent que leur destinée pouvait les conduire tout droit dans le gouffre de Korza, ils sombrèrent dans une méditation angoissée. L'aspect lugubre de la forêt n'allégeait en rien pour alléger le fil des jours. Ils progressaient lentement et devaient faire des haltes fréquentes qui les rendaient tous nerveux. Il devenait de plus en plus difficile de trouver de l'eau fraîche. La terre empestait la mort, et les bêtes les plus sournoises pullulaient dans la végétation grisâtre.

Leani nota que les seules bêtes saines à avoir survécu dans ce monde pourri étaient celles qui portaient des carapaces. Il découvrit avec bonheur des tortues indemnes, des escargots indifférents et des scarabées qui narguaient le mal en arborant leurs couleurs chatoyantes comme des bijoux. Cela lui donna une idée. Depuis longtemps, il cherchait un moyen d'attirer l'attention de Fiona, la troisième fille du chef du Clan des bois. Il ramassa deux carapaces de scarabées morts. « Je vais les enfiler. En cherchant bien, je devrais en ramasser suffisamment pour en faire un joli collier. » Cette pensée joyeuse l'aida à chasser sa peur.

Ils approchaient de la fin du premier tiers de leur parcours. Rysqey marchait en se demandant où il puiserait la force d'affronter la suite. « Et ils disent que cette portion était la plus facile », marmonnait-il.

Hμrtö annonça qu'ils allaient faire une nouvelle halte le soir même. En dépit de l'utilisation des baumes, les symptômes étaient réapparus depuis quelques jours. Ils s'arrêtèrent pour manger et reposer leurs jambes. Rysqey se rendit compte alors que Leani avait disparu. L'adolescent était toujours à la traîne, avançant péniblement et maugréant quand on le bousculait. Le jeune professeur oublia sa fatigue.

– Je vais le chercher, annonça-t-il.

Muscade le rejoignit.

– Je vous accompagne. Il n'est pas prudent de se promener seul dans ces bois.

– Non, non, reposez-vous. Il ne doit pas être bien loin. Il a dû s'arrêter quelque part pour jouer de la flûte. Il prétend que cela chasse son angoisse !

– C'est difficile pour tout le monde, dit Muscade, à plus forte raison pour un jeune de son âge. Allons-y !

– Mais...

– Il n'y a pas de « mais » qui tienne. C'est plus prudent ainsi.

Muscade et Rysqey rebroussèrent donc chemin. Le professeur regardait la combattante à la dérobée. Elle marchait devant lui, habillée de vêtements masculins qui ne parvenaient pas à dissimuler ses formes gracieuses. Dès qu'elle l'avait pu, Gherznithrz avait remplacé sa tunique, qu'elle jugeait inappropriée pour la marche en forêt. Sentant le regard insistant du jeune homme, elle se retourna soudainement. Surpris en flagrant délit, Rysqey eut la bonne grâce de rougir et de détourner son regard de celui de la jeune femme, aussi noir et froid qu'un puits. Muet d'étonnement, il vit tout à coup la tête de sa compagne se renverser, tandis que ses paupières se fermaient tout doucement. Puis Muscade bascula dans les bras du magicien. L'espace d'un moment, il serra contre lui le corps très lourd de la combattante. Un aiguillon lui piqua l'épaule et il s'écroula avec sa belle endormie.

✧

Hµrtö s'inquiétait. Muscade et Rysqey étaient partis depuis beaucoup trop longtemps. Quand Bhöris et Cid suggérèrent de partir à leur recherche, le magicien s'y opposa énergiquement.

– Nous avons déjà été trop imprudents. Il ne faut plus nous disperser.

Accompagnés d'Aglaë, Cid et Bhöris, les maîtres de magie avancèrent dans le plus grand silence. Ils ne tardèrent pas à reconnaître l'écho souvent interrompu de la flûte de Leani. Guidés par ce son, ils aboutirent à l'orée d'une clairière et se dissimulèrent derrière les buissons pour assister à une scène qui les glaça d'effroi. Hµrtö eut du mal à retenir Cid et Bhöris, qui voulaient se porter au secours de leurs amis.

– Attendez ! chuchota-t-il sèchement.

De mauvaise grâce, les deux hommes observèrent ce qui se déroulait devant eux. Ils comprirent vite qu'ils avaient été bien avisés de suivre le conseil d'Hµrtö. Des branches avaient été maladroitement rassemblées pour former une sorte de couche où reposaient Leani, Muscade et Rysqey. Leurs vêtements avaient été retirés pour exposer leur sphinx.

Tout bas, Bhöris interrogea Aglaë :

– Sont-il... morts ?

La magicienne le rassura en lui faisant plusieurs signes. D'abord, elle inclina sa tête sur ses mains jointes. En même temps, Bhöris pouvait lire sur les lèvres de son épouse. « Ils dorment. » Elle se pinça la joue. « Leur teint est encore rose. » Finalement, elle enfonça son ongle dans la chair de sa gorge. « Un venin somnifère sûrement. »

Le rebelle ne fut pas rassuré pour autant ; trois hommes sauvages se querellaient autour de l'autel. À une distance respectueuse, une trentaine d'autres créatures grognaient, sifflaient et se bousculaient dans un désordre belliqueux. Ils se battaient pour la flûte de Leani, et quand l'un d'eux parvenait à la garder assez longtemps, il en arrachait des sons torturés qui semblaient tous les ravir.

Hµrtö se faufila dans l'herbe haute pour mieux comprendre l'objet de la dispute qui opposait les trois chefs de bande. Il y avait l'homme-corbeau qui croassait plus qu'il ne parlait. Il avait les yeux noirs de l'oiseau ainsi que son large bec agressif. Son corps était celui d'un elfe, mais une petite paire d'ailes bleutées ornait le dos de ce chef arrogant.

– Nous prenons la femme. Elle est à nous.

Le deuxième chef, l'homme-python, siffla d'un air menaçant. Ses jambes et ses bras musclés étaient recouverts d'écailles. Ils formaient des angles incongrus comme s'ils possédaient chacun des dizaines d'articulations.

– Il n'en est pas question. La femme est à nous ; nous sommes les plus puissants.

Les deux chefs se chamaillaient, mais ils avaient un point en commun. Tous les deux méprisaient ouvertement le troisième : le chef-sumac. Tandis que les membres de sa bande luttaient contre les hommes-reptiles, le chef couvert de feuillage corrosif s'époumonait.

– Nous prenons l'homme-vigne ; il appartient à notre famille, à notre règne.

Le chef-corbeau le renversa d'une poussée. L'homme-python l'attaqua à son tour. Il saisit une branche qui servait de bras à son adversaire végétal. Le chef-serpent serra si fort que l'autre hurla. Le puissant homme-python relâcha subitement son étreinte ; il contempla en grimaçant sa main couverte de cloques douloureuses.

– Tu vas me le payer ! dit-il en balançant son pied dans le ventre du chef-sumac. Tu prendras ce que nous voudrons bien te laisser, si nous te laissons quelque chose... poison ! N'oublie pas que c'est grâce au venin de mes hommes-serpents que nous avons capturé ces « parfaits ».

– Peut-être bien, ricana son adversaire en dépit de sa position défavorable, mais tu les garderas comment tes idoles si mon clan ne te fournit pas les racines de tyohirin qui les transformeront en statues, hein ?

Hµrtö vit que ses amis l'avaient rejoint.

– Que font ces hommes sauvages ? l'interrogea Cid.

– Il y a plusieurs siècles qu'ils n'ont pas vu de gens de notre race, purs et vivants. Ils savent qu'aucun elfe-sphinx ne peut survivre dans ces terres, alors ils en ont conclu que nos amis sont des êtres suprêmes, voire des dieux. Peu importe ! Ils veulent en faire des idoles. Mais... Oh non !

– Que se passe-t-il ? s'inquiéta Cid en voyant le visage horrifié du magicien.

– Il y a quelque chose qui cloche.

Près d'eux, Bhöris maîtrisait mal son impatience.

– Il faut y aller. Il faut passer à l'attaque avant qu'ils les tuent.

Livide, Hµrtö lui saisit le bras.

– Bhöris, quelque chose ne va pas, répéta le magicien, alarmé.

– Quoi donc ?

– Les hommes-oiseaux, les hommes du chef-corbeau...
Où sont-ils ?

Le magicien leva lentement la tête. Les créatures étaient juchées dans les arbres, observant leurs proies dans un silence irréel. Les fléchettes volèrent, et l'euphorie gagna les hommes sauvages qui dansèrent toute la nuit autour des huit idoles endormies.

– XXIII –

Cette nuit-là, Thelma s'éveilla brutalement. Dans la chambre qu'elle partageait avec les autres servantes, l'obscurité était totale. Habituées aux fréquents cauchemars de leur compagne, les domestiques se retournèrent sur leur paillasse en maugréant.

– La ferme, Amleht ! Tu cries encore.

La princesse se leva, convaincue que le sommeil ne reviendrait pas. Elle avait rêvé que de curieuses créatures ligotaient sa grand-mère et lui couvraient les paupières de boue. Dans une forêt inhospitalière, des arbres mutants dominaient les membres de la *marjh*.

« Non, non, s'affola Thelma, il ne faut pas qu'il leur soit arrivé malheur. »

Elle songea un moment à se rendre dans la forêt de Carmine et à utiliser le miroir pour joindre Mauhna, mais elle se souvint de l'interdiction.

« Une fois arrivés sur la Terre des Damnés, nous devrons renoncer à communiquer à l'aide des miroirs. L'Autre pourrait en capter les ondes et nous repérer. »

La princesse considéra alors la possibilité de parler à son père par le même procédé magique. Elle hésita un long moment.

« Me croira-t-il ? Même moi, je ne suis pas certaine de pouvoir me fier à mes rêves. »

L'héritière des silences choisit de se taire.

« Savoir ne ferait que l'accabler. Que mon rêve représente la réalité ou non, le roi sera impuissant, car il ne pourra pas leur porter secours. »

Les pieds gelés sur le parquet nu, Thelma contourna les lits et sortit dans un couloir aussi sombre que le dortoir. Elle avait maintenant dix-sept ans et songeait de plus en plus souvent à s'enfuir du palais pour échapper à son existence sans issue. À ce propos, elle recevait des avis fort opposés.

Son frère Nathan l'encourageait à rester à Döv Marez.

– La communauté vaincra bientôt Artos, Korza sera rendormie et notre père reviendra. Il sera alors libéré de l'ensorcellement et il te rendra ta place légitime.

Tout le monde oubliait que ce garçon de douze ans avait grandi trop vite ; le jeune prince montrait tellement d'assurance que Thelma se laissait influencer et différait ses plans de fugue. En secret, grâce à la complicité du maître d'armes du palais, le frère et la sœur raffinaient leurs techniques de combat. Convaincu du talent exceptionnel des deux jeunes gens, l'homme ne ménageait ni son temps ni ses conseils.

– Le pays de Gohtes a besoin de bras valeureux comme les vôtres, déclarait-il quand il était particulièrement fier de leurs efforts.

La princesse correspondait régulièrement avec Noa, qui lui décrivait sa vie à Celtoria. À l'instar de sa sœur, la fille-panthère passait beaucoup de temps avec des professeurs qui lui enseignaient à se battre, mais aussi à réfléchir sur le sens de la vie et des combats. L'un d'eux était Valtan, l'ancien garde du corps de Mélénor. En attendant le début des hostilités contre le Yzsar, cet habile bagarreur dirigeait l'entraînement de la fougueuse fille de Leila, l'encourageant à bien canaliser son énergie. La jeune femme l'appréciait beaucoup pour sa force tranquille.

Les lettres de Noa étaient courtes mais directes. Elle ne s'était donc pas privée de dire à Thelma qu'elle ne partageait pas l'opinion de Nathan.

– Tu devrais venir me rejoindre en Nouvelle-Bortka. La guerre se prépare. Tu as mieux à faire que de servir dans le château de ta mère.

Douce ne faisait que très rarement référence à leur père.

– Le roi se montre équitable envers tous ses enfants, avait-elle un jour ironisé. Il leur réserve à chacun la même indifférence.

Noa rapportait aussi les potins de la cour de Celtoria. Elle admirait Sabbee, cette princesse combattante qui refusait sa main à d'innombrables prétendants.

– C'est une véritable guerrière : indépendante, loyale et courageuse.

La fille-panthère n'écrivit cependant pas que des rumeurs circulaient parmi les citoyens de la capitale : on prêtait à son héroïne une liaison passionnée avec le roi de Gohtes. Douce ignorait si ces ouï-dire étaient fondés. Jamais elle n'avait surpris de mouvements furtifs entre les appartements des deux souverains, mais lorsqu'ils étaient en présence l'un de l'autre, il se dégageait une telle aura de désir qu'elle ne pouvait échapper à qui savait regarder avec le cœur.

Complètement réveillée, la princesse tâtonna jusqu'à ce qu'elle trouve la porte des jardins et alla rejoindre Chéri, à qui elle raconta son cauchemar.

— Je refuse d'admettre l'échec de la communauté, conclut-elle en caressant le tronc du cerisier. Ce serait comme accepter la fin de notre monde.

— Bien des événements doivent avoir lieu avant le dénouement final.

— Cela devrait-il me rassurer ?

— Cesse de te montrer obtuse, ma fille, la gronda Chéri. C'est indigne de toi.

— Excuse-moi, mais j'ai si peur.

— Tu dois partir, Thelma. Cela aussi fait partie du plan.

— Le sort des races pensantes ne dépend sûrement pas d'une servante chauve et laide.

— Tut, tut, tut !

L'arbre fut interrompu par une plainte de la jeune fille, qui se plia en deux sous le coup d'une violente douleur au ventre.

— Qu'as-tu ? s'inquiéta Chéri.

— Mon sphinx... Il a bougé. Jamais il n'a fait cela auparavant.

Même si La Marque avait évolué, même si la réplique de Danze était devenue aussi belle que sa vénérable ancêtre, la jeune porteuse du pensant-lion ne prêtait guère attention à cette partie d'elle-même. Troublée de savoir qu'elle la désignait comme la protectrice de la race entière des elfes-sphinx, la princesse préférait l'oublier.

– C'est un signe, Thelma, l'assura le cerisier quand la crise fut passée. L'héritière des silences doit affronter son destin.

✧

Au même instant, dans les couloirs du palais, Cassandra errait sans but. Depuis presque cinq cents ans, le sommeil la fuyait. Elle avait l'habitude de profiter de ses nuits pour méditer ou lire de la poésie mais, dernièrement, le trouble de son âme l'empêchait de jouir de ces doux moments. La menace qui planait sur l'Île-aux-Tortues n'était pas son unique préoccupation ; il y avait plusieurs cycles des lunes qu'elle était sans nouvelles des membres de la communauté. Quand elle y pensait, son cœur se serrait. « Que se passe-t-il là-bas ? Pourquoi ne donnent-ils pas signe de vie ? » La ministre des Finances prit la direction des cuisines dans l'espoir qu'une infusion réussirait à l'apaiser.

Un hurlement la fit sursauter. Il ne lui fallut que quelques instants pour comprendre d'où il provenait. « Oh non ! Pas encore ! » Cassandra courut aussi vite qu'elle le put vers les appartements royaux. Quand elle ouvrit la porte, un second hurlement déchira le voile de la nuit. La ministre s'approcha du lit et en écarta les draperies. Aucune lumière ne filtrait par la fenêtre ; les nuages étaient maintenant trop denses pour laisser couler la clarté des lunes. « L'influence de ces maudits nuages devient beaucoup trop forte pour la reine ; ils vont la rendre complètement folle. »

Cassandra entendait Isadora gémir et se débattre sous les couvertures. L'elfe prit le temps d'allumer une bougie avant de s'asseoir prudemment sur le lit.

– Votre Altesse, dit-elle doucement, vous êtes souffrante ?

Les yeux de la reine bougeaient sous ses paupières closes. Ses cheveux étaient trempés de sueur, et Cassandra sentait venir un nouveau hurlement. Elle saisit l'épaule d'Isadora et la secoua vigoureusement.

– Ma reine, réveillez-vous ! Ma reine, je suis là !

Celle-ci ouvrit la bouche pour crier, puis ses paupières se soulevèrent. Les yeux hagards, elle fixa Cassandra comme si elle était un monstre.

– C'est moi, voulut la rassurer la ministre, c'est moi, Cassandra !

– Oh !

Le corps tendu de la reine s'enfonça pitoyablement dans la masse des oreillers humides.

– Cassandra... J'ai fait un rêve horrible !

La ministre saisit la main de la souveraine pour la réconforter.

– Voulez-vous me le raconter ? Cela vous soulagera et vous permettra de vous rendormir.

– Non ! Je ne veux plus jamais dormir. C'était trop affreux !

– Qu'y avait-il dans votre rêve ? demanda patiemment Cassandra.

Des larmes roulèrent sur les joues d'Isadora.

– Mélénor était ici, commença-t-elle d'une voix tremblante. J'avais tellement besoin de lui, je voulais qu'il me prenne dans ses bras, qu'il m'embrasse, mais il me repoussait. Dans ses yeux, je lisais le dégoût. Il me disait : « Laisse-moi, tu n'es même pas une femme. »

Cassandra trouva un mouchoir sur la table de chevet et essuya les larmes de la reine, qui sanglotait de plus belle.

– Je ne comprenais pas, poursuivit Isadora. Je lui répondais : « Mais non, je suis une femme, je suis *ta* femme », mais il ne m'écoutait pas. Tout à coup, j'ai vu tante Volda qui nous regardait : « Il a raison, Isadora. Tu n'es pas une femme, tu n'en as jamais été une. Il fallait que je le fasse, il n'y avait pas d'autre moyen. » Ma tante semblait si triste. Elle tenait une longue aiguille : « J'ai pris du fil rouge, car le blanc se serait taché... Au moins, maintenant, tu fais propre ! »

La ministre comprit alors que même si elle n'avait pas envie d'entendre la suite, elle n'y échapperait pas. La lumière de la bougie dessinait des cernes inquiétants sur le visage cireux d'Isadora.

– Les mains de Volda étaient couvertes de sang, enchaîna la reine, toujours horrifiée. J'ai alors vu que mes seins avaient été coupés ; les plaies recousues traçaient deux cicatrices violacées sur ma poitrine. Mon sexe avait l'apparence d'un rapiéçage bâclé. J'ai hurlé. Ce n'était pas terminé. Mélénor est allé rejoindre ma tante, qui n'était plus ma tante... C'était une très belle femme. Elle et Mélénor me regardaient et ils riaient. J'étais comme paralysée ; je n'arrivais plus ni à

407

parler ni à bouger. Dans les mains de la femme, l'aiguille grossissait, et cela les faisait rire tous les deux. L'aiguille est devenue un petit poignard. Mélénor a pris la femme par la taille et l'a embrassée. Elle le caressait en se frottant contre lui. Je savais ce qu'ils allaient faire et je voulais leur crier de cesser de me torturer. Mélénor a tout à coup semblé se rappeler que j'étais là ; il a pris le petit poignard et me l'a planté dans le ventre.

Cassandra se leva pour tremper une serviette de lin dans l'eau fraîche d'un broc de faïence. Elle appliqua le tissu sur le front brûlant de la reine puis souffla la bougie. Elle s'assit sur une petite bergère, prête à veiller jusqu'à l'aube. Elle resta silencieuse, cruellement consciente de l'impuissance des mots. La voix de la reine résonna comme un glas dans l'obscurité malsaine.

– J'ai assisté à leurs ébats, entendu leurs mots tendres, senti leurs odeurs musquées qui se mélangeaient à celle de mon sang qui s'épuisait, puis je suis morte au sommet de leur extase.

Dans le noir, la ministre replaça le linge sur le front de la reine pour qu'elle profite de sa fraîcheur.

– Je reste auprès de vous. Vous devriez essayer de vous rendormir.

– Je ne crois pas que ce sera possible, chuchota Isadora comme une enfant terrifiée.

– Essayez tout de même.

– Madame ?

– Oui.

– Ce rêve... Il n'est pas prémonitoire, dites-moi ?

– Je ne m'y connais pas très bien, mais je sais que le langage de l'univers onirique possède ses propres codes.

– Alors ? implora Isadora.

– Je ne crois pas qu'il faille prendre les songes pour ce qu'ils paraissent, déclara Cassandra, espérant qu'elle disait vrai.

– XXIV –

Mélénor saluait la foule en liesse. Comme le carrosse roulait lentement, le roi pouvait aisément observer les effets positifs de sa décision. Il n'avait jamais vu autant d'uniformes militaires. Jamais non plus, il n'avait été acclamé avec autant d'enthousiasme par les citoyens de la Nouvelle-Bortka. Avec leur étrange habileté à ignorer leurs propres contradictions, les nobles agissaient désormais comme s'ils avaient toujours été ses fervents partisans. Sabbee rayonnait de bonheur ; elle caressa discrètement la main du roi. Mélénor la regarda et, sans cesser de sourire, il marmonna entre ses dents :

– Si vous me répétez encore une fois que vous aviez raison, je vous jure que je vous donne la fessée.

Elle rit et serra plus fort la main de Mélénor.

– Ne me dites pas que je viens d'épouser un homme pervers !

– Riez, ma mie, riez ! menaça le roi. Une bonne fessée et...

– Des promesses... encore des promesses !

En rentrant de son dernier voyage à Döv Marez, Mélénor avait été accueilli par une Sabbee plus déterminée que jamais. Elle ne lui avait laissé aucun repos.

– Si vous ne le faites pas par amour pour moi, faites-le pour le peuple. Vous me dites que la guerre est imminente, mais nous ne sommes pas prêts. Les hommes ne s'engageront que si leurs seigneurs lèvent les armes.

– Les nobles doivent se rallier.

– Évidemment. Ils ne le feront pas tant qu'ils vous considéreront comme un étranger.

Dominé par l'envoûtement de l'Autre, Mélénor l'avait mise en garde.

– Un sortilège gère mes humeurs. Je deviens violent et intolérant par moments. Vous ne désirez certainement pas un époux pareil.

– Je vous connais mieux que vous-même, s'était moquée la princesse. Je prendrai tout : le bon comme le mauvais. Si je vous dégoûte, vous n'aurez qu'à rester dans vos appartements, je ne souffrirai pas davantage que maintenant.

Le voile rouge s'était étalé devant les yeux du roi. Il s'était souvenu de la dernière scène que lui avait faite Isadora ; son visage déformé par la colère, sa voix hystérique de femme capricieuse. Tout alors avait basculé pour Mélénor. Libéré de sa mauvaise conscience par la perversité du maléfice, il avait enfin accepté la vérité : il y avait longtemps que son amour pour la reine était mort. À quoi bon lui sacrifier sa vie d'homme et de souverain. Il avait alors soulevé Sabbee dans ses bras.

– Vous désirez tout prendre, alors vous aurez tout !

Il l'avait entraînée dans ses quartiers et lui avait fait l'amour avec fièvre. Aucun remords ne l'avait ensuite tourmenté. Il avait tourné la page. Le peuple de la Nouvelle-Bortka aurait un roi, une guerre, un avenir peut-être et, pourquoi pas, une reine comblée.

Ils arrivèrent au palais suivis par le peuple qui trépignait d'impatience. Maintenant que la cérémonie nuptiale était terminée, tout le monde ne pensait plus qu'à boire, à manger et à danser.

Les souverains étaient à présent prêts pour la guerre. Depuis l'annonce du mariage de leur reine, les hommes s'enrôlaient avec enthousiasme, et c'est avec fierté qu'ils revêtaient l'uniforme vert et argent de l'armée de la Nouvelle-Bortka. Les souverains adoubaient nombre de jeunes gens, qui formaient une toute nouvelle génération de chevaliers. Un élan de patriotisme soulevait le peuple ; on réclamait soudainement vengeance pour les sujets de l'ancienne Bortka qui vivaient sous le joug de Verlon. Partout, dans les villes et dans les campagnes, on scandait un nouveau cri de ralliement. Mélénor gravit les marches du palais, conscient de la solennité du moment. La longue traîne de la robe de Sabbee bruissait dans l'escalier de marbre. Ils se rendirent cérémonieusement jusqu'au balcon qui surplombait la foule galvanisée. Mélénor ne portait pas de couronne ; il leva le poing. Dans sa main, pas de sceptre mais une épée étincelante.

– Je fais le serment de venger notre père, Trevör, et de libérer nos frères humiliés. Mon courroux n'aura de cesse que le jour où tous les enfants de Bortka auront retrouvé leur liberté, loin de l'infamie et de l'opprobre.

Le cri de ralliement s'éleva tel un rugissement qui fit trembler la terre.

– Bortka unifiée, Yzsar écrasé, Verlon au bûcher. Bortka unifiée, Yzsar écrasé, Verlon au bûcher.

– XXV –

Verlon aurait trouvé cette scène très amusante. Le roi de Yzsar se sentait plus puissant que jamais ; il avait fait assassiner le vieux roi de Lombre pour le remplacer par son neveu, le comte Ferraro. Cette étape n'avait posé aucun problème ; en revanche, il avait fallu sacrifier des montagnes d'or pour obtenir que son nouvel allié lui envoie ses armées en renfort.

Pour Verlon, cependant, cela n'avait plus d'importance puisque la flotte de Yzsar déversait sans interruption des régiments entiers de grands gaillards en uniforme rouge et or. Les troupes alliées déferlaient vers le sud et, dans quelques jours à peine, les combats feraient rage. Le roi Ferraro avait même promis qu'il viendrait sur les champs de bataille : « J'aime le sang, il m'inspire mes plus belles œuvres. » Artiste accompli, le nouveau souverain de Lombre avait un faible pour les compositions macabres, et sa fièvre créatrice engendrait des œuvres puissantes qui donnaient la nausée aux gens sains d'esprit.

Pour le moment, toutefois, Verlon n'avait qu'une idée en tête : le combat des monstres. Il marchait aussi vite que ses petites jambes le lui permettaient. Naq le guidait à travers le dédale de tunnels souterrains.

– J'ai demandé aux équipes qu'elles emmènent avec elles deux spécimens de leur combattant-vedette, expliqua-t-il au roi.

– Ah oui ! Et pourquoi cela ?

– Quand on aura notre champion, je veux le voir affronter chacun des autres monstres-combattants. Ce sera une véritable mise à l'épreuve ; elle confirmera la supériorité du gagnant ou soulignera des faiblesses qu'on n'aurait pas vues autrement.

– Mais le vainqueur sera le meilleur, non ? argumenta Verlon.

– En théorie, oui, sauf que l'ordre des affrontements étant dicté par le sort, le gagnant pourrait avoir été favorisé par sa position.

– Tu as raison, Naq. Il faut s'assurer que ce soldat sera imbattable.

Ils arrivèrent enfin dans la grotte qui servirait d'arène aux combattants. Delia avait déjà pris place sur l'estrade qui dominait la scène. Dans les gradins, les gardes-mutants chahutaient en lançant leurs paris. Les six équipes attendaient le roi pour que commence le fameux concours des monstres-soldats. Une seule équipe survivrait ; les potences érigées dans un coin rappelaient sans équivoque le sort qui attendait les perdants.

S'il avait su comment faire, « La tache » aurait prié. Les choses ne s'étaient pas déroulées comme il l'avait souhaité. Il avait pourtant atteint son premier objectif : recruter les meilleurs hommes. Ses équipiers avaient suivi les directives de leur chef, travaillant avec l'énergie de ceux qui tiennent à la vie. Mais « La tache » avait fait fausse route en pensant que le chantage lui permettrait d'obtenir la mère-gorille comme génitrice. Le garde lui avait ri au nez, convaincu que « La tache » n'oserait jamais le dénoncer ; évidemment, de par leurs origines douteuses, ces mutants avaient plus de muscles que de cervelle. Quand Naq avait su que le garde avait désobéi au règlement en s'accouplant avec la mère-sanglier, il avait à peine haussé son unique sourcil. Son sabre avait émis un bruit discret ; la tête du garde avait roulé aux pieds du dénonciateur puis avait disparu, ne laissant sur le sol qu'un petit tas de cendres. Naq avait ensuite saisi « La tache » par le collet.

— Qu'est-ce que tu espérais tirer de cet abruti ? avait demandé le monstre en essuyant la lame de son sabre sur la tunique crasseuse de l'esclave.

— Rien, Votre Grandeur, rien du tout... C'est seulement que... Le règlement, c'est important... C'est vous qui...

« La tache » s'était interrompu lorsque le tranchant de la lame de Naq s'était immobilisé sur sa gorge. L'œil perçant du conseiller de Verlon était rivé sur le visage de l'esclave.

— S'il y a quelque chose qui me fait horreur, c'est bien qu'on me prenne pour un imbécile. Tu as une autre chance !

L'homme avait décidé de jouer le tout pour le tout ; le monstre du roi semblait disposé à l'écouter, alors aussi bien tenter sa chance.

— Je voulais que mon équipe obtienne la mère-gorille comme génitrice... J'ai des idées pour cette fem... femelle. Exploitée co... correctement, avait-il bredouillé.

— Tu insinues que Verlon et moi n'avons pas su l'exploiter ?

– Non, non, je n'ai rien dit de tel.

– Je ne te tuerai pas tout de suite, avait décidé Naq en relâchant le forçat, ce serait trop facile et trop doux. Non, je vais attendre que tu te pendes toi-même ; ton équipe aura la mère-abeille.

Le conseiller du roi avait éclaté de rire, puis il avait repoussé l'esclave contre le mur de pierre. Ce dernier avait attendu que Naq ait disparu pour s'effondrer. « Pas la mère-abeille ! Ciel, je suis mort ! »

Le grand moment était enfin venu. « La tache » essayait de ne pas trop penser. Ses coéquipiers revinrent vers lui, le teint livide et les mains tremblantes ; les nouvelles étaient mauvaises.

– Ils ont fait le tirage, annonça l'un des esclaves. Nous sommes les derniers.

– C'est parfait ! se réjouit leur chef.

– Comment ça, c'est parfait ? C'est pire que la torture.

« La tache » ne répondit pas immédiatement. Il souleva la bâche qui recouvrait la cage et jeta un coup d'œil inquiet à son duo de combattants : les deux monstres dormaient paisiblement.

– Chaque minute compte, dit le chef à son équipe. Et puis, on ne sait jamais... Notre stratégie est unique ; aucun autre groupe n'avait autant de connaissances que le nôtre.

Les hommes s'assirent quand les cors annoncèrent le début du premier combat.

– Équipe numéro un ? appela Naq. Quelle est votre génitrice ?

Chacun des six groupes était identifié par la femelle reproductrice qui lui avait été attribuée.

– La mère-sanglier.

– Et la vôtre, équipe numéro deux ?

– La mère-gorille.

– Dévoilez vos soldats, ordonna le monstre.

L'équipe de la mère-sanglier ouvrit une cage. Bien malgré lui, « La tache » fut captivé par la bête. « Ils ont fait du bon boulot. » En fertilisant leur femelle avec de la semence de chauve-souris et de loup, les concepteurs de la créature avaient évité le premier piège : ne miser que sur la force. Ce soldat se tenait sur quatre pattes. Son ventre portait de nombreuses tétines. « Très bien, la capacité de reproduction des soldats deviendra un enjeu stratégique quand la guerre battra son plein. » C'était, cependant, l'unique contribution de la mère-sanglier à l'hérédité de son rejeton, qui avait la tête et la gueule du loup. Sa peau noire et épaisse luisait comme si elle avait été huilée. La bête ouvrit ses ailes et s'envola vers les hautes voûtes de la caverne. « La tache » la chercha en vain dans l'obscurité. « Fascinant ! s'émerveilla l'esclave, bien malgré lui. Un soldat opérationnel même dans le noir. »

L'équipe adverse dévoila à son tour son champion.

– Ils n'ont pas fait dans la dentelle, ceux-là, commenta « La tache » en secouant la tête. Ce n'est pas très original, mais ça peut fonctionner.

Son coéquipier le bouscula.

– Si on avait eu la mère-gorille, on aurait fait bien mieux que ça. Ours et serpent... Si on compte le gorille, ça fait beaucoup de férocité.

– Un soldat féroce et froid... très froid, reconnut le chef.

Le combattant était tout en muscles. Sa tête était celle d'un crotale, et il ne faisait aucun doute que sa morsure était fatale. Le soldat s'avança au centre de l'arène : ses mains avaient hérité des griffes puissantes de l'ours et elles tenaient un glaive qu'aucun homme n'aurait pu soulever.

Naq frappa trois fois sur la peau d'un large tambour ; le combat pouvait commencer.

Le soldat volant eut d'abord l'avantage. Il disparaissait de longues minutes, ce qui exaspérait son adversaire. Le soldat de la mère-gorille devint vite nerveux, car l'autre était capable de fondre sur lui sans faire de bruit. Le loup-chauve-souris réussit à mordre son adversaire à plusieurs reprises. La vue du sang excita la foule, qui se mit à hurler.

– Lequel doit gagner ? demanda le coéquipier de « La tache » en criant pour se faire entendre.

– Nous aurions plus de chance contre le loup-chauve-souris, estima le chef.

– Pourquoi ?

– Tu vois, son point faible vient de ses pattes. D'abord, il a besoin des quatre pour marcher, mais même si ce n'était pas le cas, il continuerait d'être limité à cause de ses sabots.

– Oh ! Je comprends, s'exclama le coéquipier. Il ne peut pas tenir d'arme !

– Exact... Et ça le force au corps à corps.

Les deux esclaves encouragèrent le loup volant, qui blessa une fois de plus l'ours-crotale. Une rage folle s'empara du champion de la mère-gorille. Il maniait son épée en pure perte, ses mouvements manquant d'adresse. Quand le monstre chauve-souris fondit sournoisement sur sa gorge, l'ours-crotale lâcha brusquement son arme. Il bondit sur ses jambes puissantes, et ses griffes acérées s'enfoncèrent dans la chaire noire du soldat de la mère-sanglier. Le loup-chauve-souris atterrit sur le dos, écrasé sous le poids du combattant de la mère-gorille. Les ailes noires battirent violemment le sol, tandis que le venin du crotale s'insinuait dans son sang.

– Quelle force ! se lamenta « La tache » en se prenant la tête entre les mains. Pis de truie ! Je savais bien que l'équipe de la mère-gorille aurait l'avantage.

– Peut-être bien, répliqua son voisin, mais elle n'a fabriqué qu'un gros tas de muscles sans cervelle. Regarde cet imbécile.

« La tache » redressa la tête pour observer l'arène. Le soldat vainqueur s'acharnait sur le cadavre pour lui broyer les os. L'air complètement hagard, il ouvrit son énorme gueule et entreprit d'engloutir sa proie. Il y eut une petite pause, pendant laquelle les gardes-mutants conduisirent l'équipe perdante à la potence. « La tache » sentit son estomac se soulever.

Quand le champion de la mère-requin débarqua dans l'arène, les paris redoublèrent. Solide sur ses deux pattes, ce soldat à tête de requin avait huit bras et, surtout, huit mains armées.

– Requin, pieuvre et singe, nota « La tache ».

– Il semble très agile... L'héritage du singe, sans doute !

– Oui ! L'autre balourd n'a qu'à bien se tenir.

– Tu penses qu'on peut battre ça ?

– Attendons de voir comment il se débrouille.

L'ours-crotale saisit son épée et porta un coup puissant qui trancha deux des bras du requin-pieuvre. Sous les yeux ébahis des spectateurs, les bras repoussèrent, tandis que le soldat narguait l'ours-crotale en bondissant avec l'agilité d'un singe. Le casse-croûte de l'autre l'avait alourdi ; il avait du mal à soutenir les assauts répétés des huit bras armés. Le requin-pieuvre n'attaqua vraiment qu'une seule fois, faisant virevolter toutes ses armes en même temps. Les membres puissants du fils de la mère-gorille furent sectionnés, sa tête tranchée et son corps découpé en gros morceaux. « La tache » regarda ses coéquipiers d'un air dépité avant d'émettre un petit rire angoissé.

– Quand on aura vaincu ce requin-pieuvre, ironisa-t-il, on demandera au roi de se montrer clément et de le recycler : il ferait un malheur dans les cuisines. Clac, clac, clac... et voilà le ragoût !

– Il n'y a pas de quoi rire. Personne ne vaincra le champion de la mère-requin.

– Tut, tut, tut ! protesta le chef, refusant de se laisser gagner par le défaitisme. Il y a toujours deux côtés à une médaille.

– Quand tu auras trouvé ce qui cloche avec ce champion, tu nous le feras savoir.

– Inutile de râler comme ça. Voyons plutôt comment il va se débrouiller avec le soldat de la mère-éléphant.

La suite donna raison à « La tache », sans lui apporter aucun réconfort. L'esclave se méfiait de la force brute ; il avait préféré baser sa démarche sur l'équilibre, mais le soldat de la mère-éléphant compromettait dangereusement sa précieuse théorie.

Cette créature était un amalgame de lion et de sanglier. Marchant sur ses quatre pattes, ce félin gigantesque était également muni de défenses meurtrières. Sa force éléphantesque lui permettait de porter une quinzaine d'hommes sur son dos ; cela pouvait devenir un atout stratégique s'il fallait franchir les murailles d'une ville fortifiée. Devant cette puissance phénoménale, le requin-pieuvre révéla tout de suite le défaut de sa cuirasse : le singe en lui était un pleutre. Il n'essaya même pas de combattre, le lion-sanglier le piétina tout bêtement quand il tenta de s'enfuir.

Les corps des esclaves des équipes perdantes commençaient à s'entasser dans le coin des potences. Verlon s'amusait beaucoup.

– N'était-elle pas bonne, mon idée ? demanda-t-il à Delia en bombant le torse.

– Excellente, vraiment. Les équipes se sont surpassées.

– Il y a longtemps que je n'ai pas assisté à un spectacle aussi excitant.

– Pourquoi ne fais-tu pas porter les cadavres au bûcher ? s'étonna la reine de sa voix de jouvencelle.

– Pas tout de suite. Tous ces corps sans vie, leurs effluves, ça fait plus réaliste, tu ne trouves pas ?

– Je sens que nous allons avoir une grande guerre, déclara Delia en riant avec son époux.

« La tache » retourna vérifier la cage. Ses deux soldats dormaient toujours, indifférents au vacarme et à l'odeur de la mort. L'esclave vomit contre la paroi de la caverne. Il appuya son front sur la pierre froide et chercha à reprendre la maîtrise de lui-même ; s'il devait mourir, il voulait le faire dignement. Il rejoignit ses coéquipiers, qui avaient tous l'air abattu. Le chef camoufla son trouble derrière son habituelle arrogance.

– Je n'aurais jamais fait un soldat comme ce lion-sanglier, critiqua-t-il sur un ton méprisant. Vraiment trop banal.

– Et c'est pour ça qu'on va tous se balancer au bout d'une corde.

– Vous semblez oublier le plus important.

– Et c'est quoi, le plus important, monsieur-je-sais-tout ?

– La discipline.

– Pfff !

– Attention, le prochain combat va commencer, annonça « La tache » pour mettre fin à cet ergotage.

Cette fois, « La tache » fut pris de frissons. La peur l'envahit en même temps que la fièvre. L'équipe de la mère-hyène avait eu la même idée que lui : inclure des composantes humaines à son champion. Associées à celles du vautour et du crocodile, elles donnaient une créature montée sur deux pattes graciles mais pourvue d'ailes puissantes. Surplombant un bec agressif garni de crocs, deux yeux brillaient d'intelligence. C'est ce regard qui avait troublé « La tache ». Le soldat avait également une puissante queue avec laquelle il martelait le sol. Ayant compris que son adversaire manquait de maîtrise, il se contenta de le narguer, le faisant charger inutilement et courir en rond, l'amenant lentement à s'épuiser. Chaque fois que le lion-sanglier passait à sa portée, le fils de la mère-hyène lui enfonçait son épée dans le corps ou lui battait le flanc d'un violent coup de queue. Après un dernier assaut aussi inefficace que les précédents, le lion-sanglier tomba sur les genoux. L'homme-vautour l'acheva d'un coup d'épée qui perfora l'œil droit de son adversaire avant de sectionner le minuscule cerveau.

La clameur était devenue assourdissante. Comme en transe, « La tache » retira la bâche de dessus la cage. « Voilà... À la grâce du destin. » Il regarda ses soldats endormis. Les mains tremblantes, il sortit de sa poche un bout de roseau gros comme un doigt.

Quand Naq l'avait condamné à travailler avec la mère-abeille, « La tache » avait pensé abandonner la partie. « Cette génitrice n'a aucune chance d'engendrer le maître combattant. » Mais ses hommes avaient mis toute leur confiance en lui, et il ne pouvait pas les laisser tomber. Il avait donc décidé de recenser les caractéristiques positives de cette pondeuse. Une de ses forces était certainement sa capacité de reproduction quasiment illimitée. « La tache » avait alors demandé à ses coéquipiers d'identifier les principales qualités d'un bon soldat. Tout le monde était tombé d'accord : l'équilibre et la discipline.

Ils avaient commencé par des gènes humains pour que leur soldat marche naturellement sur deux pieds. « Il doit pouvoir se déplacer avec agilité sur le terrain de ses ennemis. » Pour le reste, ils n'avaient pas ménagé leurs efforts, choisissant d'intégrer les caractéristiques d'un bon nombre de bêtes. Quand ses coéquipiers lui avaient fait remarquer qu'ils risquaient de ne pas être prêts à temps, « La tache » s'était contenté de répliquer : « On peut travailler moins fort et finir à la potence. »

Le chef d'équipe souffla doucement dans le roseau. Il n'en sortit aucun son, pourtant les deux combattants réagirent immédiatement. Ils se levèrent d'un bond et se tinrent très droits, attentifs au prochain coup de sifflet. « La tache » souffla une autre fois et un des combattants sortit de la cage. Il s'installa au centre de l'arène et regarda froidement l'homme-vautour.

La nouvelle créature possédait les cuisses puissantes d'une sauterelle. Sa peau brillait, dure et résistante comme la carapace d'un scarabée. Dans son dos, des ailes diaphanes se déployaient de part et d'autre d'une queue de scorpion pourvue d'un dard venimeux. Le combattant avait des mains humaines qui portaient des armes étincelantes. L'homme-vautour chercha à détourner l'attention du nouveau venu, mais rien ne semblait capable de déconcentrer cet adversaire. Le fils de la mère-hyène décida de s'envoler pour passer à l'attaque. Le soldat de « La tache » le suivit dans les airs ; ses ailes d'insecte bourdonnaient, et il flottait comme si son corps ne pesait rien. Il pouvait avancer et reculer ou simplement demeurer sur place. L'homme-vautour comprit aussitôt qu'il n'aurait pas l'avantage avec son vol pesant et ses ailes encombrantes ; il choisit donc de redescendre pour se battre au sol. Le soldat-scorpion suspendit également son vol et atterrit tout près de son adversaire. Celui-ci ne transperça que le vide, car l'autre avait déjà bondi hors de sa portée.

Le fils de la mère-abeille aurait pu s'amuser longtemps ainsi, mais il n'était pas doué pour le jeu ; il accomplissait sa tâche, voilà tout. Il reprit son envol, sortit un organe qui faisait saillie sous sa queue de scorpion et en fit jaillir une toile visqueuse dans laquelle l'homme-vautour s'empêtra. Le soldat-scorpion fondit sur sa proie et l'acheva d'un unique coup de dard. Il reprit sa position initiale et attendit patiemment.

Verlon, Delia et Naq applaudirent. Ils firent venir « La tache », qui était encore un peu abasourdi par l'efficacité de sa créature. Verlon demanda à voir le bout de roseau. La simplicité apparente de l'objet le déconcertait.

– Comment cela fonctionne-t-il ? demanda-t-il sans chercher à cacher sa perplexité.

– Vous savez, hésita « La tache », c'est très complexe. Je ne...

Agacé, Verlon l'interrompit en désignant le soldat-scorpion :

– Combien peux-tu nous en produire ?

– C'est ça qui est bien avec la mère-abeille : nos soldats sont pondus en permanence et, s'ils sont correctement nourris et soignés, ils ne prennent qu'un cycle des lunes pour atteindre la maturité.

– S'ils sont correctement nourris et soignés... Qu'est-ce que ça signifie ? s'enquit le roi en fronçant les sourcils.

– Ne vous inquiétez pas, nous savons ce qu'il faut faire.

– Qui ça, nous ? s'impatienta Naq.

– Moi et mon équipe !

– Je vois, dit Verlon après un moment de réflexion. Tu es un fin renard, « La tache ». C'est de bonne guerre ! Mais tu ne m'as pas répondu... Combien de soldats-scorpions ?

– Des milliers à chaque cycle des lunes. Vous en aurez des milliers !

– Et leur entraînement ? objecta Naq en s'approchant dangereusement de l'esclave. Il faut du temps pour former un pareil guerrier !

– Pas celui-là ! Dans les colonies d'insectes, les soldats n'ont besoin d'aucun entraînement ; ils naissent comme cela, tous semblables, sans aucune forme de conscience individuelle. Ils ne vivent que pour remplir leur rôle : attaquer, protéger, défendre. Nos soldats sont faits pour se battre et ils se battront jusqu'à la mort sans jamais ressentir ni peur ni désespoir.

– Tu sembles très confiant.

– Vous n'avez qu'à mettre mon champion à l'épreuve.

– C'est bien mon intention, s'exclama Naq en lui adressant un de ses sourires sinistres.

Le conseiller du roi fit venir les doubles des spécimens produits par les autres équipes. Le soldat-scorpion les abattit les uns après les autres. « La tache » fit combattre ses deux soldats côte à côte ; leur synchronisme parfait soulignait leur discipline exemplaire. Très facilement, ils vinrent à bout d'un bataillon de quatre-vingts soldats de l'armée régulière de Verlon. Quand les souverains se déclarèrent enfin satisfaits, « La tache » souffla dans son roseau et les deux créatures retournèrent paisiblement dormir dans leur cage.

« Les barreaux ne servent pas à les empêcher de s'enfuir ; ils n'y penseraient même pas. Je préfère les protéger durant leur sommeil. Ils sont sublimes ! »

Les membres de l'équipe gagnante eurent la vie sauve parce que « La tache » était assez perspicace pour prévoir l'inconstance de la promesse d'un roi. Il avait donc pris soin de se rendre indispensable. Verlon avait vite compris que l'esclave avait ménagé ses arrières en gardant pour lui l'art de soigner les créatures et d'utiliser le roseau qui les régissait. Le roi appréciait assez ce genre d'intelligence.

– Eh bien, « La tache », dit Verlon en se frottant les mains, tu n'auras pas le temps de paresser. Je te préviens : Naq t'aura à l'œil. Tu es un peu trop malin à mon goût.

– Je ne...

– Maintenant, produis-moi cette armée, ordonna le roi en lui tournant le dos.

– Je vais avoir besoin de beaucoup d'ouvriers, osa réclamer « La tache », et l'atelier devra être transformé. Il me faudra deux ans pour que tout fonctionne à un rythme intéressant.

Verlon revint vers l'impudent et lui mit un doigt sous le nez.

– Un an... Je te donne un an et je te conseille de ne pas me pousser à bout, car il existe bien pire que la potence.

– Je...

– Sais-tu quel niveau de raffinement la torture peut atteindre ? À ta place, je m'arrangerais pour ne pas le découvrir.

– XXVI –

Le Cobra attendait ceux qu'il considérait comme ses généraux. Il faisait les cent pas en maugréant. « Il vaut mieux que les nouvelles soient bonnes, car ma patience a des limites. Mes disciples pourraient bientôt regretter leur manque de diligence. »

Comme lieu de rendez-vous, Artos avait choisi le bord du gouffre de Korza. « Aussi bien en profiter pour les mettre en présence du mal ; leur rendement s'améliorera peut-être. »

Verlon sortit le premier du rectangle des ténèbres. Le petit roi semblait très fier de lui-même. Delia le suivit, plus belle que jamais dans une robe rose qui lui donnait des allures de pucelle. Naq apparut ensuite ; de son œil unique, il lança à son maître un regard soutenu qui laissait entendre que tout allait pour le mieux.

Verlon voulut prendre la parole, mais Artos le remit promptement à sa place ; il ne tolérait pas que ce minable parle sans y être invité. Les centaines de voix du maître rugirent aux oreilles du petit monarque, qui se recroquevilla comme une moule cuite.

– Verlon ! T'ai-je demandé quelque chose ?

Le roi de Yzsar n'osa pas même répondre ; il se contenta de secouer la tête en ouvrant de grands yeux inquiets qui le firent ressembler à une vache hébétée.

De ses yeux rouges de loup-serpent, Artos dévisagea ses disciples.

– Naq, dis-moi où vous en êtes.

– Les bataillons du nouveau roi de Lombre ont joint nos rangs, annonça le monstre. Nos armées alliées marchent actuellement vers la Nouvelle-Bortka.

– Et pour quand sont prévus les premiers combats ?

– Ils commenceront avec l'arrivée des lunes des couleurs.

– Et nos ennemis ? poursuivit Artos sur le même ton autoritaire.

– Ils nous attendent, mais nous serons à trois contre un...

Verlon ne put s'empêcher d'intervenir.

– Et c'est sans compter nos futurs soldats d'élite...

Artos se retourna brusquement. Un petit cône noir sortit de sa bouche et fondit sur l'impudent personnage. Le tourbillon saisit le bavard comme s'il n'était qu'une feuille morte ; il le souleva et le fit tournoyer pendant un moment. Le mouvement s'accéléra puis cessa abruptement ; le petit roi atterrit aux pieds de son maître irrité.

– La prochaine fois, je te tue, hurlèrent ses voix.

Verlon se releva sans demander son reste et se réfugia derrière son épouse. En passant près d'elle, il vit qu'elle évitait de le regarder. Il soupçonnait cette sorcière d'être sur le point de le trahir. Contrainte de choisir entre lui et le maître, vers qui se tournerait-elle ? Il préféra ne pas trop réfléchir à la question. Naq reprit ses explications comme s'il n'avait pas été interrompu.

– Nous serons à trois contre un. Nous aurons l'avantage et, même s'ils réussissent à conclure une alliance avec le Môjar, ils ne pourront plus rien contre nous d'ici un an, puisque nos soldats-scorpions seront alors prêts à se jeter dans la bataille.

– Vous avez réussi à créer le soldat parfait ? s'enquit le maître noir, soudain intéressé.

– Oui, nous avons réussi, et je crois que vous serez satisfait !

– Raconte-moi !

Naq expliqua à Artos comment était né le soldat-scorpion et en quoi il représentait la plus belle machine de guerre jamais inventée. Verlon resta prudemment muet. Intérieurement, il fulminait. « C'était mon idée. C'est moi qui ai tout fait, et voilà que cette face de rat récolte toute la gloire. »

Pendant ce temps, Delia rigolait, car elle devinait sans peine les tourments de son époux. « Pauvre abruti ! Dire que j'ai déjà admiré cet homme vaniteux... tellement poltron qu'il ne va nulle part sans Naq et si bête qu'il ne réussit rien sans notre aide. Pourtant, à l'entendre, on devrait se prosterner devant sa magnificence. Vraiment, il me donne la nausée. Dommage que le maître le tolère encore ; il devrait l'embrocher de l'arrière-train à la crotte de souris qui lui sert de cervelle et le faire rôtir ! » Delia reporta son attention sur le mage noir qui avait enfin assourdi ses voix.

– Tu es certain, Naq, dans un an au plus tard ?

– Oui. Et ensuite, nous pourrons en produire des milliers à chaque cycle des lunes.

– Paar... fait !

La fumée qui sortait de la bouche du volcan arrêta soudain son mouvement vers le ciel. Tout devint immobile. Naq jeta un coup d'œil intrigué autour de lui, puis il siffla.

– Très réussi, maître !

Artos hocha lentement la tête.

– Je suis content de voir que tu apprécies cet intermède.

Figés dans leur attitude, Delia et Verlon contemplaient une réalité arrêtée dans le temps. Pour eux, la seconde précédente durerait aussi longtemps que le désirerait Le Cobra. Celui-ci invita Naq à s'approcher.

– La guerre, Naq, lui confia-t-il, n'oublie pas qu'elle doit se poursuivre assez longtemps pour détourner l'attention de ce qui va se jouer ici.

– J'attendrai vos ordres.

– Très bien. Tu as droit à une faveur, déclara le maître. Dis-moi ce qui te ferait plaisir.

– Rien, maître, la guerre me suffit. Je vous l'ai déjà dit : ce qui m'intéresse, c'est de voir souffrir les hommes.

– Tu es bien certain ? insista Artos. Je ne te ferai pas cette offre deux fois.

Naq hésita un moment.

– En y repensant bien, il y a peut-être quelque chose...

– Dis-moi.

– Je me suis déjà vengé de mon géniteur, expliqua le monstre, mais il y a quelque part une putain que j'aimerais bien retrouver.

– Ta mère !

– Oui ! J'ignore où elle se cache.

– Je peux t'arranger cela.

– Pas maintenant ! S'il vous plaît, maître, seulement quand tout sera fini... Quand je l'aurai sous la main, cette truie, j'aimerais pouvoir prendre mon temps. Nous devrons d'abord faire connaissance, elle et moi.

– J'imagine assez bien le sort que tu lui réserves, dit Artos tandis que ses yeux rouges brillaient d'une lueur incendiaire.

– Vous devriez voir mes dernières découvertes en matière de torture. J'arrive à faire vivre mes victimes pendant des jours. Fascinant, vraiment fascinant !

Le sorcier fit signe à Naq de reprendre sa place auprès de Delia et de Verlon.

– Méfie-toi de ces deux-là, lui recommanda-t-il.

– Ne soyez pas inquiet, je les ai à l'œil.

Le monstre borgne se mit à rire : c'était un de ses jeux de mots préférés. Artos leva la main comme pour le congédier.

– Quand tout sera terminé, on se débarrassera d'eux ; trop de dieux dans un même monde, cela ne peut que créer des embêtements.

– Et moi, comment allez-vous m'éliminer ?

– Tu es vraiment très malin, Naq. Tu peux me croire ou pas, mais je n'ai pas l'intention de me débarrasser de toi.

– Vraiment ?

– Sais-tu pourquoi ?

– Aucune idée !

– Tu viens de me prouver que tu n'as plus aucun désir humain. Seuls les envieux et les insatiables représentent un danger pour moi.

– Intéressant comme point de vue, reconnut Naq. Sans vouloir vous offenser, je préfère y réfléchir avant de vous croire.

– Tu n'as donc peur de rien ?

– Non, puisque l'ultime repos de la mort m'attire comme une putain racoleuse.

– Tu souhaites mourir ? s'étonna le maître noir.

– N'ayez crainte, le rassura le monstre, je ne quitterai pas cette vie avant d'avoir mangé le cœur de la femme qui m'a mis au monde. Vous pouvez compter sur moi !

– Paar... fait !

Artos tendit sa main gauche vers Delia.

– Viens, j'ai à te parler.

La magicienne tenta de cacher sa stupéfaction et sa peur quand elle comprit que son maître avait réussi l'exploit d'arrêter le temps. « Il a encore accru ses pouvoirs... Il devient vraiment trop dangereux. » Elle regarda Naq et Verlon, pour qui le temps n'existait plus, puis elle posa sa main dans la paume tendue du sorcier.

– Je suis votre fidèle disciple. Je vous écoute, maître.

Les doigts griffus du loup-serpent se refermèrent sur la chair délicate de Delia.

– Tu m'insultes avec tes blasphèmes, lui reprocha Artos. Fidèle... Ce mot souille tes lèvres et ta langue.

Artos abandonna Delia. Il revint aussitôt sous l'apparence d'un homme élégant à la beauté parfaite. Il portait un manteau de brocart rouge sur une tunique de soie moirée. Delia sentit monter son désir.

– Pardonnez-moi, maître ! Quand je suis avec vous, je suis émue comme une gamine.

– Je sais, se contenta de répondre le mage noir. Viens là.

Il saisit la taille de la reine de Yzsar et la serra contre lui.

– Tu sais que tu vas régner avec moi sur notre création. Tu seras la reine de l'univers des ténèbres !

Delia pencha délicatement sa tête blonde. Elle frissonnait sous la douce caresse de la voix elfique d'Artos. Il n'utilisait ses voix superposées que sous l'apparence du Cobra.

– Vous me faites un très grand honneur, maître.

– D'ici là, nous serons exposés à de nombreux périls... Surtout nous, les mages noirs. J'ai une mission à te confier.

Delia s'accrocha à Artos quand un tourbillon noir les saisit. Le vent les déposa devant la porte d'un temple.

– Sais-tu où nous nous trouvons ?

La reine de Yzsar regarda les constructions anciennes qui se dressaient tout autour d'eux.

– La Cité des sphinx ? se risqua-t-elle à répondre.

– Tout juste ! Il y a des centaines de temples dans cette ville, mais celui-ci demeure pour moi le plus mystérieux. Entrons.

La magicienne s'était attendue à découvrir des monceaux de poussière et d'objets usés par le temps, pourtant rien ne ressemblait à ce qu'elle avait imaginé. Tout était propre et brillant. Des dessins et des textes abscons couvraient les murs, mais les couleurs et les traits se découpaient sur la pierre avec une netteté vibrante. Artos la guida dans des couloirs éclairés par une lumière venue de nulle part.

– Impressionnant, n'est-ce pas ?

– On dirait qu'elles ont été peintes hier, s'émerveilla Delia en désignant les fresques sur les murs.

– Et pourtant...

– Magnifique !

– Voilà, nous y sommes ! annonça Artos en s'arrêtant devant une arche qui ouvrait sur une pièce octogonale. Tu es érudite ; regarde ceci et dis-moi ce que tu comprends.

La jeune femme sentit la panique l'envahir. Artos l'observait avec insistance tandis qu'elle essayait de trouver un sens aux images brouillées et aux symboles mouvants. Les formes animées bougeaient toujours plus vite, sa vue se troublait et elle perdait toute capacité de compréhension. « Si c'est une épreuve, alors je suis morte. » Consciente de son échec, elle sursauta quand Artos l'enlaça par derrière. Le sexe érigé du maître était brûlant dans le creux de ses reins. Lentement, le sorcier lui caressa la gorge, sa main s'égarant par moments dans son corsage, puis il lui saisit le menton pour la forcer à tourner la tête vers la droite.

– Là, tu vois ce dessin ? lui souffla-t-il à l'oreille. Ce que le sphinx porte accroché à une chaîne...

– On dirait un petit poignard, plutôt mignon... Je n'en ai jamais vu de pareil.

– Tu as raison : il est unique. Écoute-moi bien. J'ai fait le tour de tous les temples de cette ville, j'ai étudié pendant des siècles et j'ai réussi à décoder tous les secrets de ces lieux, mais pas celui-ci. Les sphinx l'ont protégé... Là, regarde les trois cavités sur le côté de la fresque.

– On dirait des serrures, fit Delia en détaillant les entailles.

– Je crois que les trois clés des gardiens de Korza libèrent ce mur du sortilège qui le protège. Quand j'aurai les clés, je pourrai résoudre ces énigmes mais, pour l'instant, je ne peux qu'émettre des suppositions.

Artos libéra Delia pour s'approcher du mur, dont il toucha rêveusement les reliefs peints. La reine se rendit compte alors qu'elle tremblait ; son corps tout entier était tendu par un grisant mélange de désir et de frayeur.

– Des suppositions ? demanda-t-elle, légèrement hale-tante.

– Oui et elles ne me plaisent pas du tout.

– À cause du poignard ?

– Hum ! Je sais que cette arme a un rapport avec nous, les mages noirs. Je veux que tu la trouves, Delia, je veux que tu me rapportes cette arme. Une partie du texte crypté concerne la manière de la détruire. C'est vital pour nous, cette arme doit être détruite.

Soulagée de découvrir que même Artos ne savait pas interpréter ces symboles, Delia respira plus librement. « Retrouver cet objet ne sera pas facile, sans être impossible. J'y arriverai. »

– Je vous rapporterai ce poignard, maître, et nous le détruirons.

– Ne me déçois pas et je ferai de toi ma reine !

Il revint vers elle et l'embrassa avec fougue. Delia ferma les yeux tandis qu'un puissant tourbillon l'emportait. Elle reconnut l'odeur pestilentielle du gouffre de Korza et sut qu'ils avaient quitté la Cité des sphinx. Vaincue par la ferveur du baiser, elle succombait à la chaleur oppressante de sa chair. Artos releva ses jupes et empoigna ses fesses. Portée par l'énergie de son maître, elle fut ensuite suspendue devant lui, la peau de ses cuisses offertes au souffle brûlant du volcan. Pour mieux la faire languir, le mage noir s'enfonça très lentement en elle, satisfait d'entendre l'agacement ponctuer ses gémissements de plaisir. Même si elle se savait incapable de jouir, elle s'abandonnait à l'excitation croissante, comblée par l'extraordinaire puissance de son amant immortel.

La langue dans sa bouche devint soudain longue et froide, s'insinuant jusqu'au fond de sa gorge comme pour l'étouffer. Paniquée, Delia ouvrit les yeux ; Artos avait abandonné sa forme humaine, et une flamme ardente incendiait ses yeux rouges de loup-serpent. Le désir et le dégoût se fondirent en frissons visqueux sur le corps de Delia.

– Tu seras mienne ? s'enquirent les voix du Cobra en relâchant son étreinte.

– Je serai vôtre !

– Paar... fait !

Artos avait gardé le plus facile et le plus amusant pour la fin. Verlon tomba à genoux quand il comprit qu'il était seul face à son maître. Une petite tache embarrassante apparut sur le devant de son pantalon.

– Mon maître, croyez-moi, je ne voulais pas vous offenser ! Épargnez-moi ! supplia-t-il.

– Relève-toi, Verlon.

– Oui, mon maître.

Le petit homme tenait difficilement sur ses jambes tremblantes. Il était bien décidé à ne pas irriter le seigneur noir. Artos fit apparaître une fiole contenant un liquide rubis qui bouillonnait en crachant des lueurs argentées. Dans l'effroyable visage du sorcier, un semblant de sourire se dessina.

– J'ai été un peu rude avec toi, déclara-t-il d'une voix étrangement conciliante. Il le fallait pourtant...

– J'ai manqué de discipline...

Le tumulte des voix d'Artos domina les grondements du volcan.

– Et c'est encore ce que tu fais !

Verlon couvrit sa bouche de ses mains tavelées, accentuant l'air bouffon que lui donnaient déjà ses yeux écarquillés de terreur. Le sorcier méprisant regarda la tache s'agrandir et finir de maculer la culotte du roi.

– Tu as peur ? s'enquit le mage noir en prenant un air faussement étonné.

– Ma crainte est un hommage respectueux à votre puissance.

– Pourquoi crois-tu que je t'ai choisi, Verlon ?

– Parce que vous savez reconnaître les êtres exceptionnels, se risqua le roi.

– ...

442

– J'ai des ambitions et de l'envergure, s'enhardit Verlon devant le silence de son maître. Je n'ai pas hésité à tuer mon propre père pour monter sur le trône de Yzsar.

Le torse du petit roi se bomba de suffisance, mais il mollit dans ses prétentions et ses épaules s'affaissèrent quand Artos disparut pour réapparaître juste derrière son dos.

– Il y a un peu de cela. Avant tout, je t'ai choisi parce que j'ai confiance en ta loyauté.

Sur le sommet de son crâne, là où ses cheveux commençaient à se faire rares, Verlon sentait le souffle chaud du sorcier.

– C'est tout à fait juste, renchérit le petit roi.

– Quand donc apprendras-tu à te taire ? tonna le maître.

– ...

– Je disais donc que j'ai confiance en ta loyauté, reprit Artos.

Verlon était trop bête pour comprendre l'énormité de la déclaration : pour le maître des ténèbres, les valeurs comme la confiance et la loyauté ne signifiaient absolument rien.

– Es-tu prêt à me prouver ta loyauté ? demanda le seigneur en grattant le crâne du roi avec ses longues griffes de loup.

Cette fois, Verlon se contenta de hocher la tête.

– Très bien, alors écoute-moi attentivement. Crois-tu que je peux faire confiance à ces deux-là ? Naq et Delia... Est-ce que je peux leur faire confiance ?

Les yeux de Verlon se mirent à rouler dans leurs orbites comme s'il cherchait la bonne réponse quelque part dans les airs ; seul, il était incapable de réfléchir correctement. Les griffes s'enfoncèrent dans la peau de son crâne et lui secouèrent la tête de gauche à droite, dans un lourd mouvement de négation.

Les voix du magicien résonnèrent tout près de son oreille, tandis que le sang chaud se coagulait dans les cheveux du roi.

– Bien sûr que non ! poursuivit Artos. Je ne peux pas leur faire confiance ! Pourquoi, selon toi ?

– ...

– Parce qu'ils sont envieux de nous. Ces misérables qui viennent du peuple ne seront heureux que le jour où ils seront au sommet... Ce qui veut dire ?

– ...

– Ce qui veut dire, enchaîna le sorcier, qu'ils rêvent de prendre notre place, alors que seuls les gens de qualité, comme toi et moi, ont le droit de régner sur le monde !

Verlon se dégela un peu devant la flatterie.

– J'ai du sang bleu, vous savez !

– Nous sommes nés pour dominer, conclut Artos. Pas eux.

– Pas eux, répéta Verlon comme un élève obéissant.

– J'utilise l'ambition de ces parvenus, mais pour moi ils ne sont que de la vermine.

444

– Des rats !

– Comprends-moi bien, Verlon : je veux que Delia et Naq te croient en disgrâce.

– Et pourquoi, mon maître ?

– Parce que, dans ce cas, ils ne se méfieront pas de toi. J'ai été rude avec toi, mais c'était nécessaire.

– Votre manège était bien pensé. Je l'avais deviné, se vanta le roi. Heureusement que les deux autres sont moins brillants que moi.

Il prit cet air hautain qui lui était si familier. Avec sa culotte puante d'urine, Artos le trouvait ridicule et minable.

– Tu vas les espionner et me rapporter tout ce qu'ils complotent dans mon dos, ordonna le mage noir.

– Et qu'obtiendrai-je en échange ? osa demander Verlon.

Artos songea un moment à l'écraser comme un vulgaire morpion.

– D'abord, une place auprès de moi quand nous gouvernerons le monde.

– Cela m'est déjà acquis !

Maîtrisant son envie de le précipiter dans le gouffre, le maître brandit sous les yeux du nabot la fiole rougeoyante.

– Et ça ? Est-ce que tu en veux ?

– Il faudrait d'abord me dire ce que c'est.

– C'est une potion que j'ai concoctée expressément pour toi, Verlon. Elle peut te redonner l'extase ultime de la jouissance...

Le roi tendit une main avide vers le flacon palpitant. Quand Artos ouvrit les mains, la fiole s'enfuit hors de la portée du petit homme.

– C'est une potion très sensible. Si elle sent que tu n'es pas tout à fait loyal envers moi, elle retiendra son pouvoir ; tu demeureras gonflé de désir et frustré.

Verlon tentait d'attraper la fiole, mais elle se dérobait à chacune de ses tentatives.

– Je suis parfaitement loyal. Donnez-la-moi.

Artos fit un geste de son index griffu et la fiole atterrit délicatement dans les mains de Verlon.

– Nous sommes d'accord ? demanda le mage noir.

– Je vous rapporte tout ce qu'ils manigancent, dit Verlon en hochant la tête, et nous régnerons ensemble sur le monde.

Verlon camoufla son précieux flacon dans son manteau. Il reprit sa place auprès de Naq et de Delia, qui s'animèrent en entendant le mot magique.

– Parr... fait !

Artos leva les bras pour ouvrir la porte des ténèbres.

– Maintenant, allez à la guerre et ensanglantez le continent.

Verlon brandit son poing fermé.

– Nous aurons bientôt écrasé notre ennemi.

– Justement non, imbécile ! hurla le sorcier, heureux de pouvoir de nouveau laisser libre cours à son exaspération contre l'insipide personnage. Votre guerre doit durer jusqu'à ce que mon destin soit accompli et que j'aie libéré Korza. Affaiblissez nos ennemis, ne leur laissez aucun répit, harcelez-les. Surtout, assurez-vous qu'il leur soit impossible de venir en aide aux magiciens blancs quand viendra le temps de notre affrontement. N'oubliez jamais que cette guerre est ma couverture ; il faut diviser les alliés pour qu'ils demeurent vulnérables.

Naq acquiesça.

– Nous reculerons même parfois pour donner à l'ennemi l'illusion qu'il peut nous vaincre, mais jamais nous ne lui laisserons la chance de récupérer. Chaque fois, nous reviendrons plus forts. Nous les anéantirons très lentement, eux et toutes leurs espérances.

Delia sourit.

– La tristesse, la haine, la violence sont des nourritures délectables pour l'âme des damnés. Je préfère le désespoir... Surtout au petit déjeuner !

– XXVII –

Les combats avaient cessé, mais la fureur tonnait encore dans l'esprit de Mélénor. Malgré les protestations inquiètes de Sabbee, il quitta son poste pour gagner l'espace découvert du champ de bataille. Sabbee le rattrapa en pleurant. Cette apparente contradiction troublait le roi, car sa femme portait fièrement la cuirasse et se battait comme un homme.

Tandis que le souverain regardait ses hommes transporter les rares survivants, il se disait que, cette fois encore, le bilan allait être désastreux. L'attaque avait été particulièrement sauvage et, à perte de vue, le sol était jonché de cadavres, presque tous des soldats de la Nouvelle-Bortka. On dénombrait bien quelques tuniques rouge et or, égarées dans cette marée verte, mais aucune victime ne portait l'uniforme noir des armées de Verlon : les officiers de Yzsar plaçaient les soldats de Lombre aux premières loges, réservant leurs propres guerriers pour les missions plus glorieuses comme les parades dans les rues de Corvo.

– Rentrons, dit Sabbee en essuyant ses larmes d'un geste rageur, il n'y a plus rien à faire ici.

– Nous avons encore perdu un comté, se désola Mélénor.

– Je sais, mon ami, je sais. Viens, nous devons nous reposer et réfléchir.

Dès qu'ils furent seuls dans leur campement, Sabbee l'aborda sans détour.

– Tu dois le faire, Mélénor.

– Il n'en est pas question.

– Je sais que cela te répugne, mais nous n'avons pas le choix.

– Si tu y tiens tant, s'insurgea le roi, pourquoi n'y vas-tu pas toi-même ? Va te mettre à genoux devant Sol'Maglian... Va te faire humilier.

– Pourquoi me parles-tu sur ce ton ? Tu sais très bien que j'irais au Môjar si je le pouvais. Le moral des troupes est au plus bas, il va finir par s'effondrer si j'abandonne le front.

– Tandis que moi, je ne suis que l'étranger, l'usurpateur ! cracha Mélénor d'une voix amère.

– Ne sois pas si susceptible ! tenta de le raisonner Sabbee, s'efforçant au calme. Je n'y peux rien ; le peuple t'apprécie, mais c'est pour moi et pour mon père assassiné qu'il se bat.

Mélénor lança sa chope de bière contre la toile tendue de la tente ; il savait que Sabbee avait raison. Il s'affala sur un siège et se prit la tête entre les mains.

– Sol'Maglian ne fera rien pour nous aider.

– La situation a changé. Il se peut qu'il accepte cette fois.

– Et s'il refuse ? s'entêta Mélénor. Il ne me restera plus d'autre choix que d'aller à Döv Marez... C'est ce que tu veux ?

Mélénor venait de reprendre l'avantage en usant d'une tactique qu'il savait déloyale et cruelle. Le visage de Sabbee devint de marbre. Sa mâchoire se crispa comme si on l'avait giflée.

– Tu iras te vautrer dans le lit d'Isadora pour qu'elle appose la signature nécessaire à toute déclaration de guerre engageant les armées de Gohtes... C'est ce que tu insinues ? siffla-t-elle, le cœur battant.

Vaincue, elle sortit en criant :

– Tu n'es qu'un salaud !

À la deuxième lune, le roi alla demander pardon. Sabbee avait eu le temps de se calmer.

– Nous sommes des souverains, soupira-t-elle, notre devoir passe avant nos désirs.

– Je n'aurais pas dû...

– Chut !

– Je me montrerai si convaincant que Sol'Maglian ne me résistera pas. Une fois le Môjar allié, Isadora sera forcée de nous prêter main-forte, sinon elle perdra la face. Elle signera avec moi pour la levée des troupes de Gohtes, même si je sais qu'elle voudra m'arracher les yeux... Moi, le traître bigame !

– Parce que tu crois qu'elle sait déjà ?

– J'en suis certain, s'affligea-t-il. Les rumeurs vont bien plus vite que le plus diligent des messagers.

Sabbee le prit par la taille.

– Je t'aime.

– Tu vas me manquer, ma chérie.

– Je vais compter les jours, murmura Sabbee en lui prenant la main.

– Parlant de compter les jours, pas d'héritier en vue pour le peuple de la Nouvelle-Bortka ?

– Je pense que le roi n'y met pas assez d'ardeur, se moqua la reine.

– Insolente !

Pour la punir, Mélénor la bascula sur sa couche et la chatouilla jusqu'à ce qu'elle demande grâce. Quand elle eut repris son souffle, elle s'appuya sur un coude et dit d'un ton rêveur :

– Si j'étais une âme en quête d'incarnation, je choisirais un nid douillet... pas le ventre d'une reine guerrière qui vit dans le tumulte des combats et dans l'horreur.

– Tu as probablement raison, mais il me plaît de t'imaginer toute ronde.

– La cuirasse qu'il me faudrait !

Sabbee plaça un énorme coussin sous sa tunique et se mit à rire.

Le lendemain, Mélénor partit à l'aube. Malgré l'importance de sa mission, il avait l'impression d'agir lâchement ; dans quelques heures, d'autres hommes allaient mourir en défendant les terres de la Nouvelle-Bortka, tandis que lui, le roi, gagnait les terres paisibles du Môjar.

✧

Mélénor n'éprouva aucun plaisir à découvrir que le chagrin avait complètement dévasté l'arrogant roi du Môjar. Sol'Maglian lui refusa son aide. Cette fois, ce ne fut pas pour des motifs économiques ou politiques. Trop absorbé par ses soucis personnels, Sol'Maglian était tout simplement incapable de comprendre la gravité de la situation et l'importance de la requête de Mélénor. S'il avait possédé les pouvoirs de ses grands-parents, le roi de Gohtes aurait décelé dans l'aura de son vis-à-vis les mêmes traces funestes que dans la sienne. L'enveloppe astrale de Sol'Maglian était teintée de violet, révélant une propension aux larmes et au désespoir. Dépassés par l'inertie de leur dirigeant, les ministres du Môjar s'occupaient désormais de la gestion courante des affaires du pays, mais seul le roi pouvait déclarer la guerre et il n'avait pas l'intention de le faire.

– Mes fils ont disparu, révéla Sol'Maglian à Mélénor, enlevés ou peut-être pire. Il y a un an, Op'Prym est parti inspecter les terres de l'est et il n'est jamais revenu. Alors, Dun'Khan a voulu le retrouver. Il avait fait le serment à sa mère qu'il serait de retour à la fin de l'automne. Depuis tout ce temps, nous n'avons plus de nouvelles. J'ai envoyé des soldats partout dans le pays, personne ne les a vus. C'est comme s'ils s'étaient volatilisés.

– Laï'Onika doit être effondrée ! compatit le roi de Gohtes.

– Effondrée n'est pas le mot, Mélénor ; elle s'enferme et pleure sans arrêt. Si on ne la surveillait pas jour et nuit, je crois qu'elle s'enlèverait la vie. Elle est au bord de la folie et moi... je ne vaux guère mieux.

Incapable de trouver une meilleure explication à l'apathie des monarques, Mélénor songea aux nuages qui assombrissaient désormais le ciel du vaste territoire du Môjar. « Le mal s'insinue partout ; il corrompt même l'âme de ceux que je croyais solides comme des piliers. »

– Tu ne dois pas te laisser abattre, déclara Mélénor à l'homme éploré. Regarde-moi, je suis victime d'un *somahtys* et pourtant je lutte. Tu dois secouer ta torpeur.

– De quel droit me juges-tu ? Tu ignores tout de mon fardeau.

– Écoute au moins ce que j'ai à te dire.

Il plaida sa cause avec ferveur, mais Sol'Maglian demeura sourd à ses supplications.

– Je dois d'abord retrouver mes fils. Qui mènera ce pays si je ne les retrouve pas ?

– Tu ne peux tout de même pas ignorer les faits : Verlon essaie de mettre le continent à feu et à sang. Il n'y a pas de limites à ses ambitions, et il manipule le nouveau roi de Lombre comme un vulgaire pantin.

– Tout cela ne me concerne pas.

– Tu as tort, s'obstina Mélénor. Tu dois réagir. Je comprends ta douleur, mais tes préoccupations personnelles ne doivent pas t'empêcher d'assumer tes responsabilités !

– Tu es peut-être capable de vivre ainsi, pas moi. Je suis un mari et un père bien avant d'être un roi.

– Je ne crois pas...

– Quand j'avais ton âge, l'interrompit Sol'Maglian, je pensais comme toi, plus maintenant. Je ne condamnerai pas des pères de famille à une mort certaine pour une guerre qui n'a aucun sens pour moi. Tu surestimes le pouvoir de Verlon... Il y a nécessairement un défaut à sa cuirasse.

– Défaut ou pas, il tue mes soldats.

– Je suis désolé, Mélénor... Vraiment !

– Non ! s'emporta le roi de Gohtes. Quand Verlon enva-hira tes campagnes, quand les pères de famille que tu penses épargner pleureront leurs femmes violées et leurs enfants assassinés, là... là, Sol'Maglian, tu seras vraiment désolé.

– Si cela se produit, alors j'aviserai, répondit froidement le souverain du Môjar en signifiant clairement à son hôte que leur entretien était terminé.

La mort dans l'âme, Mélénor prit la direction du pays de Gohtes. Là-bas, une autre guerre l'attendait.

✧

Le roi voyageait avec une troupe restreinte. Jugeant que la situation en Nouvelle-Bortka était trop critique pour priver inutilement Sabbee de cinquante soldats, il n'avait pas respecté les usages protocolaires du Môjar. Les éclaireurs Marius, Drago et Lucas chevauchaient devant. Accompagné de Swalag, Polan se tenait derrière le roi puis, conduisant une lourde charrette, Valtan fermait la marche. Le maître d'armes de Noa se concentrait sur les mouvements souples des chevaux, essayant d'ignorer les disputes entre ses deux passagers. Affalés parmi les bagages et les casseroles, Isidor le bigleux entretenait les armes, tandis que Gil le coq le houspillait en préparant le dîner. Le roulis inconfortable altérait leurs caractères déjà insupportables, si bien que le joueur malicieux et le cuistot mal embouché se chamaillaient sans arrêt, mettant à rude épreuve les nerfs du cocher.

Monté sur un mulet qui trottinait aux côtés du puissant destrier de Mélénor, Basile Ez Isbra s'inquiétait de l'humeur sombre du roi. Convaincu qu'aucune conversation ne parviendrait à dérider son ami, l'elfe-ubu avait choisi de se taire ; il connaissait l'affection que Mélénor avait pour lui, mais il savait aussi qu'il n'était pas celui qui aurait dû se trouver là, à chevaucher à la droite du roi.

Jamais Mélénor ne l'avouerait à d'autres qu'à lui-même, mais Alban lui manquait. Devant la beauté saisissante de certains paysages, le roi se surprenait à imaginer l'émerveillement qui aurait animé les traits expressifs de son ancien compagnon. Vingt fois par jour, il jouait avec l'idée de profiter de son séjour à Döv Marez pour tenter de renouer avec son ami. Chaque fois, sous l'effet du *somahtys*, son esprit rongé de doutes le convainquait qu'Alban ne lui pardonnerait jamais son orgueil.

Soudain, des flèches sifflèrent. Deux archers s'étaient embusqués dans les arbres en bordure du chemin. Ils avaient l'habitude de faucher ainsi les voyageurs, mais la vive réaction de cette troupe les stupéfia ; les cavaliers éperonnèrent leurs montures dans un mouvement parfaitement maîtrisé. Ils filèrent à toute allure en soulevant derrière eux un lourd nuage de poussière qui fit tousser les malfrats postés dans les ravins. Les détrousseurs bondirent néanmoins, espérant s'emparer du chariot, mais ils regagnèrent bien vite la sécurité relative des buissons quand une dangereuse pluie de navets s'abattit sur leur tête ; pour une fois, Gil et Isidor étaient d'accord. Depuis l'arrière cahotant de la charrette, ils visaient les bandits en les injuriant. La troupe s'éloigna, et les voleurs n'eurent plus qu'à reprendre leurs positions, telles des araignées déconfites.

Soucieux de mettre une distance prudente entre la troupe et ses attaquants, Marius maintint les chevaux au galop pendant un bon moment. Ils ne ralentirent qu'à l'approche d'un petit village, et c'est là que, tel un sac de grains mal ficelé, Drago glissa contre le flanc de sa monture et tomba sur la terre battue. Polan descendit de cheval et se précipita vers l'éclaireur en criant.

– Boudin de crétin ! Drago, cesse de faire l'idiot ! Drago, qu'est-ce qui t'arrive ?

Le soigneur ouvrit de grands yeux horrifiés quand il retourna le corps de son ami évanoui. À cause de l'angle de tir, la flèche avait pénétré sous le genou gauche pour ressortir à la base du mollet. La chair n'avait pas beaucoup saigné, car la toile du pantalon n'était pas souillée autour de la tige. Inquiets, les autres s'approchèrent de Polan. Marius, qui les avait devancés, était livide.

– Nous ne pouvons pas rester ici, déclara le chef, c'est trop dangereux. Lucas, vite, aide-moi, on va le coucher dans la charrette pour l'emmener au village.

Lucas saisit les épaules de Drago. Swalag le repoussa violemment.

– Ne le touche pas, Lucas ! Ne le touche surtout pas, tu vas le tuer !

– Mais qu'est-ce qui te prend, Swalag ? Nous ne sommes pas en sécurité ici et...

Swalag bouscula aussi Marius et s'accroupit auprès du soigneur. L'hermaphrodite déchira l'étoffe du pantalon et désigna la bouillie qui avait été la jambe gauche de Drago.

– Regarde, Polan, les pourtours verdâtres... Sens-tu cette odeur amère ?

– Qu'est-ce que tu essaies de me dire ? demanda le soigneur.

– Cette flèche a été trempée dans le venin. Si nous déplaçons Drago, le poison va se répandre dans son sang et le tuer.

Furieux, Marius empoigna l'hermaphrodite par le col de son manteau.

– Comment sais-tu tout cela ?

– Parce que je suis médecin, Marius. Je n'ai pas le temps de t'expliquer, mais crois-moi, il ne faut absolument pas le déplacer.

Polan couvrit le bras de Marius d'une main apaisante.

– Il a raison. J'aurais dû m'en apercevoir.

Mélénor s'interposa entre Marius et Swalag.

– Polan, tu dois bien avoir une pommade ou une potion pour neutraliser ce poison ?

– Je ne connais rien qui combatte ce type de venin, peut-être que Swalag..., suggéra-t-il en interrogeant l'hermaphrodite d'un regard insistant.

De grosses larmes roulèrent sur les joues de Swalag.

– Votre Altesse, dit le médecin en se retournant vers Mélénor, il n'y a pas d'antidote. Il faut amputer.

Polan se mit à trembler.

– Je ne sais pas comment on fait, s'affligea-t-il, je ne suis qu'un simple soigneur... je ne...

– Je vais le faire, l'interrompit Swalag en caressant tendrement le front de son ami blessé, il le faut.

L'hermaphrodite leva résolument la tête.

– Nous n'avons pas beaucoup de temps. Apportez-moi de l'eau-de-vie et des chiffons. Gil, j'ai besoin de ton coutelas... vite !

Swalag reporta son attention sur le visage de l'éclaireur ; le teint habituellement blême de Drago se marquait d'inquiétantes marbrures bleutées. L'hermaphrodite ne pleurait plus. Contrairement à ses mains, sa voix tremblait.

– Je ne veux pas que tu meures, mon ami. J'espère que tu me pardonneras.

Avec des gestes d'une extrême précision, il finit de dénuder la jambe blessée.

✧

Quand Swalag fut convaincu qu'il avait réussi à éradiquer le poison, il laissa Marius et Lucas porter leur compagnon dans la charrette. En silence, ils se rendirent au village, traînant derrière eux l'hermaphrodite, qui pleurait sans retenue. Bouleversé par ce nouveau malheur, Mélénor ne put s'empêcher de comparer leur petite troupe à un cortège funèbre.

Marius était si troublé qu'il accepta avec reconnaissance l'aide de Basile et de Valtan. Les deux hommes s'occupèrent de dénicher une auberge, et les voyageurs purent enfin se reposer. Le soir tomba comme un linceul sur cette misérable journée. Pendant qu'ils veillaient au chevet du blessé, Marius et Lucas exigèrent de Swalag qu'il leur dise enfin la vérité.

– Tu nous as menti, s'indigna Marius. Pourquoi ?

– C'est comme si tu étais devenu un étranger, ajouta Lucas. Explique-nous.

L'hermaphrodite leur révéla tout de son ancienne vie et leur raconta pourquoi, voilà plusieurs années, il avait renoncé à la médecine.

– Il n'avait que cinq ans et je l'ai tué, fit-il d'une voix sinistre. Je revenais d'une fête où le vin avait coulé à flots. La mère est venue frapper à ma porte parce que son petit avait le front brûlant et des frissons. J'étais fatigué et agacé, alors je lui ai donné une petite fiole en lui disant d'en diluer le contenu avant de l'administrer à l'enfant. Le lendemain, le garçon était mort. J'avais confondu le flacon de malgave avec celui du sirop contre la fièvre. J'ai décidé que j'étais indigne de ma confrérie et de mon art.

– C'est tout de même toi qui as sauvé Drago, insista Marius.

– Peut-être, mais je ne suis pas certain qu'il va me le pardonner.

✧

Mélénor avait trop bu. Il repoussa l'assiette qu'il n'avait pas touchée. Dégoûté par la vue du gras qui se figeait sur la sauce et la viande durcie, il se leva de table, chancela et renversa un tabouret. Malgré ses pas mal assurés, il réussit à s'approcher de l'immense foyer qui éclairait tant bien que mal la pièce désertée. Le roi se planta devant le feu pour observer la danse frénétique des flammes.

– On dirait qu'elles font l'amour avec le bois. Aïe ! Aïe ! L'amour... Faut pas y toucher si on ne veut pas se brûler.

Le rire de Mélénor n'avait rien de joyeux ; il résonna un moment dans le silence morne avant de s'évanouir. Le roi comprit alors que ses prétentions à rester debout dépassaient largement ses capacités. Il avisa un fauteuil dans un coin baigné d'ombre. Quand il voulut le déplacer devant l'âtre, il découvrit qu'une petite vieille l'occupait. Ses yeux gris délavés le fixaient comme ceux d'une chouette hébétée.

– Oups ! dit le roi en reculant d'un pas incertain. Grand-mère, s'cusez-moi, je ne vous avais pas vue.

Ses genoux le lâchèrent et il se laissa choir sur le tapis. Il savoura la chaleur du feu, puis regarda de nouveau la vieille dame qui disparaissait sous une montagne de châles. Son bonnet blanc faisait une tache dans l'obscurité et, à voir le lent mouvement qui l'animait, Mélénor se dit que la femme s'était assoupie. Il comprit son erreur quand une autre tache claire attira son regard. Émergeant des nombreux lainages, les mains tordues de la vieille maniaient de petites pelotes de fils argentés qu'elle entrecroisait sur un métier miniature. Ses gestes étaient si rapides que Mélénor n'arrivait pas à les suivre.

– Qu'est-ce que vous confectionnez, madame ? demanda-t-il, désirant se montrer courtois.

La femme pencha la tête sur le côté, puis un sourire tout plissé déforma son visage chiffonné. Mélénor soupira.

461

– Après tout, il vaut peut-être mieux que vous soyez sourde, ma bonne dame, parce que ce que j'ai sur le cœur, ce n'est pas joli, joli... Savez-vous ce qui est pire qu'un imbécile ?

– ...

– Un imbécile fier ! Je sais ce que je dis parce que j'en suis un !

Mélénor parla longuement, convaincu pourtant que rien ne soulagerait les blessures de son âme. Il pensa à Hµrtö, aux discussions enflammées qu'il avait avec lui. La voix de Mélénor résonna dans la pièce, et on aurait pu croire qu'il se chamaillait avec lui-même. D'un ton sarcastique, il énuméra ses déboires amoureux. Puis il en vint à la fin trop absurde de son amitié avec Alban et il sombra dans une mélancolie exacerbée par l'ivresse. Il décrivit la lente dégradation de son sphinx et l'apparition de la tache noire sur son ventre. Amer, il fit le décompte de toutes les humiliations que ses ennemis lui avaient fait subir, puis il pensa à ses enfants, légitimes ou non. Rendu là, il se tut, car il n'y avait plus rien à dire.

– Prenez-le !

Mélénor sursauta en entendant la voix frêle qui venait du tas de châles.

– Prenez-le ! insista la vieille en lui tendant quelque chose.

– Qu'est-ce que c'est ?

Le roi saisit au vol le bout de tissu que la femme avait laissé tomber d'un geste nonchalant. Il vit les mains difformes se réfugier dans la masse des lainages ; de toute évidence, la vieille n'accepterait pas de reprendre son cadeau.

– Un ruban, un simple ruban tissé, expliqua-t-elle. Si vous le donnez à quelqu'un qui souffre, il engourdira son mal. Mais il faut le nouer.

– J'ai un ami blessé...

Mélénor commençait à avoir la nausée, et la chaleur du foyer lui semblait tout à coup insupportable. Il se remit péniblement debout en tentant d'éviter le regard sinistre. La voix était frêle mais étrangement cinglante.

– Pas ce genre de souffrance, monsieur l'imbécile fier, l'autre.

– Je ne comprends pas.

– La souffrance de l'âme !

Ne sachant qu'en faire, Mélénor enfouit le ruban dans sa poche puis il s'éloigna du feu. Malgré le froid qui le saisit, il poursuivit son chemin comme si une armée de berohls était à ses trousses.

– La souffrance de l'âme ? tenta-t-il d'ironiser.

– Oui... Exactement comme la vôtre ! déclara la femme.

– Je n'ai pas ce genre de faiblesse ! se défendit le roi. Vous dites n'importe quoi.

– C'est ce que répondent les imbéciles fiers quand ils refusent d'accepter la vérité !

Quand il sortit de la pièce, Mélénor se heurta à Marius.

– Mon roi ! Excusez-moi ! Je ne savais pas que vous aviez de la compagnie !

– Ce n'est rien, Marius. Une vieille femme, probablement démente !

– Dois-je la chasser ?

– Non, laisse tomber.

– Je suis venu chercher de l'eau pour Drago.

– Il est éveillé ? s'étonna le roi.

– Oui

– Comment va-t-il ?

– Swalag dit qu'il va s'en sortir.

– Bien, très bien.

Mélénor lui tapota l'épaule puis il s'enfuit vers sa chambre, où il s'écroula, s'abandonnant à ce genre de sommeil qui donne aux hommes un avant-goût de la mort.

✧

Il fallut attendre plusieurs jours avant que la troupe de Mélénor puisse reprendre la route. Curieusement, le moral de Drago était bien meilleur que celui de ses compagnons. Au début, il s'installa dans la charrette, mais il s'ennuyait à mourir, même Gil le coq n'osait le houspiller. Accablé par les remords, Swalag posait un autre problème ; Drago avait beau lui répéter qu'il était préférable d'avoir une jambe en moins que de servir de souper aux asticots, l'hermaphrodite demeurait inconsolable. Peu de temps après leur départ, alors que Drago se trouvait seul auprès du feu, Marius vint le rejoindre.

– Peut-être que cela n'a pas de sens, mais Lucas et moi pensons pouvoir modifier ta selle pour que tu puisses monter.

– Si tu réussis ça, s'exclama Drago, je te donne mon bras droit.

Marius sursauta, l'air hébété.

– C'était pour rire, s'exaspéra l'éclaireur, tu sais... rire. Bout de fiel, j'en ai assez de vos têtes d'enterrement. Au cas où vous ne l'auriez pas remarqué, je suis encore en vie.

Marius lui sourit enfin.

– D'accord ! Je ne l'oublierai plus.

Ils se mirent tous à la tâche et, après plusieurs ajustements, Drago réussit même à tenir en selle le temps d'un court galop. Du coup, l'humeur de la troupe grimpa d'un cran. Isidor reprit sa place dans la charrette du cuistot, et leurs interminables querelles rythmèrent de nouveau les longues journées de chevauchée. Devinant que Drago se fatiguait vite, Marius trouvait toutes sortes de prétextes pour écourter les trajets et prolonger les pauses. Si Drago s'en apercevait, il n'en laissait rien paraître. Un jour, cependant, il surprit Lucas ; le talentueux cavalier parlait sévèrement à l'étalon de son compagnon, tout en vérifiant la selle modifiée.

– Lucas, cesse de harceler ce pauvre animal.

– Ton cheval sait qu'il doit assouplir son pas, mais il oublie vite ; il laisse son tempérament fougueux le dominer.

– Cette bête se comporte très bien, l'assura Drago, et cela m'assomme de penser que même mon cheval prend pitié de moi.

La troupe finit par reprendre ses anciennes habitudes ; cette monotonie avait un effet calmant sur les hommes, mais Mélénor se sentait déchiré. D'une part, ce ralentissement le soulageait, car il n'était pas pressé d'affronter Isadora, mais quand il pensait à Sabbee et à la guerre, un douloureux sentiment d'urgence lui tordait les entrailles.

Le ciel était particulièrement sombre le matin où ils franchirent les murs de Döv Marez. Quand Mélénor remarqua l'aspect insolite de son palais, son visage devint étrangement blême ; de longues bannières noires flottaient au sommet des tours et d'épaisses draperies obscurcissaient la plupart des fenêtres. Malgré l'étroitesse des rues qui grouillaient de citoyens, le roi lança son destrier au galop. Étonnés de la réaction du monarque, Basile et Swalag rattrapèrent les autres et réclamèrent des explications.

– Marius, qu'est-ce qui se passe ? voulut savoir l'elfe-ubu.

– Quelqu'un est mort, répondit le chef, quelqu'un dans la famille du roi.

Sans se soucier de ses compagnons, qu'il avait involontairement semés, Mélénor abandonna son cheval devant la porte principale du château. Un peu désorienté par l'obscurité qui y régnait, il traversa le hall en courant pour atteindre la salle du conseil. D'abord, l'immense pièce lui parut déserte, ensuite il aperçut Cassandra assise devant un pupitre. Les traits parfaitement détendus, la ministre écrivait à la lumière d'un petit candélabre. Elle sursauta en entendant résonner la voix de Mélénor.

– Qui ? demanda le roi, livide.

Cassandra ouvrit de grands yeux.

– Mon prince, que faites-vous ici ?

– De grâce, répondez-moi ! Qui est mort ?

La grande dame se leva. Mélénor nota qu'elle avait l'air embarrassée.

— Calmez-vous, Mélénor. Je vais vous expliquer.

— Je veux savoir qui est mort ! rugit-il, fou d'inquiétude.

— Guilly, lui répondit-elle en guettant sa réaction.

— Guilly ? répéta le roi sans comprendre.

— Oui, Guilly de Teut, l'oncle de la reine.

Incrédule, Mélénor secoua la tête.

— Dites-moi que je fais un mauvais rêve ! s'écria-t-il. Isadora n'a pas mis le pays en grand deuil pour un homme qu'elle n'a jamais aimé et qui n'appartient même pas à la famille royale.

— Je sais. J'ai bien essayé de la raisonner, mais...

— C'est une catastrophe, Cassandra. Comprenez-moi, je venais pour lever une armée. La Nouvelle-Bortka est en train de s'écrouler sous les assauts de Verlon.

— Oh ! s'horrifia la ministre.

— Aucune armée ne peut être constituée durant un deuil royal.

— Le décret est formel sur ce point, se désola Cassandra.

— Combien de temps... Elle l'a fixé à combien de temps, ce deuil ?

— Neuf cycles des lunes !

– Nom d'une déesse, elle a complètement perdu l'esprit ! Où se trouve-t-elle ? Il faut qu'elle annule cette farce.

Il n'attendit pas la réponse et fonça vers l'aile réservée aux appartements royaux.

✧

Dehors, la troupe s'arrêta devant le château afin de récupérer le cheval du roi. Les compagnons de Mélénor se rendirent ensuite aux l'écuries, où ils apprirent la nouvelle de la bouche du maître écuyer.

– Personne ne connaît ce Guilly de Teut, dit l'homme en crachant par terre pour bien marquer son indignation. La reine s'en moque. Pendant que les citoyens triment comme des bêtes, cette femme sortie de nulle part gaspille nos impôts en organisant des obsèques somptueuses pour un illustre inconnu. Même notre bon roi Dobfrey n'a pas eu droit à autant de faste.

Marius ne dit rien. En voyant la triste mine de ses amis, il comprit qu'ils étaient tous découragés. « C'est fichu ! Tout ce chemin pour rien. Nous n'aurons même pas d'armée. »

– Allons porter tout cela dans le cabinet du roi, suggéra le chef en saisissant un sac de voyage qu'il hissa sur son épaule. Il pourra retrouver ses affaires s'il en a besoin. Ensuite, eh bien, je prends le chemin de l'auberge. Il me faut quelques chopes de bonne bière pour me remonter le moral.

Basile Ez Isbra, à qui on avait expliqué les désastreuses conséquences de cette situation, devança ses amis malgré ses courtes jambes arquées.

– C'est moi qui paie la tournée.

Les deux époux hurlaient en se postillonnant copieusement au visage. Comme un torrent chargé de fiel, ils déversaient le flot de leur rancœur.

– Tu n'as jamais eu d'affection pour ton oncle. Neuf cycles des lunes... Et mon armée ? Me faire cela... à moi !

– Et ce que je ressens ? Tu t'en soucies comme de ta première chemise, s'égosilla Isadora. Te marier avec cette mijaurée. Et je l'apprends comment ? Par les pires commères de la cour... Tout le monde fait des gorges chaudes dans mon dos. Me faire cela... à moi !

– As-tu pensé à moi ? À ton peuple ? Je te le dis, tu vas annuler ce deuil...

– De quoi ai-je l'air maintenant ?

– ... tout de suite.

– Tu m'humilies devant tout le continent et il faudrait que je vous aide, toi et ta putain.

– Tu ne penses jamais qu'à toi. C'est toujours toi, toi, toi ! siffla Mélénor, conscient que l'odeur de souffre devenait épouvantable.

Au loin, dans le gouffre de son volcan, Korza enflammait la sphère translucide qui grésillait.

– Je te déteste ! hurla la reine, son beau visage étonnement frais déformé par la fureur.

Ils s'arrêtèrent quand ils furent à bout de souffle et de paroles mesquines. Isadora se mit à pleurer.

– Malgré ce que je t'ai déjà dit, j'aimais mon oncle. Il a été un vrai père pour moi, sévère mais toujours tendre et généreux. J'étais « sa petite princesse ».

Mélénor lança un vase contre la cheminée. Impuissant, il repoussa les draperies pour sortir sur le balcon qui dominait la ville. Il se força à respirer lentement pour se calmer. Il savait bien qu'il était inutile d'affronter ainsi Isadora et que, pour obtenir le retrait du deuil, il devait absolument la raisonner, quitte à recourir au mensonge. « J'ai commis tant de fautes que mon âme est certainement déjà damnée. Je ne suis pas à une infamie près. » Il ne reculerait devant aucune bassesse. « Je ne laisserai pas le peuple de la Nouvelle-Bortka périr sans avoir tout tenté pour le sauver. Il me faut des renforts... À tout prix ! » Il rentra et alla s'asseoir devant Isadora, qui continuait de pleurer dans son mouchoir.

– Je comprends ta colère, dit-il d'une voix douce mais ferme. J'aurais dû te prévenir et t'expliquer...

– Qu'est-ce que cela aurait changé ? s'emporta Isadora.

– J'ai cru, continua Mélénor d'un ton déçu, que tu comprendrais qu'il ne s'agissait que d'une alliance politique, rien de plus. Je n'ai pas pensé un seul instant que tu douterais de mon amour. Voilà, je me suis trompé. Je constate que tu continues à me prêter des liaisons, alors que je t'ai promis fidélité. Maintenant, tu t'imagines je ne sais trop quoi à propos de ce damné mariage.

Isadora le regarda enfin. Dans les yeux rougis de la reine, Mélénor vit poindre une lueur d'espoir, mais sa bouche pincée indiquait que la bataille était loin d'être gagnée.

– Tu me prends pour une imbécile ? reprit-elle dans un nouvel élan de fureur. Cette Sabbee... Tu espères me faire croire que tu ne la touches pas !

– Tes fameuses commères, celles à qui tu accordes tant d'importance, t'ont-elles annoncé la venue d'un héritier pour la Nouvelle-Bortka ?

– Pas encore, mais...

– Il n'y en aura pas, l'interrompit sèchement Mélénor, parce que je ne m'intéresse pas à cette fille. Elle n'est pas très jolie, d'ailleurs.

– Mais elle ? insista la reine. Elle doit vouloir que tu...

– Sabbee n'a qu'un seul désir et c'est là tout ce qui nous unit, mentit-il effrontément. Nous devons résister à Verlon. Pour y arriver, il nous fallait mettre fin à l'instabilité de notre gouvernement. Nous avons réussi grâce à cette alliance que le peuple réclamait et maintenant, nous sommes en guerre.

– Les femmes ne raisonnent pas comme cela, s'insurgea Isadora en secouant la tête. Cette fille est très rusée, elle cherche à te piéger.

471

– Isadora, je t'en prie, réfléchis un moment. S'il y avait quoi que ce soit entre nous, crois-tu que Sabbee m'aurait envoyé ici ? Crois-tu qu'elle m'aurait laissé venir à toi en sachant combien je t'aime ? Ma douce, la reine de la Nouvelle-Bortka se moque éperdument de m'avoir comme mari... Elle avait besoin d'un roi pour son royaume, et le peuple voulait que ce soit moi.

Isadora pensa à toutes les maîtresses que Mélénor avait mises dans son lit. « J'ai déjà accepté de ne pas être la seule femme dans sa vie, alors... elle ou une autre, quelle est la différence ? » La réponse était pourtant évidente.

– Promets-moi que vous n'aurez pas d'enfants, dit Isadora en plongeant son regard dans celui de son mari.

Mélénor se souvint de sa dernière nuit avec Sabbee : son désir d'elle, leurs corps enlacés après l'amour, ce rêve un peu fou de caresser son ventre tendu par une vie toute neuve, une vie encore vierge de toute souillure. Dans son esprit ensorcelé, des pensées contradictoires se bousculaient : « Des enfants, si j'en juge par mon comportement inconstant, j'en ai bien assez. » Un troublant sentiment de honte l'envahit. « Et pourtant, j'ai vraiment craint d'apprendre la mort de l'un d'eux. Je suis indigne d'être père. » Il s'empressa de chasser cette idée désagréable.

– Je me sens parfaitement comblé avec les deux enfants que tu m'as donnés, soutint-il.

Il sut qu'il avait vaincu la résistance d'Isadora quand elle se leva pour aller à sa coiffeuse. Elle se regarda dans la glace et sourit à son reflet mystérieusement jeune.

– Pourquoi dis-tu que Sabbee n'est pas jolie ?

– Pour être honnête, je ne la regarde pas... Enfin, pas comme une femme.

Il rejoignit Isadora et la prit dans ses bras.

– Aucune femme ne parviendra jamais à t'effacer de mon cœur.

Elle se laissa embrasser jusqu'à ce que son corps s'enflamme et que son souffle devienne haletant. Mélénor mit fin au baiser.

– Ma chérie, m'aimes-tu ?

– Je n'ai jamais cessé de t'aimer.

– Si tu m'aimes, tu dois annuler ce deuil... J'ai besoin de mon armée.

Mélénor sentit le corps d'Isadora se raidir dans ses bras. « Triple idiot ! Il fallait être plus patient. » Il se dégagea et saisit les mains d'Isadora dans les siennes.

– Pardonne-moi, ma douce, se reprit-il immédiatement. Avoue que nous serions beaucoup mieux une fois débarrassés de ces détails prosaïques. Ensuite, je te le promets, j'oublie tout jusqu'à demain... Tout sauf toi et moi... et tes lèvres, et ta peau, et tes yeux !

Isadora le scruta comme si elle voulait fouiller son âme. Il soutint son regard en silence, espérant qu'elle se laisserait convaincre par ce simulacre de déclaration d'amour. Elle dégagea enfin ses mains pour les glisser sur les épaules de son mari. Elle l'observa et le trouva plus séduisant que jamais : à l'instar de ceux de sa race, le Longs-Doigts avait à peine vieilli ces dernières années. La maturité, pourtant, ajoutait du tempérament à sa mâchoire virile et de la profondeur à son regard vibrant. Elle caressa sa chevelure épaisse puis posa ses mains sur sa poitrine musclée. Comment résister à autant de charme ?

– Tu dois bien te douter que je ne peux pas faire ce que tu me demandes, Mélénor, dit-elle en défaisant les premières agrafes de la tunique du roi. Je ne peux pas me permettre de perdre la face devant notre peuple ; plus personne ne me prendrait au sérieux. Tu sais mieux que moi comment il est difficile de maintenir son autorité.

Mélénor emprisonna de nouveau les mains d'Isadora. Elle les libéra pour continuer de dégrafer la tunique.

– C'est vrai, tu as raison, concéda-t-il en déposant un baiser sur le front parfaitement lisse de sa femme. Oublions tout cela.

Elle passa une main fiévreuse sur la nuque puissante de son mari et l'entraîna dans un baiser passionné. Mélénor y répondit, mais son corps restait de glace. L'entêtement d'Isadora venait de le condamner à élaborer une périlleuse stratégie. « J'ai besoin d'un peu de temps. » Le baiser se prolongeait sans émouvoir Mélénor. L'indifférence de son époux aurait fini par alerter Isadora si elle n'avait pas été distraite par ce que cachaient les pans de la tunique.

– Qu'est-ce que c'est ? demanda-t-elle. Tu as été blessé ? C'est impossible, tu guéris si vite.

– Plus maintenant, on dirait bien.

Un large bandage ceignait la poitrine de Mélénor. Sabbee aussi l'avait questionné à ce sujet. Il répéta le même mensonge.

– Je guéris vite, mais si je n'y prends pas garde, ma peau cicatrise en laissant des balafres dégoûtantes.

– Laisse-moi voir, insista Isadora en tendant la main vers le nœud du bandage.

Le roi recula. « Comme Sabbee... Qu'est-ce qu'elles ont toutes à être si curieuses ? » Il préférait ne plus voir son chêne qui dépérissait lentement et il considérait que cela ne concernait que lui.

– Non. Tout va disparaître, mais il faut laisser agir le baume.

Isadora renonça et s'attaqua à la ceinture de Mélénor. Celui-ci se détourna brusquement. La reine se colla contre son dos.

– Tu deviens prude ? se moqua-t-elle.

– Attends, j'ai une meilleure idée.

– Une meilleure idée que de faire l'amour ?

– Nous n'allons pas seulement faire l'amour, dit Mélénor avec ferveur, nous allons organiser une fête de la passion.

– Il y a des années que nous ne faisons plus cela.

– Eh bien, nous avons tort. Reste ici, je reviens tout de suite.

Mélénor sortit précipitamment ; il lui fallait réfléchir vite et bien. L'urgence d'agir l'empêchait de trop songer aux conséquences et à la gravité de ce qu'il s'apprêtait à commettre. Il prit la direction de son cabinet et fut reconnaissant à ses compagnons de voyage d'avoir été si prévoyants. « Ils ont pensé à mes bagages, voilà qui est parfait. Tout est là. » Quand il eut trouvé ce qu'il cherchait, il plaça le tout dans un large panier.

Isadora était restée figée devant la porte. Mélénor lui avait fait un clin d'œil complice avant de sortir au pas de course. « Quel comportement étrange ! » Décidée à ne pas se laisser troubler par de vains soupçons, la reine retourna à sa coiffeuse et entreprit de dissimuler sous une mince couche de fard les traces laissées par ses larmes. Elle brossa ses cheveux et attendit encore un moment. Impatiente, elle sortit sur le balcon et tenta d'apercevoir les fenêtres des appartements du roi. « Que peut-il bien fabriquer à la fin ? » Elle revint à l'intérieur, tripota les oreillers et replaça les couvertures pour que tout soit invitant. Elle commençait à s'inquiéter sérieusement, quand on cogna à la porte.

– Pour toi, dit Mélénor, qui disparaissait presque derrière un énorme cabas.

– Tu as été longtemps parti.

– Désolé, mais il le fallait. Cette nuit, tout doit être parfait.

Il déposa le panier et en sortit des voiles très fins. Isadora battit des mains. Il y avait des fioles de parfum et des vins rares. Mélénor lui montra ensuite des écrins incrustés d'ivoire. Il avait profité de son passage au Môjar pour acheter ces présents, qu'il destinait à Sabbee. « Elle comprendra », tentait-il de se rassurer. Le roi ouvrit les écrins.

– Ces anneaux se portent aux chevilles, expliqua-t-il, ces chaînes à la taille. Tu seras magnifique.

– Quelles merveilles !

– Il y a plus important, ajouta le roi, l'air mystérieux.

Isadora était conquise ; fébrile, elle n'arrêtait pas d'embrasser Mélénor.

– Plus important ?

Le roi plongea la main au fond du cabas. Une plume, un bout de parchemin et une petite lampe rejoignirent les autres présents qui encombraient désormais toute la surface d'une grande table d'ébène. La plume était longue et élégante et le parchemin, d'une qualité rare, mais la reine ne comprenait pas pourquoi ces objets étaient si importants.

– Ils sont magiques, déclara Mélénor. Grand-mère me les a donnés avant de partir en mission sur la Terre des Damnés. J'en ai des semblables mais, pour que cela fonctionne, il faut respecter le rituel.

– Quel rituel ? demanda Isadora, de plus en plus intriguée.

– Viens avec moi.

Mélénor la conduisit dans une pièce adjacente. Il avait tout préparé pour elle : des dizaines de bougies donnaient à l'endroit une ambiance féerique. Mélénor prit Isadora par la main et l'entraîna vers une immense baignoire fumante.

– Purifier, parer, promettre, voilà le rituel. Ensuite, nous pourrons nous donner l'un à l'autre.

– Je ne comprends pas.

Mélénor avait emporté avec lui une fiole de cristal. Elle contenait une huile parfumée qu'il versa généreusement dans l'eau.

– Purifier... Tu restes dans la baignoire jusqu'à ce que les bougies soient éteintes.

– Ce sera long et l'eau refoidira, se plaignit la reine en frissonnant.

– C'est le prix à payer ; ce rituel est puissant, encore faut-il l'accomplir parfaitement.

Isadora hocha docilement la tête.

– Parer... Tu revêts chaque voile et chaque bijou dans l'ordre, du plus petit au plus grand... Un voile, un bijou, un voile, un bijou...

– Un voile, un bijou, du plus petit au plus grand...

– Après chacun, tu utilises la plume et le parchemin pour écrire un segment de poème, d'amour évidemment.

– Oh ! Il me faudra toute la nuit, s'affligea la reine.

– Pas tant que cela ! Notre passion ne t'inspire-t-elle pas ?

– Bien sûr, mais...

– Je te rejoindrai dans ta chambre à la deuxième lune, l'interrompit Mélénor. D'ici là, tu ne dois voir personne. Tu restes ici, dans tes appartements.

– Mais toi, que feras-tu pendant tout ce temps ?

– D'abord, je commanderai un festin pour nous deux ; ensuite, tout comme toi, j'accomplirai les gestes rituels.

– Tu vas m'écrire un poème ?

– Tu penses que j'en suis incapable ? fit mine de s'offenser le roi.

– Non, c'est parce que..., balbutia la reine, soucieuse de ne pas rompre la magie fragile de ces moments précieux.

– Je sais, c'est honteusement romantique, mais le rite l'exige.

– Et la magie ?

– Dans la lampe et les parchemins. Nous lirons nos poèmes, toi d'abord et moi ensuite. Nous roulerons les parchemins l'un dans l'autre et nous les brûlerons.

– Que se passera-t-il alors ?

– Nos âmes seront soudées à jamais.

– Comme des âmes sœurs ?

– Exactement ! N'est-ce pas ce que tu as toujours désiré ?

– Oh ! mon amour, s'extasia-t-elle, submergée par l'émotion.

Isadora ouvrit les bras et voulut enlacer Mélénor. Ce dernier secoua vivement la tête.

– À partir de maintenant, nous ne devons plus nous toucher ; le désir doit venir du cœur, non de la chair. Ainsi, la flamme de la lampe scellera l'éternité de notre désir.

– Je t'attendrai, dit la reine sur un ton déterminé.

– Ne commettons pas d'erreur, ma douce.

– Je serai parfaite.

Mélénor referma la porte, et Isadora plongea dans la baignoire en pensant aux merveilleux serments qu'elle voulait inscrire sur le précieux vélin.

✧

Dans le couloir des appartements royaux, Mélénor entendit des râles étouffés. Le son provenait d'une pièce perdue au fond du couloir. Trouvant la porte entrouverte, le roi empoigna son épée et pénétra dans un boudoir qui semblait avoir été la scène d'une violente bagarre. Mélénor entendit une plainte suivie de murmures indistincts.

– Qui est là ? Êtes-vous blessé ? s'inquiéta-t-il en avançant tout de même prudemment.

Une voix plus amusée qu'outragée lui parvint de la chambre.

– Qui ose déranger le prince ?

– Le roi, tonna Mélénor, furieux de découvrir sa méprise.

Mélénor ne vit pas vraiment ce qui se passait dans la chambre plongée dans l'obscurité. Il rengaina son épée et recula dans le boudoir.

– Nathan, viens ici immédiatement, ordonna-t-il.

Le jeune prince apparut et lui sourit candidement. Né dix ans plus tôt, il possédait la carrure et la maturité d'un garçon de quatorze ans. Mélénor avait du mal à s'habituer à la beauté presque féminine de son fils ; sa peau était si fine et son teint, si clair. Ses beaux yeux verts se bordaient de longs cils noirs et sa bouche avait le même dessin gourmand que celle de sa mère.

– Père, comme je suis heureux de vous voir ! J'ignorais que vous alliez venir...

– N'es-tu pas censé être à l'étude à cette heure-ci ?

Pour son précieux fils, Isadora avait retenu les services des meilleurs précepteurs. Mélénor s'était bien gardé de rappeler à sa femme qu'elle allait à l'encontre des principes qui avaient condamné Thelma à l'école publique. Rien n'était trop beau pour l'héritier mâle.

– J'y allais justement.

– Qui est avec toi ? demanda Mélénor.

Impressionné par le ton impérieux du roi, un jeune homme sortit timidement de la chambre, immédiatement suivi de deux jeunes demoiselles qui filèrent en ricanant sottement. Mélénor sentit le sang lui monter au visage et le voile rouge envahir sa vision.

– Que faisiez-vous là ? insista-t-il.

Nathan ne cilla pas quand il mentit effrontément à son père.

– Nous cherchions mon bouquin de botanique... Je ne suis pas très ordonné, comme vous pouvez le constater.

N'osant pas regarder le roi qui le dévisageait, le compagnon de Nathan fouillait frénétiquement sous un tas de vêtements froissés.

– Le voici, mon prince, il était avec votre manuel d'astronomie !

Nathan saisit le livre puis il s'approcha de son père.

– J'y vais. Vous savez, je deviens imbattable au jeu des stratèges. Ferons-nous une partie ce soir ?

– Peut-être, Nathan, peut-être !

Mélénor se sentit légèrement nauséeux quand l'adolescent l'embrassa sur la joue avant de se sauver en courant. Une colère folle s'empara de lui. « Ce damné sortilège me prive de toutes mes joies de père. J'ai beau savoir comment je devrais me comporter avec eux, je suis devenu incapable de m'émouvoir devant mes propres enfants. » Soudain, une douleur sourde saisit le roi au bas-ventre, juste sous le nombril, là où se trouvait l'inquiétante tache noire. Il prit appui contre le mur tout en examinant le jeune homme figé. Mélénor l'avait tout de suite reconnu car, malgré une certaine mollesse dans les traits, il ressemblait énormément à son père.

– Tu es Collin, n'est-ce pas, le fils de Sarah ? demanda-t-il même s'il connaissait la réponse.

– Oui.

– Tu sais que je suis ton père.

– Ma mère me l'a dit quand j'avais six ans.

– Comment se porte-t-elle ? s'enquit le roi en dévisageant le jeune homme.

– Je l'ignore. Elle m'a abandonné depuis longtemps.

– Abandonné ? s'étonna Mélénor. C'est impossible, ta mère t'adorait !

– C'est la reine elle-même qui me l'a annoncé. J'ai eu beaucoup de chagrin.

– La reine !

– Oui. Notre souveraine a été bien bonne pour moi... enfin...

D'affreux soupçons effleurèrent l'esprit de Mélénor, mais il les repoussait de toutes ses forces. La tête lui tournait. « Ce n'est pas vrai... Isadora n'a tout de même pas osé faire cela. » Comme une réponse acide à sa question muette, une douleur particulièrement aiguë lui laboura le ventre. Troublé par cet entretien inattendu, Collin ne sembla pas remarquer le malaise du roi. Il reprit de sa voix mal assurée :

– Dame Isadora m'a expliqué qu'elle aurait pu me jeter à la rue. J'étais jeune et je ne savais pas faire grand-chose, si bien que mes services ne suffisaient pas à payer ma pitance. La reine a quand même accepté de me laisser vivre ici.

Il y avait dans le ton du jeune homme des accents larmoyants qui déplaisaient à Mélénor. Ce qui lui rappela que le sphinx de Collin était un mouton. « On dirait qu'il bêle. » Parce que le roi savait évaluer la trempe d'un homme, il devinait en Collin une faiblesse de tempérament difficile à corriger.

– Et maintenant ?

– Quoi, maintenant ?

– Que fais-tu ? demanda le roi en cachant mal son impatience. Tu n'es plus un enfant, tu dois bien avoir un métier ?

– Non, je n'ai pas fait d'études. La reine m'a mis au service du prince.

– Plutôt douteux comme service, critiqua sévèrement Mélénor.

La honte fit rougir le jeune homme. Mélénor se sentait plus désolé que fâché. Il voulait aider ce malheureux, mais il ne décelait aucune ardeur, aucune flamme en lui. Le roi eut une vision fugitive qui le remplit d'horreur. Isadora devait trouver un plaisir sadique à humilier ce bâtard qui ressemblait tellement à son père infidèle. Mélénor se risqua à quitter l'appui du mur.

– Sortons d'ici, je manque d'air.

Il y avait pourtant un aspect positif à cette rencontre sordide. La conscience de Mélénor se détachait lentement des derniers scrupules qui le hantaient depuis que sa résolution était prise. « Mon crime ne peut pas être plus grave que celui d'Isadora. Elle a dû l'obliger à partir et à abandonner son fils. Elle l'a fait disparaître, c'est certain. Comment ? Nom d'une déesse, elle ne l'a tout de même pas tuée ! Le *somahtys* peut-il l'avoir conduite à cette extrémité ? Ma pauvre Sarah, sacrifiée pour avoir été ma maîtresse, détruite par ma faute. » Bourrelé de remords, assommé par une vérité qu'il refusait d'entrevoir, Mélénor reporta son attention sur Collin.

– Il serait plus sain pour toi de t'éloigner d'ici.

– Amenez-moi avec vous, le supplia le jeune homme.

– Sais-tu te battre ?

Collin baissa la tête, pitoyable. Mélénor ne voulait pas lui mentir.

– Dans ce cas, tu ne peux pas m'être utile. N'as-tu donc aucun rêve ?

– J'aimerais aller au pays de Môjar. Autrefois, ma mère me disait que nous irions là-bas pour commencer une nouvelle vie. Elle y est peut-être.

– Combien as-tu de pièces d'or pour ton voyage ?

– Aucune.

– Comment cela ? s'étonna Mélénor. Tu as un rêve, et tu ne fais rien pour le réaliser ?

– La reine ne me verse pas de gages, voulut se justifier le jeune homme.

– Quel âge as-tu maintenant ? Vingt ans ? supputa le roi, sachant que Collin était né un peu avant Thelma.

– Vingt et un au prochain cycle des lunes.

Mélénor vida sa bourse et lui donna les quelques pièces qu'elle contenait.

– Ce n'est pas suffisant, mais attends-moi ici à la première lune. Je te donnerai l'argent du voyage.

– Vous allez vraiment m'aider ?

– Écoute-moi bien : tu vas partir d'ici et te rendre à Oz'Garanz. Tu iras voir l'intendant de la cité ; il s'appelle Mo'Omar Ez Linaz. Dis-lui que c'est moi qui t'envoie et que j'aimerais qu'il trouve un bon artisan prêt à t'accueillir comme apprenti ; je paierai tes gages et je serai redevable de ce service au seigneur Ez Linaz. C'est très important, Collin, tu as besoin d'un métier.

– J'aime bien travailler le bois.

– Tu choisiras ce qui te plaît.

Mélénor ne savait plus qu'ajouter. Conscient tout à coup que le temps pressait, il quitta le jeune homme précipitamment. Collin serra dans son poing les pièces dont il ne connaissait pas la valeur. Il regarda le roi s'enfuir et son cœur lui fit mal car, l'espace d'un court instant, il avait espéré qu'il le prendrait dans ses bras ; ayant vécu toute sa vie sans père, il décida que son chagrin était mal venu. Il avait de l'argent, il en aurait davantage à la première lune et, mieux que tout, il avait désormais un avenir. « Toutes ces émotions m'ont donné soif. » Avec Nathan, il avait appris à aimer le goût de la bière et du vin. Il y en avait toujours sur la table des souverains, et le prince trouvait naturel de partager ces plaisirs avec son compagnon. Jamais le fils de Sarah n'était allé boire à l'auberge. « Comme un homme, un vrai. » Il sut aussitôt comment il occuperait les heures qui le séparaient du début de sa nouvelle existence.

✧

Mélénor retrouva ses amis dans une des meilleures auberges du port. Au Tonneau enchanté, les tables étaient propres, les chopes brillaient sous les lustres de verre coloré et les cinq filles du patron débordaient de charme. Leur père, un homme honnête mais sévère, veillait sur elles comme sur une couvée de jeunes poussins. Les compagnons de Mélénor s'employaient à oublier leur infortune et ils semblaient bien partis pour réussir, quand le roi leur apparut à travers la fumée dense des pipes d'urssac. Ils furent tous étonnés de le voir refuser la bière mousseuse que la cadette de l'établissement lui tendait avec un sourire à la fois intimidé et coquet.

– Venez, nous devons agir vite ! lança le roi à ses amis stupéfaits.

Ils le suivirent aussitôt. De toute évidence, Mélénor ne plaisantait pas ; jamais ils ne l'avaient vu si troublé. Le roi les entraîna dans un étrange jardin intérieur et, avant de leur expliquer son projet, il s'assura qu'aucune oreille indiscrète ne traînait aux alentours.

– Vous savez que je ne peux pas lever d'armée à cause de ce deuil décrété par la reine, annonça-t-il tout de suite.

Basile ayant trop bu, il se permit une critique acerbe :

– C'est une coutume absurde que vous avez là, Votre Altesse. Vous devriez l'abolir !

Mélénor ignora cette interruption qui détonnait avec les manières habituellement courtoises de l'elfe-ubu.

– Je ne peux pourtant pas retourner en Nouvelle-Bortka sans les renforts promis à Sabbee.

Découragé, Marius haussa les épaules.

– Que peut-on faire ?

– Je vais engager des mercenaires.

Isidor loucha encore plus.

– Mais ça va coûter une fortune !

Agacé, Mélénor exigea le silence.

– Je ne veux pas puiser dans les coffres du royaume ; cela pénaliserait le peuple de Gohtes qui paie honnêtement ses redevances.

– Alors ? s'enquit Marius.

– Alors, je vais m'emparer de la dot que j'ai autrefois versée à Isadora, affirma Mélénor d'un ton déterminé. Il s'agit d'une part du trésor de Bortka. Après la guerre contre Trevör, j'ai voulu que la reine possède une fortune personnelle au cas où il m'arriverait malheur. Cet or, en plus de mes propres avoirs, est conservé dans une des voûtes du palais. Nous prendrons tout. Je veux que vous compreniez bien ceci : en m'emparant de ces coffres, je vais provoquer la fureur d'Isadora. Pour elle, ce sera la pire des trahisons, et sa sentence sera impitoyable.

– Que craignez-vous ? demanda Basile.

– Elle va me bannir.

– Elle ne ferait pas ça, protesta Marius.

– Oh que si ! Je la connais mieux que personne.

Drago secoua la tête.

– Je crois que vous exagérez. Elle n'a pas autant de pouvoir.

– J'ai été assez imprudent pour le lui accorder. Au début de notre mariage, elle se montrait si anxieuse que je lui ai signé des droits pléniers. Elle s'en souviendra, croyez-moi. N'oubliez pas qu'elle est sous l'influence d'un sortilège qui la prive de toute compassion. Sa vengeance sera terrible.

Basile n'était pas homme à taire ses opinions, pas même quand elles risquaient d'aller contre les volontés d'un souverain.

– Mais mon ami, un tel sacrifice... N'est-ce pas trop cher payer ?

Mélénor avait prévu cette objection.

– Il en va de la survie de nos races. Hμrtö a été très clair : cette guerre est ma mission. Je dois m'opposer à Verlon et à ses rêves d'hégémonie. Je ne le laisserai pas s'emparer du continent et en faire une terre d'esclavage et de désolation.

L'elfe-ubu opina.

– Vous avez raison : vous n'y échapperez pas, vous serez banni !

– Pas seulement moi, souleva Mélénor, conscient qu'il abordait le point le plus délicat de l'affaire. Tous mes complices aussi. Alors vous devez vite décider si vous me suivez. Je respecterai votre décision, car c'est à l'exil que vous êtes condamnés si vous venez avec moi.

Swalag parla le premier.

– Je ne suis pas de ce pays. Ma loyauté vous est acquise, Votre Altesse.

Basile leva la main.

– Même chose pour moi.

Drago s'approcha du roi en sautillant sur sa jambe droite.

– Si vous pensez qu'un infirme peut vous être utile, je viens. De toute façon, je ne suis pas très populaire ici.

Cette boutade détendit un peu l'atmosphère. Tout le monde savait que Drago avait fait des centaines de cocus à Döv Marez et, malgré sa récente infirmité, cet éternel charmeur continuait de collectionner les conquêtes. Dommage qu'il ait également multiplié le nombre de maris désireux de l'écorcher vif.

Les uns après les autres, les compagnons de Mélénor jurèrent fidélité à leur roi. Ils convinrent qu'ils profiteraient des dernières heures du jour pour récupérer ce qui leur tenait à cœur et pour faire des adieux discrets à ceux qu'ils ne reverraient plus.

✧

Ils se retrouvèrent à la nuit tombée, poussant devant eux de petites charrettes à bras. Isidor et Lucas furent chargés d'éloigner les gardes de la voûte. Avant de les laisser partir, Mélénor se montra très strict.

– Je ne veux pas de sang, ordonna-t-il. Éloignez-les, puis occupez-les pendant que Valtan, Polan, Marius et moi chargeons les coffres dans les charrettes.

Les deux hommes hochèrent la tête puis couvrirent leur visage avec des étoffes sombres. Quand Mélénor n'entendit plus l'écho de leur course dans les couloirs, il reporta son attention sur Gil et Drago.

– Préparez les chevaux et la caravane, puis rejoignez Basile. Il vous attend dans l'entrepôt à grains.

– Celui qui se trouve à l'extrémité du port ? vérifia Drago.

– Oui, confirma le roi. Et, de grâce, soyez prudents !

La nuit était parfaitement noire. Pour une fois, Mélénor se réjouissait que les nuages de Korza masquent aussi bien les lueurs de la première lune. Tout se passa comme prévu. Le roi sut que la voie était libre lorsqu'il entendit au loin le bruit de la bagarre engagée contre les gardiens des voûtes. Isidor et Lucas avaient feint de reculer devant les soldats qui les avaient poursuivis et s'étaient ainsi éloignés de leur poste. L'équipe de Mélénor eut vite fait de vider la voûte. Une fois dans la cour, le roi donna de nouvelles instructions à Marius et à ses compagnons.

– Rendez-vous au port. Transférez les coffres dans le chariot le plus robuste de la caravane et attendez mon retour.

– Où allez-vous ? s'inquiéta le chef des éclaireurs.

– Prévenir Isidor qu'il peut battre en retraite.

– Je vais y aller !

– Non, Marius, j'ai oublié quelque chose dans mon cabinet et je dois y retourner.

– Mais c'est très dangereux.

– Ne t'inquiète pas, je serai là à la deuxième lune. Allez, filez.

Mélénor revint sur ses pas. L'épée menaçante, il fonça dans la mêlée en faisant mine de prêter main-forte à ses soldats. Sous leurs masques, Mélénor devinait le sourire complice d'Isidor et de Lucas. Les armes se heurtèrent une dernière fois, puis les deux gaillards déguerpirent à toute allure. L'air satisfait des gardiens s'effaça bien vite devant la colère du roi.

– Bande d'abrutis, pourquoi n'avez-vous pas appelé à l'aide ?

– Nous n'avons pas...

– De quel droit osez-vous quitter votre poste ?

– Ces bandits nous ont...

– Je me moque de ce qu'ils ont fait, s'emporta Mélénor. Quels sont vos ordres ?

Le plus vieux avait à peine vingt ans ; il baissa la tête et rengaina son épée.

– Surveiller les portes des voûtes.

– Alors, qu'attendez-vous ?

Les malheureux s'éclipsèrent, convaincus que leur capitaine serait informé de leur sottise. Ils attendirent avec appréhension la visite de leur chef, qui arrivait toujours à l'heure de la troisième lune. L'homme aimait l'or et, après avoir passé la nuit à boire dans les tavernes du port, plutôt que d'aller se frotter aux corps impudiques des putains, il venait satisfaire son vice en contemplant le trésor.

✧

Mélénor entra précipitamment dans son cabinet. En fouillant dans une lourde malle, il dénicha une aquarelle miniature qui représentait sa mère, la reine Carmine. Il glissa le portrait sous sa chemise et trouva enfin ce qu'il cherchait. « J'ai bien failli t'oublier. » Il souleva le couteau délicat pour mieux l'admirer. *Saygöe*. Une voix derrière lui le fit sursauter.

– Le surin des proscrits, le fléau des sorciers noirs.

Les nerfs à fleur de peau, Mélénor tira son épée de son fourreau, prêt à parer un coup qui ne vint pas. La lame déchira la joue de Thelma, mais la jeune femme demeura imperturbable. Le cœur battant, Mélénor rengaina son arme.

– Thelma ! Nom d'une déesse, tu m'as donné une de ces frousses.

– Que craignez-vous donc, père ? En principe, vos ennemis sont loin d'ici.

Le roi se troubla devant le regard perçant de sa fille. Sur sa joue, la plaie finissait de disparaître. La princesse de Gohtes portait des vêtements trop simples pour son statut. Un voile recouvrait sa tête, soulignant les traits harmonieux de son visage, qui était devenu fort joli avec les années.

– Vous partez déjà ! affirma la jeune femme.

– Pourquoi dis-tu cela ?

– Parce que vous emportez le surin.

Mélénor dévisagea sa fille avec curiosité. Elle ne baissa pas les yeux. « Comme elle a changé. Je ne la connaissais pas si assurée », s'étonna-t-il, non sans ressentir une pointe de fierté devant cette évidente évolution.

– Tu diras à ta mère que je vais revenir bientôt.

Thelma savait qu'il mentait, car elle l'avait vu prendre le portrait de Carmine. Elle jugea pourtant qu'il était inutile de confondre son père sur ce point. Avant qu'il disparaisse une fois de plus, il lui fallait vite obtenir des engagements concernant son avenir.

– Dites-moi, père, quel rôle entendez-vous m'accorder dans votre royaume ? Je vous pose la question, car la reine semble plutôt... confuse à ce sujet. J'aurai bientôt vingt ans. J'ai étudié tant que j'ai pu et je sais que je suis là pour servir le peuple. Mais comment ?

Elle se retint d'ajouter : « Certainement pas en récurant des casseroles dans vos cuisines. »

– Un simple mot de votre main, cacheté de votre sceau, suffirait à fixer mon destin.

Compte tenu de la trahison qu'il était en train de commettre, Mélénor devinait qu'un tel document nuirait davantage à Thelma qu'il ne l'aiderait. Il détourna les yeux : le voile flamboyant ensanglantait le décor. Il revint au visage clair de cette enfant qu'il n'avait pas vue devenir femme.

– Rien n'est aussi simple, ma fille ! Bientôt, tu comprendras.

Ensuite, un long silence embarrassé s'installa entre eux comme un visiteur encombrant. La voix de Thelma lui parut étrangement lointaine lorsqu'elle reprit :

– Votre silence est éloquent. Mon héritage est à ce point inexistant qu'il ne me concède pas même le droit de tenir un rôle dans mon pays. Le surnom que m'a donné grand-père Hµrtö prend maintenant tout son sens... Ironique, vous ne trouvez pas ?

Le temps pressait. Mélénor devait fuir. Il s'approcha lentement de la jeune fille et, mû par un élan aussi incontrôlable qu'irrationnel, il souleva son voile. Le crâne de Thelma n'était garni que de quelques mèches éparses qui poussaient dans les branches de son sphinx. Même s'il ne portait pas de fruits, le cerisier possédait un beau feuillage luisant.

– Toujours ce problème avec tes cheveux !

– C'est vrai ! Vous ignorez toujours les caractéristiques de mon deuxième don.

– Quel don ?

La princesse récita : « Le suivant détruira sa candeur, lui révélant le côté sombre du cœur des hommes. » Elle expliqua à son père le pouvoir de ses cheveux et l'usage qu'en faisait la reine. Mélénor se plia subitement sous l'assaut d'une nouvelle vague de douleur au bas-ventre. L'odeur de soufre devint insupportable. Il lutta de toutes ses forces contre le *somahtys* qui lui commandait de meurtrir son enfant.

– Je suis désolé, Thelma.

– L'envoûtement vous domine, n'est-ce pas ?

La princesse avait vu les yeux de son père briller de convoitise quand il avait compris les bienfaits que pourraient lui apporter ses cheveux.

– Peut-être puis-je vous soulager quelque peu ?

– Je me sens vieux et malade, voulut se justifier Mélénor. La guerre me vide, et mes blessures ne guérissent plus aussi vite qu'avant.

– Prenez-les ! Votre souffrance me peine.

Le roi n'hésita pas très longtemps. Après un moment, il se retrouva avec une petite mèche qui le contenta. Thelma la lui désigna du doigt.

– Vous devez les garder pour que cela fonctionne.

Mélénor hocha la tête ; il fit un nœud dans la mèche en observant Thelma, qui réajustait son voile sur son crâne rougi.

– Affecté comme vous l'êtes par le *somahtys*, comment parvenez-vous à composer avec la présence de Noa ? s'inquiéta la jeune femme.

– Il y a longtemps que je ne suis pas allé à Celtoria ; je suis toujours sur les champs de bataille et puis j'ai fait un long voyage pour tenter de gagner Sol'Maglian à notre cause. Je n'ai réussi qu'à perdre mon temps car, malgré l'évidence de la menace, le roi du Môjar est resté sourd à ma requête. Alors, pour répondre à ta question... J'évite d'être trop près de Noa, comme de ton frère et de toi, d'ailleurs. En cela, je suis les conseils d'Hµrtö.

– Si vous voyez Douce... Si vous vous en sentez capable, embrassez-la pour moi et dites-lui qu'elle me manque.

Thelma ressentait la détresse de son père. Elle le regarda gravement.

– Je garde tout de même de vous des souvenirs merveilleux.

– Et moi, je garde l'espoir que ces jours heureux reviendront ! Personne cependant ne me rendra jamais le temps que je n'ai pas passé auprès de vous... mes enfants, réussit-il à avouer, même si les mots le torturaient.

Au moment où il empochait la mèche nouée, quelque chose de soyeux frôla ses doigts. « Le ruban de la vieille ! » Spontanément, il le tendit à Thelma.

– Une dentellière l'a fait pour moi ; elle m'a dit qu'il était magique, mais il ne faut pas croire tout ce que racontent les vieilles femmes.

Mélénor comprit alors combien la situation était dérisoire. « Sans cheveux, que peut-elle faire d'un ruban ? » Il saisit la main droite de Thelma et noua le ruban argenté autour de son poignet. Maladroitement, il pressa sa fille contre son cœur, puis il l'embrassa sur le front et s'enfuit dans la nuit qui avançait inexorablement. Dans sa hâte, il oublia ses livres, le glaive de son père et la promesse faite au fils de Sarah.

– XXIX –

En quittant l'auberge où il s'était fait des tas de copains, Collin flottait sur un nuage. Comme un prince, il avait généreusement payé à boire à ses nouveaux amis et, ensemble, ils avaient chanté jusqu'à l'heure de la première lune. Ivre et heureux, le fils de Sarah était rentré au château pour attendre le retour du roi. Il avait chipé des bouteilles dans le cellier de la reine et avait continué d'alimenter son euphorie.

Dans son ivresse, il ne vit pas passer l'heure de la deuxième lune. Quand vint celle de la troisième, il fut alerté par un bruit de verre brisé suivi d'un grand cri de rage. La porte de la chambre de la reine heurta avec fracas le mur du couloir.

– Le salaud ! Où est-il passé, le salaud ? hurla la souveraine en surgissant telle une furie.

Isadora n'avait jamais été aussi patiente. Elle avait attendu en se rappelant que la ponctualité n'était pas la vertu maîtresse de Mélénor. Couverte de voiles et de bijoux, consciente qu'elle était très désirable, elle s'était contemplée un long moment dans sa psyché. Elle avait relu son poème avec fierté puis, l'estomac creux, elle s'était assoupie sur ses coussins.

Somnolente, elle avait tout à coup compris que le temps avait filé. Réveillée par un affreux pressentiment, elle avait bondi sur ses pieds. « Il s'est joué de moi. » La supposée lampe magique s'était fracassée contre le miroir.

En sortant de ses appartements, elle découvrit Collin, affalé dans le couloir. Le jeune homme était complètement ivre.

– As-tu vu passer le roi ? lui demanda Isadora en lui donnant un coup de pied dans les jambes.

Collin se redressa et, titubant, il pointa son index sous le nez de la reine. Son élocution était confuse, mais il semblait animé d'une flamme étrange.

– Vous avez fini de me parler sur ce ton méprisant, déclara-t-il. Mon père va me donner de l'argent, et je vais partir loin de vous et de votre bonté factice.

La reine émit un petit rire amer.

– On dirait bien que je ne suis pas la seule à avoir été flouée.

Elle agrippa Collin par la tunique et le força à la suivre. En passant devant la caserne, elle ordonna aux soldats de se regrouper dans la salle d'audience. Elle alla elle-même aux écuries, où le palefrenier lui confirma que le roi était parti depuis un bon moment.

– Il avait l'air drôlement pressé, fit l'homme, impressionné par l'humeur violente de sa souveraine. Il n'a même pas voulu attendre que j'aie brossé Kabbah.

Comprenant enfin que Mélénor l'avait oublié, Collin se mit à pleurer bêtement. La reine retourna au château, où un capitaine littéralement exsangue, accompagné de trois gardiens à l'air piteux, l'attendait.

– Votre Altesse, j'ai une très mauvaise nouvelle, ânonna l'officier en se tordant les mains.

– Parlez, capitaine !

– Quelqu'un a volé votre trésor personnel et celui du roi.

La vue d'Isadora se troubla. Toute la valetaille accourait, suivie des membres de la cour qui voulaient savoir pourquoi on les tirait ainsi de leur sommeil.

– Que se passe-t-il, Votre Altesse ? demanda Cassandra en sortant de la foule pour rejoindre la reine.

Isadora fixa sur la ministre des yeux brillants d'une folie meurtrière.

– Préparez un acte de bannissement pour un crime de haute trahison.

– Qui donc a trahi le royaume ?

Isadora parla très fort pour être entendue de tous.

– Mélénor de Gohtes a volé *mon* trésor. Trouvez-le et ramenez-le-moi ; je veux qu'il soit jugé et flagellé sur la place publique.

Une terrible rumeur s'éleva de la foule. Lentement, la vérité se frayait un chemin dans l'esprit abasourdi de Cassandra. « La situation est devenue si désespérée qu'il lui fallait cette armée à tout prix. Voici venu le temps du chaos annoncé par la prophétie », comprit-elle enfin. Le général

Eslien Vor Fasor n'eut d'autre choix que d'ordonner à une petite troupe de soldats réguliers de se lancer aux trousses du fugitif. La reine jeta alors un œil mauvais sur Collin, qui continuait de sangloter.

– Mélénor t'avait promis de l'argent ? s'enquit la souveraine.

Trop atterré par la défection de son père, Collin ne vit pas le piège qui s'ouvrait devant lui.

– Il voulait que je devienne un artisan au pays de Môjar, répondit-il comme si cela expliquait tout.

Le visage de la reine semblait de marbre tellement il était pâle et dur. Elle gifla le jeune homme, qui s'effondra à ses pieds.

– Cet homme a accepté de l'argent d'un traître, il est donc son complice. Donnez-lui le fouet et enfermez-le. À l'aube, il sera écartelé.

Cassandra secoua enfin sa torpeur.

– Ma reine, la mort par écartèlement a été abolie il y a de cela des siècles.

– Vous voulez dire que Mélénor, le traître, désapprouvait ce genre de méthodes.

– Je n'ai rien dit de tel, affirma la ministre sans se laisser intimider.

– Les temps changent, madame. Je sais combien vous êtes attachée à Mélénor mais, si vous ne voulez pas finir comme son bâtard, ne vous mêlez pas de me dicter ma conduite.

– Très bien ! se contenta de répondre Cassandra en lui tournant le dos.

– Où allez-vous ?

– Vous oubliez que vous m'avez ordonné de rédiger un acte de bannissement, Votre Grandeur.

– Me trompé-je, madame, mais je crois déceler un brin d'impertinence dans le timbre de votre voix ?

– Après les menaces que vous venez de proférer ? Je n'oserais jamais !

Cassandra s'éloigna en direction de son cabinet. Quand elle atteignit les portes qui ouvraient sur la terrasse des jardins, elle se retourna.

– Madame, dit-elle en dévisageant Isadora, si vous désirez une condamnation contre l'héritier de Carmine qui fut, elle, une vénérable reine, si vous désirez vraiment un acte de bannissement contre le descendant légitime de Garomil Le Juste, eh bien, vous n'avez qu'à le rédiger vous-même !

Une lueur bleutée apparut sur la poitrine de la ministre, qui se métamorphosa en cygne. Presque aussitôt, le bruissement de ses ailes s'évanouit dans la nuit noire.

– XXX –

Volda frappa avant d'entrer. Telle une statue d'albâtre, Isadora était plantée devant sa psyché ; son corps nu faisait une tache claire dans la pénombre de la pièce. Trois cycles des lunes s'étaient écoulés depuis l'horrible nuit où Mélénor avait abusé de sa confiance. Depuis, la fatalité semblait s'acharner sur elle et son désir de vengeance. La troupe chargée de capturer Mélénor n'avait rencontré que des embûches ; trois chevaux avaient glissé dans la boue et s'étaient mis à boiter, retardant les soldats qui avaient été pris de malaises affreux après avoir bu l'eau d'un torrent, puis quatre d'entre eux avaient été blessés par un arbre qui les avait fauchés lors d'un orage. En dépit de tous ces malheurs, le colonel de la troupe avait prétendu avoir retrouvé Mélénor aux abords des frontières de la Nouvelle-Bortka. De fausses larmes de frustration avaient inondé les yeux du bel officier pendant son récit à la reine déconfite.

– Nous l'avions depuis trois jours, ficelé comme un saucisson et sous bonne garde. L'impertinent tentait de nous acheter, alors nous l'avons bâillonné. C'est ainsi que nous voulions vous le livrer, mais une armée entière nous est tombée dessus. La... hum... reine Sabbee a conduit l'attaque.

– Je croyais qu'elle se battait au nord !

– Tout ce que je peux vous dire, c'est ce que j'ai vu, avait-il menti avec aplomb.

– Continuez, lui avait ordonné la souveraine.

– Ils étaient beaucoup trop nombreux ! Je regrette, ma reine, nous n'avions pas d'autre choix : nous avons dû abandonner notre prisonnier.

Le colonel s'était jeté aux genoux d'Isadora.

– Ai-je eu tort de vouloir sauver mes hommes ? avait supplié l'officier en soutenant le regard de son juge. Ma reine, leur mort n'aurait rien changé. Si vous devez punir quelqu'un pour cet échec, alors...

Le jeu était risqué pour le colonel, mais il savait que la tragédie plaisait à Isadora. Il avait saisi la main de la souveraine pour y déposer sa dague et, le visage empreint de dignité, il avait ouvert sa tunique et avait appuyé la pointe de l'arme contre sa poitrine musclée.

– Ma vie repose entre vos mains, Votre Altesse.

Assoiffée de vengeance, Isadora avait plongé son regard dans les yeux clairs de l'officier. Nue devant son miroir, la reine se souvenait du frisson qui lui avait parcouru l'échine. « Tous les jours, je condamne des hommes, je les fais pendre par mes bourreaux, mais en tuer un moi-même, de mes propres mains et devant tous ces gens... Prendre sa vie, être éclaboussée de son sang. » Une petite voix insolente lui avait alors rappelé son rôle dans la mort de la mère de Collin. Avec cette étonnante facilité qu'elle avait de se mentir à elle-même, la reine s'était vite rassurée. « C'était un accident. Pauvre, chère Sarah ! » Ramenée à la réalité par le murmure réprobateur de l'assistance, qui interprétait son hésitation comme une condamnation, Isadora avait vite compris que sa gloire chancelante bénéficierait d'un acte de clémence. Elle avait rendu sa dague au colonel, consciente qu'aucune accusation ne pourrait plus être portée contre lui. Elle se doutait toutefois que l'officier avait travesti la vérité, en partie du moins. Parce qu'elle n'était pas femme à s'incliner devant la défaite, cette nuit-là, à défaut de voir Mélénor humilié devant son peuple, elle avait mis le beau colonel dans son lit.

Depuis, les hommes se succédaient entre les draps d'Isadora, pourtant rien n'apaisait sa douleur ni son sentiment d'être la victime d'une cruelle fatalité. Même ses projets assassins contre le fils de Mélénor avaient avorté. Collin avait bien été fouetté, mais, au matin de son exécution, on ne l'avait trouvé nulle part. Le responsable du donjon avait supposé que le jeune homme était mort après s'être vidé de son sang et que les fossoyeurs l'avaient jeté dans le charnier avec les autres cadavres. Isadora vivait maintenant dans la peur d'être hantée par les fantômes de Sarah et de son fils. C'était tous ces malheurs qu'elle ressassait, prostrée et nue, devant sa psyché.

– Tu vas attraper froid, Isadora. Tiens, mets ceci, l'enjoignit doucement sa tante.

Volda enveloppa Isadora dans un doux manteau de velours puis elle la fit asseoir devant sa coiffeuse. De ses vieux doigts tordus, la vieille femme saisit une lourde brosse sertie de nacre. Elle lissa patiemment la chevelure de la reine, qui finit par sortir de sa torpeur.

– Je ne t'avais pas entendue entrer.

– J'ai frappé pourtant.

– Je suis si lasse.

– Tu te fais trop de soucis, ma petite.

– Mon mari m'a trahie, s'écria Isadora, le peuple se gausse de moi, mes conseillers m'ont tous abandonnée, leurs remplaçants complotent dans mon dos et toi, tu voudrais que je me fasse moins de soucis !

Quand Isadora se mit à pleurer. Volda appuya la tête de sa chère enfant contre son ventre stérile et la berça en chantonnant. Sa voix était fausse et éraillée, mais cela finit par calmer la reine. Quand on frappa à la porte, Volda sécha délicatement les yeux d'Isadora.

– J'ai une surprise pour toi, dit la vieille femme.

Elle disparut dans le boudoir puis réapparut accompagnée de Thelma. La princesse alla baiser la main de sa mère.

– Maman ! Comme vous êtes pâle. Êtes-vous souffrante ?

– Plus que tu ne peux l'imaginer, ma fille, se plaignit la reine.

Thelma retira son voile ; sa mère ne la conviait dans ses appartements que lorsqu'elle avait besoin de ses cheveux. Volda interrompit le geste de la jeune fille.

– Laisse, Thelma, c'est moi qui t'ai fait venir.

La vieille femme tendit à la reine une fiole topaze puis, l'air un peu embarrassé, elle sortit un parchemin de sa poche. Isadora regardait sa tante avec une irritation grandissante.

– À quoi joues-tu, Volda ? Je suis fatiguée, alors cesse de faire tous ces mystères et explique-moi ce que tout cela signifie.

– Ne t'impatiente pas, ma chérie, c'est seulement une potion. J'y travaille depuis plusieurs années. Elle possède exactement les mêmes propriétés que les cheveux de Thelma. N'est-ce pas magnifique ? Tu n'auras plus à faire souffrir ton enfant et tu vas tout de même rester jeune et belle.

La reine émit un petit rire méprisant.

– Si ta potion fonctionne, pourquoi ne l'utilises-tu pas pour toi-même ?

Volda haussa les épaules en retirant le bouchon du flacon.

– J'ai toujours été laide, Isadora... Crois-moi, il est beaucoup moins cruel d'être vieille et laide que jeune et laide.

– Et ce parchemin ?

– C'est la recette, expliqua Volda. Je vais t'en fabriquer autant que tu en voudras, mais, tu sais, je ne serai pas toujours là !

Isadora saisit le flacon et goutta la potion.

– Pas mal ! reconnut-elle. Amande et miel. Et tu es certaine des résultats ?

– Crois-tu que j'aurais travaillé autant sans m'assurer que tout fonctionne parfaitement ? Tu me connais mieux que cela, Isadora.

La reine contempla le flacon, l'air satisfaite.

– En effet, je te connais.

Volda ne souriait jamais, cependant quand elle prit Thelma dans ses bras, elle paraissait presque joyeuse.

– Tu as fait preuve d'une grande générosité, déclara-t-elle, et d'une parfaite loyauté, ma petite. N'est-ce pas, Isadora ? Notre princesse a bien mérité d'être libre.

Cet élan de bonté troubla Thelma ; elle avait cru que personne ne se souciait de son sort, et voilà que Volda lui faisait ce magnifique cadeau. La jeune femme nota soudain qu'Isadora l'observait avec curiosité.

– Que portes-tu là ? demanda la reine d'une voix glaciale.

Thelma cacha immédiatement son bras droit derrière son dos.

– Je ne... ce... ce n'est rien, bredouilla la princesse, prise au piège. Un simple ruban. Pourquoi ?

La puanteur de soufre devint si intense que la reine vacilla quand elle se leva pour s'approcher de sa fille.

– Volda, laisse-nous ! ordonna-t-elle.

La vieille femme protesta.

– Tu as la potion maintenant, alors...

– Je t'ai dit de sortir, vieille bique ! hurla la reine.

– Tu ne vas tout de même pas faire une histoire pour un simple ruban !

– Volda !

Le geste de la reine était sans équivoque ; elle pointait la porte d'un index menaçant. Vaincue, le dos voûté sous le poids de sa déception, Volda quitta la pièce. Isadora empoigna brutalement la main de Thelma pour examiner le ruban que Mélénor avait noué au poignet de sa fille.

– D'où vient-il ?

– C'est un cadeau.

– Je m'en doute bien, mais de qui ? insista la reine.

Thelma dégagea sa main et soutint le regard de sa mère, décidée à lui opposer un silence buté.

– C'est ton père ! s'exclama la reine en la giflant, sa vue obscurcie par un épais brouillard rouge. Ce traître t'a donné un ruban et tu oses me le brandir sous le nez.

Depuis qu'elle portait le ruban argenté, Thelma avait remarqué que son âme semblait étrangement détachée de la réalité. Elle sentait moins le poids des chagrins, et la méchanceté la laissait indifférente. Malgré la brûlure sur sa joue, la princesse continua d'affronter la reine.

– Il n'y a aucun mal à accepter un cadeau de son père, lança-t-elle, un brin provocante.

– Quand te l'a-t-il donné ?

– ...

– Il n'a été ici qu'un seul jour, raisonna Isadora. Tu l'as donc vu tandis qu'il se préparait à s'enfuir.

– ...

– Tu savais qu'il allait partir après m'avoir volée et tu n'as pas couru me prévenir !

– Je ne savais rien du tout ! se défendit Thelma avec aplomb.

La princesse se souvint des paroles énigmatiques de Mélénor. « Rien n'est aussi simple, ma fille ! Bientôt, tu comprendras. »

– Sale petite menteuse ! Donne-moi ce ruban... Donne-le-moi !

Pour mieux la maîtriser, Isadora enfonça ses ongles dans la chair de sa fille. Celle-ci se débattit farouchement.

– Lâchez-moi ! Mère, vous me faites mal.

Tandis que la reine essayait de défaire le lien, le cœur de Thelma battait furieusement. Tout comme sa mère, elle voyait bien que le ruban résistait ; plus la reine s'acharnait sur le nœud, plus le tissu se resserrait. Les deux femmes se bousculèrent un moment. Folle de rage, Isadora saisit un couteau qu'on avait déposé dans une coupe de fruits. Thelma voulut reculer, mais la reine avait raffermi sa prise.

– Donne-le-moi, hurla-t-elle de nouveau, la vue brouillée par un voile rouge sang.

Dans son gouffre, Korza intensifia les ondes maléfiques qu'elle destinait à la sphère de verre, la faisant brusquement basculer dans ses miasmes immondes. L'humeur perverse de la déesse de cristal devint telle que les strophes de la chanson autrefois écrite par Isadora s'illuminèrent d'une lueur surnaturelle : « ...*reviens, ou je me damne.* »

La lame racla l'os du poignet, et Thelma tomba à genoux. Mû par sa volonté propre, le ruban pénétrait dans la plaie ouverte, mais Isadora continuait de scier le nœud, s'agrippant au manche d'ivoire rendu glissant par le mélange de chair et de sang. En dépit de la douleur, Thelma parvint à se relever et à foncer, tête la première, dans le ventre de sa mère. Le choc fut si violent qu'Isadora s'étala de tout son long sur le sol, laissant le couteau lui échapper. Thelma le ramassa puis elle recula vers une armoire, contre laquelle elle s'appuya en fermant les yeux ; la tête lui tournait et elle chancela.

Quand elle eut recouvré son équilibre, la jeune femme plaça ses deux mains bien en vue devant elle ; coincée sous la boucle rétrécie du ruban, la blessure guérissait rapidement en laissant le poignet droit ridiculement ténu et difforme. La reine cependant n'avait d'yeux que pour le couteau souillé qui pointait, menaçant, du poing gauche de sa fille. Sans même l'essuyer, Thelma se retourna pour quitter la pièce, offrant son dos vulnérable à la folie de sa mère. La voix d'Isadora s'éleva dans un cri hystérique.

– Puisque tu as choisi ton camp, puisque toi aussi tu me trahis, tu n'es plus ma fille. Disparais de ma vue, petite garce !

Thelma poursuivit lentement son chemin ; malgré son instinct qui lui hurlait de s'enfuir à toutes jambes, elle dominait sa peur et conservait un pas ferme et mesuré. Au moment où elle atteignait la porte, une masse sombre lui frôla l'épaule et s'écrasa mollement à ses pieds. Thelma reconnut la pochette de soie rouge. Le rire dément de la reine perça comme une épine la bulle d'indifférence créée par le pouvoir du ruban.

– Tes cheveux, espèce d'ingrate, je n'en ai plus besoin.

Thelma se pencha pour ramasser le sac. Elle n'avait pas besoin de se retourner pour savoir que le visage de sa mère était tordu de haine.

– Vous êtes très malade, mère, dit-elle d'une voix exempte d'émotion. Je sais que ce n'est pas votre faute.

– D'ici le coucher du soleil, répliqua Isadora sans l'entendre, je veux que tu aies quitté la ville. Va-t'en loin. Si je te retrouve, je te fais décapiter !

– N'ayez crainte, madame, je mettrai tout un monde entre votre personne et ma pauvre tête, car il semble bien que vous n'ayez plus toute la vôtre.

✧

Thelma referma la porte avec une extrême douceur, comme si elle craignait d'éveiller un enfant tout juste endormi. « Je ne pleurerai pas ! Je ne pleurerai pas ! » Dans le couloir, Volda l'attendait.

– Que s'est-il passé ? la pressa la vieille femme. Thelma ? Dis-moi, qu'a-t-elle fait cette fois-ci ?

Pour toute réponse, la princesse lui montra son poignet. La vieille femme porta ses mains veinées à sa bouche comme pour contenir un cri, qui ne vint pas. De grosses larmes roulèrent sur ses joues fanées.

– Volda, écoute-moi : je dois partir.

– Elle te chasse ?

– Elle n'a plus besoin de moi, maintenant ! lui expliqua Thelma en lui désignant la pochette de cheveux.

La vieille dame parut sur le point de défaillir.

– C'est ma faute !

De son bras gauche, la jeune fille prit la pauvre femme par la taille et l'entraîna vers la forêt de Carmine. Tout en avançant péniblement, Thelma essayait de s'imprégner de ce contact pour en conserver le souvenir ; étreindre Volda, toucher son corps raidi par ses antiques corsets, c'était comme caresser le bois vivant de son ami le cerisier, à la fois dur et chaud. Elles atteignirent enfin une petite clairière aménagée pour la méditation.

– Assieds-toi, tantie.

– Je préfère rester debout. Tu dois me détester.

– Pourquoi donc ? s'étonna Thelma en secouant la tête.

– Je fais toujours tout de travers. En fabriquant cette potion, j'ai voulu te libérer. Je n'ai pas pensé un seul instant qu'Isadora te...

– Chut ! Cesse de te faire du chagrin, ma bonne tantie. Je sais bien que tu ne voulais pas me faire de mal. La reine est malade, l'ensorcellement et les nuages de Korza n'arrangent rien à l'affaire. J'avais déjà décidé de quitter le palais ; ces circonstances ne font que précipiter mon départ.

– Comment vas-tu faire ? Où iras-tu ? s'inquiéta la vieille dame.

– J'imagine qu'il ne me reste plus qu'à rejoindre mon père.

– Tu ne peux pas aller seule de par les routes, protesta Volda. Il y a la guerre en Nouvelle-Bortka.

La vielle dame couvrit ses yeux de ses mains tremblantes et éclata en sanglots.

– Je paie maintenant pour le mal que j'ai fait.

– De quoi parles-tu ? demanda la princesse.

– Isadora était mon trésor. Guilly et moi avons voulu lui donner ce qu'il y avait de mieux. Pourtant, cette petite est devenue une femme capricieuse et cruelle.

– Est devenue ? ironisa Thelma en regardant son poignet. Tu crois qu'elle est née autrement ?

– J'ai bridé cette enfant dès son plus jeune âge ; je ne voulais pas qu'elle devienne comme sa mère, rêveuse et folâtre, à courir les mauvais garçons et à épicer les ragots des commères. J'ai été très sévère avec elle. Et la sévérité est un vice.

– Tu exagères, tantie.

– Pas du tout, soutint la vieille femme. Une main de fer ne peut être que cruelle si elle n'est pas guidée par la compassion.

– Tu crois que cela explique la folie de ma mère ?

Volda haussa les épaules. Elle s'approcha d'une rocaille où poussaient de magnifiques fleurs des champs. La vieille femme en cueillit une en rompant la tige gorgée d'eau.

– Regarde, c'est un vieux tour !

Elle recouvrit la fleur d'un mouchoir immaculé puis le retira ; la simple marguerite était devenue une superbe rose blanche, mais ses épines avaient entaillé la paume de Volda, tachant de sang les pétales et le mouchoir.

– La marguerite avait-elle moins de valeur que cette rose ?

– Chacune exprime une idée différente de la nature, répondit Thelma.

– Peu de gens le comprennent... Moi, j'ai compris trop tard.

– Ma mère a fait pareil avec moi. Elle me savait cerisier et, pourtant, elle m'a pliée comme un roseau.

– Et te voilà toute cassée !

– Peut-être, mais ma sève n'est pas tarie et mes racines s'accrochent encore.

– Me pardonneras-tu un jour ?

La princesse embrassa Volda sur le front.

– Tantie, je dois bientôt partir et j'ai besoin de ton aide.

La vieille femme essuya ses yeux avec le mouchoir taché. Thelma lui montra une éclisse de bois.

– Si tu m'aides à fixer cette attelle à mon poignet pour empêcher ma main de pendre ainsi, je crois bien que je pourrai l'utiliser. La coupure a affaibli les tendons, mais ma main bouge correctement et mes doigts ont conservé leur sensibilité.

Ce problème concret sembla ranimer Volda.

– Voilà que je pleurniche sur mon sort tandis que toi, tu es blessée et condamnée à l'exil. Voyons ce qu'on peut faire pour ta main.

Elles dénichèrent de la toile dans l'atelier des jardiniers. Volda déchira plusieurs bandelettes qu'elle noua solidement autour du bras de Thelma, la pochette de cheveux formant un coussin ferme mais confortable entre le bois et la peau.

515

– Tu crois que ça va aller ? voulut savoir la vieille femme.

Thelma commença par des mouvements simples puis elle manipula quelques outils.

– C'est parfait.

La jeune fille vit le visage de Volda s'assombrir de nouveau.

– Ne t'inquiète pas, tantie.

Volda la serra longuement contre elle. Elle l'accompagna ensuite vers la sortie. Thelma voulait saluer son Chéri avant de quitter Döv Marez.

– Embrasse Nathan pour moi.

– Adieu, mon enfant ! murmura Volda dans une dernière étreinte.

– Ne dis pas de bêtises, je reviendrai.

– Peut-être bien, mais je suis vieille et très lasse ; je ne crois pas que je pourrai attendre ton retour. Je prierai les esprits pour qu'ils te protègent.

Thelma lui caressa la joue.

– Si tu le peux encore, essaie plutôt de protéger la reine contre elle-même ; des jours très sombres s'annoncent, et elle sera terriblement seule.

– Et toi, ma pauvre enfant ?

– Je suis seule depuis toujours ! Ou presque...

Quand elle franchit les murs de la Cité des Mirages, Thelma se dit qu'il n'y avait que trois êtres qui pleureraient son départ : un prince grandi trop vite, une vieille femme rongée par les remords et un cerisier magique désormais condamné au silence.

– XXXI –

Accompagné des jumeaux Valtan et Polan, Mélénor, fuyant toujours les foudres d'Isadora, fonçait droit vers Celtoria. Pendant ce temps, ses autres compagnons avaient pour mission de sillonner les routes et d'engager, quel que soit leur prix, les hommes qui formeraient la nouvelle force de résistance contre Verlon. Basile espérait trouver en bordure du Môjar de nombreux combattants frustrés par l'aveuglement de Sol'Maglian.

Les combats ayant lieu au nord du pays, Mélénor fut étonné de découvrir autant de va-et-vient sur les routes menant à la capitale. Quand il pénétra dans la ville fortifiée, il nota une animation joyeuse qui s'accordait peu à l'austérité d'un temps de guerre. Il abandonna son cheval à l'écurie et partit aussitôt à la recherche de Milirin. Fidèle à ses habitudes, le vieux chancelier travaillait dans le petit cabinet attenant à la salle d'audiences. Son visage exprima de la surprise, mais aussi un plaisir sincère, quand il vit approcher son maître.

– Votre Altesse ! dit-il en se levant aussi vite que son corps fourbu le lui permettait. Quel bonheur de vous revoir !

Mélénor se sentit soudainement honteux. « Il est presque arrivé au bout de sa route et il travaille toujours autant. » Fidèle et efficace, le vieil homme lui avait voué toute sa vie.

– Milirin, mon bon ami, attendez avant de vous réjouir.

Le roi raconta à son chancelier dans quelles circonstances il avait fui le pays de Gohtes.

– Je ne dors plus, avoua le roi. J'ignore si ce que j'ai fait est juste ou insensé. Depuis cette terrible nuit, le doute ne me laisse plus aucun répit. Dis-moi que j'ai eu raison d'agir ainsi.

Une veine palpitait sous la peau translucide de la tempe de Milirin.

– Je crains, malheureusement, que votre sacrifice ne serve plus à rien.

– Et pourquoi cela ? s'écria Mélénor, ahuri.

– La guerre est terminée, mon roi, lui annonça le chancelier.

– Comment cela, terminée ? Je ne... Nous l'avons perdue, c'est cela ?

– Non, nous ne l'avons pas perdue. Elle s'est arrêtée.

Le chancelier expliqua à Mélénor que l'ennemi avait tout simplement déserté le front.

– En vérité, rien n'allait plus pour nous, raconta le vieil homme. Nous arrivions à peine à contenir les assauts des soldats de Lombre. Un beau matin, nos ennemis ont disparu.

Les champs de bataille étaient déserts. Nous pensons qu'une révolte a soulevé leurs rangs ; les soldats de Lombre se seraient mutinés contre les officiers de Verlon qui les sacrifient en les plaçant systématiquement en première ligne.

Complètement abasourdi, Mélénor secoua la tête.

– Cela n'a pas de sens ! Une guerre sans défaite ni victoire...

– La reine ne l'entend pas comme cela ; elle dit que, puisque nous n'avons pas perdu, nous sommes nécessairement les vainqueurs. Vous avez certainement noté l'humeur fébrile des citoyens. Nous préparons une grande fête pour célébrer la fin du conflit.

– Sabbee est donc ici ?

– Pardonnez-moi de ne pas vous l'avoir dit plus tôt. J'ai cru que vous le saviez ! Elle se trouve dans ses appartements.

Mélénor le remercia et le quitta aussitôt. Tandis qu'il se hâtait dans les couloirs du palais, il sentait le poids inexorable d'une nouvelle lassitude. Quand Thelma lui avait donné ses cheveux, le roi avait eu l'impression de rajeunir de dix ans. Il avait chevauché sans se fatiguer malgré son manque de sommeil, les fines rides sur son visage s'étaient estompées et sa chevelure avait progressivement perdu ses quelques filaments gris. Il n'avait pas osé regarder la tache sur son ventre, mais ses douleurs avaient cessé. Tous ces bienfaits semblaient cependant vouloir le quitter alors même qu'il réalisait l'odieux de sa situation ; il avait renoncé au trône de Gohtes, il avait été banni de son propre pays, et tout cela pour rien.

Il tenta de calmer sa respiration avant de frapper à la porte de son épouse. Une camériste vint lui ouvrir. Quand elle reconnut le roi, elle s'inclina et sortit aussitôt. Mélénor trouva Sabbee étendue sur une méridienne ; la reine n'avait pas l'habitude de se prélasser ainsi à cette heure du jour. Lorsqu'elle le vit apparaître, ses yeux s'emplirent de larmes, mais elle resta comme pétrifiée sur sa couche.

– Toi... enfin !

Mélénor alla s'agenouiller auprès d'elle. Il enfouit son visage dans les plis parfumés de sa tunique.

– J'ai tout perdu, mon pays, mon honneur, et voilà que je te retrouve pâle et amaigrie. Que se passe-t-il ?

Sabbee s'assit pour prendre le visage de son mari entre ses mains. Elle l'embrassa tendrement.

– Pourquoi dis-tu que tu as tout perdu ? demanda-t-elle tristement.

Mélénor lui répéta comment il avait été contraint de devenir un paria pour son peuple.

– J'ai sacrifié l'héritage séculaire de mes ancêtres pour lever une armée contre Verlon, et maintenant j'apprends que cette guerre a pris fin toute seule. Quel gâchis !

Les gestes de Sabbee exprimaient une langueur empreinte de chagrin.

– Il est inutile de te tourmenter, Mélénor. Tu as fait ce que tu croyais juste. Personne ne peut effacer le passé.

Mélénor noua ses doigts à ceux de son épouse.

– Pourquoi as-tu décidé de donner une fête ? Tu sembles aussi peu disposée que moi à célébrer.

– Le peuple a besoin de réconfort. Les derniers cycles des lunes ont été éprouvants pour nous tous.

Sabbee étreignit son époux.

– J'ai tellement de chagrin, finit-elle par avouer en laissant couler ses larmes.

– Sabbee, je t'en supplie, dis-moi ce qui se passe !

– Notre enfant...

– Notre enfant ? répéta le roi, tombant des nues.

La jeune femme eut un pauvre sourire. Elle le regarda avec plus d'insistance.

– Comme tu es beau, dit-elle en passant sa main dans les boucles rebelles de Mélénor. Ils sont plus noirs. Que leur as-tu fait ?

– Je t'expliquerai plus tard. Parle-moi plutôt de cet enfant.

– Nous l'avons conçu juste avant ton départ pour le Môjar. Tu te souviens, dans notre tente, après notre querelle ?

– Oui. Je me rappelle même ce que tu m'as dit alors...

– J'ai dit, l'interrompit la reine, « Si j'étais une âme en quête d'incarnation, je ne choisirais pas mon ventre... »

– À cause de la guerre, compléta Mélénor.

– Il faut croire que les âmes ignorent les contradictions des reines combattantes. J'étais si heureuse. Mais il y a eu cette terrible bataille à Ber-Nyz. Le commandant Zybor venait de tomber en menant une attaque de la cavalerie et l'ennemi menaçait d'encercler la troupe laissée sans commandement. Je me suis lancée dans la mêlée. Nous avons combattu jusqu'à la tombée de la nuit. Bien avant la fin du jour, je savais que l'âme de notre enfant s'était envolée.

Mélénor la berça sans mot dire. Quand Sabbee reprit la parole, sa voix était à peine audible.

– J'avais déjà abattu plusieurs soldats de Lombre quand un cavalier de Yzsar m'a atteinte en plein ventre avec sa lance. L'arme devait être fêlée, car elle s'est brisée sur ma cuirasse. Je lui ai tranché la tête à ce cavalier, mais son cadavre n'avait pas encore touché le sol que mes entrailles réagissaient à la violence du coup que j'avais reçu. J'étais encerclée, un autre cavalier fonçait droit sur moi, alors que pouvais-je faire ? J'ai soulevé mon épée et j'ai continué à me battre. Quand nous avons regagné le camp, personne n'a rien remarqué ; le sang de notre enfant disparaissait sous celui de l'ennemi. Ce soir-là, tandis que les guerriers enterraient leurs compagnons morts au combat, j'ai pleuré seule la perte de notre héritier.

– Ma douce, ma chérie, mon amour, je te ferai un autre enfant, voulut la consoler Mélénor. Je t'en ferai dix, si c'est ce que tu désires.

– Non, Mélénor, plus jamais...

– Je comprends ta tristesse, mais tu...

– Tu ne comprends pas, mon amour. C'est pour cela que je suis si pâle. Les fièvres m'ont prise, cette nuit-là... Je ne pourrai plus avoir d'enfant, jamais !

Mélénor lui souleva le menton.

– Il m'importe peu que tu me donnes des enfants ou pas, puisque c'est toi que j'aime.

Ils occupèrent les jours suivants à panser leurs blessures. Mélénor comprit alors que leurs gestes d'amour, leurs sentiments bienveillants l'un envers l'autre les protégeaient tous les deux des effets pervers des nuages de Korza. Rien, toutefois, ne le préservait des impulsions capricieuses et brutales du sortilège. Le souverain était entièrement livré aux effets épisodiques du *somahtys*.

Ils étaient enlacés et presque assoupis quand une rumeur insolite les sortit de leur apaisante inertie. Sabbee couvrit ses épaules d'un manteau léger, puis ils montèrent sur les remparts.

– Qu'est-ce que c'est que ce vacarme ? demanda Mélénor en la suivant, l'esprit encore engourdi.

À l'endroit même où le père de Sabbee avait trouvé la mort sous le sabre de Naq, une multitude d'hommes armés commençait à monter un gigantesque campement. Quittant le cœur de l'attroupement, un petit groupe s'approcha du pont-levis. Le roi reconnut Basile Ez Isbra, qui leva la tête juste à temps pour l'apercevoir. La voix puissante de l'elfe-ubu monta jusqu'à Mélénor.

– Altesse... votre armée !

Mélénor fit un calcul rapide qui confirma ses craintes ; ses amis avaient été si efficaces dans leur quête qu'ils avaient certainement dépensé tout le trésor. « En pure perte », se désola-t-il. Comme si elle avait entendu les pensées sombres de son époux, Sabbee salua l'elfe-ubu.

– Vous êtes le bienvenu, maître Ez Isbra. Nos soldats seront heureux d'être remplacés aux frontières. Cela leur permettra de revoir leurs familles avant la reprise des hostilités.

– Il y a donc eu une trêve ? s'étonna Basile.

– Oui, mais croyez-moi, elle ne durera pas, déclara la reine.

Stupéfait, Mélénor regarda son épouse.

– Tu crois vraiment ce que tu viens de dire ?

– Je dois avouer que c'est juste là, en le disant, que je viens de comprendre : il ne peut pas en aller autrement, Mélénor, Verlon va revenir.

– Et cette fois, nous serons prêts, affirma Mélénor en contemplant l'agitation fébrile de ses nouvelles troupes.

– Mon amour, souffla Sabbee, ton sacrifice n'aura pas été vain.

Le roi fit signe à ses amis de franchir le pont-levis.

– Venez tous. La fête va enfin pouvoir commencer !

Le cœur de Mélénor s'allégea soudainement ; il lui semblait qu'il y avait une éternité qu'il n'avait pas ri avec insouciance. Il souleva Sabbee et l'embrassa fougueusement. Elle se débattit en riant.

– Lâche-moi, espèce de malappris ! Ces jeunes gens vont penser que leurs souverains manquent de dignité.

– Quels jeunes gens ? Je ne vois que nous de jeunes ici !

Il la déposa néanmoins sur le sol lorsqu'il s'aperçut qu'une petite bande d'archers les observait, l'air amusé. L'un d'entre eux se détacha du groupe et s'avança vers le roi d'un pas souple et gracieux. Mélénor cligna des yeux comme si ceux-ci le trahissaient.

– Noa ? Mais... que fais-tu là ?

La jeune fille ressemblait de plus en plus à sa mère. Cependant son allure rebelle laissait entendre que rien ne dompterait jamais sa nature sauvage. Elle portait un vêtement de cuir noir qui moulait son corps comme une deuxième peau. Deux larges ceintures se croisaient sur sa taille délicate et supportaient une dague et une épée. Son carquois sur l'épaule, elle montra au roi un arc superbement ouvragé.

– Cet arc a appartenu à une grande guerrière, et le maître archer me l'a donné parce qu'il croit qu'un jour je serai aussi habile qu'elle.

– Cela ne m'explique pas ta présence sur les remparts, se renfrogna Mélénor.

– Je me rends utile : je patrouille avec les troupes régulières.

– Je ne t'ai jamais autorisée à frayer avec les factionnaires. Ce n'est pas la place d'une jeune fille !

– Vous n'allez pas recommencer avec vos idées démodées, s'offusqua Noa. Vous ne me dicterez pas comment mener ma vie.

— Tu es sous ma garde ! Hµrtö t'a confiée à moi ! trancha le roi.

Tout à coup, deux yeux verts étincelèrent sur la poitrine de Noa. Mélénor n'avait pas remarqué le baudrier parce qu'il était fabriqué dans la même peau que le costume de la jeune femme. Alerté par le ton agressif de sa maîtresse, le chaton noir était sorti de sa cachette, jetant sur Mélénor un regard hautain et désapprobateur. De toute évidence, Noa ne maîtrisait pas encore sa violence, car le chaton n'avait toujours pas grandi. Elle le saisit délicatement et le déposa sur son épaule, l'air buté.

— Tu es trop jeune pour savoir ce qui est bien pour toi ! décréta Mélénor, de nouveau assailli par le sortilège.

— J'aurai bientôt vingt ans ! Vous n'avez aucun droit sur moi, alors ne me poussez pas à bout. Je vous préviens, rien ne me retient ici.

Le père savait qu'il était inutile d'affronter sa fille ; c'était même la pire façon de l'aborder, mais le roi ne tolérait pas qu'on lui tienne tête, c'était plus fort que lui.

— J'ai déjà fait enfermer ta mère pour l'empêcher de faire des bêtises, menaça-t-il.

— Je suppose que c'est à ce moment-là que vous l'avez violée !

— Petite peste !

Mélénor se retint juste à temps de la gifler.

— Je n'aurais jamais fait de mal à ta mère, se défendit-il, elle était mon amie et...

– Détrompez-vous : vous n'êtes l'ami de personne !

Noa tourna les talons et s'enfuit alors qu'il criait encore. Sabbee tenta d'apaiser son mari.

– Laisse-la ! Tu ne réussiras pas à raisonner cette enfant !

Mélénor ne se résignait pas ; il voulait avoir le dernier mot.

– Thelma te fait dire qu'elle t'aime, lança-t-il.

Noa s'arrêta mais ne se retourna pas.

– Savez-vous seulement ce que cela veut dire ?

La jeune femme disparut dans les escaliers qui desservaient les remparts. La paix, qui avait tant tardé à revenir dans l'âme du roi, s'évapora d'un seul coup.

– Je ne suis qu'un idiot !

Une brûlure intense le saisit aux tripes. Ce soir-là, le roi se décida à jeter un coup d'œil inquiet sur la peau de son ventre. La forme de la tache, noire et luisante, s'était développée subitement, juste au-dessus du pubis. « Inutile de me mentir, c'est un sphinx parasite. » Les maîtres de magie auraient sans doute pu l'aider à guérir ce mal, mais personne ne savait où ils se trouvaient précisément. Puisqu'ils ne répondaient plus à l'appel du miroir magique, Mélénor supposait qu'ils avaient atteint la Terre des Damnés. « Sont-ils encore en vie seulement ? » La forme noire bougea lentement pour dégager son horrible tête de la masse lovée de son corps. Quand Mélénor reconnut la bête, il sut qu'il ne dormirait plus chez la reine.

– XXXII –

L'Autre ne décolérait pas. « Où sont ces minables sorciers ? J'étais pourtant convaincu qu'ils viendraient bientôt ; ils savent que je force Korza à libérer les vapeurs du mal, alors... » Le loup-serpent se sentait vraiment las d'attendre le moment de sa vengeance. Il voulait de l'action désespérément. Il se rendit à la fontaine et but un peu de sang pour s'apaiser. Naq choisit ce moment pour demander une audience. Artos soupira et, maussade, il ouvrit une porte des ténèbres.

Le monstre sentit aussitôt l'impatience de son maître. À l'encontre de ses habitudes, le loup-serpent s'était vêtu, et ses gestes témoignaient d'une fébrilité inquiétante. Naq en déduisit qu'il l'avait dérangé en plein travail. Il alla donc droit au but.

– Nous avons interrompu les combats, annonça-t-il. Notre ennemi n'est pas de taille, et en poursuivant nos attaques, nous l'aurions écrasé avant la fin de l'année, ce qui serait allé à l'encontre de vos directives.

– Je sais quelles sont mes directives, rétorqua Le Cobra avec humeur. Inutile de me les rappeler.

Naq se garda bien de répliquer. Artos retourna finalement s'affaler sur son trône.

– Parle-moi de Verlon et de Delia. Que font-ils ?

– J'ignore ce que vous avez dit à Verlon, mais il semble obsédé ; il récite sans cesse qu'il vous est parfaitement loyal et, plus il le répète, plus il devient frustré !

Artos parut satisfait de cette nouvelle. Naq eut même l'impression que le mage noir se retenait de rire. Une fiole agitée d'éclairs argentés quitta la table des potions et vint flotter à la portée de Naq. Artos lui fit signe de la prendre.

– Verlon a certainement épuisé la précédente. Donne-lui celle-ci en lui disant qu'il doit se montrer plus convaincant.

– Plus convaincant ? fit le monstre, perplexe.

– Ne t'en fais pas, il comprendra.

Naq n'insista pas. Il rangea la fiole dans son manteau avant de reprendre son rapport.

– La reine Delia voyage beaucoup. Elle a commencé par faire le tour du pays. Elle se trouve derrière les lignes ennemies.

– Que t'a-t-elle raconté ?

– Elle m'a seulement dit que vous lui aviez confié une mission, répondit Naq en tentant de cacher son amertume.

– Tu aimerais savoir de quoi il s'agit ? le provoqua Artos.

– Non.

– Tu mens ! Je t'entends penser.

Naq ignorait si son maître avait vraiment ce pouvoir. Il attendit prudemment la suite. Artos plissa les yeux, ce qui les réduisit à deux fines raies rouges où brûlait un feu inquiétant.

– Sans connaître la nature de cette mission, tu crois pourtant que j'aurais dû te la confier, poursuivit le maître en observant les réactions de son disciple. Tu te dis que tu aurais certainement déjà réussi, alors que Delia piétine toujours.

Le monstre posa son œil unique sur le visage reptilien d'Artos.

– Je l'admets : cela m'a traversé l'esprit.

– Tu es très doué, Naq, et jamais tu ne m'as déçu, mais tu ne peux pas être partout.

– Je sais, maître, pourtant...

– Tu as également un très gros défaut !

Naq continua à soutenir le regard incendiaire du sorcier.

– Pardonnez-moi si je vous contredis, maître. Il me semble que j'en ai bien plus qu'un !

Cette fois, au grand étonnement de Naq, Artos rit ouvertement. Ses voix ainsi libérées réveillèrent des échos aussi insolites que détestables.

– En effet, mais pour cette mission, il fallait de la discrétion et tu dois reconnaître que tu passes difficilement inaperçu.

Le loup-serpent redevint vite songeur. Après avoir hésité un moment, il révéla à son disciple la raison de son exaspération. Cette faiblesse inattendue du seigneur noir indisposa le conseiller de Verlon ; que se passait-il donc pour que cet être exceptionnel se montre soudain si impatient, si émotif ?

– Peut-être que les mages blancs attendent une provocation de votre part, répondit-il, dubitatif.

– Tu crois qu'ils ne sont pas déjà en route ? s'inquiéta Le Cobra.

– Peut-être, peut-être pas... Vous savez, la Terre des Damnés grouille de forces hostiles qui peuvent entraver la progression de visiteurs indésirables.

Artos chassa cette idée d'un geste agacé, puis il fit signe au monstre borgne de s'approcher. Il plaça ses mains au-dessus d'une plaque d'onyx ; sur la surface sombre, Naq vit apparaître des arabesques de fumée blanche. Le sorcier fit cliqueter ses griffes sur la pierre noire.

– Ils ont réinstallé les brouilleurs magiques, expliqua-t-il, mais je possède maintenant une image bien nette de l'île des elfes-sphinx. Pour l'instant, à défaut des porteurs de clés, je m'emploie à harceler leurs amis et à affaiblir le pouvoir des boucliers de protection. Bientôt, les nuages de Korza ne seront plus ralentis et leurs effets souilleront plus efficacement les âmes... Bientôt... Du moins, si on cesse de m'importuner à tout moment !

Le mage noir passa sous silence les nombreux déboires qui venaient accroître son irritation. Jusqu'à présent, chacune de ses tentatives pour détruire le refuge des descendants des sphinx avait échoué en raison des ceintures d'énergie qui lui renvoyaient des éclairs dévastateurs. L'un d'eux l'avait gravement brûlé à la poitrine, ce qui expliquait pourquoi il n'allait pas nu comme il en avait l'habitude.

Sans inviter Naq à le suivre, Le Cobra quitta le laboratoire et se dirigea vers la bibliothèque. Les murs de la pièce ovale, étaient occupés du sol jusqu'aux voûtes par des étagères qui croulaient sous le poids des livres de magie noire. Une porte des ténèbres masqua tout à coup la vue du monstre borgne ; son maître venait clairement de lui indiquer la fin de leur entretien.

Naq profitait de l'accalmie dans les combats contre la Nouvelle-Bortka pour faire une tournée des nirvanas. Modregal s'arrangea pour le croiser à l'entrée des locaux des SSM, donnant à leur rencontre l'apparence d'un simple hasard.

– Mon seigneur !

– Modregal ! La vie de nirvana te réussit bien, on dirait.

– Je sais, reconnut l'ancien lieutenant, je suis devenu trop gras. D'ailleurs, je crois que je ne vous ai pas assez remercié pour ce transfert.

L'ancien officier de Verlon savait que ce genre de discussion ne retiendrait pas longtemps un homme tel que Naq, aussi il plongea.

– Pour être honnête, mon seigneur, je suis embêté de vous avouer cela, mais...

Le visage de Naq n'exprimait rien du tout.

– La fonction de sentinelle m'ennuie, poursuivit Modregal en croisant ses bras sur sa poitrine. Je n'ai aucun pouvoir.

– Tu aimes le pouvoir, lieutenant ?

– Oui. Les SSM, voilà ce qui me conviendrait. Si vous parlez pour moi, peut-être que...

– Viens, dit Naq après avoir réfléchi un moment, on va voir ce qu'en pense l'officier supérieur.

✧

Quelques jours auparavant, quand il avait expliqué son plan à son épouse, Noemi, Modregal avait été très franc.

– Je dois le faire, mais si tu refuses de me suivre dans cette folie, je comprendrai.

Sa femme avait été tout aussi directe.

– J'ai déjà perdu mon fils, je n'ai pas l'intention de te perdre toi aussi.

– Ce sera dangereux, et nos vies ne seront plus que des impostures, l'avait prévenue Modregal.

– Je m'en moque, si c'est le prix à payer pour découvrir la vérité.

✧

Ils déménagèrent donc dans le secteur le plus chic du nirvana, perdirent tous leurs amis et se mirent à fréquenter des parvenus ambitieux. Modregal gagna bientôt la confiance des hauts gradés et put s'infiltrer au cœur de cette guilde corrompue.

Le jour déclinait quand Modregal rejoignit Noemi dans son boudoir. Il la trouva assise à sa coiffeuse, occupée à fixer son chignon cendré. Pour le bal du général Kistar, Noemi avait choisi une robe rouge cerise qui flattait son teint soyeux. Un gros rubis reposait sur sa gorge. Quand elle pivota sur son siège, Modregal reconnut, soigneusement pliée sur les genoux de sa femme, une étoffe bleue piquée de petites fleurs brodées.

– Qu'est-ce que tu fais avec ça ? s'étonna l'officier.

– C'est ma robe... Tu sais, celle que j'appelais ma meilleure robe !

– Bien sûr que je sais, mais pourquoi l'as-tu sortie ?

Noemi caressa le tissu et le frotta contre sa joue.

– Pour me souvenir. Cette robe me fait du bien, elle me parle de qui je suis vraiment. Elle me rappelle que j'ai épousé un homme merveilleux. Jamais je n'aimerai la soie et les fourrures autant que ce simple morceau de lin.

– Nous étions si pauvres, déplora le lieutenant, j'aurais voulu t'offrir tellement plus.

Noemi se leva et déposa délicatement la robe sur le banc de la coiffeuse. Elle se regarda une dernière fois dans la glace puis, saisie d'un élan irrépressible, elle détacha son collier. Modregal pencha la tête.

– Pourquoi le retires-tu ?

– C'est un geste secret de protestation ; pas de bijoux pour les rebelles !

– Tu vas t'en tirer, ma belle espionne ?

– Bien sûr, dit Noemi d'une voix assurée. Je n'ai qu'à faire semblant d'avoir la cervelle d'une pie. Et toi ?

– Je devrais enfin comprendre comment les choses se passent. Après le dîner, le général doit donner les instructions pour ce qu'il a appelé « la prochaine rafle ». Je crois que cela devrait confirmer nos soupçons.

– Je suis convaincue que personne n'est épargné. Tôt ou tard, ils trouvent une raison pour chasser les gens du nirvana, comme Drakmer et sa famille.

– La question, c'est plutôt de savoir pourquoi ils le font.

Ils arrivèrent un peu tard, mais pas les derniers, dans les salons de la somptueuse résidence du général. Quand les hommes s'éclipsèrent pour leur réunion, les femmes s'installèrent confortablement dans l'immense boudoir attenant à la salle de bal. L'épouse du général apostropha bientôt Noemi. Sa voix haut perchée et ses manières affectées ne parvenaient pas à dissimuler cet accent propre aux habitants des quartiers malfamés de Corvo ; la rumeur voulait qu'elle ait fait ses débuts sous la férule d'une mère maquerelle.

– Connaîtriez-vous un revers de fortune, madame ? fit-elle en détaillant dédaigneusement la tenue de Noemi. Le lieutenant a peut-être mis vos bijoux en gage.

Les épouses des officiers se turent pour voir comment la nouvelle venue allait répondre à ce jet de fiel. Noemi leva le menton. Elle tourna la tête très lentement pour planter son regard hautain dans les yeux de l'hôtesse.

– Mais non, madame la générale ! C'est une ruse.

– Une ruse ? Contre qui, dites-moi ?

– Contre mon mari.

– Pourquoi donc ?

– Il voulait me faire porter un rubis insignifiant, pas plus gros que cela, alors j'ai décidé de lui faire honte. Je suis certaine que, dès demain, il va courir m'acheter des diamants.

– Vous croyez ?

– Pour obtenir ce que l'on veut des hommes, il n'y a que deux moyens, exposa Noemi. Le premier, c'est de chatouiller leur orgueil démesuré.

– Et l'autre ?

– Il est des choses dont on ne discute pas en société, madame la générale. Une femme expérimentée comme vous doit bien avoir une petite idée de ce qui les chatouille autant que leur vanité.

La fausse aristocrate rougit et, ne trouvant aucune réplique suffisamment cinglante, s'en fut vers la table des desserts. Noemi crut déceler une pointe d'admiration dans le regard des autres femmes. Certaines lui sourirent. L'épouse du lieutenant demeura de glace.

Contre toute attente, cette attitude fraîche servit la réputation de Noemi et favorisa l'ascension de Modregal. Toujours sans nouvelles de leur fils rebelle, Noemi traversait parfois de terribles moments de doute.

– Nous avons eu la confirmation que presque personne n'échappe aux purges. À part cela, qu'avons-nous appris qui justifie toute cette comédie ?

– Pas grand-chose, en effet ! J'ai un plan : je vais demander à Naq de me recevoir.

L'inquiétude se peignit aussitôt sur le beau visage de Noemi.

– Pourquoi ? Tu sais combien ce monstre est dangereux.

– Il le faut, pourtant, insista Modregal. J'ai besoin d'une nouvelle promotion. Si j'obtiens un poste d'inspecteur, je suis certain que je vais enfin tout savoir.

– Mais... cela veut dire que nous quitterons le numéro trois.

– Et c'est parfait ! Comme cela, nous pourrons peut-être rejoindre d'autres insoumis. J'ai la conviction que notre salut passe par notre évasion des nirvanas ; il faut amener les élus à se solidariser avec le peuple de Yzsar. Il faut se rebeller contre Verlon, tous ensemble, le chasser du trône.

– Modregal, tu me fais peur ! s'alarma Noemi.

L'officier finit d'ajuster son insigne doré sur sa veste noire.

– Je sais... Sincèrement, veux-tu continuer de vivre ainsi ? Veux-tu laisser reposer ta vie entre les mains capricieuses d'un crétin comme Verlon ?

– Non, les nirvanas sont des pièges à idiots !

– On croirait entendre Hauns !

Noemi lui sourit, mais ses yeux brillaient de larmes.

– Tu penses que Naq va accepter de te nommer inspecteur ?

– Il n'a aucune raison de me refuser ce poste, déclara Modregal en espérant que ce soit vrai.

✧

Naq observa Modregal comme s'il évaluait le temps qu'il fallait pour le cuire à point.

– Inspecteur ! Toi ? Que cherches-tu au juste ? demanda Naq en haussant son seul sourcil.

– L'argent !

– Il me semble que tu ne manques de rien ici.

Comme Naq continuait de le fixer en silence, Modregal se risqua à tendre une perche ; si son intuition était fausse, le visage impassible du monstre serait le dernier souvenir qu'il emporterait dans la mort.

– Je ne veux pas suivre le troupeau et finir en civet dans l'assiette du roi !

Modregal vit étinceler l'œil unique de Naq. Le conseiller se leva de son siège et lui fit signe de le suivre.

– Viens ! Je t'emmène à l'auberge, et c'est moi qui paie.

– Mon père disait toujours : « Prends garde aux faveurs que tu n'as pas sollicitées si tu ne veux pas qu'elles te collent aux fesses comme des toiles d'araignée. »

543

– Ce qui veut dire ?

– Que ce genre de faveurs sert les intérêts de celui qui les donne et oblige celui qui les reçoit.

Le monstre considéra l'officier pendant un moment.

– Comment as-tu deviné pour les nirvanas ?

– Le fait qu'ils ne sont que des... garde-manger pour nos souverains ? précisa l'officier.

– Mmm...

– Vous oubliez que j'ai servi nos dirigeants pendant des années. Le reste était facile à déduire.

– Et le poste d'inspecteur que tu réclames, ce n'est pas un privilège, ça ? voulut le coincer Naq.

– Je me place au service du roi pour éviter de finir dans sa soupe. C'est un échange, pas une faveur.

– Très bien, mais ne viens pas te plaindre des conséquences. Prépare-toi à partir pour le numéro cinq. Demain, tu recevras mes instructions.

– À vos ordres, répondit le lieutenant en s'inclinant comme le faisaient les militaires.

– Tu t'en vas parmi les loups ! le prévint Naq en dévoilant ses dents pointues.

Modregal pensa à Noemi et réprima un frisson d'angoisse.

– J'attendrai vos instructions.

– XXXIV –

Les traîtres la surprirent dans son sommeil. Elle faillit bien leur échapper, mais son pied se coinça sous une racine et ils parvinrent à la rattraper puis à l'encercler. Irrités par sa résistance farouche, les hommes se jetèrent sur Thelma. Elle se battit en répétant les mouvements de combat enseignés par Muscade et le maître d'armes, mais il y avait trop de mains qui l'agrippaient, bloquant ses bras et ses jambes et étouffant ses cris de détresse. Ils étaient trois, aussi sales et méchants que des ours. La clairière autour d'eux semblait anormalement silencieuse ; telle une coquille vide, cette horrible quiétude amplifiait les souffles rauques qu'exhalaient les bouches noires et puantes des hommes. D'un même geste, ils défirent les cordons qui retenaient leurs pantalons rigides de crasse. Thelma cria.

La veille, elle avait choisi cet endroit isolé en bordure de la route. Comme une petite rivière y coulait, elle avait pu se baigner et laver les vêtements de domestique qui constituaient l'essentiel de son maigre bagage. Épuisée par son interminable périple sur les routes de Gohtes, elle avait sombré dans un sommeil pesant, essayant d'oublier qu'elle était encore bien loin de Celtoria.

Le plus grand des trois avait les cheveux rouges et il parlait comme s'il était le chef.

– Moi d'abord, les gars... Vous me la tenez bien comme il faut.

Une main se plaqua si brutalement sur la bouche de Thelma que sa lèvre supérieure se fendit. Elle sentit qu'on soulevait son jupon puis elle aperçut le grand roux qui s'agenouillait entre ses cuisses ; dans sa main, l'homme tenait son sexe gonflé.

– J'aime quand elles se débattent... Oh oui, je vais te monter, ma belle.

L'excitation faisait grogner les hommes. Thelma mordit la paume qui l'étouffait, ce qui lui valut un violent coup de poing sur la tempe. C'est alors que l'image vacillante de Mauhna lui apparut. Son aïeule flottait, les yeux fermés, quelque part au-dessus de l'onde de la rivière. Une mystérieuse lueur perçait l'ombre du boisé comme si des bougies entouraient le corps inanimé de la magicienne. « Grand-mère, grand-mère, je t'en supplie, réveille-toi ! Grand-mère, aide-moi. »

Un poids s'affaissa sur la poitrine de Thelma. La douleur lui coupa le souffle, ranimant sa conscience en même temps que sa frayeur. Elle entendit des hurlements qui s'éloignaient, mais son esprit était trop troublé pour en comprendre le sens. Prudemment, elle ouvrit les yeux ; juste sous son nez, la masse graisseuse et rousse des cheveux dégageait une odeur de suif rance. Saisie d'une irrépressible nausée, elle repoussa le corps qui roula sur le côté, révélant un amas de chair et de sang là où s'était trouvée la calotte du crâne. Thelma se leva d'un bond. Ses jambes tremblaient trop et elle retomba à genoux, à côté du corps à moitié dénudé du grand roux. Autour d'elle, il n'y avait plus que la clairière : aucune trace de Mauhna sur la rivière, aucune trace des brutes ignobles qui l'avaient assaillie. Des cris retentirent de nouveau dans le lointain. Les voix s'évanouirent tandis que la rivière recommençait son doux murmure et que les oiseaux reprenaient leurs chants du matin.

Thelma resta prostrée pendant un moment puis, entendant des pas dans un massif de fougères, elle saisit sa dague et se prépara à se défendre.

– Vous ne m'aurez pas cette fois ! rugit-elle.

– Mademoiselle ! N'ayez pas peur, ils sont partis... Enfin, les deux qui n'ont pas reçu mon gourdin sur la tête.

Sans quitter l'homme du regard, Thelma planta sa dague dans le cœur du roux qui gisait devant elle. Elle frappa et frappa encore. Celui qui l'observait s'avança néanmoins dans la clairière.

– Inutile de vous acharner, dit-il de sa voix douce et basse, il est mort depuis un bon moment !

Thelma recula. Elle se blottit contre le tronc d'un grand chêne et se mit à pleurer en lissant d'un geste inconscient le tissu taché de son jupon. L'homme regarda le cadavre.

– Je vais le traîner dans le marécage ; ça grouille de bestioles et de sangsues qui savent apprécier ce genre de charogne.

La jeune femme détourna les yeux quand l'homme s'agenouilla à une distance respectueuse.

– Ne pleurez pas, mademoiselle... Il n'a pas... Je suis arrivé avant que...

Thelma se força à respirer pour se ressaisir.

– Je ne pleure pas !

– Vous avez été très courageuse, lui dit l'homme en souriant gentiment. Crier comme vous l'avez fait... Je vous ai entendue depuis la route.

La jeune femme se leva en s'appuyant sur l'arbre.

– Je... je voudrais m'en aller.

– Je comprends. Est-ce que je peux vous aider ? Croyez-moi, je ne vous veux aucun mal.

Il s'occupa de faire disparaître le corps. À son retour, Thelma l'observa plus attentivement tandis qu'il éteignait les braises du feu et qu'il ramassait les robes mises à sécher la veille. Il plia soigneusement les vêtements avant de les ranger dans le paquetage de Thelma. Ses cheveux bruns et droits lui retombaient sur le front, soulignant son regard bleu qui lui donnait un air timide. Il se détourna pudiquement quand Thelma s'avança dans les flots clairs de la rivière. Elle enleva la terre de ses jambes et de ses mains, puis elle nettoya son visage barbouillé de larmes. Sa lèvre fendue s'était refermée, mais l'eau fraîche soulagea l'enflure qui n'avait pas encore disparu.

Quand elle revint auprès de lui, le jeune homme lui tendit un voile qu'il avait choisi parmi les autres.

– Cette couleur doit faire ressortir le vert de vos yeux.

Il ne fit aucun commentaire sur le fin duvet qui commençait tout juste à repousser sur le crâne de la jeune femme. Elle ajusta sa coiffure.

– Vous êtes chevalier ? demanda-t-elle.

– Non, malheureusement, déplora l'inconnu. J'aurais bien aimé les empaler avec une épée plutôt que de les affronter avec un bâton.

– Pourtant, ils ont fui devant vous, insista Thelma.

– Ces sauvages n'ont aucun courage. C'est pour cela qu'ils s'attaquent aux jeunes demoiselles. Oh ! Pardonnez-moi, je ne...

– Comment vous appelez-vous ? le coupa la princesse.

– Damyen de Bömer. Et vous ?

– Mon nom est Amleht, mentit la jeune fille.

– Amleht ? De quel endroit ?

– C'est sans importance. Puis-je récupérer mon sac ?

– Bien sûr ! Excusez-moi !

Thelma nota que Damyen avait rougi. Les deux jeunes gens se turent et, gardant les yeux fixés sur l'épais tapis de feuilles mortes, ils retournèrent vers la route. Quand ils sortirent du sous-bois, Thelma vit qu'un convoi de plusieurs chariots encombrait le chemin. Elle allait le contourner, Damyen la retint en se plaçant devant elle.

– Amleht ! Je sais que je n'ai pas le droit de vous importuner, mais... voyager seule sur ces routes est terriblement dangereux. Venez avec nous.

Un homme et une femme d'âge mûr accouraient vers eux. La femme porta ses mains sur son cœur en voyant le sang sur le gourdin et les vêtements de Damyen.

– Damyen ! Qu'est-il arrivé ? J'étais si inquiète ; tu étais là et, l'instant d'après, tu avais disparu.

Le jeune homme la prit par les épaules pour la réconforter puis il se retourna vers Thelma.

– Amleht, je vous présente mes parents : Fazer et Swali de Bömer. Papa, maman, voici Amleht.

L'homme nommé Fazer lui sourit avec bonté.

– J'ai l'impression que votre journée a bien mal commencé, mademoiselle.

Son épouse s'approcha de Thelma.

– Vous nous honoreriez en acceptant de manger avec nous. J'ai des fruits frais, du fromage de brebis et une montagne de brioches au miel.

Thelma se laissa entraîner. Les parents de Damyen eurent la délicatesse d'éviter de lui demander ce qui était arrivé dans la clairière. Ils ne lui demandèrent pas non plus pourquoi elle voyageait seule. Ils lui parlèrent de leur vie de commerçants ; le père de Damyen semblait intarissable sur le sujet.

– Nous achetons des produits rares, principalement au Môjar, puis nous les distribuons ici, dans le pays de Gohtes. Parfois, nous allons jusqu'à la Nouvelle-Bortka. Et vous, mademoiselle Amleht, où allez-vous ?

– Je vais retrouver mon père à Celtoria, déclara Thelma d'une voix mal assurée.

Le vieux commerçant alluma sa pipe et la regarda à travers les volutes de fumée odorante.

– Quel heureux hasard ! Nous allons justement à Celtoria. Depuis que la guerre a cessé, les citoyens de la capitale semblent avides de nouveautés. J'ai des brocarts à faire rêver et...

– Fazer, cesse ton baratin et viens-en aux faits, le gronda sa femme en lui donnant un coup de coude dans les côtes.

L'homme ricana puis tira sur sa pipe, l'air satisfait.

– Voyez comment elle me traite. Vous m'obligeriez, mademoiselle, en acceptant de faire le chemin avec nous, car dès que ma femme s'ennuie, elle trouve des tas de raisons pour me houspiller et me rendre la vie impossible. N'est-ce pas, Swali, que tu aimerais avoir de la compagnie ?

La femme jeta un regard complice à son époux ; de toute évidence, ils aimaient pimenter leur vie en se taquinant. Thelma se sentit profondément touchée, mais elle devait refuser.

– Je n'ai rien pour vous payer le voyage, expliqua-t-elle en rougissant. J'ai à peine ce qu'il me faut pour manger.

Le peu qu'elle possédait lui venait de Volda ; au moment de leurs adieux, sa grand-tante lui avait donné tout ce que contenait sa bourse. Fazer chassa l'argument comme une mouche importune.

– Qui parle de vous faire payer le voyage ? Nous allons à Celtoria de toute manière et vous ne semblez pas bien lourde... Mes chevaux peuvent en porter cent comme vous sans se fatiguer.

Cependant, Swali comprenait les scrupules de la jeune fille.

– Savez-vous broder ? demanda la bonne dame.

– Je me débrouille assez bien.

– Que diriez-vous de m'aider ? Vendre du tissu, c'est bien, mais j'ai un nouveau projet. Je pense que les riches bourgeoises des villes seraient prêtes à payer très cher pour un trousseau déjà brodé : étoffe de soie et fil d'or, seulement ce qu'il y a de plus élégant.

Peu habituée à autant de sollicitude, Thelma hésitait. Damyen chassa ses cheveux de son visage.

– Je vous en prie, Amleht. Acceptez.

– Je ne sais pas.

– Vous me devez une récompense... comme à un chevalier !

Thelma sourit enfin.

– Présentée comme cela, je vois mal comment je pourrais refuser votre proposition. Je vous remercie de tout cœur.

Une soudaine tristesse assombrit le bon visage de Fazer.

– Nous avions une petite fille, raconta-t-il, elle s'appe-lait Gaële. Elle est morte quand elle avait cinq ans. Si elle avait vécu, elle aurait à peu près votre âge.

– Je suis désolée.

– Voyez-vous, Amleht, je pense à vos parents ; je me mets à leur place et j'imagine leur inquiétude de vous savoir ainsi livrée à vous-même. Si ma petite s'était un jour trouvée dans votre situation, j'aurais certainement souhaité qu'elle rencontre des gens assez bienveillants pour l'accueillir et veiller sur elle.

Les yeux remplis de larmes, Thelma le remercia ; la gratitude la faisait pleurer autant que le chagrin. « Vous avez tort pourtant, messire, il semble que la compassion soit un luxe inaccessible aux cœurs de certains monarques. » Elle toucha le ruban qui pendait à son poignet droit, et sa tristesse se dissipa comme la fumée de la pipe du marchand.

– XXXV –

D'abord, Mauhna se sentit flotter. L'atmosphère humide et le bruit d'un ruissellement lointain traversaient imperceptiblement la brume vaseuse qui obscurcissait son esprit. Des lueurs jaunâtres vacillaient derrière ses paupières closes, dessinant des formes aux mouvements envoûtants. Cette nauséeuse quiétude se déchira quand une voix terrorisée explosa dans sa tête : « Grand-mère, grand-mère, je t'en supplie, réveille-toi ! Grand-mère, aide-moi. »

La poitrine de la sorcière se souleva violemment. Comme un noyé émergeant de l'eau, elle voulut aspirer l'air, mais son râle s'éteignit dans un bâillon puant qui lui raclait la peau. Découvrant qu'elle était incapable d'ouvrir les yeux, son désarroi se transforma en révolte. Une main griffue enserra sa gorge pour chercher son pouls, qui palpitait.

– Oh non ! dit une voix rauque. La femme se réveille. Vite, allons chercher le grand prêtre.

Des pas précipités s'éloignèrent, et Mauhna se retrouva pétrie d'angoisse. « Par tous les esprits, où suis-je ? » Elle s'appliqua à respirer lentement. « Du calme... du calme, je vais me souvenir..., je dois me souvenir. » La scène lui apparut tout à coup ; elle se revit embusquée avec Hµrtö derrière un bosquet de ronces. Des hommes sauvages se querellaient pour le partage des idoles, pendant que Muscade, Leani et Rysqey reposaient sur un lit de branchages, endormis par le venin. « Oui, c'est cela. Les hommes du chef-corbeau nous ont surpris ; ils étaient nichés dans les arbres et ils nous ont lancé leurs fléchettes empoisonnées. Nous avons été capturés. »

Mauhna essaya de remuer. Comme elle s'y attendait, ses membres étaient entravés. Une fatigue immense annihilait presque tous ses pouvoirs. « Il faut pourtant que je réagisse, sinon ils vont me rendormir. Qu'est-ce qu'ils utilisent ? Le chef-sumac l'a dit, mais... je suis si fatiguée. » Elle se souvint enfin. « La tyohirin : plante dont la racine violette contient des essences soporifiques à effet variable selon la constitution des individus. Eh bien, ma vieille, ta mémoire fonctionne mieux que le reste ! » Une plainte à peine audible attira l'attention de Mauhna ; sur sa droite, un léger froissement et un souffle saccadé troublaient le silence. Malgré la faiblesse de ses pouvoirs, malgré le danger que cela représentait, elle devait tendre son esprit vers la source de ce bruit, c'était peut-être son seul espoir. Elle savait toutefois qu'elle prenait un risque énorme : si elle pénétrait l'esprit d'un geôlier, il s'affolerait en se croyant possédé et il alerterait les autres. Aussi désagréable que soit cette possibilité, Mauhna savait cependant qu'il y avait pire, et cette perspective la fit frissonner. Si, par malchance, son esprit fusionnait avec celui d'une bête et était possédé par les pensées primitives et confuses de l'animal, la magicienne pouvait perdre la raison pendant un long moment. Il fallut d'abord qu'elle chasse l'image d'un gros rat affamé avant de lancer courageusement son appel.

– *Qui est là ?*

– *Qui m'appelle ? Qui est là, dans ma tête ?*

– *Je suis Mauhna... je suis...*

– *Maître ! C'est moi, Leani. Où êtes-vous ?*

– *Leani, mon enfant ! Je suis à ta gauche. Comment vas-tu ?*

– *Je viens tout juste de m'éveiller. Je ne peux pas ouvrir les yeux.*

– *Moi non plus. Je suis attachée et bâillonnée. Et toi ?*

– *Boudin de putain !*

– *Leani !*

– *Oh ! Pardonnez-moi, maître. Je suis entravé tout comme vous. Savez-vous où nous nous trouvons ?*

– *Je crois que des hommes sauvages nous ont faits prisonniers. Écoute-moi bien, Leani, il faut agir vite. Nos gardiens sont partis chercher un grand prêtre qui va vouloir nous rendormir. Comment sont tes pouvoirs ?*

– *Comme d'habitude : un peu instables mais forts. Pourquoi cette question ?*

– *J'ignore ce qui est arrivé aux miens, mais ils sont très faibles. Je ne peux pas... oh non !*

Des voix résonnaient au loin ; le son se répercutait comme dans un tunnel, amplifiant l'expression de violente fureur d'un des arrivants.

– Je vous avais pourtant prévenus qu'il ne fallait pas dépasser la deuxième lune, espèces d'abrutis ! Maintenant, l'encens de tyohirin ne suffira plus ; il va falloir recommencer avec le venin et ramasser leurs saloperies puisqu'ils ne supportent pas ce maudit poison. Vous allez me le payer !

Mauhna essayait désespérément de trouver une idée, mais celles qui lui venaient nécessitaient ses pleins pouvoirs. « Il y a trop longtemps... Je ne sais plus comment faire sans magie. » Leani l'interrompit dans ses réflexions agitées.

— *Ils arrivent, maître.*

— *Je sais.*

— *Qu'est-ce qu'on fait ?*

— *Penses-tu pouvoir les arrêter ?*

— *Je ne sais pas, sans mes mains...*

Seuls les grands maîtres pouvaient diriger un sortilège sans pointer l'index. La tension faisait battre douloureusement le cœur de Mauhna.

— *Je crois que j'ai assez de pouvoir pour délier tes poignets. Ne bouge pas.* Oppir zik garator jaselin !

Les voix s'étaient tues, mais la magicienne entendait les pas pressés des hommes sauvages ; l'écho semblait multiplier le nombre de pieds qui martelaient le sol dallé. Leani la fit sursauter.

— *C'est bon, le lien a lâché.*

— *Leani ?*

— *Oui ?*

— *À toi de jouer.*

— *Qu'est-ce que je dois faire ?*

– Jette-leur un sort !

– Lequel ?

– Pétrifie-les, Leani, vite !

– Mais je ne vois rien !

– Concentre-toi sur les voix !

– Combien sont-ils ?

– Trois... Je suis presque certaine qu'ils ne sont que trois !

– ... que trois !

Leani garda ses mains derrière son dos. Il les sentait trembler autant que ses genoux. « Que trois ! Bien sûr, je fais ça les doigts dans le nez, moi... Que trois, pourquoi pas cent pendant qu'on y est ! » Les hommes sauvages entrèrent en se bousculant.

– Tu dis que la femme a bougé ? demanda une voix autoritaire. Elle a pourtant l'air tout à fait calme !

– Ne vous y fiez pas. Elle est certainement très puissante, celle-là. Elle portait un médaillon, n'oubliez pas.

– Oui ! Va me chercher le dard et le venin.

En prenant bien garde de ne pas remuer la tête, Leani pointa trois fois son index. Trois fois la formule silencieuse se perdit dans le bâillon du jeune homme. Mauhna n'osait pas bouger. Elle entendit bientôt le léger ruissellement qui avait accompagné son réveil.

– Leani ?

– *Maître, je crois que je les ai eus.*

– *Attendons encore un peu.*

Après un moment, la magicienne sentit un frôlement. Leani lui souffla à l'oreille :

– C'est moi, n'ayez pas peur.

L'adolescent entreprit de libérer son maître de magie.

– Je vais d'abord retirer votre bâillon.

Avec beaucoup de délicatesse, il défit le nœud grossier de l'étoffe, puis il s'attaqua aux liens qui entravaient les poignets. Pendant qu'il se penchait pour libérer les chevilles de la magicienne, Mauhna palpa ses yeux aveuglés.

– Qu'est-ce qui nous empêche de voir, selon toi ? demanda-t-elle au garçon.

– Je l'ignore, madame. Je n'ai pas encore réussi à m'en défaire ; on dirait de l'argile.

Du bout des doigts, Mauhna palpa la croûte épaisse, mais friable, qui lui collait les paupières. La magicienne chercha Leani à tâtons.

– Donne-moi la main.

Précautionneusement, ils avancèrent dans la pièce en se dirigeant vers le ruissellement. Mauhna trouva une source qui se déversait dans un bassin surélevé. Elle huma l'eau glacée avant de la goûter.

– Tu peux y aller, Leani. Tamponne tes paupières, mais ne les frotte pas sinon la vase va te brûler les yeux.

La croûte fut dissoute assez rapidement, et Mauhna put enfin regarder son jeune compagnon. Elle n'avait jamais été aussi heureuse de voir ce visage boudeur auréolé de cheveux en broussaille. Malgré l'urgence du moment, elle serra Leani dans ses bras puis elle le ramena vers le centre de la pièce. Avec ses alcôves et ses blocs de pierre destinés aux sacrifices et aux offrandes, l'endroit avait l'allure des temples barbares. Le tout baignait dans une écœurante odeur d'encens et de pourriture. Mauhna porta sa main à sa bouche pour étouffer son cri.

– Où sont les autres ?

Leani fit le tour de la pièce avant de s'arrêter devant une grande niche éclairée par des torches fumantes : Hμrtö était là, paisiblement endormi.

– Il est le seul à part nous, constata l'adolescent.

– C'est horrible.

– Aidez-moi, madame ! Il faut le sortir de là.

– Oui, tu as raison, mais... je suis inquiète pour les autres.

– Ils sont peut-être dans d'autres pièces, juste à côté, voulut l'encourager Leani.

– Nous irons voir tout de suite après.

– Très bien. D'abord, tentons de réveiller le maître.

Ils s'affairèrent autour du magicien, cherchant la meilleure manière de le tirer de l'alcôve. Tout à coup, Mauhna se redressa en regardant Leani.

– Où sont les gardiens et le prêtre ? Tu les as pétrifiés, non ?

Leani baissa les yeux, mais Mauhna vit qu'il avait rougi.

– Réponds-moi, Leani. Qu'as-tu fait d'eux ?

– Je vais vous décevoir, maître. J'étais incapable de me remémorer le sortilège de pétrification, alors j'ai lancé le premier qui m'est venu en tête. Vous comprenez, il fallait faire vite !

Il désigna le sol ; trois tortues blotties les unes contre les autres tentaient de se faire oublier sous un banc de bois. Mauhna ne put s'empêcher de rire.

– Estime-toi heureux que nous ne soyons pas au collège ! Oublier un sortilège important comme celui de la pétrification... Et s'il n'y avait que ça !

Leani vit alors qu'une des tortues avait des pieds et des mains au bout de ses pattes trapues. Un visage humain les observait avec terreur dans l'abri précaire de sa carapace verdâtre. Le jeune magicien corrigea son sortilège en maugréant.

– Vous pourriez vous montrer plus clémente, madame : j'ai visé un peu à côté. Je vous rappelle que j'avais les yeux fermés.

– Allons, Leani, c'était seulement pour rire. Si nous arrivons à sortir d'ici sans trop de dommages, ce sera en grande partie grâce à toi. Allez, aide-moi : tu vas devoir utiliser tes pouvoirs pour réveiller Hµrtö. Mais là, c'est sérieux... Tu dois bien te concentrer, je n'aimerais pas trop que mon mari se retrouve avec la peau plissée et épaisse de tes petites préférées.

Ils étendirent le maître de magie sur un banc, défirent tous ses liens et nettoyèrent la boue séchée de ses yeux. Les mains moites et la voix tremblante, Leani prit place auprès du magicien endormi. Il prononça la formule, conscient qu'elle demandait une grande précision dans les accents et le rythme. Pour ajouter à son malaise, l'adolescent sentait dans son dos le regard perçant de son professeur. Au troisième essai, Hµrtö s'éveilla enfin. Il s'assit, regarda autour de lui et demanda à Mauhna de lui raconter ce qu'elle savait. Leani, de plus en plus nerveux, les écoutait en trépignant.

– Maître Hµrtö, je crois que nous ne sommes pas en sécurité ici.

Le magicien se releva lentement comme s'il craignait que sa longue immobilité lui ait coupé les jambes.

– Il faut que nous partions avant l'aube, expliqua le maître de magie. Les premiers fidèles vont venir faire leurs offrandes et, quand ils arriveront, il vaudrait mieux que nous soyons déjà loin.

Mauhna s'approcha de son époux et l'embrassa tendrement, ce qui embarrassa un peu Leani. « Ils sont vraiment trop vieux pour ça. » La magicienne se faisait du souci pour son mari.

– Comment te sens-tu ? lui demanda-t-elle.

– Terriblement fatigué !

– Et tes pouvoirs ?

– Comme les tiens, ils sont très faibles.

– Leani a pourtant tous les siens, s'étonna Mauhna.

Hµrtö saisit l'épaule du jeune homme avec affection.

– J'ignore où nous sommes, mais les prêtres de ce temple n'ont voulu prendre aucun risque. Je crois qu'ils ont protégé l'endroit avec un talisman.

– Un talisman ? interrogea Leani.

– Oui, certains annulent le pouvoir des mages.

Le sorcier fit le tour de la pièce. Il trouva rapidement ce qu'il cherchait : une petite pierre sans intérêt sur laquelle étaient gravés des symboles grossiers. Hµrtö saisit une torche qu'il approcha de l'objet pour permettre à Leani de mieux en examiner la surface sculptée.

– Regarde ce dessin, dit le maître de magie. Les prêtres ont inclus dans un cercle l'image d'un homme et d'une femme ; ils ont pensé à se protéger contre les sorciers des deux sexes, mais ils ont oublié d'ajouter un enfant.

– Je ne suis pas un enfant ! s'offusqua Leani.

– D'accord, d'accord, reprit Hµrtö d'une voix conciliante, ils n'y ont pas mis de « non-adulte ». Le talisman n'est pas très puissant puisqu'il n'a pas complètement réduit nos pouvoirs, mais il suffit à nous affaiblir.

En prenant bien garde de ne pas la toucher, Mauhna enveloppa la pierre dans un mouchoir blanchâtre aux reflets chatoyants. Devant le regard curieux de Leani, elle l'encouragea à toucher le tissu.

– C'est de la soie de mygale, expliqua-t-elle. Cela devrait neutraliser les propriétés de la pierre.

La magicienne sourit à Leani.

– Voilà peut-être pourquoi tu devais absolument venir avec nous, jeune homme ! Thelma avait raison quand elle t'a désigné ; sans ton aide, qui sait combien de temps nous serions restés enfermés ici.

Le garçon rougit d'embarras.

– Parlant de ton aide, poursuivit la magicienne en désignant les tortues cachées sous le banc, tu sais ce que je dis toujours ?

– Il ne faut pas perturber la nature, grimaça l'adolescent.

– Très bien, alors tu vas défaire ton sortilège et redonner leur apparence à ces trois-là.

– Mais, madame..., voulut objecter Leani.

Mauhna l'interrompit.

– Et tu vas les pétrifier comme tu aurais dû le faire dès le départ.

– Vont-ils souffrir ?

– Pas du tout, répondit la magicienne. Ne t'inquiète pas, quelqu'un va les retrouver et les libérer avant longtemps.

Pendant ce temps, Hμrtö faisait le tour de la pièce. L'air songeur, il revint chercher son épouse. Ils discutèrent un moment, tandis que Leani s'acquittait de son devoir. Voyant que les deux maîtres avaient le dos tourné, le jeune homme en profita pour empocher le talisman et le mouchoir, puis il suivit les magiciens qui se dirigeaient prudemment vers l'unique sortie. Ils se dissimulèrent derrière l'arche de pierre tandis qu'Hμrtö jetait un coup œil à l'extérieur.

– La voie est libre, annonça-t-il, sortons.

Mauhna fit signe à Leani de la suivre.

– Allons voir où se trouvent nos compagnons, chuchota-t-elle.

Elle s'arrêta avant même d'avoir franchi le seuil.

– Mon médaillon ! Je ne l'ai plus. Hμrtö, as-tu le tien ?

– Misère... non !

Ils revinrent sur leurs pas et fouillèrent partout, sans résultat. Le temps avançait inexorablement et Mauhna se sentait désespérée.

– Sans les médaillons, notre mission devient impossible.

– Ils ne doivent pas être loin sinon nous serions morts, déclara Hμrtö, autant pour se rassurer lui-même que pour redonner confiance à son épouse.

Le cri de Leani les fit sursauter.

– Je les vois. Là, dans les alcôves.

Hμrtö rejoignit le garçon. Les motifs gravés de l'intérieur des niches avaient dissimulé les médaillons à leur inspection fébrile. Le magicien pointa l'index pour récupérer les clés, qui volèrent librement vers lui.

– La soie de mygale fonctionne, expliqua-t-il visiblement soulagé, mes pouvoirs reviennent.

Ils ne prirent pas la peine de chercher les chaînes. Imitant sa femme, Hμrtö attacha son médaillon au lacet de cuir qui retenait les fioles de sang et d'antidote.

– Quelle bonne idée tu as eue de les rendre invisibles, fit-il observer à Mauhna. C'est tout de même un miracle qu'elles soient demeurées intactes.

Au-delà de l'arche, il n'y avait qu'un long couloir qui les conduisit hors du temple. Aucune autre pièce ne dissimulait leurs compagnons. Le cœur serré, ils coururent dans la nuit, cherchant en vain un coin de forêt où se cacher. Quand, malgré l'épaisseur des nuages noirs, ils devinèrent que le jour s'était enfin levé, ils s'arrêtèrent pour regarder le paysage désolé qui les entourait. Leani se sentait aussi vulnérable qu'un lièvre traqué par un vautour.

– Où sommes-nous ? demanda-t-il.

Plutôt que de lui répondre, Hμrtö secoua la tête.

– C'est impossible et pourtant...

Mauhna s'approcha de son époux pour se réfugier dans ses bras.

– C'est un véritable cauchemar ! souffla-t-elle, abasourdie.

À perte de vue, le vent, que rien ne retenait, soulevait des tourbillons de sable couleur de sang.

– Nous avons échoué dans un désert ! dit Leani en déglutissant péniblement.

Hμrtö resserra son étreinte sur les épaules de son épouse grelottante.

– Le désert de Görzyoppey... Et je crois que nous sommes au début de l'hiver. Les vents vont nous glacer si nous n'utilisons pas un peu de notre magie pour nous protéger.

Mauhna acquiesça. Leani se sentit soudainement enveloppé. La sensation était plutôt étrange, comme si on l'avait enfermé sous une cloche de verre qui l'isolait du froid et assourdissait le sifflement des rafales, mais le garçon avait beau tendre la main, elle ne rencontrait que le vide. Le magicien frictionna les bras de Mauhna pour l'aider à se réchauffer.

– Il y a pourtant une bonne nouvelle ! proclama le maître de magie.

Leani le regarda, l'air maussade.

– Ah oui ! Je suis curieux de savoir laquelle.

– Il est peu probable que ceux qui nous ont enlevés s'aventurent jusqu'ici pour nous chercher.

– Et pourquoi cela ? voulut savoir l'adolescent.

– Parce que nous étions les idoles des servants des dunes.

– Les servants des dunes ?

– Ils sont presque aveugles, expliqua le magicien. Ils ne sortent que très rarement des gigantesques terriers où ils vivent. S'ils doivent voyager, ils utilisent des caravanes menées par des esclaves simiens ; cela limite leur autonomie et leur célérité. Néanmoins, je préfère ne prendre aucun risque. Je n'ai nulle envie de retourner jouer les idoles dans leur temple.

D'un geste énergique, Hμrtö balaya l'espace et effaça les traces compromettantes que leurs pas avaient laissées sur la surface de sable rouge. Leani s'amusa à courir et à regarder disparaître aussitôt les marques de ses pieds. Cette légèreté ne dura pas bien longtemps ; le front plissé d'angoisse, il regarda tout à coup le maître de magie.

— Ils vivent sous terre, c'est bien cela ?

— Oui.

— Il sont peut-être là, juste sous nos pieds, chuchota le garçon en désignant le sol.

— Ça se pourrait !

L'adolescent frissonna. Il imaginait des centaines de mains griffues émergeant du sable pour leur emprisonner les chevilles et les attirer dans les profondeurs de la terre.

— Comment pouvons-nous être arrivés si loin ? demanda-t-il encore.

— Il nous a fallu beaucoup de temps, je le crains.

Mauhna pêcha son médaillon au creux de son corsage.

— Voyons où nous nous trouvons exactement.

Les magiciens placèrent leur clé l'une contre l'autre, et la lumière de leur sphinx dessina la carte mystérieuse qui devait les conduire dans la cité sacrée. Quand elle était frustrée, la magicienne claquait la langue ; ce petit bruit sec exprimait l'étendue de son dépit. La lumière disparut.

— Si notre mission avait été d'aller le plus loin possible dans cet affreux désert, eh bien, ce serait un grand succès.

Visiblement désolé, Hμrtö secoua la tête.

– Dommage que cette mauvaise fortune ne nous ait pas fortuitement rapprochés de la Cité des sphinx. Enfin, nos plaintes ne nous avanceront à rien.

– Que doit-on faire ? s'enquit Leani, peu enthousiaste.

– Pour reprendre notre mission, expliqua le maître de magie, nous devons retourner là où nous avons été capturés.

– Et les autres ? s'inquiéta Mauhna.

– Impossible de savoir où ils se trouvent pour l'instant, répondit Hµrtö. Espérons qu'ils sont toujours là-bas.

Changeant subitement d'humeur, Leani s'accrocha au bras de Mauhna.

– Je viens avec vous.

– Que veux-tu dire, Leani ?

– On va faire un petit voyage-éclair, n'est-ce pas ?

Le sourire du jeune homme disparut quand il vit s'affaisser les épaules de la magicienne.

– Pourquoi pas ? insista Leani, en dépit du mauvais pressentiment qui oppressait sa poitrine. Je sais ce que vous pensez des vertus de la marche, mais là...

– Ce n'est pas ça et tu le sais bien. Explique-lui, Hµrtö.

– Les voyages-éclairs dégagent des auras éclatantes perceptibles par les magiciens, et nous sommes dans le territoire d'Artos ; ses sens sont aux aguets.

– Nous cherchons justement à le rejoindre, alors quelle est la différence si c'est lui qui nous trouve ? argumenta le garçon.

– La différence entre vivre et mourir, répondit le maître de magie sur un ton grave. Pendant les voyages-éclairs, nos pouvoirs sont concentrés sur le transfert, ce qui nous rend totalement vulnérables. L'Autre nous capturerait avant même que nous soyons arrivés à destination. Profitant de notre faiblesse momentanée, il nous subtiliserait sans peine nos clés et nos incantations.

– Peut-être qu'il sera distrait, peut-être qu'il dormira quand nous le ferons !

– Tu veux vraiment courir ce risque ?

– Bah ! C'était juste une idée comme ça ! abandonna Leani.

Ils marchèrent un moment, puis le jeune homme sortit de son mutisme boudeur.

– Si les servants des dunes nous ont préférés à nos autres compagnons pour devenir leurs idoles, cela signifie certainement qu'ils nous croyaient plus puissants !

Cette prétention juvénile retroussa les lèvres du magicien en une moue amusée.

– Désolé de te décevoir, mais c'est plutôt l'inverse.

– Comment cela ?

– Les habitants des déserts sont méprisés par les hordes rivales ; elles ne leur laissent que ce qui est sans intérêt pour elles. Si nous avons fini dans ce temple des dunes, j'ai bien peur que cela signifie qu'il y a peu de demandes pour les vieux et les « non-adultes »... en tant qu'idoles, bien entendu.

Ils avancèrent encore un moment sans mot dire.

– Il va nous falloir combien de temps pour retourner là-bas ? bougonna Leani en enfonçant ses poings dans ses poches.

– Le même temps qu'il a fallu pour venir.

– C'est-à-dire ?

Mauhna se plaça à sa droite.

– Cela dépend de toi. Que dirais-tu de prendre un peu d'avance sur tes prochaines classes ?

– Pourquoi faire ? protesta l'adolescent, outragé. Je suis en mission, c'est bien suffisant, non ? Je devrais être dispensé...

– Avant de rechigner, reprit calmement la magicienne, écoute-moi un peu. Je vais t'enseigner l'art de la transformation ; si tu arrives à te changer en oiseau, eh bien, on gagnera beaucoup de temps.

– Mais ce cours fait partie du programme de dernière année ! dit Leani en ouvrant de grands yeux désespérés. C'est le plus difficile.

– Tu ne veux même pas essayer ?

Vaincu, le garçon hocha la tête.

– Et si je n'y arrive pas, il nous faudra marcher longtemps ? s'inquiéta-t-il.

– Pendant neuf ou dix cycles lunaires.

– Boudin de crapaud ! Ça fait presque un an.

Le jeune homme décida d'épargner ses forces et renonça à pleurer.

– XXXVI –

Pendant ce temps, au pays de Gohtes, les nuages de Korza devenaient plus denses. Les boucliers magiques de l'Île-aux-Tortues ne parvenaient plus à contrer les funestes effluves de la déesse de cristal. La nuit, les gens se terraient afin d'échapper aux bandes de brigands qui saccageaient les villes et les villages. Dépassées par cette folie collective, les forces de l'ordre abdiquaient.

Les sectes proliféraient, entraînant les citoyens dans d'abjectes débauches. On entendait même des rumeurs concernant des rites sacrificiels particulièrement sanglants. Le mal s'insinuait sournoisement dans le cœur des habitants, rongeant peu à peu la sérénité de ceux qui étaient autrefois bien rangés. Désormais, la Cité des Mirages ressemblait à un fruit grouillant de vers.

Dans cette atmosphère démentielle, Isadora exerçait sa vengeance sur les hommes. Il y en avait bien peu pour trouver grâce à ses yeux. La salle d'audiences était devenue le théâtre de drames répétés, ponctués de sentences impitoyables. Jamais les bourreaux n'avaient été aussi riches.

Pourtant, même ce jeu cruel finit par lasser la souveraine. Se souvenant de l'époque lointaine de sa vie au couvent, elle reprit sa lyre et chercha dans la musique des échos apaisants. Dès lors, elle s'enferma dans la solitude, ne tolérant plus que la présence de Nathan. Le *somahtys* ayant été conçu au moment où il grandissait dans le ventre de sa mère, le garçon avait développé une immunité contre l'aigreur d'Isadora, donnant à cette dernière l'illusion qu'elle ne pouvait pas être si mauvaise.

– J'adore mon fils et il me le rend, se défendait-elle devant sa psyché, seul témoin de ses délires.

Le prince comprenait que la violence de la reine avait atteint un tel paroxysme qu'il ne lui restait plus que deux issues : l'aliénation ou la rémission. Un jour, Nathan lui avait montré la tache en forme de cuirasse qui marquait le creux de sa main.

– J'ai libéré votre cœur de son entrave : maintenant il peut grandir.

Le garçon pensait qu'Isadora finirait par développer sa capacité d'aimer, mais nul ne pouvait prédire le temps qu'il faudrait pour que la transformation se produise. Sans savoir si cela pouvait accélérer le processus, il prit l'habitude d'accompagner la reine lorsqu'elle se réfugiait dans la salle de musique. Il jouait du luth et chantait avec celle qui faisait trembler même les plus braves. Les voix de la mère et du fils se mêlaient alors pour créer des harmonies qui détonnaient dans ce monde où il n'en existait plus guère. Le jeune homme choisissait délibérément des ballades faisant l'éloge du courage, de l'amour et de la solidarité.

Au bout d'un certain temps, le changement tant attendu survint. Il laissa la souveraine rongée de remords, car sa conscience, maintenant ouverte, lui ramenait à la mémoire chacune de ses fautes.

– Ignorez le passé, lui recommandait Nathan.

– Ce serait vraiment trop facile, mon fils. Sache que le passé ne se laisse pas si aisément oublier. Les victimes réclament toujours vengeance. J'en sais quelque chose.

– Conservez vos forces pour combattre les effets des nuages.

– Les nuages ne sont rien en comparaison de l'abominable odeur de soufre qui me suffoque. Fallait-il que je sois aveugle pour nier l'existence de ce sortilège ? Ton père m'avait pourtant mise en garde...

La pensée de Mélénor lui fit si mal que sa vue se brouilla de larmes.

– Tu sais, avoua-t-elle en fuyant les yeux compatissants de son enfant, c'est pire dans la salle d'audiences, quand je me trouve devant le peuple qui attend de moi la justice. Dommage que tu n'aies que quinze ans.

Plus personne ne se souciait de vérifier l'âge véritable de l'héritier, né onze ans plus tôt.

– J'aurais dû te laisser grandir encore plus vite. Tu pourrais me remplacer avant que...

Elle s'abîma dans un douloureux silence avant de reprendre :

– Non ! Il est trop tard. J'ai déjà commis l'irréparable...

Elle revit le corps désarticulé de Sarah, la détresse de Collin, le poignet mutilé de Thelma. Elle repensa aux châtiments qu'elle avait espéré infliger à Mélénor, à son désir de le voir banni et humilié.

– Et, contre cet envoûtement, je suis impuissante.

En dépit de sa nature optimiste, même Nathan devait reconnaître que rien ne pouvait soustraire sa mère aux effets du *somahtys* ni aux tourments de sa conscience retrouvée.

– XXXVII –

Avant de sortir, Volda fit sa tournée habituelle. À l'étage, dans l'ancienne chambre d'Isadora, tout était immaculé. Volda enlevait la poussière régulièrement et replaçait les poupées comme si sa petite allait bientôt rentrer de l'école. Elle passa ensuite par les autres chambres puis par la cuisine, qui brillait toujours ; c'était sa plus grande fierté. Elle finit dans le petit salon, où elle s'attarda à contempler les pipes de son frère décédé. Même l'odeur du tabac qu'elle avait tant détestée avait déserté la maison. Devant la porte close, la vieille demoiselle jeta un coup d'œil satisfait au potager. Elle l'avait entretenu sans aide, malgré ses mauvaises jambes, et maintenant les conserves s'alignaient dans le garde-manger, bien identifiées mais beaucoup moins nombreuses que par le passé, à cause de l'absence de soleil. Volda ne prit pas la peine de verrouiller la porte de la maison.

Elle plaça son panier au creux de son coude et s'en alla distribuer ses remèdes. Elle avait des tisanes pour les fièvres, des onguents contre les furoncles et des potions toniques pour les hommes impuissants. En dépit de la morosité générale, on était curieux de la voir si bien mise et, partout où elle allait, on la questionnait.

– Avez-vous un cavalier, mademoiselle de Teut ? Je ne vous ai jamais vue si pimpante. D'où vous vient ce beau manteau ?

Volda souriait à chacun sans répondre. Le manteau était un cadeau de Mélénor. Il le lui avait rapporté d'un voyage au Môjar, mais jamais Volda n'avait osé le porter. « C'est beaucoup trop beau pour moi, mon prince. » Elle l'avait gardé cependant ; elle n'aurait pas voulu offenser le roi.

Le vent était froid en cette période des lunes des givres, mais le manteau la gardait bien au chaud. « Après tout, j'ai peut-être eu tort de me priver de le porter. » Elle descendit lentement les rues peu encombrées de la cité. Lorsqu'elle aperçut les tavernes du port, elle fit un détour, car les propos souvent obscènes des marins ivres la mettaient mal à l'aise. Tout en avançant à petits pas douloureux, elle énonçait chacune de ses défaites.

– J'ai causé la mort de la belle duchesse Leila. Par ma faute, Thelma a été chassée comme une vulgaire servante. Mon frère a renoncé à se marier pour ne pas me laisser seule et, pire que tout, j'ai gâché l'enfant chérie de ma sœur ; j'en ai fait une femme vicieuse et méchante.

La vieille dame secoua la tête. Des flocons duveteux et lourds se détachèrent de son bonnet. Ils commençaient tout juste à tomber. « La première neige... C'est un peu tôt, il me semble. »

Ses pas l'avaient conduite au bout d'un débarcadère. Elle fixa un moment les vagues grises qui battaient contre le bois pourrissant du quai.

– Je suis désolée, Thelma, mais je n'ai plus la force. J'aurais dû comprendre depuis longtemps qu'il est vain et vaniteux de vouloir sauver ceux que l'on aime. Isadora trouvera la paix par elle-même ou bien elle ne la trouvera jamais. Pour moi, il n'y a plus d'espérance.

Volda fit un dernier pas, et son corps coula comme une pierre dans les flots amers. Des marins ivres passaient par là. Soudainement dégrisés, ils repêchèrent le corps de la vieille demoiselle qui les aurait fait se moquer quelques instants plus tôt. Leurs efforts ne servirent à rien. Volda était partie visiter le néant auquel son père l'avait condamnée le jour où il l'avait traitée de catin. « Les filles qui se fardent ne traversent jamais le fleuve des élus. Pour avoir ainsi déshonoré leur père et tous les descendants mâles de leur famille, elles s'abîment dans un monde de châtiments éternels et leurs yeux sont à jamais privés de lumière. » Convaincue d'avoir mérité ces tourments, la tante d'Isadora avait renoncé au bonheur en punition de ses fautes et elle s'était préparée à son inexorable destin. Elle venait donc de quitter le monde des vivants pour un au-delà qu'elle croyait tout aussi dépourvu d'indulgence.

– XXXVIII –

La caravane se perdait dans le flot des étals de la place du marché de Celtoria. Les affaires étaient florissantes et Swali savourait sa victoire ; déjouant les sombres prédictions de son mari, les trousseaux qu'elle avait brodés avec Amleht s'étaient vendus en un seul jour. Les nouvelles commandes ne cessaient d'affluer, si bien que Fazer n'avait pas beaucoup de répit. Il leva pourtant le nez de ses livres de comptes quand Amleht s'éloigna en coup de vent, suivie par Damyen, qui affichait un air des plus malheureux.

– Attends-moi, Amleht ! Tu ne peux pas me faire cela !

Thelma s'arrêta au détour d'une ruelle ; elle ne voulait pas que les parents de Damyen soient témoins de leur dispute. En attendant que son ami la rejoigne, la princesse leva la tête vers le palais des souverains de la Nouvelle-Bortka ; rigide et froid, il surplombait la foire marchande. Pour la jeune femme, cette masse de pierre grise semblait aussi oppressante que menaçante.

– Il n'est pas question que tu viennes avec moi, déclarat-elle en réponse à une requête que Damyen n'avait pas encore formulée.

Buté, le fils de Fazer la toisa.

– Dans ce cas, explique-moi pourquoi, lança-t-il en croisant ses bras sur sa poitrine. Je ne comprends pas ce qui t'empêche de m'emmener rencontrer ton père.

– C'est trop compliqué.

– Tu as honte de moi ! Si c'est cela, dis-le tout de suite.

– Comment peux-tu dire une chose pareille ? objecta tendrement la princesse. Tu es le plus gentil garçon que j'aie jamais connu.

– Alors pourquoi ?

– Tu ne peux pas venir, voilà tout ! trancha Thelma en s'éloignant.

– Quelle tête de mule !

– Tu ne gagneras rien à m'insulter.

Damyen la rattrapa par la main. Il regretta aussitôt son geste.

– Excuse-moi ! Est-ce que je t'ai fait mal ?

– Non !

– Elle est toute gelée ! dit le jeune homme en caressant les doigts de son amie.

Un peu plus tôt, il avait replacé l'attelle maintenant le poignet mutilé de Thelma. Le jeune homme croyait que son amie était née avec cette infirmité ; ce n'était là qu'un des nombreux mensonges qu'elle lui avait racontés.

– Tu ne m'as rien dit de lui, reprit Damyen, espérant encore la faire céder.

– Je t'ai dit tout ce qu'il y a à savoir, soupira Thelma. Mon père était écuyer à Döv Marez, il a quitté ma mère et maintenant il vit ici.

– Ah ! Je crois que je comprends maintenant : tu as honte de lui ! Amleht, je te le jure, même si ton père est le pire roturier de tout le continent, cela ne change rien pour moi. Je t'aime.

Thelma eut un rire sans joie. « Elle est bien bonne ! Mon père... un roturier ! » Elle regarda encore une fois les tours du palais et frissonna.

– Tu ne sais rien de moi, Damyen.

– Ce n'est certes pas par manque d'intérêt, mais tu n'arrêtes pas de faire des mystères.

– C'est beaucoup mieux ainsi, crois-moi.

– Eh bien, va-t'en alors !

Il lui tourna le dos et se mit à courir à travers les étals encombrés. « J'ai tellement espéré ce jour... Je voulais lui demander ta main. Espèce de tête de mule... Que tes cauchemars t'emportent ! » Quand Fazer vit revenir son fils, il tapota le bras de son épouse pour la tirer de sa rêverie.

– On dirait bien que nos tourtereaux se sont disputés.

– Ne t'en fais pas, lui répondit Swali, tous les amoureux ont, un jour ou l'autre, leur première querelle.

– C'est bien dommage !

– Ne dis pas cela. Regarde-nous, on se dispute tout le temps, mais on s'aime quand même.

– Ce n'est pas la même chose, rétorqua le marchand en se grattant le menton. Cette fille est différente... Je ne sais pas trop comment expliquer ce que je sens... Et ne va pas croire que je ne l'aime pas...

– Je sais, j'ai le même sentiment.

– C'est bien la première fois qu'on tombe d'accord aussi vite, ricana Fazer en pêchant sa pipe dans le fond de sa poche.

La commerçante quitta son tabouret pour aller au-devant de son fils éploré. Elle lui tendit les bras. Blessé dans sa fierté, le jeune homme hésita avant d'accepter la consolation et le conseil qui vint avec.

✧

Cherchant à contenir les battements saccadés de son cœur, Thelma referma son manteau trop léger pour la saison. Toute sa vie, elle avait vécu dans un palais sans voir à quel point ces immenses bâtiments de pierre étaient froids et impressionnants. « C'est pire quand personne ne vous y attend. » Devant la grande porte, la princesse de Gohtes se sentait insignifiante, cependant elle s'arma de courage. Elle gravit les marches derrière un noble à l'allure affairée. Les gardes laissèrent passer le gentilhomme, mais ils interceptèrent la jeune fille.

– Où croyez-vous aller comme cela ?

– Je désire parler au roi, déclara simplement Thelma en espérant que sa voix ne trahirait pas son angoisse.

– Voyez-vous cela ? se moqua le plus grand des deux gardes.

Thelma ne se laissa pas démonter par l'arrogance du militaire.

– Indiquez-moi où se trouve la salle des audiences.

– C'est par là, mais vous n'y trouverez pas le roi !

– Et pourquoi donc ? Il ne préside pas à cette heure ? demanda la princesse soudainement décontenancée.

– On se demande d'où vous sortez, ma p'tite demoiselle, fit le grand soldat en la toisant comme si elle n'était qu'un monstre de foire. Le roi n'assiste jamais aux audiences publiques. Si vous désirez voir la reine, continuez, c'est juste devant vous.

Thelma respira profondément, feignant un calme qu'elle était loin d'avoir retrouvé.

– Il me semble pourtant avoir été claire : je dois parler au roi.

Les gardes se mirent à rire.

– Oh ! Il fallait le dire, madame. Et qui doit-on annoncer ?

– Je suis sa fille, Thelma de Gohtes !

Le rire des militaires redoubla.

– Prenez un siège pendant que nous le prévenons, princesse !

Le sang monta aussitôt au visage de Thelma. Les souvenirs douloureux des moqueries des enfants de son école lui revinrent en mémoire ; eux aussi l'avaient humiliée. Malgré la honte qu'elle éprouvait, elle marcha dignement vers un large banc de bois et attendit. « Ils vont bien finir par se décider. » Elle vit un des gardes se diriger vers un poste où se trouvaient une bonne dizaine d'officiers. Pendant un moment, elle eut le vague espoir que l'un d'eux serait chargé d'aller prévenir son père. Quand les hommes se mirent à rire en la pointant du doigt, elle ne parvint plus à garder la tête haute. Ses yeux se posèrent sur le tissu usé de sa robe et sur ses sabots qui, à eux seuls, détruisaient toute prétention d'élégance.

– Vous n'avez rien d'autre à faire, fainéants ! s'éleva une voix courroucée.

Les rires cessèrent aussitôt. Thelma se releva d'un bon. « Je connais cette voix. » Du regard, elle chercha la silhouette fragile du vieil homme.

– Milirin ? appela-t-elle en réveillant les échos des hautes voûtes du plafond.

Le chancelier se retourna pendant que les officiers s'éclipsaient, heureux de cette distraction qui allait peut-être leur éviter une sanction. Les yeux de Thelma s'emplirent de larmes devant le sourire accueillant du chancelier. Il trottina immédiatement vers elle.

– Mademoiselle Thelma ! Quelle belle surprise ! Mais que faites-vous là ?

– Je suis si heureuse de vous voir, seigneur chancelier.

Devant le regard ébahi des gardiens, le vieil homme s'inclina bien bas malgré son dos raidi par l'âge.

– Princesse !

Quand il se releva toutefois, Thelma crut voir de l'appréhension se dessiner sur le visage ridé.

– Pouvez-vous me conduire dans les appartements du roi ? demanda-t-elle, gagnée par un mauvais pressentiment.

Le chancelier n'hésita qu'un seul instant, mais cela suffit à accroître l'angoisse sourde qui la taraudait. Visiblement embarrassé, Milirin lui désigna le banc.

– Les coutumes sont différentes ici. Attendez-moi, princesse, je reviens immédiatement.

Thelma acquiesça tout en sachant que Milirin lui avait menti. « Les coutumes n'ont rien à y voir. » Néanmoins, elle reprit sa place en tâchant d'ignorer dédaigneusement les gardes et elle se concentra sur son maintien. « Tiens-toi droite et, surtout, ne baisse jamais plus la tête. »

✧

Milirin frappa et entra sans attendre. Sur la table, deux bouteilles vides menaçaient de rouler par terre. Une troisième, à peine entamée, glissait dangereusement dans les mains tremblantes de Mélénor. Le chancelier la saisit et versa l'eau-de-vie pendant que le roi tournait vers lui ses yeux rougis par l'insomnie.

– Mon bon Milirin... À ta santé ! lança Mélénor en récupérant son verre.

– Mon roi, je suis désolé de vous déranger... Comment dire ? Je suis un peu embarrassé...

Mélénor se redressa dans son fauteuil, une lueur amusée dans le regard.

– Depuis toutes ces années que je te connais, Milirin, je ne crois pas t'avoir jamais entendu dire cela. Qu'y a-t-il donc pour t'émouvoir ainsi ?

– Votre fille, mademoiselle Thelma, est ici et elle vous réclame, Votre Altesse.

La nouvelle eut l'effet d'un coup de fouet sur Mélénor. Il se leva d'un bond, vacilla un peu, mais se ressaisit aussitôt.

– Où l'as-tu laissée ? s'inquiéta-t-il.

– Elle voulait monter à vos appartements. J'ai cru que vous préféreriez un autre endroit.

– Tu as bien fait.

– Je peux la conduire dans votre cabinet, proposa le chancelier.

– Non, pas le cabinet ; il est juste à côté de la salle d'audiences, et je ne veux pas que Sabbee...

– Je comprends, répondit le vieil homme d'un ton neutre.

Mélénor crut pourtant déceler la marque d'une légère désapprobation sur le visage immobile de Milirin.

– Enfin, pas maintenant ! se défendit le roi.

– La bibliothèque alors ?

– Ce sera parfait. Je la rejoindrai dans...

Le roi fit un pas vers sa psyché ; ses cheveux rebiquaient dans tous les sens, ses joues disparaissaient sous une barbe de plusieurs jours et ses vêtements étaient si froissés qu'on pouvait facilement deviner qu'il avait tenté de dormir dedans. Dans cet état, et bien qu'il fût un elfe-sphinx, il paraissait ses quarante-six ans.

– Dès que je serai présentable.

– Très bien, Votre Altesse.

Le chancelier quitta la pièce, mais Mélénor n'alla pas immédiatement aux bains. Il sortit sur le balcon et offrit son visage au vent froid et cinglant. Malgré les rafales qui annonçaient l'hiver, les nuages noirs restaient immobiles dans le ciel, pesant de tout leur funeste poids sur l'âme des hommes. Le roi brandit son poing et mêla sa voix à la tourmente. S'adressant tout à la fois à Verlon, à Artos et au terrible *somahtys* qui le dévastait, il hurla :

– Vous ne m'aurez pas ! Je suis plus fort que vous.

Le roi proclamait sa puissance et revendiquait le droit de se battre pour le salut de son peuple. L'homme, lui, ne pouvait que constater sa défaite solitaire.

✧

Mélénor pénétra dans la bibliothèque et referma les portes derrière lui. Il avait son habituelle allure altière, pourtant Thelma lui trouva les traits tirés et le teint cendreux. Dans ses yeux rougis, la flamme de sa fierté dévorante s'était éteinte. La princesse déposa le livre qu'elle feuilletait ; elle aurait aimé s'élancer dans les bras de son père, mais le regard distant de Mélénor la retint plus sûrement que ne l'aurait fait une dizaine de gardes armés. Incommodée par le silence qui se prolongeait, Thelma désigna les murs couverts de livres.

– J'adore cet endroit ; vous devez y passer beaucoup de temps.

Thelma rêvait d'un bon feu crépitant pour elle et pour le roi, leur lecture parfois entrecoupée de discussions passionnantes. « Seulement cela... Quelques moments avec vous... Je ne demande rien de plus. » La voix du souverain lui parut étrangement lasse.

– Je suis très étonné de te trouver ici. Pourquoi es-tu venue ?

Thelma comprit immédiatement que son père craignait de céder aux implusions brutales de l'envoûtement. Ses espoirs fondirent d'un seul coup.

– Je suis là pour vous demander asile, répondit-elle tout de même.

– Je ne comprends pas, Thelma. J'ai pourtant toujours été clair avec toi : ta place ne peut pas être ici.

– Ma mère m'a répudiée ; elle dit que je l'ai trahie en vous aidant à vous enfuir avec le trésor royal.

– C'est insensé...

– Vous savez comment elle est, l'interrompit Thelma en comprenant qu'elle devait vite le convaincre. Quand elle a vu le ruban, elle a su que je vous avais croisé ce jour-là, alors elle en a déduit que j'étais votre complice.

Mélénor porta la main à son ventre et ferma douloureusement les yeux.

– Vous avez mal ? s'alarma Thelma en s'approchant de son père.

– Sortons ! J'ai besoin d'air, se reprit le roi en repoussant le geste de compassion de sa fille.

Si Thelma n'avait pas été si anxieuse, elle aurait été émerveillée par le paysage ; ils descendirent un vaste escalier et traversèrent un petit parc délimité par un muret de pierres plates. Au-delà du muret, la mer s'étalait, grise et houleuse. Mélénor s'arrêta et resta là, à contempler les vagues rugissantes. Quelques marches à peine les séparaient de l'étendue de sable blond. La gorge serrée, Thelma était incapable de parler.

– Tu ne peux pas rester ici, dit Mélénor en secouant la tête. Je suis désolé.

– Est-ce à cause de la reine Sabbee ? Laissez-moi une chance de...

– Inutile d'insister, Thelma.

– Je n'ai nulle part où aller, je ne possède rien ! s'affola-t-elle.

– Tu es une princesse de Gohtes, tu te débrouilleras très bien, déclara le roi, gardant résolument les yeux sur les mouvements incessants de la mer.

La jeune fille chercha le ruban sous le repli du bandage que Damyen avait refait le matin même ; la caresse du doux tissage estompa son chagrin. Il lui semblait parfois que c'était une autre qui vivait toutes ces déceptions.

– Puis-je voir Noa avant de partir ? finit-elle par demander d'une voix posée.

Mélénor la regarda enfin ; le visage clair de sa fille baignait dans une lumière rouge. Dans son esprit possédé, des images de violence se superposaient, l'incitant à fermer les poings.

– Non !

À son tour, Thelma se concentra sur le paysage ; pendant un moment, ses yeux suivirent le vol des goélands.

– Pourquoi ?

– Parce que ta sœur n'est plus ici.

– Vous l'avez chassée ? Elle aussi était de trop ?

– Ne dis pas de sottises, lâcha brusquement Mélénor.

– C'est vrai, quelle sotte je fais ; il n'y a que moi qui suis toujours de trop.

– Noa a une nature indomptable, voulut expliquer Mélénor, conscient de la vacuité de ses excuses.

La jeune fille voulait partir, mettre des lieues entre elle et cet endroit, mais elle ne voulait pas repasser par le palais, revoir la belle bibliothèque où elle s'était agréablement réchauffée en se berçant d'illusions. Elle descendit une marche vers la plage ; le vent glacial plaquait son manteau contre ses membres transis. Mélénor descendit avec elle.

– Attends !

— ...

— Le ruban ?

— Oui ?

— L'as-tu toujours ? demanda Mélénor.

Thelma désigna son poignet et libéra le ruban du bandage. Les bouts de tissu argenté dessinèrent des mouvements gracieux dans la tourmente. Mélénor saisit le coude de sa fille.

— Qu'as-tu à la main ?

Quand la jeune fille défit le bandage, le sachet de cheveux tomba sur le marbre de l'escalier. Thelma le ramassa.

— Un souvenir de ma mère, expliqua-t-elle en enfouissant le paquet de soie rouge dans une poche de sa robe.

Dans le gouffre de Korza, le souffle de la déesse du mal devint plus lent.

L'horreur se peignit sur le visage du roi quand il découvrit le poignet mutilé.

— C'est affreux ! Thelma... je suis désolé...

— Vous l'avez déjà dit, répondit la princesse sans complaisance.

— Tu dois comprendre la raison de mon refus. Ce sont les circonstances : la guerre, les nuages de Korza, le sortilège...

– Mon ruban m'aide à supporter mes déceptions. En voilà une de plus, c'est tout !

– Cela fonctionne vraiment ?

– Quoi donc ?

– Le ruban !

La fille de Mélénor haussa les épaules et descendit une autre marche. Quand Mélénor parla, Thelma ne fut même pas surprise de sa requête.

– Accepterais-tu de me le rendre ?

– Il est à vous si vous parvenez à le détacher.

La pierre maléfique cessa d'enflammer la sphère translucide.

Le roi saisit la main de sa fille avec une infinie douceur.

– Je ne veux pas te faire de mal... seulement reprendre le ruban. Pour Sabbee. Elle souffre tellement depuis qu'elle a perdu notre enfant. Et puis, il y a ma maladie... Je ne peux plus...

– De grâce, taisez-vous et reprenez votre ruban.

Comme Thelma s'y attendait, le nœud résista aux efforts malhabiles de Mélénor.

– Sais-tu qu'il existe des sphinx parasites ? demanda la roi en continuant de se battre avec le tissu récalcitrant.

– Oui. Pourquoi me demandez-vous cela ?

Le roi lâcha le ruban pour toucher son ventre.

– J'en ai un, juste là !

– Vous avez perdu votre harmonie ?

Mélénor acquiesça. Thelma se retint de répondre « Je suis désolée », c'était vraiment trop facile. Elle détourna le regard pendant que son père s'attaquait de nouveau au ruban.

La boule de verre tomba dans le vide en même temps que la boîte de métal, l'urne de marbre et le bloc de glace noire. Quand les quatre récipients ensorcelés, atteignirent le fond du volcan, la sphère translucide éclata, livrant au feu de la lave la lettre d'Isadora et la feuille de chêne de Mélénor. En quelques secondes, il ne resta plus rien des objets qui avaient alimenté le *somahtys*.

Le hurlement de Mélénor domina le tumulte de la mer. Juste sous sa taille, un cercle de feu consumait sa tunique. Désemparés, le père et la fille virent la tête du dragon se dégager brusquement des vêtements en flamme. Sur le point de s'évanouir, le roi s'agrippa au bras de sa fille, qui comprit trop tard ce qui attirait le monstre hors de son abri de chair. Les yeux verts de la bête bougèrent à peine quand sa gueule noire se referma sur la main tendue de la jeune femme. Une odeur irrésistible de proie blessée avait guidé le dragon vers ce morceau de choix. D'un seul coup de dents, le poignet si fragile fut sectionné. Thelma hurla. Le feu s'éteignit et la bête disparut en emportant son sinistre repas dans le ventre de son hôte. Déjà vaincue par la douleur, Thelma sentit le poids de tout son désespoir s'abattre sur son âme ; libéré de façon inattendue, le ruban avait glissé et pendait maintenant dans le poing de Mélénor. Quand la blessure de la jeune femme se referma en un abominable moignon couvert de cicatrices semblables aux dents acérées de la bête, le roi s'écroula sur les marches de l'escalier. La jeune fille s'enfuit.

– Thelma... !

La princesse ne se retourna pas. Secouée de sanglots, les yeux brouillés de larmes, elle s'éloigna en courant sur la plage qu'elle distinguait à peine. Le corps et l'âme meurtris, son père brandissait vainement le ruban. Il tenta de se relever, mais ses jambes refusèrent de le porter. Affranchi du *somahtys*, il criait :

– Pardonne-moi, Thelma ! Thelma, pardonne-moi !

Sa compassion retrouvée se manifestait trop tard. Dans son délire, Mélénor crut voir le ruban scintiller sur le fond noir des nuages qui le narguaient.

– XXXIX –

Assise sur le trône inconfortable, Isadora se tenait seule dans l'immense salle froide, que tout le monde avait fuie dès la fin des audiences.

Dans le gouffre de Korza, le souffle de la déesse du mal devint plus lent.

La reine renversa la tête et des larmes roulèrent sur ses joues.

La pierre maléfique cessa d'enflammer la sphère translucide.

Depuis la mort de Volda, la souveraine prenait cruellement conscience de la profondeur de sa solitude.

La boule de verre tomba dans le vide en même temps que la boîte de métal, l'urne de marbre et le bloc de glace noire. Quand les quatre récipients ensorcelés atteignirent le fond du volcan, la sphère translucide éclata, livrant au feu de la lave la lettre d'Isadora et la feuille de chêne de Mélénor. En quelques secondes, il ne resta plus rien des objets qui avaient alimenté le *somahtys*.

La reine resta ainsi prostrée pendant un long moment, puis elle se résigna à se lever pour se rendre dans ses appartements tout aussi déserts. Une surprise l'y attendait pourtant.

– Janne ? Qu'y a-t-il ?

En dépit de sa corpulence, la marquise Vor Listel fit une révérence presque gracieuse.

– Ne vous alarmez pas, ma reine. Je suis simplement venue vous rendre visite et vous présenter mes condoléances pour le décès de votre tante.

Isadora dévisagea la marquise, convaincue qu'elle trouverait sur le visage rond et gras de son ancienne dame de compagnie une intense satisfaction de la voir souffrir. Elle eut beau fouiller les yeux clairs de Janne, elle n'y découvrit qu'une franche expression d'affliction. La reine détourna le regard. À cet instant seulement, elle nota que l'odeur de soufre avait complètement disparu. Aucun voile rouge ne troublait sa vue. Elle inspira profondément.

– Pouvez-vous rester un moment ? demanda-t-elle, prête à essuyer un refus.

– Mais bien sûr ! s'enthousiasma la marquise.

Les deux femmes s'installèrent dans le boudoir, et Isadora commanda du vin.

– Voulez-vous manger quelque chose, madame ?

– Ma reine, vous me connaissez : j'ai toujours faim !

Janne gloussa, ce qui provoqua le tremblement de tous ses mentons. Son corps informe débordait du fauteuil, qui grinçait dangereusement, éprouvé par le poids de ses énormes fesses. La marquise avait vieilli, son teint était gris tout comme ses cheveux, mais aucune ride ne marquait son visage bouffi. Isadora se dit qu'il était impossible de trouver deux femmes aussi dissemblables qu'elles, pourtant, pour la première fois, cette constatation ne l'irritait pas.

– Vous avez une mine splendide, Votre Altesse ! déclara Janne en croisant ses mains sur le renflement de son ventre.

– Et pourtant, même si rien n'y paraît, je souffre, madame !

Isadora se tut le temps de verser le vin.

– Pourquoi êtes-vous si gentille avec moi ? demanda-t-elle à sa visiteuse.

L'attitude conciliante de la marquise la rendait perplexe.

– Je vous ai toujours admirée, vous savez...

– Janne, l'interrompit la souveraine, cessez de jouer ce rôle stupide : je sais très bien que vous n'êtes pas du tout l'idiote que vous feignez d'être.

La marquise parut d'abord surprise, puis elle se mit à rire.

– Depuis quand savez-vous cela ?

– Depuis que j'ai découvert vos astucieuses manigances pour éviter la révolte de mes dames de compagnie ; elles avaient toutes tellement de respect pour vous qu'elles ont accepté de rester auprès de moi seulement pour vous plaire... À vous, pas à moi.

– J'ai fait ce que j'ai pu.

– Pourtant, mes humeurs ont fini par avoir raison de votre dévouement et vous êtes partie. Les autres ont immédiatement fui, car sans votre protection...

– Il n'y avait rien pour vous satisfaire.

– Je sais, reconnut Isadora en soupirant. Évidemment, il est inutile de dire que je regrette.

Janne dévisagea la reine, l'air soudain fort intrigué.

– Vous n'êtes plus la même, affirma-t-elle sans hésitation. Je le sens ici.

Disant cela, elle posa sa main potelée sur sa plantureuse poitrine. Tout à coup, la reine grimaça de douleur.

– Qu'avez-vous, ma reine ?

Isadora hésita un moment puis elle se résigna à lui révéler son secret.

– Avant de mourir, expliqua-t-elle, Volda m'a confectionné une potion qui me permet de conserver cette apparence de jeunesse. Je crois qu'elle a un peu forcé la dose, car la peau me brûle sans cesse. Au début, c'était léger et passager, maintenant je souffre comme si j'étais assise sur un bûcher.

– Quelle horreur ! Que pouvez-vous faire ?

– Il faudrait que j'aille dans la maison de ma tante. Il y a là-bas des livres et des herbes ; je crois bien que je pourrais préparer une tisane contre cette douleur, mais je me sens incapable de faire cela... Je veux dire de retourner chez elle. Je ne sais pas si vous comprenez ; elle a mis fin à ses jours, et j'ai peur que...

– Vous avez peur d'être submergée par sa détresse, compléta Janne.

La marquise se leva lourdement.

– Je vais vous accompagner.

– Vous feriez cela pour moi ?

– Pourquoi pas ?

– Parce que j'ai toujours été ignoble... Vous devriez me détester.

– Personnellement, je n'ai aucune raison de vous haïr. Vous avez été bien plus dure avec vos proches qu'avec moi.

– Probablement, mais je suppose que, pour eux aussi, mes regrets se manifestent trop tard.

✧

Les deux femmes entrèrent dans la sombre maisonnette. Malgré l'obscurité, Isadora trouva aisément une lampe et ce qu'il fallait pour l'allumer, car dans la demeure des Teut, chaque objet avait sa place depuis toujours. Janne fut soulagée de constater que rien ne trahissait le désespoir qui avait conduit Volda à une si triste fin.

Isadora savait que sa tante préparait ses remèdes dans un atelier derrière la cuisine. Plutôt que de s'y rendre, elle se sentit attirée par le grenier.

– Je ne suis pas venue ici depuis le jour de mes fiançailles.

Janne grimpa péniblement derrière la reine. Quand elle vit l'alignement des poupées, la marquise frissonna ; il y en avait une bonne douzaine, assises les unes contre les autres sur une étagère dominant la couchette étroite. Dans la lumière vacillante de la lampe, tous ces yeux figés semblaient la regarder d'un air menaçant.

– Pourquoi sont-elles alignées ainsi ? demanda la marquise.

– Volda insistait pour que je les range de cette façon. Pourquoi ? Je ne l'ai jamais su. Ma tante s'attachait à des détails souvent insignifiants, mais je me conformais à ses volontés.

La reine déposa la lampe et saisit une poupée de chiffon.

– Elle, c'est Dora, dit-elle en la tendant à Janne.

Dans le visage de jute, deux boutons noirs représentaient les yeux. Le sourire de fil rouge luisait comme une tache de sang. Isadora toucha les cheveux de corde qui se hérissaient sur la tête de Dora.

– Elle était très méchante, elle mentait et elle volait parce qu'elle était envieuse et égoïste. Un jour, elle a même tué Dizzi.

La reine désigna une poupée de porcelaine qui aurait été magnifique si ses yeux de verre n'avaient pas si bizarrement louché. Isadora la retourna, et la marquise vit que le crâne de la poupée avait été fracassé par derrière. Dizzi retrouva sa place auprès d'une demoiselle blonde vêtue avec beaucoup de soin. Isadora la souleva délicatement.

– Et voici Yza. C'était ma préférée. Tout le monde aimait Yza. Elle était douce et généreuse, tout en étant ferme et juste. La vieille Cora la trouvait un peu trop vive et espiègle à son goût, mais elle a tout de même fini par l'aimer.

– Je comprends pourquoi elle était votre préférée. Comment s'entendait-elle avec Dora ?

– Yza essayait de la raisonner et de l'apaiser, ce qui n'était pas une mince tâche, raconta la reine, happée par tous ses souvenirs. Les sautes d'humeur de Dora étaient fréquentes, mais Yza lui pardonnait ses colères et elle la défendait toujours, comme toutes les autres.

– Vous voulez dire « contre toutes les autres » ?

Isadora cessa de jouer avec les rubans de soie qui ornaient la robe de la poupée blonde.

– J'ignore ce qui me pousse à vous raconter toutes ces sottises, s'excusa la reine, les yeux brillant d'une lueur insolite.

– C'est pourtant évident.

La marquise plaça la poupée de chiffon dans la main libre de la souveraine.

– Yza et Dora. Les enfants sont bien plus malins qu'on ne le croit.

– ...

– Vous pouvez choisir maintenant, poursuivit Janne. Vous n'êtes plus une enfant terrorisée. Laquelle des deux voulez-vous être ? Laquelle ressemble à la petite fille que vous étiez vraiment ?

Isadora s'assit sur l'étroit lit de fer. Elle contemplait les deux poupées comme un augure qui interroge les entrailles d'une colombe sacrifiée.

– J'aimais Yza, déclara-t-elle d'une voix douce. J'ai projeté en elle tout ce que je ne pouvais pas être dans cette maison.

– Vive et espiègle.

– Un peu frondeuse même !

– Et dans Dora, enchaîna Janne, vous avez concentré votre révolte contre la violence faite à votre nature.

Isadora demeura songeuse pendant un moment.

– Yza expliquait la méchanceté de Dora par le fait qu'elle n'avait jamais connu ses parents. Savez-vous que j'ai passé ma vie entière à penser qu'eux, mes parents, m'auraient aimée telle que j'étais ? Ce n'est peut-être qu'une autre illusion.

– Personne ne peut le dire, mais c'est une terrible souffrance de renoncer à soi et de sentir qu'on n'a pas sa place parmi les siens. Pas étonnant que vous ayez éprouvé le besoin d'inventer l'insensible Dora.

La reine se releva enfin. Elle coucha les deux poupées côte à côte sur les draps impeccablement repassés. Après les avoir bordées, elle se retourna vers Janne et lui sourit malgré ses larmes.

– Volda ne m'a jamais permis de les prendre avec moi dans mon lit. Elles m'auraient pourtant réconfortée. Désormais, elles se consoleront l'une l'autre.

Elles descendirent en silence. Voyant qu'Isadora se dirigeait vers la sortie, Janne crut bon de la retenir.

– Vous oubliez la tisane.

– Je n'oublie rien, Janne. J'ai trouvé bien plus important. J'ai trouvé ce que j'ignorais avoir perdu.

– Mais votre douleur ? s'inquiéta la marquise.

– Elle passera puisque je n'ai plus l'intention de boire cette potion.

– Vous allez vieillir alors.

– Cela ne peut pas me faire de tort. Et puis, en vieillissant, si je deviens aussi sage et compatissante que vous l'êtes, alors ma vie n'aura pas été vaine.

Isadora referma la porte de la maison de Volda, convaincue que plus jamais elle n'y reviendrait. Elle saisit la marquise par le bras.

– Tout à l'heure, vous n'avez pas vraiment répondu à ma question : pourquoi êtes-vous si gentille avec moi ?

– Je dois vous avouer que j'ai un vilain défaut : j'ai toujours peur de m'ennuyer. Avec une femme comme vous, cela ne risque pas de m'arriver.

Isadora se contenta de sourire. Encouragée par l'attitude conciliante de la reine, Janne décida de pousser l'audace un peu plus loin.

– Vous avez dit que j'étais sage. J'ignore si c'est vrai, mais je ne l'ai pas toujours été. Un jour, la princesse Thelma m'a donné une leçon que je ne suis pas près d'oublier.

Le regard de la reine se brouilla de nouveau.

– Parlez-moi de ma fille.

La marquise revint à cette lointaine soirée où Isadora avait puni Thelma en la privant de dîner.

– Cette fois-là, contre votre volonté, je lui ai apporté un goûter.

La reine rougit.

– Elle a mangé ? voulut-elle savoir.

– Un peu, mais quand je lui ai annoncé que vous désiriez la voir, on aurait dit que votre fille venait d'avaler une salamandre.

Peinée, la reine secoua la tête.

– Pauvre petite...

– Ne dites pas cela, protesta la grosse femme. Cette enfant a une âme qui ne sera jamais pauvre ni petite. Vous auriez été fière de l'entendre me gronder avec autant d'autorité... Une fillette en chemise de nuit capable d'affronter une grosse femme comme moi et de lui faire la leçon.

– La leçon ?

Janne acquiesça.

– Elle avait à peine huit ans et pourtant elle m'a rappelée à l'ordre en me disant : « La reine mérite votre parfaite loyauté, alors ne faites plus jamais cela. »

– Elle a dit cela ?

– Savez-vous seulement comment votre fille vous aimait ? insista la marquise.

– Elle ne vous a pas trahie, répliqua la reine.

– Je sais. Elle avait aussi beaucoup de courage. Il fallait pourtant que je vous dise tout cela pour que vous compreniez que je ne suis pas un modèle de sagesse, loin de là. Ne cherchez jamais à ressembler à quelqu'un d'autre, suivez votre voie.

Quand vint le temps de remonter dans le carrosse, la reine montra le ciel.

– Malgré les nuages qui nous empoisonnent, malgré la guerre qui gronde, croyez-vous qu'il y a encore de l'espoir pour les hommes ?

– Qu'aurait répondu Yza ?

– Elle aurait répondu que rien ne peut détruire l'espoir des hommes.

Les deux femmes assistèrent alors à un spectacle qui leur parut miraculeux : un rayon lumineux perça les nuages. Tout petit au début, le trou s'agrandit pour libérer la lumière, qui déchira d'un trait la couverture souillée du ciel. Les habitants de la cité sortirent aussitôt des maisons pour admirer la scène. L'incrédulité et le ravissement se mêlaient sur leurs visages. C'est dans un silence recueilli qu'ils regardèrent, pour la première fois depuis des années, le soleil se coucher et inonder le paysage de ses harmonies rougeoyantes.

– XL –

Quand Milirin découvrit enfin le roi, il crut qu'on l'avait attaqué avec une torche. La tunique brûlée lui fit craindre le pire. Il fut soulagé de sentir le cœur de Mélénor battre normalement. « Il est inconscient. »

Le chancelier appela aussitôt à l'aide. Il s'assura qu'on soulève le corps du roi avec délicatesse, car cette chute dans l'escalier l'inquiétait beaucoup.

– Où suis-je ? demanda Mélénor en se réveillant au contact de l'eau fraîche sur son front.

– Dans votre chambre, Votre Altesse. J'ai fait appeler le médecin, il ne devrait pas tarder.

Mélénor remua en grimaçant ; de toute évidence, son corps avait encore une fois tenu le coup. Qu'en était-il de son âme ? Il fut surpris de ne percevoir aucun vestige du voile rouge.

– Je ne veux pas de médecin. Apporte-moi une autre tunique et laisse-moi.

– Mais, mon maître, vous avez l'air si mal en point.

– Milirin, je t'en prie, fais ce que je te demande.

– Dites-moi au moins qui a osé vous attaquer ainsi ? s'offusqua le vieil homme. Dans l'enceinte du palais, alors que vous alliez désarmé et sans garde. Il faut arrêter ce sournois, ce vulgaire lâche.

– Laisse tomber, Milirin.

Sabbee mit fin à cette pénible argumentation en entrant dans la chambre.

– Mon chéri ! s'écria-t-elle, visiblement soulagée de trouver son époux conscient. Que t'est-il arrivé ?

Vaincu, Milirin s'éclipsa discrètement. Depuis un certain temps, Mélénor évitait de se retrouver seul à seul avec sa femme. La reine cachait mal le chagrin et l'amertume que lui causait la froideur de son époux, mais ses yeux étaient baignés de larmes sincères quand elle s'assit auprès de lui.

– Je suis là, mon amour. De grâce, explique-moi, demanda-t-elle en lui baisant le front.

– Ce n'est rien, un stupide accident.

Sabbee détourna le regard, essuya ses larmes et se leva brusquement.

– Puisque c'est ainsi...

Mélénor sentit son cœur se serrer. Il inspira l'air, libéré de toute puanteur sulfureuse.

– Non, Sabbee, reste. Reste avec moi, je t'en prie.

– Tu ne...

– Sabbee, j'ai besoin de toi !

La reine revint vers lui.

– Qu'est-ce qui se passe ?

– Viens auprès de moi, je voudrais tenir ta main.

Il y avait tellement de tendresse dans sa voix que la jeune femme ne résista pas davantage. Mélénor lui lissa les cheveux en détaillant son beau visage triste.

– Maintenant que le mal est fait, aussi bien qu'il te serve.

– Que dis-tu ? Je ne comprends pas, Mélénor.

Elle vit alors que son mari avait noué un ruban argenté autour de la masse blonde de sa chevelure.

– Comment te sens-tu maintenant ? lui demanda-t-il en caressant la lourde mèche d'un geste inquiet.

Sabbee se rendit compte qu'une parfaite sérénité avait gagné son âme. Elle ouvrit de grands yeux surpris.

– Je me sens bien. Comment dire ? En paix...

Mélénor soupira, mais il fut incapable de lui sourire.

– Je t'aime, Sabbee.

– Moi aussi, Mélénor. Je ne comprends pas pourquoi tu me fuis. Tu sembles si malheureux, et pourtant tu t'enfermes dans tes appartements et tu refuses de te confier à moi. Et voilà qu'on te trouve inconscient avec ta tunique toute...

Mélénor parla longuement. Il expliqua à Sabbee pourquoi il ne lui faisait plus l'amour. Retirant ses vêtements, il lui montra le dragon endormi sous le chêne moribond. Sa voix se brisa quand il en vint au récit de sa terrible rencontre avec Thelma.

– J'ai sacrifié ma fille pour récupérer ce ruban, dit-il d'une voix sinistre. Je le voulais pour toi, pour que tu cesses d'être triste, mais maintenant, je sais... Je n'avais pas le droit de priver Thelma de ce réconfort. Comme toujours, je n'ai pensé qu'à moi.

– Cela aurait été si simple de me parler, se désola Sabbee. Me crois-tu incapable de te comprendre ?

– J'ai craint que...

Pendant un moment, Mélénor crut que Sabbee allait sortir sans rien ajouter, mais elle se dirigea vers la fenêtre.

– Ce matin, dit-elle en changeant de propos, j'ai reçu un courrier en provenance des frontières : il y a eu quelques attaques. Verlon va bientôt reprendre l'offensive, je le sens, alors je pars demain. Viendras-tu avec moi ?

Mélénor avait oublié de compter les années qui s'étaient écoulées depuis qu'il avait eu quarante ans.

– Je me sens vieux et malade, mais je ne te laisserai pas seule devant notre ennemi.

Tout près de la fenêtre, profitant de la maigre lumière grisâtre qui défiait les nuages du mal, Sabbee triturait le ruban. Mélénor s'approcha.

– Tu ne pourras pas défaire ce nœud, il est magique.

– Je ne veux pas de ce ruban, déclara la jeune femme d'un ton cassant.

Mélénor reçut cette déclaration comme un coup de poignard ; en rejetant son présent, il comprenait que Sabbee le rejetait lui aussi. Meurtri, il se retourna et fixa le feu dans l'âtre.

– Tu me détestes maintenant.

– Comme tu peux être bête. Ah, les voilà !

Le roi fit volte-face pour voir ce qui provoquait chez sa femme une telle exclamation de triomphe : les ciseaux brillèrent un moment dans la lueur des flammes. Sabbee coupa ses cheveux juste au-dessus du ruban. Quand elle eut terminé, le nœud se détacha de lui-même et elle le brandit d'un geste victorieux. Les cheveux raccourcis, elle avait une allure moins éthérée, plus déterminée.

– Comprends-moi bien, Mélénor, dit-elle en le regardant avec insistance. J'étais malheureuse parce que je croyais que tu ne m'aimais plus et que tu n'avais plus de désir pour moi. Même si je suis triste de te savoir malade, je refuse de me laisser abattre. Nous devons rester forts. Ne vois-tu pas que c'est l'amour qui nous protège des effets maléfiques des nuages ?

La reine passa dans le dos de Mélénor et elle attacha solidement le ruban dans la tignasse de son mari.

– Il te servira plus qu'à moi. Nous avons une guerre à gagner, c'est notre mission, et la *marjh* a besoin de notre aide.

– Tu ne vas donc pas cesser de m'aimer ? demanda bêtement le roi, ému.

– Ne compte pas là-dessus pour te débarrasser de moi.

La souffrance quittait déjà le cœur de Mélénor. Sa conscience, toutefois, ne cessait de le tourmenter.

– Si tu étais Thelma, arriverais-tu à me pardonner ?

– Si j'étais toi, rétorqua la reine, je ne poserais pas la question de cette manière.

– Alors comment ? Je t'en prie, dis-le-moi.

– Si un jour tu revois ta fille, sauras-tu surmonter ta fierté pour lui demander pardon ?

Mélénor baissa la tête. Quand il la releva, sa voix était ferme et son regard, brillant.

– Si un jour je revois Thelma, quelle que soit ma souffrance, je lui rendrai son ruban et j'implorerai son pardon.

– Telle que tu me l'as décrite, elle te l'accordera, car ta fille a la générosité et le courage des princes.

– Tu te trompes, déclara Mélénor. Le courage de Thelma dépasse celui des princes.

– Pourquoi dis-tu cela ?

– Il m'a fallu trop de temps pour comprendre, cela me semble maintenant évident. Les princes, les rois, tous les chevaliers de ce monde sont décrits pour leur courage au combat, mais le véritable courage, celui qui anime l'âme des grands, c'est aussi celui qui m'a toujours manqué. C'est celui des petites batailles qu'on se livre à soi-même, jour après jour, pour dépasser sa médiocrité et donner librement son cœur. C'est celui qu'il faut trouver pour se laisser toucher par l'amour... sans armure.

– Les blessures de l'amour ne sont pas mortelles.

– L'absence de tendresse l'est, crois-moi.

Sabbee se réfugia dans ses bras. Ils demeurèrent enlacés jusqu'à ce qu'un rayon de soleil rose vienne illuminer leurs visages incrédules.

– La *marjh*... Hµrtö et grand-mère, ils ont réussi ; voilà pourquoi le *somahtys* a cessé de me hanter ; les porteurs des clés ont triomphé du mal !

– XLI –

Le conseiller de Verlon trépignait d'impatience.
« Pourquoi le maître refuse-t-il de m'ouvrir la porte des
ténèbres ? » Il lança encore une fois son appel insistant.
Quand le rectangle d'ombre apparut enfin devant Naq, le
monstre s'y engouffra en sachant qu'Artos serait furieux
contre lui pour son obstination.

Naq se retrouva devant une muraille de flammes qui
l'encercla d'un seul coup, lui interdisant toute fuite. Au-delà
du mur brûlant, il apercevait l'enceinte du temple, la fontaine
de sang et Artos, qui s'activait, penché sur ses livres, ses
miroirs magiques et ses pendules.

Sans même jeter un regard à son disciple, le maître
éleva contre lui la violence de toutes ses voix.

– Comment oses-tu ? Je t'ai pourtant prévenu : si je ne
te réponds pas, c'est que je ne veux pas te voir.

– Mais, maître, c'est impor...

– C'est moi qui décide de ce qui est important. Tu n'es
qu'un abruti ! Mon art exige la maîtrise parfaite de mes gestes

et de mes incantations, tu as failli tout compromettre avec tes interruptions gênantes.

– Maître ? insista le monstre.

– J'ai néanmoins réussi ! Je suis le plus grand sorcier de tous les temps ! Personne n'a jamais dominé la nature comme je viens de le faire. Maintenant, je vais m'occuper de toi et de ton châtiment.

– Je vous en prie, maître, écoutez-moi. Les nuages !

– XLII –

Atthal et les autres chefs de clan s'étaient réunis au centre de l'île, en plein cœur du chaudron des lunes. Les elfes se désespéraient du silence de leurs amis partis en mission. Misérables, ils regardaient le repas qu'ils avaient préparé avec soin tout en sachant qu'aucune magie ne viendrait le chercher. Le chef du Clan des rives insistait pour continuer de placer la nourriture à l'endroit prévu. « On ne sait jamais. »

Ils avaient allumé un grand feu avec l'intention de passer la nuit à discuter : fallait-il partir à la rescousse des maîtres et des autres membres de la *marjh* ou bien fallait-il rester dans l'île et attendre ? Bien entendu, les avis étaient partagés puisque aucune de ces solutions n'était la bonne. Khali, la grande femme responsable du Clan des sommets, tendit sa main puissante vers un plat de cailles grillées. « Au moins, on ne gaspillera pas ces oiseaux-là. » Elle poussa un cri quand ses doigts ressemblant à des serres se refermèrent sur le vide. Les uns après les autres, les plats disparurent. La clameur qui s'éleva du cercle argenté du chaudron des lunes suspendit un moment les bruits familiers des bêtes nocturnes.

— Ils sont vivants. Ils sont vivants, hurlèrent les elfes.

Quand les assiettes revinrent, Atthal laissa exploser sa joie. Leurs amis perdus leur avaient adressé un message rudimentaire mais clair. Utilisant les os minuscules des oiseaux et quelques autres vestiges de leur repas, ils avaient dessiné trois symboles. Le code avait été conçu par Hµrtö, et seuls quelques initiés pouvaient l'interpréter. Ainsi, même si le message tombait entre de mauvaises mains, il demeurait aussi indéchiffrable que le chant des cigales. Le seul fait d'avoir utilisé le code constituait un message ; ceux qui l'avaient envoyé se savaient à proximité de la zone de pouvoir d'Artos.

– Ils sont là-bas ! annonça Teyho, le chef du Clan des vallées.

La représentante du Clan des cavernes, Izolt, était reconnue pour être la plus savante d'entre eux ; elle décrypta rapidement les formes qui identifiaient les deux maîtres de magie et le jeune Leani. Atthal se rembrunit. « Où sont les autres ? »

– Où se trouve Cid, mon fils ?

Teyho baissa la tête, incapable de soutenir le regard inquiet de son ami.

– Cela signifie, expliqua-t-il néanmoins, que les membres de la communauté ont été séparés... en plein cœur de la Terre des Damnés !

Izolt était une femme toute menue. Elle grimpa sur une roche plate pour déposer un baiser compatissant sur la joue du grand chef des rives.

– Reste confiant, Atthal, lui dit-elle. Les maîtres sont vivants et ils sont très puissants. Ils vont retrouver Cid et les autres. Rien ne les empêchera de poursuivre leur mission.

Atthal se laissa gagner par l'optimisme de ses compagnons.

— Après tout, reconnut-il, il y a longtemps qu'on n'a pas eu d'aussi bonnes nouvelles.

L'homme-baleine se mit alors à taper dans ses mains, rythmant un pas de danse étrangement gracieux qui faisait onduler la masse énorme de son corps. C'est peut-être pour cette raison qu'ils tardèrent à comprendre que le sol tremblait. Vivant tout près du centre de la terre, la chef des cavernes fut la première à réagir. Elle bondit vers Atthal, et les chefs crurent qu'elle voulait danser, mais son visage studieux exprimait tellement d'effroi que les autres se figèrent.

— Izolt, qu'y a-t-il ?

— La terre a bougé... Regardez !

Dans les plateaux, les assiettes et les verres s'entrechoquaient. De façon incongrue, le son cristallin de la porcelaine rappelait l'atmosphère frivole des grands dîners. Les elfes des cavernes ne se pressaient jamais ; Izolt s'élança pourtant hors du cercle lumineux du feu de braises.

— Il faut faire évacuer les cavernes, s'écria-t-elle. Vite, les voûtes vont s'effondrer.

Comme pour appuyer la sombre prédiction d'Izolt, le tremblement s'intensifia. Se répercutant contre les flancs des montagnes qui encerclaient l'île, un grondement sourd et puissant explosa dans la nuit. Atthal vit Izolt tomber à genoux, et là, juste devant elle, le sol argenté du chaudron des lunes s'ouvrit comme une large gueule et vomit une spectaculaire flaque de lave incandescente. Malgré les cris de protestation de la chef des cavernes, Khali la souleva dans ses bras pour l'éloigner du jet rougeoyant qui s'élevait de plus en plus haut dans le ciel.

— Izolt, calme-toi ! ordonna Khali. Nous ne pouvons plus passer par là.

— Mes gens... il faut les secourir.

— C'est ce que nous allons faire, intervint Atthal, tu sais bien que nous ne les abandonnerons pas.

Le sol trembla encore puis des éclairs zébrèrent la nuit. Le tonnerre déchira le silence et une pluie torrentielle s'abattit sur l'île. Dès lors, le chef du Clan des rives sut que le moment était venu. Il donna des ordres brefs qui meurtrirent le cœur de ses amis ; ils avaient tous espéré éviter d'en arriver là. Izolt courut avec les autres, ses larmes se mêlant à la pluie qui l'aveuglait. Pendant que les adultes du Clan des magiciens utilisaient leurs pouvoirs pour rassembler rapidement les habitants des autres familles, Teyho et les chefs regroupés organisèrent le sauvetage des elfes-philosophes ; leur village souterrain allait bientôt se transformer en un gigantesque tombeau.

Au matin, ils avaient réussi à évacuer tout le monde, y compris les blessés, qui furent pris en charge par les rebelles. Grâce à l'action diligente de tous, personne n'avait péri durant l'effroyable nuit, mais l'irremplaçable richesse du peuple des cavernes avait été emportée dans l'incendie qui avait ravagé sa merveilleuse bibliothèque. Les uns après les autres, les villages disparaissaient, dévastés par le feu, le vent ou la terre. L'île se retournait comme un gant, alors qu'un immense volcan se formait au centre des massifs. Bientôt, l'Île-aux-Tortues allait sombrer et, pour la première fois de sa vie, Atthal craignait la mer. Le grand chef des rives surveillait l'embarquement en priant pour qu'ils soient tous déjà loin quand l'océan engloutirait ce monde qui avait été leur dernier refuge contre le mal.

– XLIII –

Sous la torture, sentant qu'on lui broyait les os, qu'on faisait éclater ses viscères, Naq réussit tout de même à crier.

– Il y a des trous dans les nuages. Le soleil brille sur le continent.

Les flammes se dissipèrent, mais pas la douleur qu'Artos lui infligeait. Étendu sur le sol, le monstre voyait les arches finement sculptées des voûtes du temple et, sur cette étrange toile de fond, les yeux rouges du loup-serpent qui le dévisageaient cruellement.

– Tu mens ! hurla Le Cobra.

Naq remua, étonné de sentir son corps intact. La douleur le fit se tordre sur le marbre glacé. Le monstre désira mourir et, pour cela, il choisit de vivre. « Un jour, je te tuerai, maître. »

– Allez vérifier vous-même. Vos ennemis festoient, ils croient que les mages blancs vous ont vaincu.

– C'est faux ! s'obstina Artos.

– La vérité, c'est que vous avez perdu ; Korza s'est rendormie.

La souffrance cessa d'un seul coup. Naq se releva aussitôt, prêt à affronter son bourreau, mais ce dernier lui tournait le dos.

– Viens ! ordonnèrent les voix du seigneur noir.

Une porte des ténèbres se dessina sur un mur de pierres millénaires. Déjà, Le Cobra y disparaissait. Naq le suivit et se retrouva au sommet du gouffre de Korza, observant Artos, qui flottait au-dessus de la bouche éteinte du volcan.

– Tu as tort, Naq. Korza n'est qu'assoupie. Crois-moi, elle n'osera plus jamais me trahir.

Le mage noir dirigea ses paumes vers le trou stagnant. Intérieurement, il se blâmait d'avoir négligé la déesse. Une intense lumière violacée jaillit de ses mains tendues et une plainte inhumaine s'éleva du cratère. Une relation ambivalente unissait la pierre et Le Cobra. Korza devait admettre que sa libération dépendait du sorcier, toutefois elle ne tolérait pas la domination qu'il prétendait exercer sur elle. Frustrée que son libérateur tarde à l'extraire du gouffre, consciente que, depuis longtemps, il oubliait de lui procurer la maigre consolation de ses poudres et de ses potions, elle avait choisi de protester en retenant ses miasmes. Elle voulait lui faire payer sa nonchalance en l'humiliant devant ses ennemis.

Après quelques vaines tentatives, Artos redoubla ses efforts et parvint à extirper de la déesse quelques vapeurs sales et denses qui s'enroulèrent autour du sorcier. Il les huma avec délice, puis attira vers lui les trois récipients encore intacts. Le métal, le marbre et la glace noire avaient résisté à la chute, mais les objets qui avaient alimenté le *somahtys* dirigé contre les souverains de Gohtes avaient disparu, annulant les effets de l'envoûtement. « Dommage. Espérons que les nuages suffiront à pervertir ceux-là. » Le seigneur des ténèbres fit ensuite signe à Naq de le rejoindre. Le monstre détestait marcher dans le vide, mais il obéit, imperturbable et froid. Artos fit apparaître une petite bourse de peau.

— Donne-moi un coup de main.

Naq jeta la poudre noire dans le gouffre en observant prudemment le loup-serpent. « Voilà qui est très instructif. »

Tout en forçant la pierre du mal à sortir de sa léthargie, Naq pensait à ce qui venait de se produire. Son maître s'était révélé très décevant : en se concentrant sur la destruction de l'île des elfes, il avait oublié tout le reste, il s'était montré émotif, imprévisible et, maintenant, il surestimait le pouvoir de sujétion qu'il avait sur son conseiller.

— Tu sembles bien songeur, dit Artos en se matérialisant si près de Naq qu'il le fit sursauter. Dis-moi à quoi tu penses.

Le sorcier ne prit même pas la peine de nuancer la menace qui siffla entre ses lèvres comme le bout de sa langue fourchue. Naq libéra une pincée de poudre noire et le regarda droit dans les yeux.

— Je me disais que la fête était finie pour nos ennemis.

Artos fit un geste nonchalant et Naq sentit le vide sous ses pieds. Sa chute s'arrêta brusquement, lui faisant chavirer l'estomac. Les voix d'Artos lui parvinrent très distinctement, malgré le nouveau hurlement qu'il arrachait à la pierre suppliciée.

– Je l'espère bien. Il est temps que tu t'y mettes sérieusement, Naq. Je veux une vraie guerre, cette fois..., une montagne de cadavres, un fleuve de sang. Est-ce que je me fais bien comprendre ?

– Oui, maître.

– Bon, finis-en avec cette poudre. Je veux assister à l'effondrement de l'île des descendants des sphinx.

– XLIV –

Damyen avait écouté le conseil de sa mère, Swali ; il était retourné dans les ruelles et avait discrètement suivi Amleht. Quand elle avait franchi l'imposante porte du palais de Celtoria, il avait décidé de l'attendre. « Son père doit travailler au château. » Le temps passa et le jeune homme commença à s'inquiéter. Amleht allait-elle disparaître sans même lui dire adieu ? L'âme troublée, il se souvenait des baisers et des caresses qu'ils avaient échangés. « Elle n'aurait pas agi ainsi si elle n'avait pas eu de sentiments pour moi. »

De plus en plus anxieux, il finit par entrer dans le hall richement décoré. Se souvenant que le père de la jeune fille avait été écuyer à Döv Marez, il s'approcha d'un garde pour lui demander le chemin des écuries.

– Pour vous y rendre, expliqua le soldat, vous ne pouvez pas traverser le palais, mais si vous devez vraiment y aller, faites le tour des remparts ; il y a un accès du côté de la mer.

Damyen remercia le soldat puis il se dirigea vers la plage. Le vent froid lui fouettait le visage tandis qu'il avançait sur les berges désertes. C'est ainsi qu'il la découvrit, seule, de l'eau jusqu'à la taille, affrontant les flots gris. Damyen cria.

– Amleht, non !

Il courut jusqu'à elle, luttant contre la morsure des vagues glacées. Amleht ne bougeait pas ; elle contemplait l'horizon qui se fondait dans l'humeur sombre de la mer. Quand il la rejoignit enfin, il ne dit pas un mot, se contentant de la prendre par les épaules; elle marmonnait, comme en transe.

– Je ne pleurerai pas, je ne pleurerai pas.

– Je suis là, ma chérie.

Damyen essuya les grosses larmes qui se figeaient sur les joues gelées d'Amleht.

– Viens, tu ne dois pas rester ici.

– Je ne pleurerai pas, je ne pleurerai pas, répétait inlassablement la jeune femme.

Elle leva son bras droit pour désigner les profondeurs marines qui semblaient l'appeler. Horrifié, Damyen découvrit le poignet tranché de son amie.

– Oh ! Ta main... Amleht, qu'est-il arrivé à ta main ?

– Je ne pleurerai pas.

Le jeune homme souleva Thelma dans ses bras et l'entraîna sur la plage. Il retira son manteau pour envelopper le corps frissonnant de la jeune fille.

– Je ne te laisserai pas mourir... ni de froid ni de chagrin.

Thelma sembla enfin le voir.

– Damyen ? Pourquoi pleures-tu ? demanda-t-elle d'une voix tendre.

– Parce que tu pleures, Amleht !

– Mais non, voyons, protesta la jeune femme, je ne pleure jamais.

Elle leva pourtant sa main gauche vers sa joue, qu'elle essuya machinalement.

– Je vais rejoindre Volda. Ma tante a de la peine, je dois la consoler.

Elle fit un pas pour retourner vers la mer, mais Damyen la souleva d'un geste autoritaire puis la porta en courant jusqu'à la caravane de ses parents.

✧

Thelma délirait tandis que Damyen la veillait, conscient que la fièvre pouvait l'emporter.

– Elle ne va pas mourir, n'est-ce pas ? Maman, dis-moi qu'elle va s'en sortir.

– C'est une fille solide et nous la soignons bien, alors...

✧

Insensible aux tourments que son état provoquait, Thelma rêvait. Danze, la grande prêtresse Nagù, lui parlait doucement.

– Je ne pouvais pas te laisser faire, Thelma. Je t'ai envoyé Damyen parce que ton destin est grand, aussi grand que ton désespoir.

– Je ne peux même plus broder, se désolait la princesse.

Les yeux argentés du sphinx étincelaient comme ceux de la belle et gracieuse créature qui vivait sur le ventre de Thelma.

– Tu n'entends pas ce que je te dis, jeune fille ; tu as un destin à accomplir et ce n'est pas en maniant une aiguille que tu vas t'acquitter de ta tâche.

– Je suis trop lasse. Et puis le roi me l'a déjà dit, je ne suis bonne à rien. Je ne suis que la meilleure des médiocres.

– C'est vraiment ce que tu penses de toi ?

– Je ne dois pas avoir beaucoup de valeur puisque mes parents eux-mêmes ne m'ont pas aimée.

– Mauvaise déduction, Thelma ; leur indifférence était aussi le meilleur moyen de te conduire sur ta propre voie. Tu es libre.

– Je me sens si vide, si inutile.

– Tu vas guérir. Pour cela, tu dois trouver la contrée des sages. L'esprit du château des miroirs est là-bas, il t'attend.

– Où est-ce ? demandait Thelma dans son rêve.

– Aux confins de Syl op Gard.

– La Forêt des Fantômes ! Je dois aller là où vivent les ombres ?

– *Rien ne sera accompli avant ton retour.*

– Comment irai-je ?

– *La licorne te guidera.*

– Et si je me perds ?

– *Tu ne seras jamais perdue, ma fille, puisque tu possèdes mon livre ; toute ma sagesse s'y trouve.*

– Les pages sont vierges... J'ignore comment me servir de ce livre.

– *C'est parce que tu n'as pas essayé.*

– Reviendrez-vous me voir ? s'inquiétait Thelma en contemplant le visage fascinant de Danze.

– *Je crains que ce ne soit pas possible, Thelma. La mort est jalouse, elle ne me libère pas facilement de son emprise.*

– Mais nous, les hommes, les elfes, nous avons besoin de votre puissance. Artos et sa magie noire nous menacent.

– *Mon règne est terminé, princesse. Les elfes et les hommes ont désormais tous les pouvoirs ; s'ils le désirent, ils peuvent même détruire leur propre monde. Espère avec moi que la sagesse leur viendra bientôt, car il existe des forces que même Artos ne peut pas vaincre.*

Dans le songe brumeux de Thelma, Danze levait sa large patte blonde et l'appuyait sur le front brûlant de la princesse.

– *J'ai confiance en ces forces.*

– Quelles sont-elles ?

Les images du rêve s'estompaient. Danze se penchait et soufflait sur la joue de la jeune fille. Tendrement, elle y déposait un baiser.

– *Cherche dans ton cœur, dit le sphinx, elles y sont toutes.*

✧

Tout d'un coup, la fièvre tomba, laissant la jeune fille complètement épuisée. Quand elle fut un peu plus forte, Thelma s'assit sur sa couchette et demanda à Damyen de l'écouter.

– Je vais te dire toute la vérité : qui je suis vraiment, pourquoi je suis venue ici et ce que j'ai vécu avant de te connaître. Après cela, tu ne voudras plus de moi.

– Je t'interdis de dire cela. Amleht, rien ne...

– Thelma, je m'appelle Thelma. Et attends avant de prononcer des paroles que tu regretteras forcément. Tu vas peut-être penser que je suis folle ou que je mens ; pire, tu vas me croire et tu vas vouloir m'aider. Je te remercie de m'avoir secourue. À partir de maintenant, je te préviens que je ne te laisserai plus intervenir dans mon destin.

Elle commença par ses origines et sa race, lui expliquant la nature des sphinx que Swali avait découverts sur son corps. Elle lui parla de sa vie et de son enfance solitaire. Elle lui décrivit ses dons, ce qui permit à Damyen de comprendre pourquoi elle n'était pas morte, vidée de son sang, quand sa main avait été arrachée. Thelma enchaîna avec le récit des événements qui avaient précédé son exil puis elle termina en racontant comment Mélénor l'avait abandonnée. Quand elle se tut, elle se rendit compte que le chariot qui abritait sa couchette était en marche.

– Où allons-nous ? demanda-t-elle, interdite.

– Dans le Môjar, expliqua Damyen. Les attaques ont repris aux frontières, la guerre est imminente et mon père préfère ne pas se trouver là quand les troupes de Verlon vont débarquer. De toute manière, il avait prévu aller chercher de la soie à Oz'Steyfia.

– Tu sais que je ne pourrai pas rester avec toi.

– Je sais, dit le jeune homme en baissant les yeux, une princesse n'épousera jamais un simple fils de marchand.

– Ne dis pas de sottises. Je dois partir et cela n'a rien à voir avec qui tu es.

– Quand nous quitteras-tu ?

– Je ne peux plus broder, alors...

– Tu sais très bien que mes parents t'aiment comme leur propre fille, s'exclama Damyen. Tu leur ferais de la peine s'ils t'entendaient.

– Alors j'irai avec vous jusqu'à Oz'Steyfia.

La tristesse de Damyen faisait souffrir Thelma.

– Je sais que c'est difficile à comprendre, Damyen, mais je veux que tu saches que je t'aime et que je vais t'aimer même quand nous serons séparés.

– Reviendras-tu ? Puis-je t'attendre ? supplia-t-il, les yeux brillants.

– Il est inutile de m'attendre puisque, à mon retour, je ne serai plus la même.

– Je ne comprends pas ce que tu dis.

– Je sais, répondit-elle en lui caressant la main.

Il lui apporta du pain et un peu de bouillon tiédi, qu'elle but très lentement. Damyen s'assit auprès d'elle.

– Quand je t'ai trouvée dans la mer, tu pleurais et en même temps tu disais...

– Oui, je sais !

– « Je ne pleurerai pas. »

– Je ne pleurerai pas.

– Pourquoi ?

– La reine ne supportait pas de me voir pleurer, expliqua Thelma, le roi non plus d'ailleurs.

– Et alors ?

– Je voulais qu'ils m'aiment ; je voulais qu'ils soient fiers de moi, et pleurer c'était comme trahir leur confiance.

– Mais maintenant, ils ne sont plus là.

– Tu as tort, Damyen. Ils sont toujours là, déclara Thelma en posant sa main gauche sur son cœur. Ils y seront toujours.

Damyen la regarda, incrédule.

– Ces êtres insensibles t'ont fait tant de mal. Ils ne méritent pas que tu...

Thelma se leva en entendant le cri émerveillé de Swali. La jeune fille repoussa la toile qui servait de porte au chariot. En dépit de sa faiblesse, elle sauta sur la route pour mieux voir le ciel. Les nuages se déchiraient en lambeaux paresseux et des rayons orangés les traversaient, chauffant doucement les visages qui se tendaient vers leur tendre lumière.

Damyen appuya sa poitrine contre le dos de Thelma puis il referma ses bras sur elle. Fazer et Swali s'installèrent à côté d'eux dans la même position recueillie. Thelma les regarda, le cœur gonflé d'affection.

– Damyen ? murmura-t-elle.

– Oui ?

– Crois-tu vraiment que tu pourrais, un jour, cesser de les aimer ?

– Mon père ? Ma mère ? s'étonna le jeune homme.

– Oui ! Pourrais-tu les haïr ?

– Ce n'est pas pareil, ils...

Thelma se tourna vers lui et l'interrompit en couvrant ses lèvres de l'index de son unique main.

– Écoute-moi, mon ami, mon frère, mon amour. Je suis une princesse vagabonde, mon royaume n'est nulle part ; pour tout trésor, j'ai reçu l'indifférence et l'humiliation. Mon enfance est une misère, mon avenir, une chimère ; et pourtant, moi, Thelma de Gohtes, moi l'héritière des silences, j'en fais le serment... je ne pleurerai pas, je ne pleurerai plus !

Ayant épuisé toutes ses forces, Thelma s'effondra, évanouie. À cet instant, le livre de Danze glissa de sa ceinture et s'ouvrit furieusement. Une page immaculée se couvrit de cursives scintillantes. Indifférent à cette manifestation occulte, Damyen souleva sa belle et la conduisit dans le chariot, tandis que son père ramassait le curieux bouquin. Incapable d'interpréter les caractères anciens, il feuilleta les pages : sur chacune d'elles, le même message énigmatique se répétait. Fazer fut saisi d'un frisson superstitieux. Il regarda son épouse, que les rayons du soleil si longtemps voilés nimbaient d'une auréole évanescente.

– Par tous les esprits, que signifie cette sorcellerie ?

Aux confins de la Terre des Damnés, dans un des multiples temples de la Cité des sphinx, une fresque enchantée s'éveilla sur les mêmes phrases séculaires. Comme dans le livre de Danze, elles apparurent puis, en alternance, le mur livra leur traduction dans chacun des dialectes parlés par les elfes et les hommes. La prophétie avait cessé d'appartenir au futur et se révélait dans la solitude des lieux qui l'avaient vu naître.

Les siècles s'accumuleront sur les générations des descendants des Ejbälas. Dans son cachot, la pierre se réveillera pour la seconde fois. Assoiffée de haine, elle répandra sur le continent les affres du mal suprême. Toutefois, le jour même, une arme sera donnée au monde : elle sera forgée dans la douleur, trempée dans la déception mais sertie de courage, son tranchant patiemment affûté pendant le nombre d'années qu'il faut à un fils pour devenir aussi fort que son père.

Les guerres et la trahison fleuriront, portant les fruits pourris du chaos. Jetés à bas de leur nid, les héritiers des sphinx retourneront vers leur berceau autrefois souillé par L'Autre.

La marjh deviendra quatre et le destin des pensants vacillera au bord de l'abîme. Libérés du somahtys, les rois bienveillants affronteront les créatures dénaturées de l'ennemi et un peuple se lèvera sous la gouverne d'un nouveau chef.

Tyr op Komme verra se dérouler deux guerres : la fastueuse des petits pouvoirs et la sobre des pouvoirs extrêmes. L'innocent pourrait sauver le sage, l'opprimé défier le tyran, la ruse déjouer les plans. Nul ne sait ce qu'il adviendra des races pensantes puisqu'elles ont transgressé les lois naturelles de la survie des espèces, réinventant les usages de la force, de la célérité et de la dissimulation. Ces races arrogantes survivent grâce à des armes nouvelles nommées : domination, dilapidation, saccage mais également solidarité, bravoure, abnégation.

La déesse de cristal assistera à l'affrontement ultime, elle s'en nourrira ou y trouvera la source de son trépas, le jour où les filles se battront auprès de leur père et les fils auprès de leur mère, unis dans un même combat plutôt que dressés les uns contre les autres.